다시 생각해보는 예술

학연문화사

다시 생각해보는 예술

2021년 3월 31일 초판 1쇄 발행
2021년 12월 15일 초판 2쇄 발행

지은이 김광명

펴낸이 권혁재

편   집 권이지

제   작 성광인쇄

펴낸곳 학연문화사
등   록 1988년 2월 26일 제2-501호
주   소 서울시 금천구 가산디지털1로 16 가산2차SKV1AP타워 1415호
전   화 02-6223-2301
팩   스 02-6223-2303
E-mail hak7891@chol.net

ISBN 978-89-5508-434-4 93600

다시 생각해보는 예술

김광명 지음

학연문화사

목　차

책 머리에

'다시 생각해보는 예술'에서 생각은 삶과 연관된 여러 대상과 의식에 대한 미적 접근이다. 고대나 전통사회에서 우리가 보아왔던 예술은 '예술을 위한 예술'이라기보다는 '삶을 위한 예술'이었다.[1] 삶을 위한 과정에 예술 행위와 현상이 집중된 모습이었다. 예술과 삶이 맺고 있는 관계는 매우 미묘하지만, 중요한 점은 둘이 아니라 하나로 통합되어 있음을 알 수 있거니와 이는 오늘날에도 여전히 유효하다. 필자는『삶의 해석과 미학』(문화사랑, 1996)을 내놓은 이후 여러 권의 저술을 출간하고 또한 글을 쓰면서 예술에서의 삶의 문제, 예술에서의 삶과 시공간, 삶을 위한 예술의 의미에 대해 여러 모로 천착해 왔다.

이번에『다시 생각해보는 예술』을 상재하며 생각을 해보니 그 끝이 어디인지 아직도 암중모색의 처지임을 고백하지 않을 수 없다. 일례로 1965년에 창립된 미국의 국립예술기금위원회National Endowment for the Arts는 모든 국민이 예술을 통해 개인의 삶과 공동의 삶을 더 의미 있게 만들 수 있도록 지원하는 것을 목표로 하며 다양한 창작프로그램과 예술교육정책을 시행하고 있다. 물론 이는 하나의 예시이긴 하나, 예술은 '개인의 삶과 공동의

---

[1] Ellen Dissanayake, *Homo Aestheticus*, The Free Press, 1992. 엘렌 디사나야케,『미학적 인간 호모 에스테티쿠스』, 김한영 역, 예담, 2009, 395쪽.

삶'을 위한 의미를 지녀야 하며, 궁극적으로 그것은 보다 더 나은 삶의 질로 환원되어야 함을 알 수 있다. 굳이 이런 예를 들지 않더라도 예술에 대한 생각은 삶을 위한 여러 생각으로 수렴된다. 더욱이 예술에서의 즐거움은 개인의 차원을 넘어 공공의 즐거움이기 때문이다.

책의 구성은 '생각'의 의미를 되새겨보는 것으로부터 시작한다. '생각'의 출발은 작품의 의미와 해석에 대한 것이며, '생각'은 일상의 삶과 일상미학을 다루면서 심화된다. 특히 우리 한국인이 일상생활을 하며 보이는 성정性情은 그대로 미의식에 나타난다. 이것은 예술과 불가분의 관계에 놓이며 그 바탕은 단순성에 대한 동경이요, 자연과의 친화적 관계이다. 여러 단순성이 결합하여 복잡성을 이루는 만큼, 복잡성의 이면에는 단순성이 자리하고 있다. 이는 자연의 섭리나 순리와도 만나는 이치이다.

우리는 불확실성과 불연속성의 시대에 살고 있다. 과학은 경험적 지식을 토대로 불확실성을 덜어내야 하지만, 과학이 만들어내는 모든 예측이 본질적으로 확실한 어떤 것을 담보하는 것은 아니다. 그럼에도 우리는 다가올 미래를 예상하며 낙관하고 희망을 가져보려 노력한다. 희망과 절망 사이에 고뇌했던 많은 예술가와 과학자들을 볼 수 있다. 근본적으로 불확실성의 근원은 인간의 본질문제와도 연관된다. 우리의 미적 상상력을 발휘하고 생각의 폭을 넓혀 문제해결에 다가설 수 있을 것으로 기대한다. 또한 우리는 예술을 통해 절대자의 구원을 모색하며 마음의 평온과 치유를 갈망한다.[2] 이런 맥락에서도 예술과 과학의 배타적이 아닌, 상호연관성에 대한 성찰이

---

2 박주용, 「예술과 과학이 인류를 구원할 것인가」, 경향신문, 2021.01.07.

새삼 필요하다.

저술의 후반부에서 필자는 구체적인 작품에 대한 여러 생각을 풀어내고 있다. 논의의 주제를 따라가 보면, '소통을 위한 생각', '생명에 대한 생각과 깨달음', '시간에 대한 창조적 접근', '존재에 대한 물음과 생각', '상황의 구성과 해체', '자연에 내재된 의미와 놀이', '아름다움의 변용과 재구성'이다. 이 모든 주제는 마지막 장인 '삶을 바라보는 눈과 생각'으로 귀결된다.

특히 삶의 터와 커켜이 쌓인 지층은 우리 삶의 보이지 않은 이야기를 함축하고 있다. 예술은 가능성의 세계이며, 이 가능성은 우리 안에 내재되어 있다. 내재된 가능성을 밖으로 끌어내는 작업이 예술에 부관된 과제이다. 저마다 의미 있는 가능성을 펼쳐 우리의 삶을 보다 더 높은 차원으로 고양시키길 바라마지 않는다. 필자가 갖고 있는 예술에 대한 생각을 주입하여 작품을 해석하고 의미를 찾기 보다는 작가와 작품이 함축하고 있는 여러 생각의 갈래를 열린 자세에서 끌어내보려고 애썼음을 밝힌다. 이러한 일련의 노력이 작가에겐 새로운 창작으로, 감상자나 관람객에겐 추체험의 계기로 다가가길 기대한다. 이는 작품을 이해하고 해석하는 필자의 기본적인 학문 태도이기도 하다.

이번 저술 작업에서 필자의 미학적 고뇌와 예술철학적 여정에 참여해주신 많은 작가 분들에게 감사의 마음을 표한다. 또한 여러 해에 걸쳐 필자에게 발표의 지면을 허락한 미술비평전문지인 계간 『미술과 비평』의 관계자 여러분에게 감사의 마음을 표한다. 나아가 이 자리를 빌려 구태여 언급하지 않더라도 여러 사정으로 더욱 어려워진 국내의 출판사정에도 불구하고 변함없이 필자의 원고를 기다리며 격려하고 응원해주신 학연문화사의 권혁재 사장님께 감사의 마음을 전한다. 권 사장님은 한국학술출판협회장과 한국출판협동조합 이사장을 맡으며 출판문화의 활성화에 크게 기여하신 분이다. 그리고 애써 편집의 노고를 아끼지 않은 편집부의 권이지 선생을 비롯하여 여러 분들께도 감사의 마음을 전한다. 필자로 하여금 늘 '생각하는 사람'이 되도록 일깨워주신 나의 부모님께, 존경과 사랑의 마음을 다하여 이 책을 바친다.

2021년 신축년 정월에
김 광 명

1장
다시 생각해보는 '생각'에 대하여

1. 생각한다는 것의 의미

　예술이란 우리를 성찰하게 하며, 어떤 생각을 자아내기도 하고, 또 다른 생각에 빠져들게도 한다. 나아가 이리저리 생각을 옮겨 전혀 새로운 기묘함을 얻기도 한다.[1] 도대체 '생각'이란 무엇인가를 우리는 묻게 된다. 사전적으로 보면, '생각'은 어떤 문제를 풀거나 결론을 얻기 위해 행하는 모든 관념의 과정, 혹은 어떤 목표에 이르는 방법을 찾으려고 하는 정신 활동이다.[2] 무엇에 대한 지각이나 기억만으로는 충분하지 않은 경우에, 어떻게 이해하고 또 행동해야 할 것인가를 헤아리는 활동이다. 생각이란 한자어로 '날 생生'에 '깨달을 각覺'으로 흔히 쓰지만 순우리말이다. 여기에서 의미가 더 확장되어 다른 사람이나 대상 혹은 일에 대해 마음을 쓰고 배려하는 행위에까지 미친다. 주로 언어를 통해 의사소통을 하는 까닭에 생각이 언어로 이루어지는 것이라고 받아들이기 쉽지만 때때로 언어가 아닌 다른 도구나 수단을 빌려 생각하는 경우도 더러 있다. 어떻든 생각한다는 것의 시작은 어떤 느낌이나 감각이더라도 최종적으로는 이성을 가지고 어떤 문제를 짐작하여 가늠한다는 뜻이다.

　외국어 가운데 영어 'think'의 경우를 보면, 무엇에 대한 어떤 관념이나 의

1　중국 육조시대 동진의 고개지(顧愷之, 344~406 경)는 중국 미술의 기틀을 닦아 놓은 위대한 화가이며 회화이론가로 알려져 있다. 그의 화론을 대표하는 명제는 이형사신(以形寫神), 전신사조(傳神寫照), 천상묘득(遷想妙得)인 바, 그 가운데 '천상묘득(遷想妙得)'은 '생각을 옮겨 묘함을 얻는 것'으로 미적 대상의 오묘함을 취하기 위해 묘사 대상의 외형을 변형함을 뜻한다.
2　생각은 본래 한자어가 아닌 낱말이지만 '生覺'으로 그 음을 비슷하게 나는 한자로 적은 것이다. 즉, 본래의 뜻이나 철자는 고려하지 아니하고 그 음만 취한 취음(取音)인 것이다.

건을 갖는 것, 숙고하기 위해 또는 어떤 문제를 풀기 위해 마음을 쓰는 것, 상상하는 것, 의도하거나 기대하는 것, 상기하는 것 등에 두루 해당되는 말이다. 우리말 '생각하다'의 경우, 여기거나 대하다, 헤아리거나 고려하다, 무엇을 상기하거나 그리워하다, 곰곰이 더듬어보거나 돌이켜보다, 머리에 떠올리다, 염두에 두다, 바라거나 예상하다, 논리적으로 궁리하다, 기준을 따져서 판단하다, 어떤 일에 뜻을 두거나 힘을 쓰다, 염려하여 배려하다, 너그럽게 봐주다, 작정하여 마음먹다, 가정하거나 상상하다 등 참으로 비슷하면서도 미묘한 어감의 차이가 있는 여러 뜻을 함축한다. '생각'이란 '사물을 헤아리고 판단하는 작용'이거나 '어떤 사람이나 일 따위에 대한 기억' 혹은 '어떤 일을 하고 싶어 하거나 관심을 갖는 것'이다. 사유思惟란 '대상을 두루 생각하는 일'이며, '개념, 구성, 판단, 추리 따위를 행하는 인간의 이성 작용'이다.[3] 생각이라는 것이, 영어에서든 우리말에서든, 마음이 행하거나 미치는 작용 또는 마음의 쓰임과 연관된 것들을 널리 가리키는 데 사용되고 있음을 우리는 알 수 있다. 따라서 '다시 생각하는 것'은 앞서 언급한 뜻이나 내용을 담아 다시금 되풀이하거나 새로이 고쳐 곰곰이 생각해보는 것이다.

최근에는 생각하는 행위를 과학적으로 분석해보려는 시도가 많이 이루어지고 있다. 아마도 우주에서 가장 복잡한 것은 인간의 뇌일 것이다. 뇌의 뉴런을 통해 형성되는 기억과 생각은 유전자보다 훨씬 더 다양하다고 한다.[4] 뇌과학에서는 뇌의 기능과 구조에 대한 연구를 통해 인간의 지적 능력이 지닌 가능성과 한계에 대해 탐색한다. 뇌과학에서는 사람의 대뇌에서

---

3   국립국어연구원 편, 『표준국어대사전』(동아출판, 1999) 참고.

4   Martin Rees, *On the Future: Prospects for Humanity*, Princeton University Press, 2018. 마틴 리스, 『온 더 퓨처. 기후변화, 생명공학, 인공지능. 우주연구는 인류미래를 어떻게 바꾸는가』, 이한음 역, 도서출판 길벗, 2019, 222쪽.

이성적인 생각을 다루는 부분으로 운동언어 영역과 감각언어 영역을 보고 있으며, 언어를 사용함으로써 사람이 생각할 수 있게 되었다고 본다. 한편 신경학적인 관점에서 보면, 생각은 신체 안의 각 기관 간의 상호 피드백과 신체 외부의 환경을 연결짓는 활동이다. 이러한 연관은 신체 안의 환경에 구조적인 흔적을 남김으로써 기록된다. 하루에도 우리는 수많은 생각을 하며 산다. 의식적으로 생각하는 것들도 있고, 자신의 의도와 상관없이 자연스럽게 떠오르는 생각들도 있을 것이다. 평범한 하루 일상을 보내는 성인들의 경우, 하루에 평균 6000번 이상의 생각을 하는 것으로 추정된다. 캐나다 퀸스대학 심리학자들은 사람이 하나의 생각을 끝내고 다른 생각을 할 때를 가려내는 새로운 방법을 개발해, 1분당 평균 6.5번 정도의 생각 전환이 이뤄진다는 사실을 밝혔다. 하루 수면시간을 대략 8시간으로 전제하고 남은 시간을 계산해보면 하루 평균 6200번의 생각이 뇌에서 일어나는 것으로 추정된다.[5] 참고할만한 유의미한 실험자료인 것으로 보인다.

육체나 물질에 대립되는 영혼이나 마음으로서의 정신에서 생각의 기능은 매우 중요한 역할을 한다. 정신은 사물을 지각하고 판단하는 작용을 한다. 생각은 정신에서 판단기능을 하므로 정신적 작용이나 행동하는 움직임의 모든 것을 결정하는 역할을 한다. 인간은 행동하기 전에 생각하고, 그 생각한 바를 실제의 행동으로 옮길 수 있다. 생각은 어떤 결론을 얻으려는 관념의 과정으로서, 일정한 목표에 이르는 방법을 찾으려는 정신활동이다. 생각하고 궁리하는 사고思考란 사물을 식별하고 판단하는 작용을 한다. 여러 관념을 결합시켜 일반 개념 또는 문제해결에 도달한다. 말하자면 주어진 관념내용을 그 고유의 법칙에 따라 연관시키고 사물을 이해한다. 사고

---

5 한겨레, 2020-07-22, 캐나다 퀸스대 연구진, 새로운 뇌 활동 분석법 개발.

는 둘 또는 그 이상의 관념 사이에 올바른 연결이 있는가에 대해 판단한다. 정신기능으로서의 사고란 판단작용을 수반하고 독자적인 법칙에 따라 이를 연관시켜주는 역할을 한다. 이런 사고는 그 특성과 함께 다양한 기능을 한다. 생각하는 작용으로서의 '사고思考'에 대해 표상된 내용을 '사상思想'이라고 하며, 이것은 그때그때 생각하고 사고한 내용이 아니라 판단과 추리의 과정을 거친 통일된 의식 내용을 의미한다. 이는 판단 이전의 단순한 직관에 그치지 않고 직관한 내용에 논리적 반성을 더하여 이룩된 사고의 결과, 즉 사고 내용을 가리킨다. 다시 말하면, 논리적 정합성을 지니고 통일된 판단체계를 갖추면 사상이 된다. 심상으로서의 사고는 뇌리에 떠오르는 생각을 여러 가지로 조작하여 직면한 문제를 해결한다. 사고는 어떤 목적 아래 특정한 방향을 향하는 특성을 갖고 있다. 이런 사고의 지향성이 사고의 방향이다.

자아의 자기인식, 즉 자아인식은 깊은 생각을 통해서 가능해진다. 생각의 정점은 자아인식일 것이다. 대상인식이나 세계인식은 자아인식으로 되돌아오기 위한 과정이다. 사물을 식별하고 옳고 그름을 판단하기 위해서는 자아가 사고의 작용을 해야 한다. 자아의 인식 속에는 이미 자기 자신에 대한 인식이 자리 잡고 있다. 자아가 스스로 작용하고 어떤 것을 만들어내는 생산적인 활동을 하려면, 자아가 자기 자신을 먼저 인식해야 한다. 자아의 작용이나 활동은 스스로 움직이는 자립적인 활동이다. 그것은 무엇인가를 생산하는 일반적인 현상과는 다른 것이다. 생각하는 주체로서의 자아는 존재론적인 의미가 그 중심에 있다. 사고하는 주체인 자아를 중심으로 하여 우리는 대상에 대한, 그리고 세계에 대한 사고의 과정에 대해 참여하게 된다.

정신의 작용이 매우 다양하고 범위를 정하는 일이 모호하여 이를 엄격하게 구분하는 것이 때로는 불가능하기도 하지만 특정한 기준을 갖고서 사고의 지향하는 바를 따라 어느 정도 구분해 볼 수 있다. 사고의 지향성은 외적으로 구체적인 사물을 생각하느냐 또는 내적인 추상적 사실을 문제로 삼느냐에 향해 있다. 정신에서 내부를 지향하는 내향적 사고는 주관성을, 외부를 지향하는 외향적 사고는 객관성에 기대어 판단하려는 경향을 보인다. 내향적 사고가 '존재'를 중요시 한다면, 외향적 사고는 '생각'으로 대표된다. 이 두 가지 사고는 특이한 유형이긴 하지만, 이 둘이 전혀 대립되는 것이 아니라 상호보완적으로 작용한다. 왜냐하면 인간은 '생각하는 존재'이기 때문이다. 인간은 행동하기 전에 생각하고, 그 생각한 바를 언어적 현상을 통해 표현할 수 있으며 이는 행동으로 이어진다. 이 때 생각을 유발하는 것은 느낌이요, 지각이다.

생각은 어떤 대상에 대한 견해나 입장을 갖고 있음과 같은 것이다. 생각과 가장 밀접한 관계를 맺고 있는 말은 마음이며 생각과 마음은 어떤 사람의 본질을 드러낸다. 생각을 글로 쓰거나 말로 이야기하는 것은 언어의 가능한 영역에 포함되어 있다. 반면에 마음은 언어로 또렷이 표현할 수도 있지만 표현하지 못하는 경우도 있다. 언어세계에서 생각은 언어들을 조합해서 새로운 생각이나 지식을 만들 수 있지만 언어외적인 세계에서 생각은 마음이라는 매개를 통해서 언어외적으로 이루어진 세계를 해석하고 그것을 새로운 언어나 다른 상징으로 표현할 수 있을 것이다. 우리가 생각한다는 것은 무엇인가를 인식하기 위한 것이고 인식하는 것은 주어진 것들에 대해서 올바른 선택 행위를 위한 것이다. 행위란 곧 반응이며 인간이 반응한다는 것은 반응할 수 있는 동기가 주어진다는 것이다. 생각이란 올바른 선택과 관련되는 일이고 올바른 선택이란 바로 앎이다. 생각은 앎을 추구하는 것이고 또 생각은 앎을 통해서 올바르다고 증명된 행위를 행하기 위한 과정이다. 생각의 깊이는 외적 현상과 내적 성찰을 함께 아울러야 한다. 무엇을 위한 생각인가? 우리의 생각은 생존이나 존재, 근원에 맞닿아 있다. 어떤 철학자는 철학함의 범주를 생각thinking, 존재being, 행함acting, 봄seeing으로 나누어 고찰한다.[6]

생각한다는 것은 앎에 대한 열정이며 그것은 내 마음이 그렇게 원할 때만 가능하다. 마음이 없을 때 생각이 일어나지 않는다. 마음이 없을 때는 느낌 이라는 것도 없기 때문이다. 마음이 무의식적으로 수용한 많은 정보를 해 석한 느낌들을 우리의 생각이 관찰하고 주체적으로 해석한다. 감각이 불러 일으킨 내적 활동인 느낌은 사유와 연관된다. 칸트I. Kant(1724~1804)가 지적 하듯, "사유가 결여되어 있으면, 감각은 대체로 풍부해진다."[7] 감각은 사유 를 유발하나, 감각과 사유는 상승작용을 하기 보다는 보완작용을 하는 것으 로 보인다. 마음은 생각보다 큰 영역임에 분명하지만 우리 마음을 스스로 알 수 있는 것은 생각을 통해서이다. 우리는 다른 사람의 생각을 통해서 그 사람의 마음을 들여다보고 그것을 다시 자신에게 되돌려 내가 가진 마음을 알아간다. 생각은 언어뿐만 아니라 다양한 형태로 외화外化된다. 비유하건 대, 메시지를 전송하는 것이 전달매체라고 한다면, 지식정보 사회에서의 우 리는 다양한 메시지를 전하는 매체들에 둘러싸여 있는 것이고 그 매체들의 메시지는 누군가의 생각임에 틀림없다. 우리는 많은 생각들에 둘러싸여 생 활하는 것이다.

---

6   Tom Butler-Bowdon, *50 Phoilosophy Classics-Thinking, Being, Acting, Seeing,* Nicholas Brealey Publishing, 2013.

7   Benno Erdmann(Hrsg.), *Reflexionen Kants zur Kritischen Philosophie,* Leipzig: Fues's Verlag, 1882, 106 단락: "Man ist gewöhnlich voll von Empfindung, wenn man leer an Gedanken ist."

2. 생각을 가능하게 하는 도구들

생각은 어디에서 비롯되며 예술에 어떤 영향을 미치는가. 모든 것이 예술이 될 수 있으며 누구라도 예술가일 수 있다는 오늘의 상황에서, 생각을 촉발하며 가능하게 하는 도구들이란 무엇인가를 깊이 있게 다루어 볼 필요가 있다. 미시간주립대학교 교수이며 과학자인 로버트 루트-번스타인Robert Root-Bernstein과 역사학자이며 하이쿠 시인인 그의 아내 미셸 루트-번스타인Michele M. Root-Bernstein이 공동 저술한 『생각의 탄생』[8]은 천재성의 불꽃을 촉발시킨 생각의 도구들이란 무엇인가를 제시한다는 점에서 예술과도 깊은 연관을 맺고 있다고 하겠다. 역사 속에서 뛰어난 창조적 역량을 발휘하여 업적을 이룬 사람들이 과학, 수학, 의학, 문학, 미술, 무용 등의 여러 분야에 걸쳐 공통으로 사용한 13가지 발상법을 잘 정리하고 있다. 위대한 천재들이 자신의 창작 경험을 통해 '생각'에 대해 어떻게 생각했으며 또한 생각하는 법을 어떻게 학습했는지 구체적으로 설명해준다. 그들의 발상법이란 다음의 열세 가지, 즉 관찰, 형상화, 추상, 패턴인식, 패턴형성, 유추, 몸으로 생각하기, 감정이입, 차원적 사고, 모형 만들기, 놀이, 변형, 통합 등이다. 앞서 지적한 것처럼 열세 가지로 열거한 이러한 발상법만이 유일하지는 않을 것이지만, 대체로 이것들을 토대로 그들의 직관과 상상력을 갈고 닦아 창조성을 발휘하여 위대한 업적을 남긴 것이라 여겨진다.

철학과 과학은 경이로운 눈으로 사물을 관찰하는 데에서 출발한다. 많은

---

8   Robert Root-Bernstein · Michele M. Root-Bernstein, *Sparks of Genius : The Thirteen Thinking Tools of the World's Most Creative People*, 2001. 로버트 루트-번스타인 · 미셸 루트-번스타인, 『생각의 탄생-다빈치에서 파인먼까지 창조성을 빛낸 사람들의 13가지 생각도구』, 박종성 역, 에코의 서재, 2007.

화가들은 손이 그릴 수 없는 것은 눈이 볼 수 없는 것이라고 말한다. 과학자들 역시 관찰력을 기르는 방법의 하나로 미술을 들고 있다. 아마도 그림 그리듯 묘사해봄으로써 다양한 시각과 관점을 마련할 수 있을 것이다. 일반적으로 말해 시간예술의 경우엔 시간의 흐름에 따라 움직이는 변화를 감지하는 청각이 중요하고, 공간예술의 경우엔 시간의 병존으로서 형태지각이 중요하다. 그러나 창조적 천재들은 역으로 그림이나 조각을 귀로 '듣고' 시나 음악을 눈으로 '본다'. 피아노나 오르간 앞에서 노래를 부르기보다 머릿속으로 음악을 '그리는', 이른바 청각적 형상화이며, 또한 역으로 시각적 형상화도 가능하다.[9] '형상화'는 현상을 있는 그대로 재현하는 일에서부터 특성을 압축하여 드러내는 추상화하는 능력, 감각적인 연상聯想에 이르기까지 망라된다. 형상화는 대상을 바라보는 관점을 강조하여 재창조한다. 파블로 피카소Pablo Picasso(1881~1973)는 눈이 아니라 마음으로 본 것을 그렸다. 형상화는 시각과 청각은 물론, 후각과 미각, 몸의 감각까지 동원해서 이루어지기 때문에 우리는 내면의 눈과 귀, 코, 그리고 내면의 촉감과 몸 감각을 사용한다. 또한 형상화할 때 마음에 떠오른 이미지들은 다른 전달 수단으로 변환할 수 있어야 하는데, 그 전달 수단은 언어뿐만 아니라 음악, 도형, 영상, 조각, 숫자, 기호 등 매우 다양하게 이용된다.

레오나르도 다 빈치Leonardo da Vinci(1452~1519)는 사물을 바라보는 자신의 고유한 패턴인식을 이용해 새로운 착상을 했다. 그는 산과 강, 바위 등 자연현상을 보며 서로 간의 배치와 조합을 통해 다양한 패턴을 그려내 예술작업을 수행했다.[10] 그는 마음의 눈으로 관찰하고, 머릿속으로 형상을 그려 모

---

9   로버트 루트-번스타인 · 미셸 루트-번스타인, 앞의 책, 92~94쪽.
10   로버트 루트-번스타인 · 미셸 루트-번스타인, 앞의 책, 141-142쪽.

형을 만들고, 때로는 유추하여 통합적인 통찰을 얻었다. 상상력을 통해 학습하고 자기 안의 천재성을 일깨워 창조적 사고를 활성화시킨 것이다. 그리하여 이전과는 다른 새로운 세계를 세운 것이다. 그러는 중에 '생각'을 다시 반추하여 생각하고, 또한 '무엇'을 생각하는가에서 '어떻게' 생각하는가로 옮겨가면서 대상과의 교감을 통해 문제를 푸는 데 그치지 않고 생생하게 느끼게 된다. 곧 직관이 교감을 통해 통찰로 이어진다. 수동적인 '보여지기'가 아니라 능동적인 '보기'이며 적극적인 '관찰'인 것이다. 관찰은 눈으로만 행해지는 것이 아니다. '그냥 보는 것'과 '주의 깊게 보는 것'의 차이를 우리는 전위예술과 다다이즘의 선구자, 마르셀 뒤샹Marcel Duchamp(1887~1968)이 재발견한 일상의 기성품에서 확인하며 예술적 의미와 미적 가치를 부여하게 된다. 관찰을 통해 깨닫는 일상적인 것에 대한 탁월한 관점인 것이요, 새로운 예술의 지평을 여는 것이다.

생각의 명료화를 위해 불필요한 것을 덜어내는 추상화의 과정이 필요하다. 추상화는 곧 단순화이다. 추상화의 본질은 몇 가지 주요특징만 포착하는 것이며 연속적인 움직임도 단순하게 추상화될 수 있다. 분야 간 경계는 추상화를 통해 좁혀지고 사라진다. 추상화란 현실의 구체적인 다양한 현상에서 출발하되 불필요한 부분을 도려내 가면서 사물의 놀라운 본질을 드러나게 하는 과정이다. 추상을 통해 우리는 현실을 더 가까이 다가갈 수 있다. 과학자, 화가, 시인들은 모두 복잡한 체계에서 가장 중심된 부분만 남겨두고 모든 변수를 제거함으로써 핵심적 의미를 발견하려고 애쓴다. 현실이란 모든 추상의 종합이 되는 바탕이며, 이 가능성을 알아냄으로써 우리는 현실을 보다 더 잘 이해할 수 있다. 추상화를 통해 새롭고 다의적인 통찰과 의미를 발견한 사람 가운데 앞서 언급한 파블로 피카소는 으뜸이다. 무엇을 진정으로 본다는 것은 단순히 본다는 사실을 넘어 생각한다는 것이다. 이는 표면적으로 보이는 것 배후에 숨어 있는 사물의 놀라운 본성을 찾는 일이기도 하다.

　일정한 양식이나 유형으로서의 패턴을 알아낸다는 것은 이후에 나타나거나 진행될 일을 미루어 짐작하는 데 매우 중요하다. 우리는 패턴에서 지각과 행위의 일반 원칙을 이끌어내어 이를 예상의 근거로 삼는다. 그런 다음 새로운 관찰 결과와 경험을 예상의 틀 안에 끼워 넣는다. 이 관찰과 경험의 틀이 흔들릴 때 우리는 또 다른 패턴을 만들어내며, 새로운 발견은 이런 순간에 이루어지기도 한다. "벽의 복잡한 문양 속에서 형상들을 발견하는 것은 시끄러운 종소리 속에서 우리가 아는 이름이나 단어를 찾아내는 일과 같다."[11]고 레오나르도 다 빈치는 말한다. 패턴과 공간의 환영을 반복하여 작업하는 중에 새롭게 패턴을 인식하고 형성해낼 수 있다. 우리가 경험한 세계를 표현하고, 경계 짓고, 정의하기 위해 더 많은 패턴을 고안해낼수록 우리는 더 많은 지적 상상력을 얻을 수 있다. 패턴형성의 방법과 기술을 익히는 일은 모든 분야를 새롭게 접근하는 데 널리 적용된다. 그것은 특별한 도구나 다른 사람의 도움 없이도 운동감각적 패턴과 청각적 패턴, 리듬감만을 이용해서 훈련할 수 있다. 패턴을 인식하는 능력은 앞으로의 예측과 기대를 담아 새로운 것을 형성할 수 있는 능력의 기초가 된다. 둘 이상의 패턴의 구조적 요소나 기능적 작용을 결합하다 보면 의도치 않은 새로운 패턴의 생성과 형성에 이르게 된다. 단순한 요소들이 결합해서 복잡한 것을 만들어낸다는 것은 패턴형성에 나타나는 일반적인 특징이다. 패턴형성에서 인상적인 것은 결합하는 요소들의 복잡성에 기인하기 보다는 그 방식의 미묘

11　　로버트 루트-번스타인 · 미셸 루트-번스타인, 앞의 책, 142쪽.

함과 의외성의 결합이다.[12] 다 빈치의 독창적인 아이디어는 패턴을 새롭게 바라보고 인식하는 데에서 비롯한다. 자연의 무질서 속에서 새로운 패턴을 찾아 여기에 독특한 미적 질서를 부여한다. 가장 단순한 요소들의 결합이 복잡한 것을 생성한다. 복잡한 것의 얼개를 열고 그 내부를 들여다보면 무수히 많은 매우 단순한 요소들이 서로 얽혀 있음을 알 수 있다. 따라서 복잡함이 단순함으로 환원될 때에 사물은 원래의 모습을 보여준다고 하겠다. 말하자면 본질과 본성에의 접근인 것이다.

예술은 유추와 은유를 통해 이질적인 요소를 결합하여 표현하고 의미를 확장하거나 압축한다. 따라서 유추나 은유로써 새롭게 세계를 창조한다. 유추는 둘 혹은 그 이상의 현상이나 복잡한 현상들 사이에서 기능적 혹은 구조적 유사성이나 내적 관련성을 알아내는 것이다. 유추는 기존지식의 세계에서 새로운 지식의 세계로 나아갈 수 있도록 도와준다. 무엇보다도 "유추를 통한 전달은 유용하며 유쾌하다."[13] 많은 철학자들은 유추란 논리적 근거가 부족한 까닭으로 판단을 그르치게 한다고 거리를 두기도 하지만, 오히려 유추는 불완전하고 부정확하기 때문에 알려진 것과 알려지지 않은 것 사이에 다리를 놓아 서로 연결할 수 있다. 유추와 비슷한 관점에서 비례를 언급할 수도 있다. 토마스 아퀴나스Thomas Aquinas(1225~1274)는 그의 『신학대전』에서 미의 세 가지 자질을 완전성이나 완벽성, 비례나 조화, 선명함 혹은 광휘로 설명한다. 토마스 아퀴나스는 이 가운데 특히 비례를 토대로 우주라는 통일체를 설명하는 형이상학적 원리로 삼았다.[14] 한편, 차원을 달

---

12   로버트 루트-번스타인 · 미셸 루트-번스타인, 앞의 책, 180쪽.
13   괴테, 『잠언과 성찰』, 장영태 역, 유로서적, 2014, 25쪽.
14   Umberto Eco, *Storia Della Bellezza*, 2004. 움베르토 에코, 『미의 역사』, 이현경 역, 열린 책들, 2014(6쇄), 88쪽.

리하는 사고는 2차원에서 3차원으로 혹은 그 역방향으로 이동하는 것과 관련을 맺게 한다. 이는 시공간의 역접이나 순접과도 연관된다. 어떤 한 차원에서 주어진 정보들을 변형시켜 다른 차원으로 옮겨놓거나 아니면 차원 내에서 어떤 물체나 과정이 차지하는 크기를 일정한 비율로 줄이거나 변경한다. 원근법이나 투영법이 대표적인 사례이다. 추상 미술가들은 평면작업이 갖고 있는 한계를 지적한다. 입체파 미술은 3차원 물체가 가지고 있는 다면성과 입체성이 2차원 평면 위에 묘사될 때 나타나는 한계를 꾸준히 대비시킨다. 이 작품들은 2차원적인 세계의 크기나 색채, 형상이 명암이나 원근, 구도의 차원에서 3차원 세계와 다르게 작용하고 있음을 강조한다.

몸짓이나 몸의 자세 혹은 몸 지각은 새로운 생각을 자아낸다. 몸의 의식은 살아 있는 몸이 세계와 스스로의 경험을 이끄는 의식이다.[15] 무엇보다도 인간의 본질은 도구를 사용하고 제작할 줄 안다는 것이다. 도구를 사용하는 존재homo faber로서의 인간에게 몸으로 생각하기의 대표적 사례는 몸의 중요한 부분인 손과 발이 행하는 여러 방식일 것이다. 특히 기계공이나 목수 같은 기능공의 작업은 손이 알아 행하는 지식에 크게 좌우된다. 손 지식은 이를테면 기계공정에서 나사를 얼마나 조여야 제대로 행한 것이며, 얼마나 돌려 깎아야 정확한 나사선이 만들어질 것인지 아는 지식을 말한다. 우리는 몸을 움직여 어떤 일을 처리하고 난 후에야 그것을 인지할 때가 있다. 또한 자각하지 않은 상태에서 몸의 느낌을 알 게 될 때도 많다. 예를 들어 피아니스트들은 팔과 손가락의 근육이 음표와 소나타를 기억한다고 말한다. 그들은 손가락에 이 기억들을 저장한다. 그것은 마치 무용수들이 몸의 근육 속에 자세와 몸짓의 기억을 저장하고 있는 것과 같다. 우리가

---

15   리처드 슈스터만, 『몸의 미학』, 이혜진 역, 북코리아, 2013(재판 1쇄), 9쪽.

사고하고 창조하기 위해 근육의 움직임과 긴장, 촉감 등을 떠올릴 때 비로소 '몸의 상상력'이 작동한다. 몸의 상상력이 작동할 때 사고하는 것은 느끼는 것이고, 느끼는 것은 사고하는 것을 자각하는 순간이다. 우리 몸의 움직임이 그대로 생각이 된다. 온몸으로 '느껴' 작업하는 잭슨 폴록Paul Jackson Pollock(1912~1956)의 액션 페인팅은 좋은 예이다.[16] 생각하는 것은 느끼는 것이고 느끼는 것은 생각하는 것이다. 몸의 일부가 사라진 뒤에도 몸의 감각은 남아 있다. 몸은 생각이 나아가야 할 방향과 해답을 이미 알고 있다. 감정이입의 본질은 이심전심以心傳心으로, 또는 역지사지易地思之로 다른 사람의 마음과 같은 처지가 되어보는 것이다. 역사가들은 타인의 눈으로 보기 위해 '시대의 현장'으로 거슬러 돌아간다. 중국 북송시대의 시인이며 문장가인 소동파蘇東坡(1037~1101)는 그의 『화죽기花竹記』에서, "대나무를 그리려면 먼저 마음속에 대나무를 완성해야 한다(故畵竹, 必先成竹于胸中)."고 말한다. 어떤 대상을 눈으로 보고 그리고자 할 때에 먼저 마음의 눈으로 보아야 한다. 가장 완벽한 이해는 '자신이 이해하고 싶은 것'이 마음속에서 완성될 때에야 온전히 가능하다.

창조적인 통찰은 놀이에서 나온다. 놀이하는 존재homo ludens로서 인간은 놀이할 때에 비로소 완전하다. 놀이를 통해 자신만의 세계와 인격, 게임과 규칙을 만들어내고 지식을 변형시키고 새로운 방식으로 이해할 수 있다. 토마스 에디슨 이후 발명을 가장 많이 한 사람으로 제롬 레멜슨Jerome Lemelson(1923~1997)[17]이라는 인물이 있다. 그는 머릿속으로 즐겁고도 자유

---

16 로버트 루트-번스타인 · 미셸 루트-번스타인, 앞의 책, 221쪽.
17 로버트 루트-번스타인 · 미셸 루트-번스타인, 앞의 책, 331쪽. 제롬 레멜슨은 바코드 판독기, 카세트 플레이어에 사용하는 핵심기술을 발명하고, 로봇공학, 컴퓨터영상, 캠코더, 팩스 등 500개 이상의 특허권을 갖고 있다.

로운 놀이의 연상을 통해 수많은 발명의 실마리를 찾은 것이다. 놀이는 대체로 분명한 목적이나 동기가 없이 행해진다. 놀이는 성패를 따지지 않으며, 결과를 설명해야 할 필요도 없고, 의무적으로 수행해야 할 과제도 아니다. 이것은 우리에게 상징화되기 이전의 내면적이고 본능적인 느낌과 정서, 직관, 즐거움을 주는 바, 바로 이들로부터 창조적인 통찰이 나온다. 놀이를 통해 새로운 과학과 예술이 가능해진다. 그러는 중에 사고의 변형을 거쳐 서로 다른 분야를 연결한다. 생각의 본질은 감각의 지평을 넓히는 것이다. 역으로 감각의 지평을 넓힘으로써 생각의 본질에 다가갈 수 있다. 느끼는 것과 아는 것이 하나로 결합된다.

건축이나 토목 공사에 앞서 제작하는 거푸집이나 형틀framework은 최종적인 완성품을 가늠하는 데 매우 중요한 토대이다. 근대 조각의 역사상 가장 위대한 조각가로 알려진 로댕Auguste Rodin(1840~1917)은 점토로 최종적인 완성의 형을 뜨기 전에 조각하고 싶은 주제를 여러 번 그렸다. 그리하여 눈으로 보는 것을 손이 어느 정도까지 느끼고 있는지를 미세하게 측정할 수 있었다. 그는 인체 조각 작업을 회고하면서 "형을 뜨는 작업을 위해서는 인체에 대한 완전한 '지식'이 필요함은 물론, 인체의 모든 부분에 대한 심원한 '느낌'을 가지고 있어야 한다. 말하자면 인체가 가지고 있는 선들을 통합해서 나 자신의 일부로 만들어야 하는 것이다. 그래야만 내가 이해하고 있다는 것을 확신할 수 있다."[18]라고 말한다. 로댕의 조각작품 〈생각하는 사람 Le Penseur〉(1880)은 자신의 고유수용감각proprioception[19]에 근거한 상상력에 육체적인 형태를 부여한 것이다. 그의 〈생각하는 사람〉을 '생각'하는 사

---

18   로버트 루트-번스타인·미셸 루트-번스타인, 앞의 책, 222-223쪽.
19   위치나 움직임, 활동 등을 느끼는 우리의 고유한 감각운동능력.

람으로 만드는 것은 무엇인가? 생각을 온전하게 위해서는 온몸이 생각으로 집중되어야 할 것이다. 아마도 그것은 머리, 찌푸린 이마, 벌어진 콧구멍, 다문 입술, 나아가 적절하게 구부린 팔과 등, 허리, 다리의 모든 근육, 움켜 쥔 주먹, 오므린 발가락의 모습도 생각에 몰입하고 있음을 나타내야 할 것이다.[20] "사색하면서 조용히, 커다란 돌로부터 턱까지 벗어나온 머리, '생각' 은 한 덩어리의 명료함, 존재의 얼굴이 담담하게 지속되는 무거운 장으로 부터 서서히 일어나고 있다."[21] 예술작품은 우리의 삶을 돌아보게 하며 생 각에 젖어들게 한다.[22] 타악기 연주의 예를 보자. 악기 가운데 타악기의 리 듬은 생체리듬을 가장 적나라하게 표현한다. 호흡이나 맥박, 심장의 박동 과 연관된 생체리듬은 살아있음의 징표이다. 청각장애인으로서 탁월한 타 악기 연주자인 이블린 글레니Evelyn Glennie(1965~)는 고유수용감각적이고 촉 각적인 용어로 소리를 묘사한다. 마음으로 보는 게 곧 귀로 듣는 것이요, 몸 전체가 반응하며 느끼는 것이다. 글레니의 경우처럼 감각과 사고를 융합하 는 것은 창조력이 뛰어난 사람들 사이에서 연상적 공감각만큼이나 중요한 일이다. 감각은 생각 안에 수용되며, 생각은 감각의 연장인 것이다.

감정이입은 다른 사람의 몸과 마음을 통해 세계를 지각하는 것이다. 심 리학자 립스Theodor Lipps(1851~1914)에 의하면, 감정이입이란 자기 자신을 지각의 대상에 투영하여 자신과 그 대상이 융합하는 것이다. 또한 철학자 칼 포퍼Karl Raimund Popper(1902~1994)는 "새로운 이해를 얻을 수 있는 가장 유용한 방법을 '공감적인 직관', 혹은 '감정이입'이라고 보았는데, 이것은 '문

---

20   로버트 루트-번스타인·미셸 루트-번스타인, 앞의 책, 223쪽.
21   라이너 마리아 릴케, 『릴케의 로댕』, 안상원 역, 미술문화, 1998, 61쪽. 김우창, 『사물 의 상상력과 미술』, 김우창 전집9, 민음사, 2016, 132쪽에서 재인용.
22   김우창, 앞의 책, 132쪽.

제 속으로 들어가 그 문제의 일부가 되는 것'을 가리킨다. 이러한 감정이입적인 상상력을 촉진하고 증진시키기 위해서는 연극 경험이나 문학적 소양이 도움이 된다. 내가 '나 자신'이 아니라 '스스로 이해하고 싶은 것'이 될 때 가장 완벽한 이해가 가능해지기 때문이다."[23] 아마도 물아일여物我—如의 경지가 아닌가 여겨진다.

우리는 앞서 언급한 여러가지 생각도구를 연속적으로, 혹은 동시에 사용하여 생각도구끼리 영향을 서로 주고받거나 작용하게 하는 또 다른 생각을 끌어내는 데 매우 유용한 방법이다. 이를 가리켜 변형, 혹은 변형적 사고라고 부른다. 한 형태를 다른 형태로 변형하는 일은 어떤 분야에서의 새로운 발견으로 이어진다. 보이는 것을 재현하는 것이 아니라 사물을 보이도록 하며 색채감과 리듬감을 잘 표현한 작가인 파울 클레Paul Klee(1879~1940)는 음악을 이미지로 변형시켰다. 클레는 음악을 듣는 청중처럼 관람객들이 부분과 전체를 동시에 지각할 수 있는 시각적 형태를 만들어내고자 했다.[24] 현실세계에서의 창조적 작업을 위해서 문제를 규정할 때나 조사할 때, 그리고 해답을 이해하기 쉬운 형태로 표현할 때 적합한 생각도구들을 동원할 줄 알아야 한다. 변형적 사고는 상이한 분야를 서로 연결하여 새로운 패턴을 만들고, 특정 영역에 치우친 사고에 머무르지 않고 더 가치 있는 통찰을 낳게 한다.

서양문명사는 지적 호기심의 역사이다. 새로운 것에 대한 지적 갈망은 발전과 혁신으로 이어진다. 혁신의 기법이란 항상 모든 분야에 걸쳐 있으며 다양한 방법론을 가진다. 따라서 미래는 우리가 앞의 방법 모두를 통합

---

23   로버트 루트-번스타인 · 미셸 루트-번스타인, 앞의 책, 241쪽.
24   로버트 루트-번스타인 · 미셸 루트-번스타인, 앞의 책, 376-378쪽.

해서 통합적 이해를 창출할 수 있느냐에 달려 있다. 생각이라는 행위는 본질적으로 공감각적이다. 생각은 어떤 하나의 감각이 다른 영역의 감각을 일으키는 일에 기여한다. 종합적 지식은 이러한 공감각의 지적 확장인 셈인데, 공감각이 미적 감수성의 가장 고급한 형태라면 종합적 지식은 궁극적인 이해의 형태를 만들기 위해 다양한 방식의 앎과 느낌을 가장 높은 수준에서 통합한 것을 말한다. 상상하면서 분석하고, 예술가인 동시에 과학자가 되는 것, 이것이 바로 최고의 상태에 이른 종합적 지식에서의 생각하는 모습이다.

"느낌과 직관은 '합리적 사고'의 방해물이 아니라 오히려 합리적 사고의 원천이자 기반이다."[25] 하지만 느낌과 직관이 그대로 합리적 사고로 이어지지는 않는다. 합리적 사고가 되기 위해서는 보편적이고 논리적인 개념화의 과정을 거쳐야 한다. 사물의 본질과 핵심을 꿰뚫은 직관은 통찰로 이어진다. 원래의 형상을 찾기 위한 시도로 우리는 모형을 제작하는 바, 이는 보는 사람이 즉각 인식할 수 있도록 실제의 모습을 축약하고 차원을 달리 표현해야 한다. 모형은 실제, 혹은 가정적 실제 상황을 염두에 두고 필요한 규칙과 자료, 절차를 이용하는 모의실험이다. 다양한 모형을 만듦으로써 새로운 발상을 떠올리게 된다. 이렇듯 모형은 새로운 생각의 출현을 도우며 새로운 창조작업으로 이어진다. 모형이 원형에 다가갈수록 본래적 가치를 구현하게 된다. 모형은 실물의 크기와 달리 작거나 클 수 있는데 이는 오로지 그것의 용도에 따라 달리한다. 모형의 용도는 직접 경험하고 어려운 것에 접근할 수 있도록 하는 데 있다. 상상할 수 없으면 새로운 것을 만들어낼 수 없다. 또 자신만의 세계를 창조하지 못하면 다른 사람이 만들어놓은 기

---

25   로버트 루트-번스타인 · 미셸 루트-번스타인, 앞의 책, 26쪽.

존의 세계에 머물러 있을 수밖에 없다. 그렇게 되면 자기 자신의 눈이 아닌 다른 사람의 눈으로 현실을 보게 된다. 새로운 세계를 볼 수 있는 "통찰력을 갖춘 '마음의 눈'을 계발하지 못한다면 '육체의 눈'으로는 아무것도 볼 수 없다."[26] 눈에 보이는 것의 배후에 숨어 있는 놀라운 속성을 찾기 위해 보이는 혹은 보는 눈에 머물러서는 안 되고 마음의 눈으로 읽고 생각해야 하는 까닭이 여기에 있다.

---

26   로버트 루트-번스타인 · 미셸 루트-번스타인, 앞의 책, 45쪽.

3. 생각이 펼치는 지도 : 동서양의 차이

세상을 바라보며 생각하고 인식하는 방법에 있어 동서양인이 서로 다름은 그대로 동서양 예술의 상이함으로 이어진다. 따라서 우리는 세상을 바라보는 동서양의 시선이 어떻게 서로 다른가를 이해할 필요가 있다. 미시간대학교 심리학과 석좌교수인 리처드 니스벳Richard E. Nisbett(1941~)은 비교문화적인 관점에서 '생각의 지도'의 주제 아래 그 상이함을 탐구하여 우리에게 보여주고 있다.[27] 그런데 정확하게 말하면, 단순히 지구표면의 상태를 일정한 비율로 줄여, 이를 약속된 기호로 평면에 나타낸 그림인 '지도地圖, map'의 의미에만 그치는 것이 아니다. 우리는 지도를 보고 미지의 길을 찾아 나서지만 생각의 나래를 펼치기 위해서는 그 이상을 모색한다. 지표상에서 일어나는 자연현상으로서의 세계 기후, 산과 바다, 강과 호수, 도로 등을 여러 나라 사람들이 살아가는 인문현상의 체계 및 과정과 연관하여 그린 '지리학地理學, geography'의 의미를 담고 있어야 한다. 말하자면 '생각의 지리학'인 것이다.

고대 중국과 고대 그리스의 전통을 이어받은 동양과 서양은 자연환경, 사회구조, 지향하는 사상이나 제도의 서로 다름으로 인하여 매우 다른 사고방식과 지각방식을 가지고 있는 것이 사실이다. 총체적으로 보면, 동양은 좀 더 종합적으로 사고하는 까닭에, 부분보다는 전체에 주의를 더 기울인다. 그리고 사물을 독립적으로 파악하기보다는 그 사물이 다른 사물들과

---

27 Richard E. Nisbett, *The Geography of Thought: How Asians and Westerners Think Differently...and Why*, 2004. 리처드 니스벳, 『생각의 지도- 동양과 서양, 세상을 바라보는 서로 다른 시선』, 최인철 역, 김영사, 2004.

맺고 있는 '관계'를 통하여 파악한다. 이에 반해 서양의 '분석적'인 사고방식은 사물과 사람 자체에 주의를 기울이고, 형식논리나 규칙을 사용하여 추리한다. 전체 내용을 간략하게 추려보면, 사물의 이치를 밝히는 데 있어 동양의 도道중심의 생각과 서양의 삼단논법은 서로 대비된다. 이는 고대 그리스와 중국의 사상, 과학 및 사회구조에도 적용된다. 또한 삶을 살아가는 측면에서 동양의 더불어 사는 삶과 서양의 홀로 사는 삶은 대비된다. 자아개념을 파악하는 데 중요한 비교가 되는 대목이다. 나아가 전체를 보는 동양과 부분을 보는 서양은 세상의 어떤 부분을 어떻게 보는가의 문제와도 연관된다. 동양의 상황론과 서양의 본성론은 두 세계의 서로 다른 인과론적 사유에 영향을 미친다. 동사나 형용사를 통해 세상을 보는 동양과 명사를 통해 세상을 보는 서양을 비교해보면, 동양은 관계에 대한 유연한 접근을 하며 이와 달리 서양은 개념에 대한 이해와 규칙에 따른 접근을 한다. 또한 논리를 중시하는 서양과 경험을 중시하는 동양은 사고방식의 차이를 잘 드러낸다. 동양과 서양의 사고방식은 때로는 갈등을 빚거나 충돌하기도 하지만 인간과 사물에 대한 총체적인 이해를 위해서는 동서양이 서로 보완관계에 놓일 때에 보다 더 온전한 이해가 가능할 것이다.

개략적으로 동서양의 상이점을 살펴보았지만, 세상을 동양과 서양으로 단순화하여 이분법적으로 고찰하기엔 그 내부 사정이 매우 복잡미묘함이 사실이다. 리처드 니스벳에 따르면, '동양'이란 '동아시아', 즉 중국을 비롯하여 중국 문화의 전통을 많이 이어 받은, 한국과 일본을 주로 칭한다. 또한 '서양'은 전통적으로 '유럽 문화권'을 가리킨다.[28] 같은 동아시아권이지만 한국과 중국, 일본은 역사의 궤적이 다르고 삶의 과정이 다른 만큼 여러 면

---

28   리처드 니스벳, 앞의 책, 22쪽.

에서 미묘한 차이를 드러내고 있다. 또한 유럽문화권이라 해도 지역에 따라 특성과 성격이 미세하게나마 다르다는 점을 염두에 두어야 할 것이다. 동서양으로 크게 나누어 보면, 동양인과 서양인은 '서로 다른 세상'을 살고 있는 것처럼 보인다. 동양인들은 작은 부분보다는 전체 그림을 보기 때문에 사물과 전체 맥락을 연결해 지각하는 경향이 있고, 따라서 전체 맥락에서 특정 부분을 떼어내어 독립적으로 바라보는 일에 익숙하지 않다. 그러나 서양인들은 사물에 초점을 두고 주변 맥락을 무시하는 경향이 있기 때문에, 사건과 사건 사이의 관계에 대해 상대적으로 덜 민감한 편이다. 사건의 원인을 설명하는 과정을 보면, 동양인들은 수없이 많은 변인들 간의 복잡한 상호 작용을 들여다보며 원인을 찾지만, 서양인들은 사물 자체의 속성이나 본성을 파악하려 든다.[29] 사물의 속성에 따라 여러 차원의 본성을 해명하는 아리스토텔레스Aristotle(기원전 384~322)의 범주론[30]은 대표적이라 하겠다.

우리가 하나의 중국으로 언급하기엔 지형적으로 중국대륙은 남북의 위도에 따라 기온차도 크고 기후도 매우 다양하며 생활양식이나 사고방식도 좀 다르다.[31] 그 가운데 일찍이 문명에 눈을 뜬 중국 남동부지역의 자연환경은 대체로 평탄한 농지, 낮은 산들, 선박이용이 가능한 하천으로 이루어져 있어 농경에 적합하였고, 정치적으로도 중앙집권적 권력 구조에 유리하였다. 농경민들의 농작에 중요한 것은 서로 간의 협동과 화목한 생활이었다. 이와 대

---

29 리처드 니스벳, 앞의 책, 106쪽.

30 아리스토텔레스는 사물의 실체를 서술하는 가장 일반적인 술어개념으로 실체, 양, 성질, 관계, 장소, 시간, 위치, 상태, 능동, 수동의 10개 범주를 제시한다. 범주는 사물을 구분하고 인식하는 근거이며, 바탕이다.

31 남과 북의 여러 성정(性情)차이로 인해 갈라진 남종화와 북종화라는 유파는 좋은 예이다. 북종화는 외형묘사를 위주로 한 사실성(寫實性)을, 남종화는 작가의 내적 심경(內的心境), 즉 사의(寫意)을 지향한다.

조적으로 그리스의 자연 환경을 보면, 겨울은 다소 따뜻하고 비가 내리지만, 여름에는 덥고 건조하여 물 부족이 심했다. 이러한 기후로 인해 그리스 일대는 포도와 올리브가 주요 농산품이었고 소규모의 목축을 수반한 다각적인 농업경영이 특색을 이루었다. 그리스에는 산이 많고 평야가 적어 곳곳의 골짜기나 평지가 하나의 지리적 단위를 이루어 폴리스라는 작은 도시 국가가 들어섰다. 이렇듯 그리스는 해안까지 연결되는 산으로 이루어진 나라이기 때문에 농업보다는 사냥, 수렵, 목축, 그리고 무역에 적합했으며, 이런 일들은 농업에 비해 다른 사람과의 협동을 덜 필요로 한다. 중국인들은 주변 환경과 전체 맥락에 주의를 기울인 반면 그리스인들은 사물 자체에 주의를 돌렸다. 서양인의 시각은 사건사물을 독립적이고 개별적으로 이해하려는 속성을 지니고 있으며, 세상의 복잡성을 인정하는 동양인의 정서는 많은 인과관계에 주의를 쏟으며 검증과 일반화에 약한 모습을 보인다.[32]

리처드 니스벳은 다각도에서 동서양 사고방식의 차이를 분석한다. 논리를 중시하고 사물의 본성을 어렵지 않게 인식하는 서양에 비해, 경험을 중시하고 주변 상황, 환경 등을 종합적으로 사고하는 동양의 사유체계를 알 수 있다. 고대그리스의 자연철학자들이나 소피스트들이 그러하듯, 그리스인들은 세상을 만든 근본 본질에 관심이 많았다. 그래서 변하지 않는 성질이 무엇인지를 물으며, 그것의 가장 핵심적인 특성을 사유의 출발점으로 삼았다. 앞서 아리스토텔레스의 경우처럼, 추려낸 속성을 범주화해서 규칙을 만들고, 그 규칙을 적용하여 세상을 설명한다. 이러한 특성은 서양에서 과학이 발달할 수 있었던 근본요인이 된다. 그에 반해 고대 중국에서는 관계를 중요시한다. 이러한 관계에 적용되는 대표적인 덕목이 우리가 잘 아는

---

32 리처드 니스벳, 앞의 책, 193쪽.

유교적 윤리강령인 삼강오륜三綱五倫이다. 조화와 중용이 미덕이며 어떤 한 요소는 독립적으로 존재하는 것이 아니라 상호관련성 속에 공존한다. 앞서 살펴본 바와 같이 또 다른 특징인 언어학습과정에서, 서양은 명사를 더 빨리 배우는 반면 동양은 동사의 학습속도가 월등히 빠르다. 사물 자체의 이름과 특성을 중요시하는 서양에 반해 동양은 상황속의 맥락을 가르치기 위해 동사로 관계를 기술하며 표현한다.

'생각의 지도'는 동서양의 문화지형도를 파악하는 지도에 그치지 않고 동서양인의 내면을 들여다볼 수 있는 내적 심성의 지도이기도 하다. 동양과 서양의 사회 구조에서의 차이, 그리고 동양인들과 서양인들의 자아 개념에서의 차이는 그들의 사고 과정과 사고 내용에서 보이는 차이와 일치한다. 즉, 동양 사회의 집합주의적이고 상호의존적인 특성은 세상을 보다 넓게 종합적으로 보는 시각, 어떤 사건이든지 수없이 많은 요인들과 복잡하게 얽혀 있는 것으로 보는 견해와 일맥상통한다. 서양 사회의 개인주의적이고 독립적인 특성은 개별 사물을 전체 맥락에서 떼어내어 분석하는 그들의 접근방식에 있다. 사물들을 다스리는 공통의 규칙을 발견할 수 있고 따라서 사물의 행동을 통제할 수 있다는 문화적 토대에 따른 차이는 옳고 그름의 문제가 아니라, 취향과 의식의 차이에 기인한다. 요즈음처럼 이동과 소통, 만남이 빈번한 사회에서 서로 다른 문화권의 사람들이 가지고 있는 심리적 특성들은 전적으로 고정되어 있지 않거니와 변할 수밖에 없으며 공동의 선善과 가치를 지향하게 된다. 이를 좀 더 확장해보면 동서양의 예술이 서로 만날 수 있는 지점이며, 더 나은 새로운 것을 창출해내는 계기를 마련해주는 장場이 될 것이라고 생각한다.

4. 빠른 생각과 느린 생각: 직관과 이성

앞서 느낌과 직관을 합리적 사고의 원천이자 기반으로 보았지만, 생각의 차원에서 직관과 이성을 연관하여 보면, 예술의 영역과도 매우 깊은 관련이 있기에 음미해볼만한 논점이 있다. 대체로 시간상의 완급緩急에 따라 빠른 직관이나 느린 이성으로 구분이 가능하지만, 감성적 직관과 합리적 이성으로 대비하여 보는 것이 더 일반화된 인식일 것이다. 지식에서 얻은 앎은 간접적 지식이요, 직관을 통한 깨달음은 직접적인 앎이다. 우리의 뇌 기능을 좌우로 구분해보면, 논리적이고 순차적이며 이성적, 분석적인 좌뇌에 비해 우뇌는 감성적이고 무작위적이며 직관적, 종합적인 기능을 수행한다. 불확실한 상황에서 인간이 어떤 판단과 선택을 하는지를 설명한 혁신적 연구인 '전망이론prospective theory'을 내놓아 2002년 노벨경제학상을 수상한 대니얼 카너먼Daniel Kahneman(1934~)의 이야기를 들어보자.[33] 그는 인간의 2가지 생각체계인 '빠른 직관'과 '느린 이성'이 서로 부딪히면서도 융합하는 사례를 분석했다. 이른바 행동경제학의 기원과 그 전개 과정을 살펴보면서 대니얼 카너먼은 '빠른 생각'과 '느린 생각'으로 나누어 흥미로운 인간의 정신생활을 설명한다. '빠른 생각'인 직관적인 시스템은 경험이 제공하는 것보다 더 큰 영향력을 발휘하며, 우리가 내리는 수많은 선택과 판단을 은밀하게 조종한다. 이를테면, 그저 흘긋 보고 자연스레 반응했을 뿐인데도 보는 행위와 직관적 사고가 완벽하게 결합한다는 것이다.[34] 그에 따르면, 인간의

---

33 Daniel Kahneman, *Thinking, Fast and Slow*, Farrar, Straus and Giroux, 2011. 대니얼 카너먼, 『생각에 관한 생각』, 이진원 역, 김영사, 2012.

34 대니얼 카너먼, 앞의 책, 31쪽.

모든 행동과 생활의 근간인 생각은 직관을 뜻하는 '빠른 생각'과 이성을 뜻하는 '느린 생각'으로 나뉜다. 머릿속에 즉시 떠오르지 않는 문제의 해결책을 심사숙고하여 찾기 위해 애쓰는 사고방식이 '느리게 생각하기'이다. 우리는 쉽게 연상하면서 생각하고, 때로는 은유적으로 생각하기도 하고, 인과론적으로 생각하지만 두서없이 한 번에 많은 것을 생각하기도 한다.

합리적 이성의 관점에서 우리는 자신이 세상을 아주 잘 알고 있다고 과대평가하여, 사건들에서 발생하는 우연과 운의 개입이나 역할을 과소평가하기도 한다.[35] 때로는 의도적인 우연의 개입은 예술적 효과를 극대화하는 데 있어 매우 의미있는 역할을 한다. 한국예술에 나타나는 특징을 이루는 하나의 요소가 우연성이다. 작가들이 작업과정에서 의도했든 하지 않았든 결과물을 들여다보면 우연적인 효과가 잘 드러나 있다. 이러한 시도의 예는 "1970년대 단색조 회화의 흐름에도 나타난다. 우연성은 인간이 예측하고 통제할 수 없는 것으로, '자연'이 발언하는 것이며, 자연과의 우연한 만남이라고 할 수 있다. 이들은 작품에 우연성을 침투시킴으로써 인간의 의도를 넘어 자연에서 더 큰 것을 얻고자 한 것이다."[36] 자연의 자연스런 개입이 인간의 인위적이고 작위적인 성격을 누그러뜨리고 오히려 미적인 즐거움을 더해준다.

인간은 모든 정보를 수집한 뒤 이를 바탕으로 합리적인 결정을 내리는 것처럼 보이지만 실제로는 전혀 다른 선택을 할 때가 적잖다. 큰 노력을 기울이지 않고 무의식적으로 직관에 의존하여 판단하는 빠른 생각이 있다. 또한 많은 시간과 노력을 들여 근거와 자료를 찾은 뒤 결론을 이끌어내는 연

---

35   '뜻밖의 재미나 기쁨', '의도하지 않은 행운이나 발견'의 의미인 'serendipity'를 참고.
36   이주영, 『한국 근현대미술의 미의식에 대하여』, 미술문화, 2020, 233쪽.

역적인 느린 생각 가운데 대부분의 사람은 느린 생각에 많은 시간을 투입한다. 그럼에도 그는 비이성적이고 직관적인 빠른 생각이 오히려 제대로 된 행동의 원천이 되는 경우가 많으며 이를 이해하는 것이 더 중요하다고 강조한다. 이러한 통찰은 다니엘 카너먼이 심리학적 근거와 바탕에서 경제행위를 할 때의 사람들의 실제행동을 분석한 결과 얻은 것이지만 예술행위에도 적잖이 적용된다. 우리는 '무의식적인 패턴 인식'을 끊임없이 연마해야만 오히려 빠르면서도 바른 결정을 내릴 수 있다. 비록 빠르게 이루어지는 직관적인 것이 공들여 제공하는 경험보다 더 큰 영향력을 발휘한다. 그리하며 우리가 내리는 수많은 선택과 판단을 조종하여 실제로 큰 영향력을 행사하는 경우가 많다. 전위적이고 실험적인 예술 활동이나 행사로서 해프닝이나 퍼포먼스의 과정에는 잘 짜여진 합리적 이성의 개입보다는 빠른 직관이 관여하는 경우가 많다. 예술의 역사를 보면 시대의 추이 및 변화하는 생각과 요구를 잘 반영해온 것으로 보인다.

5. 생각의 확장으로서 몸의 체험: 리처드 슈스터만의 경우

플로리다 애틀랜틱 대학교의 인문학 교수인 리처드 슈스터만Richard Shusterman(1950~)은 그의 저서 『프라그마티즘 미학』[37]의 제2부를 '다시 생각해보는 예술'이라는 주제로 다루고 있다. 슈스터만이 플로리다로 옮기기 전, 템플대 철학교수로 있을 때 필자는 일 년간 교환교수로 지내며 그와 많은 대화를 나누며 연구한 적이 있다. 실제로 필자의 이번 저술의 주제와 무관하지 않다. 그 내용이 무엇인지, 그리고 '다시 생각해보는'의 의미가 무엇인지를 살펴보고자 한다. 듀이John Dewey(1859~1952)에 의하면, 예술에서의 경험은 '어떤 만족스러운 통일감'을 주며, 세계 속에서의 우리의 현존을 더욱 의미 있게 한다. 예술에 대한 경험의 계기는 삶의 모든 과정 속에 이미 형성되어 있다. 특히 미적 경험의 중요성은 전체 생물의 오랜 진화전통에서 적자생존適者生存, survival of the fittest이 아니라 오히려 미자생존美者生存, survival of the beautiful으로 밝혀졌으며[38], 현존하는 생물들에게도 가장 생동감 있는 힘을 부여한다. 이런 맥락에서 문화적 질의 고양에 대한 최종적인 척도를 내리는 것은 만개하는 예술일 것이며 예술에서 아름다움의 가치를 발견하는 일일 것이다. 그리고 진정한 예술작품을 생산하기 위해서는 최상의 사유가 요구하는 것보다도 더 정교한 지성을 요구한다.[39]

오랜 미학적 논의에도 불구하고 우리는 예술의 본질이란 무엇인가에

---

37   리처드 슈스터만, 『프라그마티즘 미학-살아있는 아름다움, 다시 생각해보는 예술』, 김광명·김진엽 역, 북코리아, 2009.

38   David Rothenberg, *Survival of the Beautiful*, 2011. 데이비드 로텐버그, 『자연의 예술가들』, 정해원·이혜원 역, 궁리, 2015, 21쪽

39   리처드 슈스터만, 앞의 책, 29-31쪽.

대한 정의는 가능한가를 다시 물을 수밖에 있다. 이를테면 본질이 없음에도 본질을 찾으려는 시도를 한다면 그것은 '본질론자의 오류'를 범하는 것이 되고 만다. 예술에 대한 정의를 '닫힌 개념'으로 본다면 가능하겠지만, 매우 유동적인 '열린 개념'으로 본다면 불가능할 것이다. 존재론, 해석학, 문예비평에 대한 탁월한 연구로 알려진 미학자인 모리스 웨이츠Morris Weitz(1916~1981)는 열린 개념인 예술에 진정한 정의를 제공하는 일은 거의 불가능하다고 주장한다. 열린 개념인 예술을 닫힌 개념으로 정의하려는 시도는 "예술 속에 있는 창조성의 직접적인 조건들을 배제하거나 제한하는 일"[40]이기 때문이다. 닫힌 입장에서의 접근은 다시 생각하려는 '생각' 자체를 제한하는 일이기도 하다. 듀이의 인식론은 전통적인 인식론인 진리나 지식 그 자체가 아니라 더 나은 경험 또는 경험된 가치를 모든 과학적 또는 미학적 탐구의 궁극적 목적으로 상정한다. 우리는 지금 현재의 경험이 아니라 '가능한 경험'에서 인식의 지평을 열기 때문이다. 지식의 진정한 가치는 행동을 통한 직접적 경험을 풍부하게 하는 것이다.[41] 어떤 대상이 예술인가를 닫힌 개념으로 파악하기 보다는 열린 개념으로 보는 것이 이른바 포스트모던 시대에 좀 더 타당하고 시의적절한 방향일 것이다. 그러나 이런 관점이 정의불가론으로 이어지는 것은 바람직하지 않다. 대상을 판단하고 관심을 갖는 우리의 생각은 '닫힘'과 '열림'사이에서 치우침없는 균형을 잡아야 할 것이다.

리처드 슈스터만은 미적인 것의 영역 확장을 통해 예술의 가능한 범위

---

40   Morris Weitz, "The Role of Theory in Aesthetics," *Journal of Aesthetics and Art Criticism*, 16, 1955, 25~27쪽.

41   리처드 슈스터만, 앞의 책, 42쪽.

를 넓히고 있다. 이러한 시도는 예술을 보다 더 가깝게 느끼고 다양하게 향유하는 데도 도움을 주며, 매우 시의적절하고 설득력 있는 접근으로 보인다. 그가 『프라그마티즘 미학』의 제2부에서 제안한 '미적 이데올로기, 미적교육 그리고 미적 가치', '대중예술의 미학적 도전', '예술로서의 랩', '포스트모던 윤리학 그리고 삶의 예술', '하나의 교과적 제안으로서 몸의 미학'은 새로운 시각으로 예술을 생각할 기회를 제공함으로써 대중의 인식 속으로 예술의 영역을 넓히는데 집중하게 한다. 고대 그리스에서는 예술이 건강하고민주적이고 사회의 실제 삶 속에 깊이 통합되어 있었던 반면, 근대의 낭만주의는 예술을 순수한 유미주의나 탐미주의의 영역으로 이끌었다. 쉴러F. Schiller(1759~1805)는 인간의 미적 교육을 통해 사적인 미적 구원이 아닌 사회 속에서의 실제 삶의 고양과 질적 개선을 목표로 하였다.[42] 이것이야말로쉴러가 언급한 '아름다운 영혼'의 구현인 것이다. 오늘의 시점에서 봐도 시사하는 바가 크다.

　미적 경험은 누구나 기본적으로 지니고 있는 인간의 자연적인 욕구이다. 우리는 예술작품 및 그것의 도덕적 내용에 대한 우리의 비평을 예술 자체의사회적 역할에 대한 비판적 인식으로 접근한다. 나아가 구체적 삶의 양태와 여기서 빚어진 인간적 연민에 소홀한 이른바 고급예술을 만드는 우리 사회에 대한 광범위한 비판으로 향하게 할 필요가 있다.[43] 아도르노Theodor W. Adorno(1903~1969)는 대중음악을 신체적 감각을 자극하는 것으로 보고 퇴행적이고 미적으로 부당하다고 본다.[44] 예를 들어 1950년대 초 미국에서 생겨

42　리처드 슈스터만, 앞의 책, 298쪽.
43　리처드 슈스터만, 앞의 책, 310쪽.
44　T. W. Adorno, *Aesthetic Theory*, London: Rouledge & Kegan Paul, 1984, 170쪽.

난 대중음악의 한 형식인 록 음악Rock music은 신체적 감각에 직접 호소하거니와 때로는 성적 욕망을 자연스레 표출하기도 한다. 그런 까닭에 록 음악은 이성적이지 못할 뿐만 아니라 심지어는 이성에 적대적이기까지 하다.[45] 그런데도 형식은 삶과 기본적으로 대립되는 것이라기보다는 삶의 형상과 리듬을 이루는 부분이 있다. 미적 형식은 유기적인 육체적 리듬들과 그 리듬들을 구성하는 데 일조하는 사회적 조건들 속에 부정적인 깊은 뿌리를 내리고 있다. 미적 형식은 지적인 접근을 통해서뿐만 아니라 한층 직접적이고 열광적인 육체적인 접근 속에서도 발견될 수 있다.[46]

리처드 슈스터만은 랩rap을 포스트모던 미학의 용어로 살펴보면서 중심부와 주변부의 이분법을 넘어 랩 음악의 뿌리와 줄기를 미국 사회의 흑인 하층민들에게 있다고 파악한다. 모더니즘과는 달리, 포스트모더니즘의 미학은 명확하면서도 의문의 여지가 없는 정의를 거부한다. 포스트모더니즘은 복잡한 논쟁점을 야기하는 문화현상으로서 고유한 독창적 창조보다는 재생적 차용recycling appropriation이나 양식의 절충적 혼합을 꾀하며, 새로운 테크놀로지와 군중문화를 열정적으로 포용한다. 그리고 미적 자율성이라든가 예술적 순수성이라는 모더니스트 개념에 대해 도전하며, 보편적이고 영원한 것보다는 지역적이고 일시적인 것을 강조한다.[47] 랩의 뿌리인 빈민가, 랩이 행하는 미적 거부, 그리고 랩이 흑인음악으로서 당한 박해 등을 고려한다면, 피상적 아름다움에 대한 진부한 비판이 아니라 기존의 편견에 대한 강력하면서도 도전적인 비판의 측면이 강하다. 이때의 미적 판단은 형

---

45   Allan Bloom, *The Closing of the American Mind*, New York: Simon and Shuster, 1987, 71쪽. 리처드 슈스터만, 앞의 책, 342쪽에서 재인용.
46   리처드 슈스터만, 앞의 책, 368쪽.
47   리처드 슈스터만, 앞의 책, 374쪽.

식에 대한 순수하고, 고상하며 무관심적인 관조가 아니라 부당한 사회·정치적 편견에 맞서 진행된다.[48]

윤리적인 것의 심미화가 포스트모던 시대의 지배적인 흐름이라면, 이는 학문적 철학에서보다는 우리의 일상적인 삶과 우리 문화의 대중적인 상상력에서 더 두드러진다. 리처드 로티Richard Rorty(1931~2007)는 미국의 대중적 상상력에 대해 설명하며, '미적 삶'을 '좋은 삶'으로 적극 옹호한다. 로티에게서 '미적 삶'은 개인을 완성하고 자아를 창조하며 실현하는 길이다. 미적 삶은 '스스로를 넓히려는 욕망', '더욱 많은 가능성을 품으려는' 그리고 스스로에 대한 '선천적 규정'의 제한을 회피하려는 욕망이 동기가 되어 이루어지는 삶이다. 이 욕망은 새로운 경험과 새로운 언어에 대한 미적인 사유와 모색 속에서 표현된다. 미적으로 만족하고 자아를 계발하며 창조하는 일은 삶속에서 실제의 실험을 통해서뿐만 아니라 '도덕적 반성의 새로운 어휘들'을 채택하는, 한층 더 내성적인 선택을 통해서도 모색된다. 이러한 선택은 우리의 행동과 이미지를 새로운 호소력과 더불어 풍성함을 지니게끔 만들어 준다. 자아완성에 대한 로티의 심미화된 윤리학은 자유주의를, 즉 개성을 용인하고 잔인함을 혐오하는 것으로 특징지어진다. 이는 인간의 평등을 위한 절차상의 정의를 강조하는 자유주의를 공적 도덕과 사회적 연대의 최상 형태로 긍정하는 것과 짝을 이룬다.[49]

자기 자신에 고유한 사상이나 예술을 생산할 수 있어야만 진정한 사상가나 예술가가 될 수 있을 것이다. 고심하여 내세운 이론은 최종적인 해결을

---

48 리처드 슈스터만, 앞의 책, 413쪽.

49 Richard Rorty, *Contingency, Irony, and Solidarity*, Cambridge: Cambridge University Press, 1989, 88쪽.

위해 닫힌 것이 아니라 더욱 진전된 연구를 위한 열린 계획을 제공한다.[50] 리처드 슈스터만은 진전된 연구의 일환으로 '몸의 미학'을 하나의 교과로 제안한다. 몸은 감성적 인식의 주체이며 표현의 주체이고 소통의 주체이다. 이는 삶과 무관한 물리적인 몸이 아니라 삶과 느낌, 감각이 살아 있는 몸을 뜻한다.[51] 몸에 대한 관심은 미적 기능과 아름다움을 이룰 수 있는 잠재성을 담고 있다. 그 연원을 보면, 일찍이 쾌락을 최고선으로 본 키레네 학파를 창립한 아리스티포스Aristippos(BC 435~355)는 육체의 훈련이란 덕을 획득하는 데 기여한다고 주장했다. 적합한 육체는 뛰어난 감각을 제공하고 많은 훈련과 용도를 제공한다.[52] 몸이 하는 작업의 구체적인 활동은 몸의 미학의 중심된 실천적 차원으로 명명될 수 있거니와, 자기인식 및 자기배려와 연관된 포괄적인 철학의 교과로 포섭되어 생각을 확장시켜준다.[53]

50   William James, *Pragmatism and Other Essays*, New York: Simon and Shuster, 1963, 26쪽.
51   리처드 슈스터만, 『몸의 미학』, 이혜진 역, 북코리아, 2013(재판 1쇄), 33쪽.
52   리처드 슈스터만, 앞의 책, 433쪽.
53   리처드 슈스터만, 앞의 책, 498쪽.

2장
작품의 의미와 해석

1. 들어가는 말 : 작품의 의미[1]

대체로 작품이란 물질과 질료 혹은 소재적 요소와 더불어 정신 · 형상 · 이념적 요소라는 두 갈래가 적절하게 하나로 결합되어 완성된다. 이 두 요소의 결합관계에서 어떤 측면을 강조하는가에 따라 다소간에 여러 입장이 나뉠 수 있다. 이를테면 전통적으로 예술이 추구하는 미적 가치를 '위로부터의 미학'의 입장에 서면, 형이상학적 · 존재론적 혹은 관념론적 측면을 강조하게 된다. 이에 반해 '아래로부터의 미학'의 전통을 따르는 경험과학적 · 사회심리학적 · 예술학적 입장은 소재적 · 질료적 측면을 강조한다. 예술현상을 객관적 · 경험과학적 방법에 의해 밝힐 목적으로 지금까지의 방법론을 반성하는 뜻에서 등장한 예술학적 입장은 예술작품의 기원, 목적, 성립조건, 기능, 발전법칙, 분류, 창작 및 감상의 법칙 등을 주된 연구과제로 삼는다. 19세기의 형이상학적이고 낭만주의적인 세계관을 토대로 한 전통적인 예술 개념에서 벗어나, 예술작품의 객관적 법칙성을 해명하려는 예술학적 탐구의 연원은 콘라트 피들러Konrad Fiedler(1841~1895)에서 찾아볼 수 있다. 그는 예술가의 예술활동을 그 의도와 목적을 중심으로 논하면서, 전통적인 미학이론이 강조했던 작품 향수의 측면으로부터 벗어나, 작품제작의 측면으로 관점을 돌리고 있다. 대체로 예술이 추구해 온 가치가 미美라는 점에서는 별다른 이의제기가 없겠지만 향수와 제작은 미적 대상과 예술작품을 구분하는 가장 뚜렷한 근거가 된다.

한편, 독일 현상학파 미학자이자 일반예술학을 선도한 우티츠Emil Utitz(1883~1956)는 예술작품을 복합적인 문화생산물로 파악하고 예술형성

---

[1] 김광명,『삶의 해석과 미학』, 문화사랑, 1996, 135-152쪽 참고하여 보완하고 재구성함.

의 생동적 동인動因을 밝힌다. 예술에 작용하는 직접적인 원인으로서 그는 예술학의 문제를 예술적 표현과 형식 및 구조에 두고 있다. 또한 인간학적, 인류학적 미학이론을 제시한 그로쎄Ernst Grosse(1862~1927)는 종래의 예술사적·예술철학적 연구와는 달리 원시종족의 예술을 연구대상으로 삼으면서 인류학적·민족학적 방법을 통해 예술을 경험과학적으로 탐구했다. 그는 개별적이고 특수한 예술의 사례들을 토대로 보편을 이끌어내는 예술학을 제창했다. 그 후 예술학적 작품론은 단지 작품에 대한 경험적 사실을 기술하고 설명하는 입장의 한계에서 벗어나, 다시금 규범을 정립하고 예술적 가치의 근거나 본질 및 의의 등을 문제로 삼는 새로운 움직임을 보이고 있다. 이런 움직임은 바람직한 방향이라 생각된다.

실제로 작품을 보는 행위는 작품에 대한 언급에 앞선다. 작품을 언급하고 난 뒤에 보는 것이 아니라 보고난 후에 언급하는 것이 합당한 순서이다. 물론 우리가 사물을 바라보는 방식은 우리가 알고 있는 것 또는 우리가 믿고 있는 것으로부터 어느 정도 영향을 받게 된다.[2] 시각과 언어의 작용면에서 볼 때 시각은 언어보다 시간적으로 앞서며 더 근본적이라 하겠지만, 예술지각의 심리학자 루돌프 아른하임Rudolf Arnheim(1904~2007)이 밝히듯, 실제로는 시지각의 현상은 거의 동시에 일어난다. 작품의 형성에 시지각적 요소는 매우 중요하게 작용한다. 일반적으로 어떤 이는 우리가 살아가는 삶 자체가 작품이요, 텍스트라 말한다. 다소 진부한 표현이지만 변함없는 진리이다. 살아가는 삶 곧 인간 삶이야말로 의미를 새겨야 할 진정한 텍스트의 내용이다.

---

2 John Berger, *Ways of Seeing*, 1972. 존 버거, 『다른 방식으로 보기』, 최민 역, 열화당, 2016(7쇄), 9-10쪽.

인간은 사물적 혹은 물리적 존재와는 달리 의미를 추구하는 의미론적 존재이다. 인간은 삶의 내용과 가치 및 의미를 추구하는 존재이다. 우리의 삶은 우리가 엮어 낸 텍스트이며, 작품이다. 좁은 의미에서 보면, 작품이란 작가에 의해 제작된 산물을 가리킨다. 아리스토텔레스Aristoteles(BC 384~322)는 인간의 활동양식을 크게 세 가지로 나누어 사물을 잘 들여다보는 이론으로서의 관조(테오리아, theoria), 잘 들여다 본 결과를 실제 장소에 옮기는 실천행위(프락시스, praxis), 노동의 즐거움을 만끽하며 관조와 실천을 매개하기 위해 무언가를 만드는 제작(포이에시스, poiesis)으로 밝힌 바 있다. 로마의 수사학자 퀸틸리아누스Marcus Fabius Quintilianus, ca(BC 345~283)는 아리스토텔레스의 이런 사상을 이어받아 관조와 실천 및 제작에 각기 기술적 계기를 포함하여 관조술(테오레티케, theoretike), 실천술(프락티케, praktike), 제작술(포이에티케, poietike)을 말한다. 대상을 음미하고 인식하여 평가를 내리는 일은 관조술이, 그것의 작용 여부를 묻는 일은 실천술이 맡는다. 그리고 그 효과와 효용을 논의하는 일은 제작술이 맡는다. 작품은 단지 작용이나 효과에 머무르지 않고 작가의 의지와 의식이 지향된 대상이며, 그에 특유한 가치체험의 대상이 된다. 포괄적으로 말해 작품은 예술의 텍스트 혹은 예술작품 일반이다.

서로 다른 정치적, 사회적, 이념적 배경에 따라 예술의 상황이나 의미가 다를 수밖에 없지만, 그럼에도 불구하고 오늘날 우리가 겪고 있는 문화상황은 불확실하고 불연속적이며 해체를 거듭하고 있는 시대임에 틀림없다. 때로는 무엇이 예술작품인가에 대한 정의定義가 불가능한 시대이기도 하지만, 중심의 일탈로부터 벗어나 치우침 없이 새로운 균형과 평형을 통해 재정의 再定義를 위한 시도가 절실히 요구된다. 이러한 노력을 아예 회피하거나 부정적인 접근을 행하는 일은 예술이 인간의 삶과 유리되어 형식과 기능중심의 틀에 빠지게 되고 인간의 미적 자유와 창조적인 힘이 위협받게 된 시대 상황을 단적으로 나타낼 뿐이다. 현대사회를 살아가면서 우리가 당면하고 있는 여러 위기 가운데 가장 심각한 것은 인간의 소외, 비인간화, 물신화 등으로 표현되는 자기이해의 상실이다. 이는 휴머니즘의 위기와 맞물려 있다. 현대예술이 안고 있는 위기는 예술의 정체성에 대한 문제이며, 예술과 반反예술, 비非예술과의 한계문제일 것이다. 작품에 대한 해석은 이러한 한계설정의 문제와 연관될 수밖에 없다. 전위나 실험, 혼합이나 해체란 말도 이런 맥락에서 나온 모색의 일환이라 여겨진다. 이러한 과정에서 기술 산업시대의 인간의식은 급변하게 되고, 예술자체도 그 소재와 기법, 추구하는 가치 등의 측면에서 중대한 변화를 겪게 되었다. 이런 상황에서 우리는 작품과 어떻게 만나 이해하며 해석하는가를 묻게 된다.

2. 작품 이해와 해석

작품에 대한 온전한 이해와 합당한 해석을 위해서 작품에 담긴 의미를 캐내고 그것이 무엇인가를 되묻는 일이 필요하다. 보통의 사물과 예술작품을 구분 지워주는 것은 '해석'이다. '해석'이야말로 작품을 작품이도록 정의해준다. 해석은 분류적이거나 설명적이지 않고 구성적이다. 이는 개념구성적이 아니라 의미구성적이다. 해석은 물질적 소재를 작품으로 변형시켜주는 기능을 한다. 특히 해석은 대상을 이루는 어떤 부분들과 속성들이 작품이 되는지의 여부를 결정해준다. 해석이란 고정되어 있기보다는 늘 변하기 때문에 그 특성상 근본적으로 역사적일 수밖에 없다.[3] 해석학적 경험은 경험론에서 말하는 경험과는 다르다. 그것은 검증가능한 개념적 인식이 아니라 하나의 사건이요, 만남이다. 가다머H.-G. Gadamer(1900~2002)는 경험을 의식과 대상이 서로 만나는 가운데 얻게 된 산물이라는 헤겔Georg Wilhelm Friedrich Hegel(1770~1831)의 생각에 동의한다.[4] 경험은 의식에 대한 인식과 의식의 대상 사이에서 이루어지는 까닭에 합명제를 도출해내기 위한 정반합正反合의 변증법적 운동을 하게 된다. "경험의 변증법은 확정적인 인식에서가 아니라 경험을 통해서만 자유로이 활동하게 되는 경험에의 개방성에서 완성된다."[5] 경험은 언제 어디에서나 늘 열려 있으며, 대상화될 수 없는 이해의 측적이며 인간의 역사적 본성에 속한다. 물론 경험이 늘 열려 있다고 해서 인식할 수 없는 절대자나 초월자의 영역에 까지 미치는 무소불위無

3   Peter J. McCormick, *Modernity: Aesthetics and the Bounds of Art*, Cornell Univ. Press, 1990, 29-30쪽.

4   Richard E. Palmer, *Hermeneutics*, Northwestern Univ. Press, 1969, 195쪽.

5   H.-G. Gadamer, *Wahrheit und Methode*, Tübingen: J.C.B.Mohr, 1975, 338쪽.

所不爲는 아니다. 칸트I. Kant(1724~1804)가 그의 인식론에서 강조하듯, '가능한 경험'인 경우에 한하여 그러하다고 해야 할 것이다.

작품은 의미내용을 지니고 우리에게 무엇인가를 이야기하며 말을 걸어온다. 이럴 때 작품을 풀이하고 그 진실된 의미내용을 밝히는 일이 해석이다. 그리고 작품과 대화를 나누는 일이 예술체험이다. 체험은 의미를 경험하는 일이다.[6] 예술체험은 우선 작품에 대한 감성적 인식으로부터 출발한다. 감성적 인식의 일차적인 출발은 작품을 이루고 있는 사물의 특성인, 사물성이다. 물론 작품과의 만남은 감성적 인식에서 시작하되, 의미를 지향하는 해석학적 경험이 된다. 이러한 해석학적 경험을 거쳐 사물성은 작품성으로 변화된다. 해석학적 경험은 본질적으로 삶의 현장에서, 그리고 시간의 지평에서 언어적으로, 나아가 역사적으로 이루어진다. 달리 말하면, 지금의 이해를 가능하게 한다는 점에서 이해에 앞선 선구조先構造 혹은 선이해先理解가 필요하며, 이는 역사적인 산물일 수밖에 없다. 가다머의 영향사 의식影響史 意識이 말해주듯, 작품의 이해과정에서 끊임없이 작용하는 역사의 영향을 제대로 파악하는 일이 무엇보다 중요하다.[7] 그런 까닭에 만약 역사에 대한 이해와 역사의식이 부족하다면 잘못 이해하거나 오해를 불러일으킬 수밖에 없으며, 과거와 현재 사이에 놓인 시간 간격을 메울 수도 없다. 이는 역사의 단절이요, 시간의 멈춤이라 하겠다.

해석학적 경험은 의미를 찾는 과정에서 대화로 이루어지는 만큼 언어적이며, 작품이 말하고 있는 바 언어행위이며 언어사건이다. 사건의 체험

---

6   체험과 경험을 같은 의미로 사용하기도 하나 분명하게 구분할 필요가 있다. '체험 (Erleben, Lived experience)'은 인격적 경험이요, 살아 본 경험이다. '경험(Erfahren, Experience)'은 무엇을 시도해 본 것이다.
7   Richard E. Palmer, 앞의 책, 224쪽.

은 담론으로 이루어지며 그것은 말하는 힘의 역동성으로 이어진다. 담론은 푸코M. Foucault(1926~1984)가 말하듯, 단순한 커뮤니케이션의 차원을 넘어 화자와 청자 사이의 역학관계를 적나라하게 드러낸다. 이런 역학관계는 양자사이의 팽팽한 긴장관계이다. 그에게 있어 예술작품은 개인의 소산이 아니라, 작품이 생겨난 시대에 상호작용하는 문화적 기호체계의 복합구조가 역동적으로 만들어낸 것이다.[8] 사건의 체험은 이해에 필수적이며 그것은 대화의 역동적인 과정에서 얻어진다. 해석학적 경험은 작품과 독자 사이의 긴장을 전제로 하여 이루어지기 때문에 변증법적이다. 이 때 자기의미를 확장해주는 의미로서 부정否定의 부정否定을 전제로 하여 진행한다.[9] 인간의 역사적 실존의 본성에는 이러한 부정의 계기가 들어 있고, 이 계기는 경험의 본성 속에서 지속적으로 드러난다. 이러한 변증법적 긴장은 가다머의 맥락에서 보면, 지평의 융합을 통해 해소된다. 그리고 해석학적 경험은 말해진 바를 현재의 빛에 비추어 이해한다는 점에서 존재론적이다. 작품과 작품을 해석하는 자와의 만남은 특정한 시간과 공간에서 이루어지며, 결국 해석하는 자의 체험과 관심의 지평을 넘어서지 못한다.[10] 따라서 존재를 드러내는 과정을 현존재 자체가 수행한다. 하이데거 M. Heidegger(1889~1976)의 입장에서 보면, 이는 진리를 숨기거나 감추지 않는 비은폐非隱蔽, Unverborgenheit요, 탈은폐脫隱蔽, Entbergen이다. 이는 이해와

8 R. 커니, 『현대유럽철학의 흐름』, 임헌규 역, 한울, 1992, 325쪽.
9 단지 부정의 부정을 긍정으로 보는 헤겔의 긍정변증법과 달리, 무한부정의 연속을 주장하며 부정적 현실을 끝없이 부정하는 아도르노의 부정의 변증법을 떠올려 보라. Theodor W. Adorno, *Negative Dialektik*, Frankfurt a.M.: Suhrkamp, 1966. 『부정의 변증법』, 홍승용 역, 한길사, 1999.
10 Richard E. Palmer, 앞의 책, 201쪽.

언어의 존재론적인 구조에서도 분명하게 밝혀진다. 인간 자신은 존재의 은폐를 탈은폐로 연결하여 진리를 밝혀주는 존재자이다. 진리란 빛의 이면에 감춰진 것이 아니며 망각과 어둠을 벗어난 것이다. 인간은 언어를 통해 존재에 접근하며 해석한다.[11]

텍스트는 그저 한갓된 대상이 아니며, 경험을 통해 텍스트와의 시간적 거리나 역사적 간극은 극복된다. 해석의 과제는 역사적 거리를 메꾸고 지나간 과거의 낯설음을 현재의 낯익음으로 바꾸는 일이다. 달리 말하면, 이는 실존의 역사성을 회복하는 일이다. 텍스트의 의미를 파악하는 자가 해석자가 아니라, 텍스트의 의미가 해석자를 사로잡는다. 역학관계로 보면, 텍스트가 해석자보다 우위에 있다. 해석학적 경험은 텍스트와 해석자, 작품과 향수자를 연결하고 결합시켜 준다. 가다머가 펼치는 유희론에서 유희하는 자와 유희 자체가 하나로 통합되듯, 텍스트와 해석자라는 주객의 이분법적 도식이 극복된다.[12] 여기서 근대사상의 이분법적 사유의 경직된 틀이 사라지게 된다. 텍스트를 이해한다는 것은 단순히 독자가 지금까지 행하던 방식대로 수많은 물음을 일방적으로 제기하는 것이 아니라, 오히려 텍스트가 독자에게 제기하는 물음을 이해하는 것이다. 작품을 읽는다는 것은 자신의 낡은 지각방식을 수정하고 허물어가는 하나의 경험이다. 그것은 새로운 세계와의 만남이다. 그러므로 이전의 것을 그대로 본뜨는 것이 아니라 새롭게 만들어내는 추창조追創造, Nachschaffen의 경험을 하게 되는 것이다. 그리하여 작품은 개념적 인식을 넘어서 상상적 경험의 대상이 되기도 한다.

작품에 대한 해석은 곧 텍스트에 대한 해석이다. 특히 전통적으로 텍스

---

11 Richard E. Palmer, 앞의 책, 219쪽.
12 H.-G. Gadamer, 앞의 책, 98쪽.

트에 고정된 '이성적 언어의 해석'[13]이 해체론을 비롯한 다양한 입장이 들어오게 된 이후 유보되고 불확실하게 되었다. 그런 까닭에 작품을 이해하기가 도무지 어렵게 되었다. 무엇보다도 작품이해에 가로 놓인 어려움의 근본적인 이유를 우리는 몇 가지로 정리해볼 수 있다. 즉, 예술작품을 평가해 온 전통적인 가치기준이 해체되고, 그 자리에 들어설 합당한 현재의 가치기준이 아직 마련되지 못한 현실이 무엇보다 중요한 이유이다. 또한 흔히 애매성이나 모호성으로 부르듯, 작품의 내면적인 구조가 복잡하게 얽혀 있다는 점이 그 다음 이유일 것이다. 끝으로 지적할 수 있는 점은 이질적이거나 때로는 상반된 관점이 저마다의 기준으로 유지되고 통용되고 있는 현실이다. 이른바 복수양식이 공존하는 시대상황이다. 복수양식의 극단적인 추세는 양식의 해체와 연결된다. 예술작품의 본질과 한계에 대한 논쟁이 진행 중이지만 그 결론은 여전히 불투명하고 애매하다. 작품에 대한 적극적인 평가와 해석은 난해성과 복잡성의 이면을 이해하는 데 도움을 줄 것으로 기대하지만 그 준거의 틀을 마련하는 일은 쉽지 않아 보인다.

우리는 예술작품을 기술적 혹은 기계적 인과관계가 아니라, 의미와 가치 내용을 가지고 접근하고 체험한다. 또한 양식의 측면에서 개별양식의 이해를 토대로 고유한 양식을 정립한다. 개별양식의 확장을 통해 우리는 시대적 배경과 그 흐름을 근거로 시대양식을 가늠해 볼 수 있으며, 어떤 민족에 특유한 민족양식을 논의하고 더 나아가 당대의 세계에 널리 보편적인, 이른바 세계양식을 이해하게 된다. 그러할 때 부분은 전체를 향해 열려 있게 되고 서로 유기적인 관련을 맺게 된다. 우리의 이해는 주객 상호간에 소통

---

13 A. Diemer, *Elementarkurs Philosophie Hermeneutik*, Düsseldorf/Wien: Econ 1976. 『철학적 해석학』, 백승균 역, 경문사, 1985, 62쪽.

을 전제로 하고, 경험을 공유하게 될 때에 타당하다. 이해의 근본형식은 인간적인 이해이다.[14] 궁극적으로 인간이해는 세계이해와 연결되며, 세계이해는 자기이해와 맞물려 있는 형국이다. 진정한 예술이해는 예술에 형상화된 인간성에 관한 이해이다. 물론 이 때 인간성은 편협한 인간중심적 사고이어서는 안 되며, 인간 안에 있는 자연스러움을 일깨워 주고 인간과 자연의 조화로운 관계에서만 그 본래의 지향하는 바가 이루어질 것이다. 인간과 자연은 선순환 관계에 유기적으로 놓여 있는 생태학적 공생이다. 이는 자연환경을 예술의 눈으로 보며, 예술을 삶의 눈으로 보는 것과 같다.[15]

　예술창작이나 제작의 주체인 작가는 예술의지나 의욕에 근거하여 정신적인 형성활동을 한다. 창작된 대상으로서의 예술작품은 일차적으로 물질적 존재이다. 우리의 감관기관이 물질적 존재에 반응하여 감관적인 복합기제가 된다. 우리가 지각할 수 있는 사물의 모양이나 상태로서의 현상적 존재는 정신에 의해 하나의 대상으로 파악된다. 이 대상이 내용과 이념을 담고 있는 예술작품이 된다. 예술작품은 세계를 해석하고 파악하는 유기적 조직이 된다. 예술작품에 대한 평가와 해석은 의미의 발견이다. 진정한 예술은 의미부여의 형식이고, "예술가의 마음속에 환기된 어떤 이념의 표현"[16]이다. 그것은 공통의 감각 혹은 감정에서 오는 정서이다. 문제는 상호간에 소통되고 전달되는 공감의 내용이다. 예술작품의 가치는 인간유기체와 상호작용을 하는 데서 찾아진다.[17] 여러 예술작업의 시도 가운데 전위에

14　E. Coreth, *Hermeneutik*. 『해석학』, 신귀현 역, 종로서적, 1986, 51~75쪽.

15　박이문, 『생태학적 세계관과 문명의 미래-과학기술문명에 대한 대안적 통찰』, 미다스북스, 2017, 599쪽.

16　Roger Fry, *Vision and Design*, London: Chatto and Windus, 1920, 50쪽.

17　Jerome Stolnitz, *Aesthetics and Philosophy of Art Criticism*. 『미학과 미술비평』, 오

술과 실험예술의 현장에서 작가들은 표현행위와 매체, 그리고 그 과정을 다양하게 실험하면서 가능성을 극대화한다. 이에 따라 강조점이 종래의 작가 중심에서 작품으로, 나아가 독자에게로 옮겨가고 있다. 이른바 독일의 콘스탄츠 학파를 형성한 로버트 야우스H. R. Jauβ(1921~1997)가 제창한 '독자중심의 수용미학'이나 독자의 역할을 중시한 볼프강 이저W. Iser(1926~2007)의 '읽는 행위나 읽는 과정'은 그 좋은 예라 하겠다. 이런 과정에서 서로 다른 매체의 한계가 극복되기도 하고 때로는 확장되며 해체되는 결과에 이르게 된다. 장르가 혼합되면서 결국 장르가 해체되고, 다양화가 심화되고 가치기준이 상대화되면서 가치기준이 와해되어 가는 형편이다.

현대예술의 유형이 다양하고 그 문화적 연원이 매우 복잡함은 사실이다. 그러기에 더욱이 예술을 어떤 고정된 가치나 이념의 틀 안에 가두어 둘 수는 없다. 인간은 예술을 통해 끊임없이 바람직한 자아의 모습을 창조하고 모색하며 시대상황을 비추어 보는 까닭이다. 또한 인간은 가능존재이기 때문에 완결된 채로 머무르는 것이 아니라 비록 아직 완성되지 않은 미완인 존재임에도 완성을 향해가는 존재이다. 이는 마치 니체Friedrich Wilhelm Nietzsche(1844~1900)가 인간을 가리켜 "아직 확정되지 않은 동물(das noch nicht festgestellte Tier)"[18]이라 명명한 바와 같다. '아직 확정되지 않았다'라는 의미는 물론 여러 가지로 음미해 볼 수 있겠으나, 인간은 자신에게 주어질 수 있는 모든 방향을 향해 열려있다는 말이다. 우리는 이를 적극적이고 생산적인 의미로 새겨 예술문화 창조의 원동력으로 삼아야하지 않을까 생각

병남 역, 이론과 실천, 1991, 396쪽.
18 F. Nietzsche, *Jenseits von Gut und Böse*, Werke Musarion Bd. 15, München 1925, 83쪽.

한다. 이는 경험의 가능성 및 개방성과 연관하여 예술의 본질문제인 미적 자유나 상상력의 영역과도 그대로 직결된다고 하겠다.

예술작품은 우리의 해석을 통해 의미있는 체험 대상이 된다. 예술작품은 독특한 방식으로 우리에게 말을 걸고 무엇인가를 이야기 한다. 작품과의 대화를 통해 우리는 무엇을 찾는가? 예술작품이 삶의 진실한 표현이라면, 감추어져 있는 진리의 발견이야말로 해석의 주된 과제가 될 것이다. 근현대예술의 반인간적이며 중심상실의 혼란상황을 지적한 독일의 미술사학자인 제들마이어Hans Sedlmayr(1896~1984)가 말하듯, 우리는 극단적인 자의식에 갇혀 있어서는 안 되며, 또한 자연으로부터의 일탈을 피해야 한다. 나아가 생명이 없는 무기적인 것에 지나치게 매달리지 않고 정신적인 것을 지각의 세계에만 한정해서도 안 될 것이다. 그렇지 않다면, 작품의 중심이라 할 진리로부터 벗어나게 될 것이다. 작품해석은 우리의 주의나 생각을 새롭게 불러일으키는 일이며, 재창조의 작업이자 재생산의 작업이다.[19] 달리 말하면, 이는 작가가 체험하는 바가 관조자의 체험으로 이어지는 추체험追體驗, Nacherleben의 역할을 하며, 작가에게 추창조追創造의 역량으로 되돌아오게 된다. 작가는 삶의 장에서 예술활동을 한다. 예술활동은 우리의 삶을 근거로 할 때에 설득력이 있다. 우리의 삶은 예술활동의 무대이며 그 틀을 제시해주는 기준이 되기도 한다. 이것이야말로 예술의 제도요, 분위기라 할 것이다. 하지만 이것은 어디까지나 직접적인 반영이 아니라 간접적인 드러냄이다.

---

19   Hans Sedlmayr, *Kunst und Wahrheit*, Hamburg: Rowohlt, 1958, 88쪽.

3. 이해의 역사성

체험·표현·이해라는 삼면관계의 상호 연관을 정신과학의 원리로 확립한 딜타이Wilhelm Dilthey(1833~1911)에까지 이르는 20세기 초반의 해석학 이론은 저자의 의도나 텍스트의 의도에 근거하여 해석과 이해의 결정가능성을 말해 왔으나 지금은 이러한 결정가능성이 여지없이 무너지고 있는 실정이다. 서로 다른 시대에 해석과 이해의 정확성에 대한 시금석의 역할을 수행할 텍스트마저도 이제 더 이상 존재하지 않기 때문에 그러하다고 많은 이들이 주장한다. 다원화된 사회에서 비결정론이나 상대주의가 세력을 얻고 있는 형국이다. 해석과 해체의 문제는 텍스트 해석과 이해에 얽혀 있다기보다는 더욱 근본적으로 의미의 결정가능성 여부 자체에 관한 것이다. 해석과 해체는 얼핏 보아 상호양립이 불가능한 것처럼 보인다. 하지만 의미의 해체란 의미의 파괴를 뜻하는 것이 아니다. 결정론적인 입장에서 의미를 바라보는 것이 아니라 의미의 결정을 뒤로 미룬 채 열어 놓는다는 것이다. 유보의 의미는 개방의 의미를 아울러 담보하고 있다.[20] 따라서 소극적으로 넘기기 보다는 적극적으로 이해할 일이다.

하이데거의 입장을 따르는 가다머는 해석학적 이해를 하나의 역사적 행위로 보며 객관적으로 타당한 해석을 언급하는 일은 지나치게 소박한 입장이라고 비판한다. 가다머의 전승傳承 개념을 우리는 전통을 독단적으로 수용한다거나 승인한다기보다는 참다운 합의의 근거를 찾고자 제시한 점으로 이해해야 한다. 하이데거와 가다머는 해석학을 방법론으로 보지 않고, 존재론적 해석학이나 철학적 해석학으로 전개하였다. 가다머는 철학적 대

---

20 해석과 해체에 대한 자세한 논의는 김광명, 앞의 책, 제6장(153-189쪽) 참고 바람.

화의 모델로서 플라톤의 대화[21]를 지지하며, 대화의 성공은 참여자가 지속적으로 서로 기꺼이 응함으로써 가능하다고 본다. 가다머는 이해의 순환을 현존재의 시간성으로부터 도출하는 하이데거의 존재론적 해석학을 받아들이고, 해석학이 어떻게 과학의 객관성으로부터 벗어나, 이해의 역사성에 도달할 수 있는가를 따진다. 가다머가 말하는 '이해'란 어떤 개인의 주관적인 행위라기보다는 과거와 현재가 끊임없이 융합되어가고 있는 전통 안에 자기 스스로를 정립하는 것이다. 역사적인 전승을 통해 '이해'는 단지 과거를 반복하는 것이 아니라, 현재의 의미에 적극적으로, 그리고 생산적으로 이어져 참여하게 된다.[22] 이해의 문제를 인간존재인 현존재의 존재양태에 관한 것으로 파악한 하이데거는 이해의 순환을 현존재의 존재론적 구조로부터 설명한다. 현존재는 세계를 대상적으로 파악하기에 앞서 이미 구체적인 역사적 상황과 문화적 전통 속에 던져져 있는 존재자이다. 그러면서도 현존재는 피동적이 아니라, 미래의 가능성에 대해 어떤 기획을 갖고서 능동적으로 던지는 존재이기도 하다. '이해'란 인간존재의 사실성, 즉 우리가 처한 역사적 상황과 문화적 전통의 제약 가운데에 있는 현존재가 끊임없이 미래의 가능성을 향해 물음을 던지는 자기이해이다. 이해와 선이해先理解의 순환구조 안에서 진행되는 의미해석의 과정을 하이데거는 피동적으로 내던져진 피투被投, Geworfenheit가 아니라 능동적으로 던지는 기투企投, Entwurf와 선기투先企投의 순환으로 이해한다.

가다머는 존재론적 해석학을 이해의 역사성과 결부시켜 영향사 이론影響

---

21 유럽의 철학적 전통은 플라톤에 대한 일련의 각주로 이루어져 있다고 설파한 화이트헤드(Alfred North Whitehead, 1861~1947)의 지적처럼, 플라톤의 대화편은 삶을 성찰하는 근본 자세를 우리에게 잘 일깨워 준다.

22 H.-G. Gadamer, 앞의 책, 370쪽.

史 理論을 정립한다. 선기투를 시기에 맞춰 수정하는 일은 의미의 새로운 기투를 하는 일이요, 이는 미리 기투 하는 가능성 속에 있다. 해석은 앞서 주어진 개념들로 시작되며, 또한 앞서 주어진 개념들은 뒤에 등장한 좀 더 적합한 개념들로 대치된다. 가다머에 따르면, 텍스트 해석에 있어 사실에 적합하지 않은 선입견은 언어사용 사이에 존재하는 시간적 차이에 기인한다고 본다. 만약 가다머가 이 시간적 차이를 의미의 확장으로 보았거나 받아들였다면, 어느 정도 해체적 인식의 가능성을 미리 짐작했을 수도 있다. 다만 가다머는 이를 사실에의 적합 또는 부적합 정도로 보았다. 가다머는 말함과 이해함에 있어 언어사용의 일반적 공통성을 보편적 현상으로 전제한다. 언어의 공통성이 이해의 기호가 되는 것처럼 선입견을 생산적 선이해로 이끌어가는 것은 사실의 공통성이다. 사실 자체는 역사적 전승으로부터, 나아가 전승 안에서 이루어져야 한다.

역사적 인식에 있어서 선판단은 올바른 이해의 필수조건이다. 선판단의 정당성을 부여하는 인식론적 근거를 가다머는 권위와 전통에서 찾는다. 권위의 본질은 이성을 포기한다거나 맹목적으로 따르는 데에 있는 것이 아니라, 궁극적으로 인식과 인정에 근거할 때 얻어진다. 권위란 인간이 자신의 한계를 자각하고 타자에게 좀 더 나은 통찰을 신뢰하는 이성 자체의 행동에 근거한다. 권위를 부여하는 대표적인 형식가운데 하나인 전통은 우리의 행위와 태도를 지배하며 인간의 행동규범이나 범주를 규정하기도 한다. 가다머에 의하면 전통은 이성과 무조건 대립하는 것이 아니라, 오히려 끊임없이 자유와 역사 자체의 계기가 된다. 지속적으로 살아있는 전통의 작용과 역사적 탐구의 작용은 하나의 작용으로서 통일을 이룬다. 이해는 전승의 운동과 해석자의 운동의 상호작용에서, 즉 존재론적 순환구조에서 수행되며, 이해의 순환은 이해의 역사성에 근거한다. 또한 이해의 역사성은 전승이 우리에게 수행하는 작용의 연속선 위에 있다. 선판단의 진위를 구별할 수 있는 해석학적 조건은 시간간격이다. 옳게 내린 선판단은 전승을 통해 역사적 거리를 메꾸며, 그리하여 과거를 현재에 적용시키는 근간으로서 합당한 판단이 된다. 이것이 바로 과거의 현재에로의 적용이자 영향이다. 역사적 사건은 전통을 더욱 굳건하게 한다. 역사는 과거라 불리는 우리의 실현된 전통과의 대화이다. 영향사는 실체로서 우리의 확산된 진리행위이다.[23] 이는 이해의 적극적이고 생산적인 가능성을 뜻한다.

우리는 역사적 과거의 사실과 전승된 텍스트의 의미연관을 이해하며, 우리의 이해자체가 하나의 역사적 사건으로 일어나기를 기대한다. 이해는 역사의 의미운동과 우리 자신의 해석의 운동이 서로 만나고 융합하는 데서 이루어진다. 역사적 의미를 이해하려 할 때 이해의 주체인 우리는 항상 이해의 선구조와 해석학적인 순환관계 속에 놓인다. 역사적 사실이나 전승된 텍스트는 그것이 우리의 현재 상황과의 관계 속에서 이해될 때에 의미가 있다. 가다머는 이해의 역사성에 근거하여 시간 자체를 과거와 현재를 갈라놓는, 따라서 극복할 수 없는, 그리고 뛰어넘을 수 없는 깊은 간격으로 간주하지 않고, 오히려 역사적 사건을 떠받치거나 버티게 하는 근거로서 인식하였다. 해석학적 상황에 대한 인식 및 그 특징을 이루는 지평, 해석자와 구문의 대화관계, 물음과 대답의 변증법, 전통에의 개방성은 영향사의 주된 내용을 이룬다. 해석자는 자신의 상황에서 영향사로부터 이끌어낸 선입견들을 가지고 전통을 이해한다. 해석자가 텍스트에서 낯선 부분을 극복하고

---

23   Walter Schulz, "Anmerkungen zur Hermeneutik Gadamers", in: *Hermeneutik und Dialektik*, R.Bubner · K.Cramer · R. Wiehl (hrsg), Thübingen: J.C.B. Mohr, 1970, 305-316쪽.

낮익은 부분으로 전환하기 위해서는 그 자신 한걸음 물러나 있어야 한다. 이는 어떤 부정적 의미에서 사라짐을 뜻하는 것이 아니라 반성적 거리두기이다. 그리하여 텍스트의 지평과 독자의 지평 사이에 긴장이 풀리고 원만한 관계가 이루어지게 되며, 이 양 지평이 서로 융합되어 의사소통이 이루어진다. 가다머는 자기자신의 특이성과 대상을 일반성에로 고양시키는 것을 지평융합地平融合이라 한다. 지평융합은 언어를 매개로 하여 이루어진다. 존재는 스스로를 개방함으로써 언어로 다가간다. 언어는 어떤 상황이나 구문의 주제 내용을 열어 보인다. 언어는 의미있는 이해 자체로서 존재양식이 된다. 그의 언어는 주관성의 도구가 아니라, 우리의 존재가 거기에 참여하는 로고스이다. 가다머에 있어 학적 탐구란 이렇듯 언어를 매개로 한 인간의 자기이해의 가능성을 위해 던져진 역사과정 속에 연관되어 있다.[24] 그에게 객관적인 지식이란 결코 절대적인 지식일 수 없으며 역사적인 중개과정에서 이루어지는 조건적인 지식일 수밖에 없다.

24 H.-G. Gadamer, 앞의 책, 514쪽.

4. 예술비평과 해석

노엘 캐롤Noël Carroll(1947~)에 따르면, "해석이란 곧 의도를 확정하려는 시도, 최소한 작가가 작품에 대해 어떤 인지적 기여를 했는지를 찾아내는 시도"[25]이다. 이러한 시도의 전제가 비평이다. 비평은 본질적으로 평가를 포함한다.[26] 비평은 기술, 해명, 분류, 맥락화, 해석, 분석 등을 포함하여 수많은 활동과 관련이 있다. 진정한 의미에서의 비평이란 평가를 산출한다. 평가는 비평의 본질적인 특징이다. 그리고 범주화 혹은 분류와 맥락화가 평가를 위한 핵심내용이 된다. 범주화와 맥락화는 평가의 대상인 작품이 지니고 있는 목적을 밝혀내기 위한 인식론적 도구들이다. 예술작품 평가의 핵심은 작품의 의도와 목적을 결정하는 것이다. 해석은 비평의 핵심이며, 예술작품을 합리적인 이유에 근거하여 평가한다. 예술작품에서 가치 있는 것이란 예술가가 자신의 작품을 통해 무엇을 성취했는가의 문제와 연결되어 있다. 그것은 감상자들이 예술작품의 경험으로부터 얻게 되는 가치이기도 하다. 비평의 가장 중요한 구성요소는 평가활동이다.

예술비평이란 특정한 예술 형식에 속한 어떤 작품에 대한 비평이다. 그리고 비평은 언어적 담화의 한 유형으로 이루어진다. 말하자면, "예술비평은 예술작품을 비평하는 언어적 행위"[27]인 것이다. 비평이라는 형식의 담론

---

25 Noël Carroll, *On Criticism*, Taylor & francis(2009). 『비평철학』, 이해완 역, 북코리아, 2015, 8쪽.
26 '분리하다'를 의미하는 그리스어에서 온 '비평'은 그 본성이 평가를 포함하며, 비평가(critic)라는 말은 고대 그리스어 '크리티코스(κρῑτῐκός · kritikós)'에서 나온 것인데, 배심원으로 참여하여 평결을 내리는 사람을 뜻한다.
27 Noël Carroll, 앞의 책, 29쪽.

은 평가를 그 특징으로 하며, 비평가가 비평의 대상을 선택할 때에 이미 평가의 관점이 개입된다고 하겠다. 칸트에 따르면, 예술적 천재는 이미 주어진 규칙을 따르는 것이 아니라 자연에 규칙을 부여한다. 실은 자연 안에 감춰진 규칙을 찾아내는 일이다.[28] 천재란 예술적 생산의 몫을 담당하며, 평자나 감상자는 생산된 산물을 평가하고 해석한다. 음식의 맛을 예로 비유한다면, 비평가가 관심을 갖는 것은 음식의 맛이지, 확립된 조리법을 고수하고 있는지 여부가 아니다. 그럼에도 음식의 맛과 그에 따른 조리법이 어떤 상관관계가 있는가를 어느 정도 밝힐 수는 있을 것이다. 비유하건대, 조리법을 새롭게 만들어 제시하는 일은 천재나 예술가, 조리사의 몫이다. 조리법을 달리 하면 미세하게나마 맛이 달라지거나 혹은 아주 다른 맛이 날 것이다. 이러한 맛의 평가는 비평가의 몫이다.

근대미학의 맥락에서 보면, 비평적 판단이 주관적이라고 해서 거기에 최고수준의 논리적 객관성을 만족시킬만한 일종의 원리가 개입되어 있을 가능성이 개념적으로 완전히 배제되지는 않는다. 아마도 여기에 적용되는 객관성이란 상호주관적으로 검증 가능한 정도를 의미할 것이다. 예술에 순위를 매기는 것이 주된 임무인 사람들이 있다면, 그것은 아마도 예술 감정가나 예술 애호가일 것이다. 예술에 값을 매기고자 하는 감정가나 주관적인 취향을 드러내는 애호가들은 나름대로 순위의 문제가 중요할 수도 있겠다. 하지만 값을 매길 수 없는 것에 억지로 값을 매겨 순위를 정하는 일이 있다면, 과연 그것이 온당하고 옳은 일인가를 물을 수 있다. 때로는 비평이 정치적 혹은 이데올로기적, 사회적 편견 혹은 사적인 이해관계에 의해 왜곡될 수도 있다. 그렇게 된다면, 객관적이지도 않거니와 순수하지도 않다. 가치

---

28   I. Kant, *Kritik der Urteilskraft*, Hamburg Felix Meiner, 1974, §46.

중립적 접근을 취하는 태도를 노엘 캐롤은 비평의 개혁에 관한 문제가 아니라 비평의 포기라고 말한다.[29] 그러나 이를 꼭 비평의 포기라고만 할 수는 없다. 왜냐하면 때로는 가치중립의 태도나 접근이 어떤 특정 가치관이나 관점, 기준에 치우치지 않는 것을 의미하기 때문이다. 특히 과학적 사실이나 기술 그 자체는 철저히 가치중립적인 것으로서, 아무런 다른 의미나 외부적 가치에 휘둘리지 않는다. 오히려 정당한 비평의 자세는 어느 쪽에도 치우침이 없는 가치중립적 태도가 아닐까 생각한다.

평가는 비평을 구성하는 여러 요소 중 하나이지만 다른 것들보다 우선적이다. 비평의 본성은 예술 작품을 평가하는 것이다. 여기에 이미 해석이 개입된다. 예술작품에서 가치 있는 것이나 주목할 만한 것을 발견해내는 것이며, 이것이 왜 그러한지를 설명하는 것이다. 비평작업은 예술 작품에서 가치 있는 것이 무엇인지를 발견하고 설명하는 데 전념해야한다. 혹여 비평의 주된 임무가 결점을 찾아내어 비난하거나 비판하는 일이라고 생각하는 사람들이 있다면, 이는 비평의 본성에 관해 완전히 잘못 알고 있는 것이다. 넓은 의미에서 보면, 대상에 대한 비평은 인간의 행위이다. 인간의 삶과 연관된 인간의 행위이다. 작품의 탁월함이란 인격의 탁월함과도 연관되기 때문이다. 감상자가 무엇을 하는가는 비평의 대상이 아니다. 예술가가 작품을 수단으로 하여 무엇을 하는가가 비평의 대상이 되어야 한다. 감상자가 작품을 어떻게 사용하는지를 평가하기 전에 예술 작품에 대한 비평적 평가가 선행되어야 한다. 비평가는 예술가가 작품을 창조하면서 무언가를 성취한 경우 긍정적인 평가를 내린다. 비평가의 주된 작업은 평가하는 일이다. 즉, 해당 작품에 관해 가치 있는 것이 무엇인지를 말하는 것이다. 비

---

29 Noël Carroll, 앞의 책, 60-62쪽.

평의 대상은 바로 예술가가 이루어 놓은 성취이다.[30] 예술가의 성취란 예술가가 작품을 통해 이루어낸 것을 일컫는다. 그러나 무엇을 이루어냈느냐에 대한 평가와 해석은 매우 상이하며 다양할 것이다.

영국의 문필가인 조셉 애디슨Joseph Addison(1672~1719)이 1712년『스펙테이터The Spectator』지에 기고한 "상상력의 즐거움Pleasures of Imagination"은 영국 취미론의 형성과 미학의 근대적 변화를 엿볼 수 있는 글이다.[31] 작가가 선택한 적절한 단어는 매우 큰 힘을 지닌다. 정확한 세부묘사는 종종 눈앞에 실재하는 사물보다 더 생생한 인상을 심어준다. 미적 상상력은 창조의 원동력으로 이어진다. 행위자의 행위 이면에 있는 의도를 지적하는 것은 그것이 어떤 행위인가를 확인하는 데 결정적이다. 예술적 의도가 예술작품 평가와는 무관하다는 입장은 "의도주의의 오류Intentional fallacy"[32]이다. 작가의 예술적 의도에 객관적으로 온전하게 접근하는 일이 불가능하기 때문이다. 의도주의는 예술가가 말한 의도가 아니라 실제 가졌던 의도를 따르는 것이다. 예술가의 실제 의도는 밖으로 드러나지 않은 무의식적인 의도가 될 수도 있다. 의도주의가 작품에 주목하는 대신, 해석자는 예술가의 의도라는 작품외부의 어떤 것에 초점을 둔다. 또한 비평적 평가는 예술가가 실제로 이루어놓은 것과 관련되며, 성취하려고 의도한 것과 관련되어 있지 않다. 물론 이 때 성취하려고 시도한 것과 실제로 성취한 것 사이의 정합성을 따져 보는 것은 별개의 문제이다. 최종적으로 비평의 대상은 작품에 나타난 예술가의 성취이다.[33] 예술가의 의도는 예술 작품의 해석과도 관

---

30   Noël Carroll, 앞의 책, 76쪽.
31   Noël Carroll, 앞의 책, 79쪽.
32   Noël Carroll, 앞의 책, 94쪽.
33   Noël Carroll, 앞의 책, 110쪽.

계를 맺는다. 비평이란 합리적 근거를 갖춘 평가이다. 기술은 예술 작품이 어떤 것인지를 독자나 청자에게 말해주는 것이며, 독자가 인지적으로 의존할만한 구체적인 어떤 것을 제공한다. 예술 작품에 대해 완전한 기술은 얻을 수 없다는 것이 명백한 사실이라 하더라도, 그에 대해 완전하지는 않지만 충분한 기술이 있을 수 있다. 충분한 기술은 선별적인 작업이며, 충분하고 합당한 것만 가려 뽑는다.[34] 비평가가 수행하는 주된 역할 중 하나는 일반 사람들을 위해 예술 작품이 속한 범주를 알려 주는 일이다. 비평가가 범하는 오류의 주된 근원은 분류에 있다. 즉, 잘못 분류를 하는 것이다. 이는 비평가가 한 범주에 속하는 예술 작품을 이보다 덜 적합하거나 전혀 적합하지 않은 다른 범주에 속한 것으로 볼 때 발생한다. 때로는 평가의 기준과 분류의 기준을 혼동하거나 혼합한 경우에도 이러한 일이 발생하며, 올바른 비평을 내리기가 어렵다.

이를테면, 라파엘Raffaello Sanzio da Urbino(1483~1520)이 교황 율리우스 2세로부터 그의 도서관을 장식하라는 주문을 받아 제작한 프레스코 벽화인 〈아테네 학당〉(1509~1511)을 통해 그에게 부여된 임무는 고대 철학을 찬양하는 것이었다. 그림에서 철학은 살아있는 대화이자 생각들이 교환되는 진정한 시장市場 터의 모습으로 그려져 있다.[35] 예로부터 시장은 만남의 장소로서 사람들이 대화를 나누고 소통하는 공간이다. 공동체적 여론을 환기하고 나름대로 민주적 의사결정을 끌어내는 곳이기도 하다. 특히 자본주의사회에서의 기본인 시장은 언제 누구에 의해서 형성된 것인지 역사적으로 그 연원이 불명확하거니와 아주 자연스럽게 인간욕구의 실현을 위한 곳으로

34　Noël Carroll, 앞의 책, 120-121쪽.
35　Noël Carroll, 앞의 책, 139쪽.

생겨났다. 특히 수요자와 공급자의 필요성이 적절하게 균형을 이루어 형성된 곳이라 하겠다. 가다머는 콜링우드R. G. Collingwood(1889~1943)의 주장을 차용하여 예술 작품이란 예술가가 자신을 둘러 싼 환경에 대해 생각하는 것으로부터 생겨나는 것에 대한 응답이라 했다.[36] 그렇다면 비평가는 감상자가 그러한 질문을 이해하는 데 도움을 주는 사람이다. 먼저 그러한 질문 자체를 명료하게 해주고, 그러고 나서 예술가의 선택이 그 질문에 어떤 방식으로 대답하고 있는지를 기술하고 설명한다. 설명하고 밝히는 해명은 예술 작품에 들어 있는 상징들의 의미를 확인하는 비평적 작업이며, 예술가에 의해 직접적으로 우리에게 주어진 것이 무엇인지를 확립하는 일이다.

해석은 작품의 의미를 캐내는 일이다. 특히 무엇이 작품 전체 혹은 작품의 두드러진 어느 한 부분을 소통이 가능한 방식으로 한데 묶어주는가의 측면에서 본 작품의 의미에 주목한다. 해석은 예술 작품의 부분들이 한데 모여 소통을 위해, 혹은 주제나 생각을 개진하기 위해 어떻게 작동하고 있는지를 보여주는 데 입각한 일이다. 모든 해석이 분석分析일 수는 있어도 모든 분석이 해석인 것은 아니다.[37] 분석이란 사전적으로 그 뜻을 보면, '얽혀 있거나 복잡한 것을 풀어서 개별적인 요소나 성질로 나누거나 또는 개념이나 문장을 보다 단순한 개념이나 문장으로 나누어 그 의미를 명료하게 하는 일이다. 때로는 복잡한 현상이나 대상 또는 개념을, 그것을 구성하는 단순한 요소로 분해하는 일'이다. 해석이 아닌 분석이란 우리의 세심한 비평적 작업이 작품에 깔려 있는 주제나 이념, 메시지를 파악하는 일과는 다른 방식으로, 한 편의 예술 작품이 어떻게 일관되게 짜여 있고 작동하는지를 설

---

36 Noël Carroll, 앞의 책, 141쪽.
37 Noël Carroll, 앞의 책, 147-148쪽.

명하는 것이다. 해석은 단순한 언어적 의미나 기호적 의미, 회화적 의미, 연상적 의미보다는 그 폭이 넓다고 생각되는 의미들을 다룬다. 해석과 해명을 구분해보면, 앞서 언급한 라파엘의 〈아테네 학당〉에서 플라톤 자신이 기원전 360년경에 쓴 대화편인 『티마에우스』를 들고 있는 사람이 플라톤이고, 아리스토텔레스의 철학을 담은 책인 『니코마코스 윤리학』을 들고 있는 사람이 아리스토텔레스라고 말하는 것은 해명의 작업이다. 위를 가리키고 있는 플라톤의 손은 그가 "저 위" 이데아의 세계에 주로 관심을 가지고 있다는 것을 암시하는 것인 반면, 앞으로 내뻗은 아리스토텔레스의 팔은 바로 이 현실세계에 대한 그의 관심과 헌신을 보여준다고 주장하는 것은 해석의 문제이다.[38] 해명과 해석의 미묘한 차이를 주목할 필요가 있다. '해명'은 사실에 근거하여 까닭이나 내용을 풀어서 밝히는 것이요, '해석'은 의미를 판단하고 이해하는 일이다. 이밖에도 여기에 등장하는 다양한 유파의 사상가들의 모습들에 작가 나름의 해석이 깃들어 있다고 하겠다. 기술과 해명은 해석과 관련되어 있다. 정확한 해석은 정확한 기술과 해명에 의존해야 한다. 분석은 예술 작품이 어떻게 기능하는가를 설명하는 넓은 부류의 비평 활동에 속한다. 해석은 분석의 한 종류이다. 많은 경우 작품의 목적이나 요지란 결국 감상자에게 어떤 주제나 논제를 전달하는 것과 관련되어 있다.[39] 비평적 분석은 예술가가 작품을 구성하는 요소들을 선택한 것이 어떻게 작품의 목표를 성공적으로 성취하도록 하는지를 보여주는 방식으로 작품에 대한 평가를 뒷받침한다. 해명은 해석과 마찬가지로 예술가가 의도할 수 있거나 의도할 수 있었던 바에 의해 제한되어야 한다. 해석은 다른 어느 것보다 언어화

38   Noël Carroll, 앞의 책, 154쪽.
39   Noël Carroll, 앞의 책, 166-167쪽.

용론話用論의 문제로서 의사 소통시의 발화에 대한 논의이며, 화자와 청자의 관계에 따라 언어 사용이 어떻게 바뀌는지, 그리고 화자의 의도와 발화의 의미는 어떻게 다를 수 있는지의 상황과 맥락에 따른 의미를 다룬다.

객관적인 평가로서 비평에 대한 문제제기를 보면 무엇이 예술 작품을 성공적인 것으로 만드는가에 대한 어떠한 일반화도 없다는 것이다. 아름다움이란 어떤 감각에 부쳐진 주관적인 이름이지 그 감각을 촉발하는 대상의 객관적 특성을 가리키는 이름이 아니다. 이른바 예술작품에서 오는 미적인 즐거움은 대상들로 구성된, 객관적인 세계에 있는 것이 아니다.[40] 그렇지만 외적 대상이 직접적인 원인이 아니라 하더라도 간접적으로 어떤 자극이나 영향을 주어서 쾌를 불러일으킬 수도 있을 것이다. 그런 까닭에 전적으로 무관하다고 말할 수는 없다. 아름다움이란 우리가 예술 작품에서 끌어내는 즐거움에 부쳐진 이름이다. 취미는 상당히 개인적인 것이 되고, 그런 측면에서 보면, 상대적이라는 의미에서 판단하는 사람 개개인에게 주관적인 것이 되며 객관적이지는 않다. 예술 작품이 아름다운가의 여부를 결정하는 것은 비평의 한 부분일 수는 있겠지만, 비평의 전부일 수는 없다. 19세기 후반에 이르러 부조화, 부정확, 천박함, 기형, 역겨움 등을 지칭하는 추醜가 미의 범주로 들어 온 이후에[41] 아름답지 않은 작품들이 많이 등장하게 된다. 비평가는 작품의 어떤 특징을 기술하거나 해석하거나 분석함으로써 자신의 평가에 근거를 제공하려고 한다. 비평적 평가를 뒷받침할 정도로 충분히 일반적인 몇몇 원칙은 있을 수 있다.

---

40 Noël Carroll, 앞의 책, 200-202쪽.
41 Karl Rosenkranz, *Ästhetik des Häßlichen*, 1853. 칼 로젠크란츠, 『추의 미학』, 조경식 역, 나남출판, 2008 참고.

5. 해석에 반反하는 또 하나의 해석

근대 이후 시대의 새로운 감수성을 대변하는 미국의 소설가이자 문예 평론가인 수전 손택Susan Sontag(1933~2004)에게 텍스트는 독자와 함께 만들어 가는 놀이터이다. 이 점을 강조하여 수전 손택은 기존 입장의 해석을 반대한다. 내용 속에 숨어있는 의미를 찾아내는 해석 작업이 반동적이고 보수적이어서 예술을 고갈시키고 예술의 특수성에 폭력을 가한다는 독특한 입장이다. 손택은 해석 작업이 오히려 '날 것'으로서의 우리의 감성에 해독을 끼치고 '지식인이 예술에 가하는 복수'라고 매도한다. 예술에서 중요한 것은 투명성의 경험, 즉 '사물의 반짝임을 그 자체 안에서 경험하는 것, 있는 그대로의 사물을 경험하는 것'이라고 주장한다. 투명성은 예술비평에서 가장 고상하고 의미심장한 가치이며, 사물의 반짝임을 그 자체 안에서 경험하는 것이요, 있는 그대로의 사물을 경험하는 일일 것이다. 투명성은 직접적인 감각성에서 담보된다. 그리하여 '더 잘 보고, 더 잘 듣고 더 잘 느낌'으로서 무뎌진 우리의 감성을 회복할 수 있다. 그에 의하면, 해석학 대신 우리에게 필요한 것은 마치 성적 본능처럼 예술에 대한 성애性愛이다. 내용보다 '스타일'을 강조하는 수전 손택은 '스타일이 곧 예술'이라고 선언한다. 예술 작품의 특징은 개념적인 지식의 창출이 아니라 매혹된 상태에서 우리가 거기에 흥분하고, 참여하며, 판단하는 것이다. 읽는 텍스트는 의미를 풀어내는 해석의 장場이 아니라 독자와 함께 만들어 가는, 즉 더불어 즐기는 놀이 공간인 것이다. 이 점은 기존의 해석이 놓친 부분을 잘 살려낸 측면이 있다고 생각한다.

손택은 낯설고 기괴한 것을 좋아하는 태도를 '캠프'라고 정의하면서 현대의 대중문화를 캠프를 통해 이해할 수 있다고 주장하였다. 원래 '캠프'란 휴양이나 훈련 따위를 위한 야영지나 주둔지로서, 여기에서는 누구나 있는 그대로의 감정을 숨김없이 드러낸다. 현대의 대중문화를 즐길 수 있는 아방가르드적인 캠프 취향은 초기 포스트모더니즘 이론의 형성과도 무관하지 않아 보인다. 이른바 캠프에 적합한 '캠프적 감수성'이란 기질의 무절제함이나 과장됨, 공상이나 열정 등이 적절하게 혼합되어 감동적이고 탐미적인 것으로 드러난다. 캠프 취향은 향후 손택의 반反미학의 토대가 된다. 손택은 C. P. 스노우Charles Percy Snow(1905~1980)가 시작한 인문 문화와 과학문화라는 '두개의 문화'의 갈등 문제를 전면 거부하고 두 개의 문화는 서로 합해져 상보적인 하나의 문화가 돼야 한다고 역설한다. 그리하여 그는 하나의 문화 속에서 '새로운 감수성의 탄생'을 선언한다. 나아가 인문 문화와 과학문화 사이에 놓인 통념적인 구분인 예술과 비예술, 형식과 내용, 고급문화와 저급문화의 경계선을 해체시킨다. 인문학자들은 인문학과 과학을 가로질러 새로운 이론을 창출해야 한다. 현대예술은 대량소비사회에서 우리의 감각을 놀라게 하는 충격요법을 이용하여, 감각의 마비를 퇴치하고 새롭게 살려내는 방식의 하나이다. 손택의 이러한 새로운 감수성은 일상생활에서의 역설적이고 아이러니한 반미학의 전략이 된다. 이는 기존의 미학이 아닌, 새로운 범주의 미학이다.

역사적으로 보면, "자연의 미는 묘사되는 것이 아니라 직접적으로 체험되었고 그 안에 빠져듦으로써 직관할 수 있는 것이 되었다."[42] 특히 자연미를 추구하는 일은 자연대상을 직접 체험하고 이를 토대로 삶에 생생한 의미를 부여하는 것이다. 인간의 의식을 역사적으로 바라보는 관점 안에서, 지

42　Umberto Eco, *Storia Della Bellezza*, 2004. 움베르토 에코, 『미의 역사』, 이현경 역, 열린 책들, 2014(6쇄), 312쪽.

금까지의 해석 자체도 분명히 평가를 받아야 한다. 이해한다는 것 자체가 바로 해석하는 것이다. 해석하는 것은 현상을 바꿔 말하는 것이며, 현상에 상응하는 것을 찾는 일이다. 문화적 맥락으로 보면 해석은 직접적으로 찾고 직관하는 일을 방해하는 행위인 것이다. 거기서 반해석은 기존의 해석을 수정하고, 재평가하며, 지난 과거를 탈출하는 행위이다. 손택의 입장에서 보면, 오늘날은 대부분의 해석작업이 반동행위인 그런 시기이며, 해석은 지식인이 세계에 가하는 앙갚음이요, 복수이다. 해석한다는 것은 '의미'라는 그림자 세계를 세우기 위해 세계를 무력화시키고 고갈시키는 짓이다.[43] 손택에 따르면, 기존의 해석은 예술작품이 일련의 내용으로 구성된다는 심히 분명치 않은 논거를 토대로 예술을 어지럽힌다. 예술을 지적 도식의 범주에 포함되는 일종의 실용품목으로 만드는 것이다. 해석을 피하다가 예술은 패러디가 되기도 한다. 아니면 추상적으로 흘러버리거나 장식적인 요소로 전락하기도 한다. 그도 아니면 비非예술이 되기도 한다.[44] 아예 예술이 아닌 것이다.

"예술은 세상 속에 있는 어떤 것이지, 그저 세상에 관해 말해주는 텍스트나 논평은 아니다."[45] 이 언명 속에 수전 손택의 예술에 대한 태도 및 예술의 존재의의가 아울러 담겨 있다. 예술은 우리의 직접적인 감관기관의 대상으로서 세상과 더불어, 세상 속에 함께 있는 것이다. 가다머에게서 유희와 유희자가 하나이듯이, 예술과 세상의 삶은 하나이다. 따라서 표현성이나 스타일의 가치가 내용보다 원초적이다. 예술작품에서 내용에 함몰되는 태도

---

43   수전 손택,『해석에 반대한다』, 이민아 역, 도서출판 이후, 2003, 24-25쪽.
44   수전 손택, 앞의 책, 29쪽.
45   수전 손택, 앞의 책, 45쪽.

는 원칙적으로 심미적인 판단과 양립할 수 없다. 이는 심미적 판단을 어떻게 내릴 것인가와 연관되는 문제인데, 지나치게 감각적인 것으로만 치부해서는 안 될 것이다. 한편으로 손택은 예술이 도덕성과 연관되어 있다고 말한다. 때로는 예술이 도덕적 쾌감을 주기도 한다. 그런데 도덕적 가치나 이념이 도덕적 쾌감과 별개의 것이라거나 오히려 반하는 것으로 본다면, 손택의 이런 주장은 설득력을 잃게 된다. 손택의 이런 언급처럼 예술과 도덕성과의 연결이 유의미하려면 도덕성은 도덕적 즐거움과 도덕적 이념 및 가치를 함께 포괄해야 할 것이다. 예술은 단지 자연의 모방에 머무르는 것이 아니라 자연을 형이상학으로 보완하는 것이며, 자연과 더불어 성장하되 자연을 넘어서는 것이다. 그런 맥락에서 예술은 또 하나의 다른 자연인 셈이다. 스타일은 예술작품 안에서 자연스레 드러나는 원칙이요, 예술가가 표명하는 직접적인 의지이다. 그리고 인간의 의지가 취할 수 있는 태도는 무한정하므로 예술작품의 스타일도 또한 무한정하다.[46]

우리는 비극이 예술양식이 아니라, 역사의 형태인 시대에 살고 있다. 왜냐하면 인간 삶의 현실이 슬픔과 비참함으로 가득하고 인간의 파멸, 패배, 죽음 따위의 불행한 결말이 도래하는 것으로 보이기 때문이다. 이렇듯 비극이 보여주는 것은 '가치'의 무자비성이 아니라, 세계 자체의 무자비함이다. 비극은 허무주의의 상상력이요, 허무주의를 영웅적으로 혹은 고귀하게 만드는 상상력이다.[47] 예술에서 감정이입을 불러일으키는 힘은 반성적 거리두기, 무심함, 공명정대함 등을 불러일으키는 작품내적인 요소에 의해 균형이 잡힌다. 오늘날의 예술은 의식을 조절하고 새로운 양식의 감수성

---

46   수전 손택, 앞의 책, 62쪽.
47   수전 손택, 앞의 책, 207쪽.

을 조직하는 새로운 도구다. "현대예술의 기본단위는 사상이 아니라, 감각의 분석과 확장이다."[48] 예술가는 자신의 감각영역을 확장시켜 우리에게 공감을 자아낸다. 예술이 추구하는 궁극적 가치인 미의 본질과 구조를 해명하는 학문으로서 미학은 '감성적 인식의 학'이며, 예술은 감성적 인식의 표상이다. 현대예술의 가장 흥미로운 작품들 가운데 특히 프랑스의 상징주의 시에서 시작된 작품들은 감각의 탐구, 새로운 '감각의 혼합'에 전념했다. 오르테가 이 가세트José Ortega y Gasset(1883~1955)가 그의 『예술의 비인간화』에서 언급하듯, "예술이 인간을 구원하겠다면, 그 구원은 예술이 인간을 인생의 엄숙함에서 구해내 기대하지 않았던 쾌활함을 인간에게 되돌려 줄 때에만 가능할 것이다."[49] 기존의 해석이 하는 역할이 작품 안에 펼쳐진 인간 삶에 있어 엄숙한 의미탐구였다면, 손택이 취한, 이른바 해석에 반反하는 반해석적 태도는 우리의 생생한 오감을 통해 그 즐거움과 쾌활함을 회복시켜 주는 데 있다고 할 것이다. 이는 기존 해석학의 토대와 근거를 반성케 하는 해석학적 반전反轉이요, 또 하나의 다른 해석으로서 귀기울일만한 주장이다.

---

48 수전 손택, 앞의 책, 448쪽.
49 수전 손택, 앞의 책, 449쪽.

6. 맺는 말

　작품해석의 문제는 근본적으로 작품이해의 문제이다. 모든 이해는 의미의 파악이요, 의미의 부여이다. 이해는 감정이입적인 공동체험이다. 여기에선 의미내용이나 의미연관, 의미구조나 의미발생이 문제된다. 의미는 이해의 내용으로 주어진다. 예술체험은 대체로 객관성과 보편성에 대한 요구를 내포하기 보다는, 직접적이고 직관적인 의식의 내용으로 얻어진다. 이때의 의식은 감성과 표상, 충동과 의지가 서로 역동적이고 유기적인 통일을 이루고 있다. 어떻든 예술에 대한 경험은 우리가 어떤 대상을 향수하는 특수한 방식으로 이루어진다. 작가에 있어 작품은 우리가 그것을 통해 작가의 열려진 삶을 이해할 수 있는 바탕이 된다. 예술작품은 인간 삶에 대한 비평적 표현이다. 작품에 나타난 작가의 품성이나 성향, 표현된 정감들과 우리는 유비적類比的인 관계에서 서로 만난다. 양자는 어떤 구조적인 유사성의 관계를 맺게 된다는 말이다. 구조적 유사관계에서만 유비가 가능하기 때문이다. 이러한 유비 혹은 유추는 때로는 은유나 상징의 형식으로 넌지시 압축되어 나타난다. 거기엔 삶이 추구한 근본적인 의미와 예술적 이미지가 하나로 통합되어 있다. 만약에 분석이전에 이미 통합의 형태를 이룬다면, 원시시대의 예술이나 동양문화권의 예술에서 지향하는 미분화의 상태라 지적해야 옳을 것이다. 이러한 통로를 거쳐 우리는 예술작품의 근원과 더불어 인간존재에 대한 근원적인 물음을 다시 묻게 된다.

　비평이란 주로 예술 작품에서 가치 있는 것을 발견하는 일이다. 비평은 본질적으로 평가를 포함한다. 따라서 비평은 가치의 문제와 연관된다. 예술 작품이 지닌 가치를 발견하고, 그에 대한 합당한 평가를 내리는 일은 비평가들의 임무이다. 예술 작품이 아름다운가의 여부를 결정하는 것은 비평의 한 부분일 수는 있겠지만, 비평의 전부는 될 수 없다. 예술은 살아있는 문화의 맥락을 형성하는 생각과 믿음과 느낌이 전달되는 주된 통로 중 하나이다. 이는 예술의 기능인 동시에 개별적인 예술 관행에 연루된 문제점들에 대한 해결책이기도 하다. 대부분의 일반적인 비평들이 좁은 의미의 예술 비평이기는 하지만 완전한 예술 비평이라면 인간 삶의 총체적인 현상으로서 문화 비평의 지평을 아울러 포괄할 수밖에 없다.[50]

좋은 작품에는 언제나 해석의 충동에서 우리를 완전히 벗어나게 하는 직접성이 있다. 그렇다면 예술작품의 위상을 빼앗는 것이 아니라 오히려 위상을 강화하고 이바지할 비평은 무엇인가. 아마도 수전 손택에 의하면, 그것은 예술의 형식에 더 주의를 기울이는 일일 것이다. 내용만으로 작품을 평가하는 편협한 태도는 해석의 오만을 야기하는 동시에, 형식에 대한 더욱 확장되고 철저한 설명을 간과하게 될 것이다. 좋은 비평이란 내용에 관한 언급 안에 형식에 대한 언급을 녹여낸 비평이다. 좋은 비평은 예술의 감각적인 표면을 꾸물거리지 않고, 가려있거나 보이지 않던 것을 드러내준다. 그러할 때 인간의 온전한 미적 감수성이 회복된다. 미적 감성의 회복을 위해 우리는 우리의 오감(시각·청각·촉각·미각·후각)을 담당하는 감각기관을 활용하여 더 잘 보고, 더 잘 듣고, 더 잘 느끼는 방식을 배워야 한다. 그렇게 하기 위해 한편으론 기존 해석과는 다른 방식의 반전反轉이 필요한 것이다. 비평의 기능은 예술작품이 무엇을 의미하는지 외부에서 이론을 끌어들여 보여주는 것이 아니라, 예술작품이 어떻게 예술작품이 됐는지, 더 나아가서는 예술작품은 예술작품일 뿐이라는 내재된 사실을 보여주는 것이다.[51]

---

50 Noël Carroll, 앞의 책, 249쪽.
51 수전 손택, 앞의 책, 31~35쪽.

라파엘, 〈아테네 학당〉, 1509, 579.5×823.5cm, 바티칸 미술관 소장

3장
일상의 삶과 일상미학

1. 일상의 삶과 미적 계기

　일상의 삶이란 날마다, 매일, 하루하루 반복되는 생활의 삶이다. 흔히 우리는 일상다반사日常茶飯事라 말한다. 이는 차를 마시고 밥을 먹는 일처럼 보통 있는 예사로운 일을 일컫는 말이다. 보통 있는 예사로운 일은 '예삿일'이요, '흔한 일'일 것이다. 그러나 일상과 비일상이 구분없이 전개되는 번잡한 오늘의 삶 속에서 우리는 '일상적인 비일상'과 '비일상적인 일상'이 혼재되어 있는 상황에 직면해 있다. 그런데 일상과 비일상은 상반된 듯 보이지만, 내포와 외연의 관계에 있다. 서로 맞물려 있다는 말이다. 우리는 '일상'의 모습을 미적 차원에서 접근하여 그 의미를 다시 묻게 된다. 왜냐하면 일상에 대해 미학적 의미를 묻는 일은 삶의 경험을 풍요롭게 하고 또한 우리가 기울이는 주의력이나 느끼는 감성을 보다 더 섬세하고 예민하게 하기 때문이다. 일상의 미학은 강조하는 바에 따라 일상의 삶을 이끌어가는 도덕적, 사회적, 정치적 차원의 여러 문제와도 미묘하게 얽혀 있다. 거의 모든 일이 일상적으로 우리 삶에 영향을 미치는 복합기제이기 때문이다. 그러나 그것은 단지 특수한 복합기제가 아니라 일상적으로 널리 적용되어 일상적 삶의 대부분을 이룬다.

　미학사적으로 아름다움 혹은 미의 범주를 고찰할 때, 다루는 대상이나 내용에 따라 여러 가지로 나눠볼 수 있을 것이다. 그런데 크게 자연미, 예술미, 일상미 혹은 생활미라는 세 범주로 나누어 본다면, 일상의 삶에 관한 미에 자연과 예술이 관계를 맺고 이에 영향을 미친다면 자연미나 예술미를 나누는 경계는 느슨해지고 그 양자가 일상미 안에 일정부분 녹아들게 된다. 예술과 예술 아닌 것, 혹은 예술에 반하는 것, 이 삼자간의 경계마저도 점차 없어지거나 아예 없어진 현대예술의 상황은 우리로 하여금 일상의 삶과 에술의 관계에 대해 논의할 수 있는 이론적 근거가 무엇인가를 다시금 생각하게 한다. 예술의 일상화와 일상의 예술화에서 보듯, 예술은 우리 삶에 변화를 주고, 또한 우리는 삶 속에서 세상을 바꾸어 나갈 예술적 가능성을 찾게 된다. 필자는 일상의 삶과 연관된 미적 계기, 그리고 일상의 삶을 근간으로 이루어진 미학적 논의를 일상미학이라는 주제로 다루어 보려고 한다.

예술가는 예술작품을 통해 하나의 세계를 새롭게 창조한다. 작품 가까이에서 우리는 일상의 삶을 넘어 새로운 세계를 체험하는 까닭이다. 예술가가 소재로 택한 기성품이나 생활용품과 같은 일상의 질료로부터 질료 나름의 본질을 깨닫고 우리 삶과 맺고 있는 특유한 의미연관을 묻게 된다. 이는 우리가 예술에서 찾고 추구하는 바람직한 가능성의 세계이기도 하다. 열린 세계로서의 예술작품은 우리에게 소중한 것들을 체험하게 하고 기억하게 한다. 그리하여 우리는 삶을 되돌아보게 되고 삶에 어떤 폭과 깊이를 더하게 된다. 예술이 삶과 맺고 있는 깊은 연관 속에서 예술에 대한 안목은 일상의 연장선 위에 삶을 바라보는 안목과 불가분의 관계에 놓인다. 이 때 우리의 시각을 그 폭과 깊이, 그리고 높이를 적절히 조절하여 대상을 바라보게 되면 아름다움은 생활주변 어디에나 펼쳐져 있다.[1] 사물을 바라보는 우리 시각의 높낮이는 일상의 대상에 미적인 안목을 가져다준다. 아름다움을 새롭게 창조한다고 말하기 보다는 감춰진 의미를 발견한다고 해야 옳을 것이다. 달리 말하면 창조는 새로운 발견의 동인動因인 까닭이다.

예술은 하나의 가능한 세계를 새롭게 정립하여 지금보다 더 나은 삶의 질을 도모한다. 달리 말하면, 예술을 통해 일상의 영역에서 가능한 미의 범주를 찾아가는 것이다. 일상의 영역이 미의 범주 안에 들어옴으로써 단지 예

---

1   김우창,『사물의 상상력과 미술』, 김우창 전집 9, 민음사, 2016, 202쪽.

술이나 미를 바라보는 관객으로서 뿐만 아니라 일상의 소시민이나 상품을 소비하는 자의 입장에서도 자연스레 미적인 주제에 개입하게 된다. 일상의 익숙한 것이나 소소한 것, 낯익은 것을 미적 태도와 관심을 갖고서 바라봄으로써 거리를 두게 되고 다소간에 낯설게 하여 이전과는 전혀 다른 새로운 미적 감성을 자아낸다. 이를테면 강변이나 숲길, 공원을 산책하며 주변을 둘러보거나, 앞마당이나 뜰에 빨래가 널려있는 데에서 다양한 구도와 색상이 어우러져 있음을 볼 때 한 폭의 그림과도 같이 일상은 예술 안으로 다가온다. 일상의 풍경이 환경미학의 일부가 되고 대지에 펼쳐진 경관이 예술의 일부를 이루어 삶을 풍요롭게 하는 경우가 허다하다. 생활용품이나 용기가 오브제로 활용되거나 설치의 중요한 소재로 등장하는, 이른바 설치미술의 경우도 좋은 예일 것이다.[2] 설치작업은 작가의 의도에 따라 시공간을 재구성하여 삶의 현장에까지 확대 될 수 있으며, 예술의 새로운 미학적 가능성을 열어주기에 부족함이 없다. 작가와 더불어 관람객도 참여할 수 있는 설치작업은 '지금, 여기'라는 관점에서 공간을 적절하게 시간화하고 시간을 알맞게 공간화하여 삶의 이야기를 공유하며 꾸려간다.

　이러한 미적인 접근과 태도는 우리에게 일상적인 것, 평범한 것을 비일상적인 특별하고 특수한 시각으로 다가가게 한다. 사소하고 하찮아 보이는 것들에 주의를 기울여 보면, 작고 하잘것없어 보이는 그것들이 바로 우리 삶의 일부이며, 시각의 소소한 변화는 그 틈새에서도 이루어짐을 알 수 있다. 단조롭고 따분한, 가끔 권태롭기도 한 일상의 감정이 특별하고 진지한

2　자기(瓷器)로 된 기성품인 변기에 예술적 의미를 부여한 마르셀 뒤샹의 〈샘〉이나 설치미술가 최정화의 〈꽃의 향연〉(2015)에서 생활 그릇을 탑처럼 쌓아 올린 작품을 참고하기 바람.

미적 감정과 정서로 바뀌게 된다. 비일상적인 맥락이 아니라 일상 안에서 미학의 위치를 탐구해보는 것이다. 때로는 특별하고 특수한 것의 특성을 묽게 하고 희석시켜서 누구나 접할 수 있는 일상의 예술로 만드는 것이다. 그리하여 재미없는, 일상적인, 평범한, 하기싫은, 따분한, 단조로운 일이나 허드렛일이 앞서의 예에서 보듯, 중요한 미적 의미를 부여 받게 된다. 일상의 생활영역 속에 들어온 자연의 영역, 예를 들면 자연현상, 날씨나 기후의 변화는 생활경관과 깊이 연관된 자연스런 일상의 경관이 되기도 한다. 분쟁과 갈등이 끊이지 않는 세계의 곳곳에서, 또한 흔히 말하듯 빈번한 재난 발생으로 인한 참화나 위기까지도 일상의 중요한 부분을 차지하게 되어 일상화되고 있는 현실이다. 일상적 삶의 내용을 이루는 모든 것은 예술의 소재와 주제가 되어 미적 탐구의 대상이 되고 미적 가치와 의미를 부여받게 되어 다시금 일상에 되돌려진다. 그리하여 미적 인식의 폭을 넓혀주게 되며 우리로 하여금 삶을 전혀 새로운 시각으로 바라보게 한다.

2. 일상 미학의 내용과 전개

우리가 매일의 생활에서 마주하게 되는 대상이나 환경에 대한 미학적 접근은 일상적인 데에서 비일상적인 부분을 새롭게 발견하는 것이다. 그리하여 이전의 일상이 비일상으로 변하게 되고 다시금 새로운 일상이 되는 것이다. 일상의 삶과 연관된 자연환경이나 대상을 미적으로 평가하거나 감상하면서 얻게 되는 미적 경험은 일상 미학의 주된 내용을 이룬다. 산호세 주립대학San Jose State University의 철학교수인 토마스 레디Thomas Leddy(1949~)는 일상적인 것에서 비일상적인 것을 모색함으로써 일상생활의 미학적 근거를 탐구한다.[3] '보통의, 일상적인, 평범한, 평상시의, 평소의, 통상의, 통례의, 일상의, 흔한, 하잘것없는'등의 여러 뜻을 함유하는 영어의 'ordinary'는 일상의 특성을 여러 의미로 잘 대변한다. 또한 그 반대인 'extraordinary'는 '기이한, 놀라운, 보기 드문, 비범한, 대단한, 주목할 만한, 놀랄 만한, 두드러진, 보통이 아닌, 보기 드문, 진귀한' 등의 뜻으로 '비일상'이 담고 있는 여러 내용을 나타낸다. 일상적인 대상이나 내용들에 대한 미학적인 접근은 곧 '일상 속에서 비일상적인 특성the Extraordinary in the Ordinary'을 드러내 여기에 미적 특성을 부여하고 그 의미를 살펴보는 일일 것이다.

미적인 것에 대한 학적 탐구인 미학이라는 학문이 본래 '감성적 인식의 학'이었음을 전제할 때, 무엇보다도 '미적'이란 감성적인 표현의 결정체이다. 전통적으로 '아름답다'거나 '우아하다', '숭고하다' 등과 같은 의미를 포함하는 동일어족의 술어를 '미적'이라고 하겠다. 이와 같은 용어는 문화적으

---

3   Thomas Leddy, *The Extraordinary in the Ordinary: The Aesthetics of Everyday Life*, Broadview Press, 2012.

로 진화하며 다양한 확장의 과정을 겪는다. 토마스 레디에 따라 좁게 해석해보면, 미적이냐 비미적이냐의 구분은 어떤 대상으로부터 우리가 '아우라'를 경험할 수 있느냐의 여부와도 관계된다고 하겠다.[4] '아우라'는 어떤 경험을 미적인 것으로 특징지어주는 지향적 대상이 지닌 한 국면이다. 예술의 '아우라'를 상실한 20세기의 대량생산과 기술복제시대에 발터 벤야민Walter Benjamin(1892~1940)이 일찍이 우리에게 일깨워준 '원본성의 아우라'와 토마스 레디가 언급한 '아우라'는 그 의미가 다르다. 벤야민이 언급한 '아우라'는 대상의 유일성을 이루는 독특하고 유일한 분위기로서 유일무이하게 현존하는 예술작품이 향유하는 진품성眞品性이다. 그런데 아우라는 경험된 사물과 분리할 수 없는 어떤 성질이 아니라, 사물에 대한 심화되고 독특하게 살아있는 경험인 것이다.[5] 토마스 레디는 나무가 드리운 그림자를 예로 든다. "그림자는 다른 세계에 속해 있는 듯하다. 바람에 흩날리는 나뭇가지들의 파동을 바라보면 마치 우리가 대체가능한 실재를 보는듯하다."[6] 이 때 나무가 드리운 그림자가 연출한 이미지는 나무의 아우라로 비친다. 나무와 그림자는 실재와 비실재의 문제가 아니다. 나무는 사라지고 투영된 그림자의 이미지가 마치 살아 움직이는 나무의 실재처럼 보인다. 진본이 아니지만 진본과 연관된 그 확장으로서의 의미를 지니게 된다. 그림자는 비실재로서의 실재인 셈이다. 이는 뒤이어 6장에서 살펴 볼, 아주 독특한 예술세계를 펼치고 있는 일본의 원로작가인 후지시로 세이지藤城 淸治의 '카게에影繪'(그림자 그림)에서도 주목할 만하다.

---

4   Thomas Leddy, 앞의 책, 128쪽.
5   Thomas Leddy, 앞의 책, 135쪽.
6   Thomas Leddy, 앞의 책, 130쪽.

일상적인 삶에서 얻은 경험은 예술적 창조과정을 거쳐 비일상적인 모습으로 변모하게 되고 그 자체 예술의 일부를 이루게 된다. 우리는 나무를 그리는 세잔Cézanne(1839~1906)을 떠올려봄으로써 이 점을 확인할 수 있다. 세잔은 처음엔 화가가 아닌 일반사람과는 아주 다른 방식으로, 또한 그 무렵의 사실주의 화가들의 관행과도 근본적으로 다르게 나무를 바라본다. 그리하여 그는 나무에 대한 경험을 여러 모습으로 변형시켜 나아간다. 나무를 화폭에 그리기 전에, 나무를 관조하는 순간과 더불어 나무를 그리는 과정에서도 그림과 실재의 나무를 성찰하며 바라본다. 창조의 과정에서 드러나는 나무그림에 대한 경험은 실재나무에 대한 경험의 일부가 된다. 그리고 나무에 대한 경험은 그림의 경험에 대한 일부가 된다. 그리하여 이 두 가지의 경험이 서로 합해져 뒤엉키게 된다.[7] 실재의 나무와 그림 속의 나무는 작가의 경험 속에서 하나가 된다. 그림 속의 나무는 실재의 나무와 관계를 맺고 있되 실재의 독특한 변형이라 하겠다. 세잔이 즐겨 그린 정물화의 중심 소재인 사과의 경우에도 마찬가지이다. 즉 실재의 사과와 그림에서 변형된 모습의 사과를 볼 수 있다. 세잔이 전통적인 원근법이나 명암법과는 다른 기법으로 그린 사과는 실재 사과의 형태나 구조, 색채의 변형인 것이며, 실재보다 오히려 더 강한 인상을 남긴다. 이런 경우 일상의 실재보다 비일상의 이미지가 더욱 강한 느낌을 준다고 하겠다. 일상의 변형으로서의 비일상에 각인된 미적 이미지인 것이다.

또한 '일상적인 것의 변용'에서 단토Arthur C. Danto(1924~2013)가 지적한 예술의 중요성은 예술이 실재와 거리를 취한다는 점이다. 예술 작품은 대상 자체가 아니라 대상에 관한 것이며, 또한 대상을 제시하는present 것이 아니

---

7 Thomas Leddy, 앞의 책, 79-80쪽.

라 재현하는represent 것이다. 그냥 보여주는 것이 아니라 의미를 실어 다시 보여주는 것이다. 삶에서 예술로의 변용 혹은 변형은 사물에 대한 미적 인식의 폭을 넓혀준다.[8] 모습이나 형태가 달라짐으로써 단지 여백이나 빈 공간이 아니라, 여백의 미나 빈 공간의 여유에서 오는 멋은 일상과는 거리를 둔, 또 다른 모습으로 바뀐다. 이를테면, 일상의 삶 자체가 수행의 일환인 불교의 가르침은 생활 속에서 초연하고 태연한 자세Gelassenheit를 통해 공空과 허虛를 체험하고 실천하는 일로서 일상의 전혀 다른 모습을 드러내는 것이다. 일상에서의 미적 경험 가운데 하늘이 빚어내는 다양한 구도와 색상의 어울림과 같은 이른바 '스카이 아트sky art', 숲과 바람이 일구어내는 묘한 형상들에서 깨닫게 되는 독특한 미적 정서는 그것이 일상의 삶에 영향을 미치는 한, 일상미학에 포섭되는 좋은 예이다. 질병이 일상이 되고 있는 또 다른 현실에서 환자의 병상일지는 삶과 죽음 사이의 치열한 기록이며 살아있는 문학작품이 된다.[9] 단지 질병에 대한 기록을 넘어 어떤 기억이나 흔적으로 작품의 일부가 되거나 조형물이 되기도 한다. 이러한 시도에서 역설적으로 치유와 건강을 이끌어내는 작가의 예술의지를 엿볼 수 있다.

일상의 일과 생활 속에서 행하는 행위가 예술로 드러난 예를 들여다보자. 쾰른에서 심리학과 철학, 문화교육학을 강의하며, '신성한/세속적인 독서일기Heilig/Profan. Lesetagebuch'라는 서평 포털을 운영하고 있는 프랑크 베

---

8 단토는 1965년 뉴욕 스테이블 갤러리에서 전시된 앤디 워홀의 〈브릴로 상자〉(1964)를 보며, 시중에서 판매하는 브릴로 상자와 겉보기에 차이가 없다는 사실을 언급한다. 그는 예술에 대한 '정의'는 존재하지만, 일상적인 사물과 예술작품이 공유하는 가시적인 조건이 될 수 없다고 말한다.

9 이에 대한 좋은 예로, 간이식 수술로 새 삶을 얻은 작가인 다비트 바그너는 죽음에 대한 두려움과 삶에 대한 성찰을 자전적인 기록으로 여실히 보여준다. 다비트 바그너, 『삶』, 박규호 역, 민음사, 2015.

르츠바흐Frank Berzbach(1971~)가 언급한 바와 같이, 삶과 예술과 일은 하나의 명제로 연결된다. 조각, 드로잉, 설치 미술, 행위 예술 등 다양한 작품 활동을 했던 요제프 보이스Joseph Beuys(1921~1986)의 경우를 보면, 일상의 일과 창조적 활동을 어떤 관점에서 바라보아야 하는지 알 수 있다. 보이스는 캔버스에 그림을 그리는 사람만이 아니라 창조적 일을 하는 사람은 누구나 예술가라고 여겼으며, 인간이 지닌 창조력을 적극적으로 옹호한 바 있다. 예술의 중심은 인간의 조형 능력에 있으며, 예술 개념은 일상을 바라보는 시각으로 확장되며 변화된다.[10] 예술적 창조란 일상의 삶에서 경험하여 내면에 쌓아둔 무언가를 세상 밖으로 표출하는 일에 다름 아니다. 말하자면 창조의 출발은 일상을 다른 시각으로 바라보는 것이다. 즉, 일상을 비일상의 태도로 독특하게 접근하는 것이다. 이른바 키치Kitch는 일상의 모든 문화용품이나 생활용품을 예술에 활용하는 경우이다. 이러한 키치는 대중의 일상생활에 적합한 예술로 기능하며 현대인의 삶 구석구석에 깊이 들어와 있다. 키치는 일상을 미적인 창조의 순간으로 끌어들인 예이다. 이런 예는 어떤 평가를 내릴 것인가의 문제와는 달리 미적 영역 안에 이미 들어 와 있다는 말이다. 분류가 이미 평가의 몫을 감당하고 있는 것이다.

일상 속으로 좀 더 가까이 가보면, 원래의 일상이 지닌 속성 혹은 일상이 안고 있는 성질을 '일상성'이라 하겠다. 그런데 일상을 두드러진 어떤 것으로 경험하고 인정하는 일은 이전에 평범하게 받아들이고 인식할 필요가 있는 이러한 일상성을 부인하는 것이다.[11] 얼핏 보면 일상과는 다른, 나아가

---

10   프랑크 베르츠바흐, 『무엇이 삶을 예술로 만드는가-일상을 창조적 순간들로 경험하는 기술』, 정지인 역, 불광출판사, 2016, 54쪽.
11   Yuriko Saito, *Aesthetics of the Familiar: Everyday Life and World-Making*, Oxford University Press, 2017, 11쪽.

아주 이질적인 것으로 보이기 때문이다. 하지만 이는 오히려 일상성을 부인한다기보다는 일상성 안에 담겨진, 또는 감춰지거나 가려진 속성을 새롭게 발견하고 의미를 부여하는 일이다. 이런 작업은 "주의를 기울여 배경背景에 있는 것을 전경前景으로 가져오는 일이며, 비가시적인 것을 가시적인 것으로 만들고 그것이 일상의 것이든 비일상의 것이든 어떤 류의 미적 경험을 위해서도 필요한 것이다."[12] 특히 한국인 고유의 예술은 생활과 분리되고 분화되기 이전의 것으로서, 구체적인 생활자체를 양식화한 것이라 하겠다. 이런 맥락에서 "아름다움은 종합적 생활감정의 이해작용"[13]과 불가분의 관계에 놓인다. 아름다움은 생활감정을 종합적으로 인식한 작용의 성과물인 것이다. 그렇게 하여 새롭게 미적 경험을 함으로써 미적 가치의 범위를 넓히는 것이다. 예를 들면, 일본인의 생활정서에서 보이는 꾸밈없는 간소함과 은둔의 아름다움, 또한 일본의 전통미학에서 중요한 개념인 유현幽玄은 생활정서에도 스며들어 있는, 그윽하며 미묘한 느낌을 자아내는 정서이다.[14] 이것은 삶의 이면에 녹아있는 미적 정서가 일상적 삶의 모습으로 표출된 것이라 하겠다.

일상생활과는 무관한 듯 보이는 탁 트인 공간에도 도시인의 일상적 삶이 마치 파노라마처럼 투영된 또 다른 예를 들어보자. 〈구름 문Cloud Gate〉

---

12 Yuriko Saito, 앞의 책, 24쪽.
13 고유섭, 『조선미술사』 상, 고유섭 전집 제1권, 열화당, 2007, 116쪽.
14 예를 들면, 일본인의 정취있는 생활정서로 '한적함'을 뜻하는 '와비'(わび, 侘)가 있다. 꾸밈없는 간소함과 은둔의 아름다움이다. 또한 체념이나 고요함을 뜻하는 '사비'(さび, 寂)는 예스럽고 은근한 정감의 미의식이다. 나아가 일본의 전통미학에서 매우 중요한 개념인 유현(Yūgen, 幽玄)은 깊고 그윽하며 미묘한 느낌을 자아내는 미적 정서이다. 일상 속에서 유현의 감정이 그대로 미의식으로 연결되어 작품에 나타난다. 자연을 인공적으로 끌어들여 오밀조밀하고 아기자기하게 어울린 예쁜 모양의 정원을 꾸민다거나 분재를 가꾸는 일 등이 일상 미학의 내용이 된다.

(2004)는 미국 일리노이주 시카고 밀레니엄 파크의 AT&T 플라자 중심부에 있다. 이 작품은 인도 출신의 영국인 설치조형 예술가이며 개념미술가인 아니쉬 카푸어Anish Kapoor(1954~)의 스테인리스로 된 거대 조각품(10×20×13m, 무게는 110톤)이다. 주제 그대로 둥그스름한 볼륨의 '구름 문'을 형상화한 원통형과 타원형의 혼합인 스테인리스로 된 클라우드 게이트 안에는 시카고 도심 전경이 반사되어 펼쳐져 있다. 바라보는 각도, 위치나 공간에 따라서 여러 이미지가 중첩되기도 하고 일그러지거나 왜곡되고 또는 변형되어 보인다. 일상 속에서 밀레니엄 파크의 광장을 거니는 사람들이나 주변의 나무숲이나 건물들이 적절히 반영되어 있다. 이는 하나의 삶을 이루는 역동적 공간 속에 공동체를 이끌어가는 스카이라인을 보여준다. 2004년부터 2006년에 걸쳐 제작된 이 조형물은 콩 모양처럼 생겨서 '더 빈The Bean'으로도 불린다.[15] 무기적인 '구름문'과 유기물인 '콩'이라는 이질적인 타이틀이 묘한 내적 연대의 분위기를 자아내며 삶의 외연을 넓혀준다. 그리고 스테인리스 원형에 반사된 도심의 일상이 변주되어 드러난 모습이 매우 가변적이고 변화무쌍하며 미적인 즐거움을 더해준다.[16]

흔히 빛의 마술사라 불리는 제임스 터렐James Turrell(1943~)의 작품을 가리켜 빛과 공간이 한데 어우러진 변주라 한다. 맑은 날 우리는 일출에서 일몰까지 햇빛과 함께 일상 속에 더불어 산다. 태양으로부터 뻗어 나온 빛이 지구에 닿아 에너지를 부여하며 만물을 성장케 하고, 때로는 공간의 음영

---

15 리차드 마이클 데일리(Richard M. Daley) 시카고 시장은 2006년 5월 15일 조각품이 완성된 날을 기념하여 '클라우드 게이트 데이 (Cloud Gate Day)'로 선언하였다.

16 필자는 2012/13 풀브라이트 교환교수로 버지니아 대학(University of Virginia)에서 연구 중일 때 틈을 내 이 작품을 보고 깊은 감동을 받고 미적 즐거움을 맛보았던 추억이 새롭다.

을 만들며 우리의 심신을 펼쳐 지상의 것이 우주에 닿도록 교감한다. 터렐의 작품 〈Aten Reign〉(Daylight and LED light, dimensions variable, 2013)에서 아텐(Aten)은 이집트에서 숭배된 태양 모양의 원반 형상을 띤 원반신으로서 파라오 아크나톤(Akhnaton 또는 Akhenaten)이 만든 유일신 종교의 상징이다. 마치 태양 빛의 스펙트럼이 천사의 광휘처럼 머리 위로 비친듯하나, 실제로 자연광과 인공조명이 어우러진 것이다. 터렐은 이 작업을 통해 '우주적 빛과 공간의 경험'을 관객들에게 보여주고자 의도한다. 미술사적으로 보면, 빛의 속성을 입자로 파악하여 화폭에 옮기려한 인상파적인 접근을 비롯해서 물감과 면의 분할로 캔버스 안에서 빛을 독특하게 창조해낸 색면추상에서 영향을 받았다고 터렐은 말한다. 그는 물감과 캔버스라는 전통적인 매체를 벗어나 자연의 빛과 인공적인 빛 자체를 예술세계로 끌어오는 데 성공한 것이다. 터렐의 작업은 사물을 바라보는 독특한 지각知覺에 관한 것이다. 빛이 우리의 다양한 지각의 통로에 영향을 주기 때문이다. 우리의 일상은 빛으로 시작되어 어둠으로 마감된다. 터렐의 작업은 빛을 흡수해서 우리의 현실세계를 보며 지각하는 하나의 방법을 제시한다. 일상에서의 빛과 공간을 전혀 다른 시각으로 접근하여 새로운 세계를 창조하여 새로운 일상을 보여주는 것이다.[17]

시가지의 경관이나 거리풍경은 우리가 바라보는 평범한 일상가운데 하나이며 생활이 실제로 펼쳐지는 무대이다. 인류가 오랫동안 문명의 발전과정을 거듭하면서 끊임없이 추구해 온 목표는 보다 더 풍요롭고 편안한 삶의

---

17 강원도 원주시 오크벨리 안에 2013년 5월 개관한 뮤지엄 산(Museum SAN)의 제임스 터렐 전시관이 있으며, 주요 작품을 감상할 수 있다. 〈Lost Horizon〉(2012), 〈Twilight Resplendence〉(2012), 〈AMDO〉(2013), 〈Space-Division〉(2014), 〈Cimarron〉(2014) 등.

추구이다. 우리의 일상은 나날이 다양한 방식으로 재조정되고 있다. 사회 전반의 급진적인 인식 변화와 행동 변화에 따라 이전과는 다른 새로운 일상이 대두되고 있다. 기성의 인습적인 예술개념과는 달리 경이롭고 의외적인 것을 추구하는 전위예술, 그리고 예술적인 것과는 거리가 먼 소재들을 예술의 영역으로 끌어들인 팝아트의 등장 이후, 작가는 작품의 소재를 일상적 삶의 구성물에서 찾게 되는 경우가 빈번해졌다. 몰개성적이고 대중적인 이미지를 소재로 한 예술의 등장으로 인해 예술과 일상적 삶의 경계가 없어지고 서로 매우 긴밀하게 연관되어 있는 상황이 오늘날의 예술계이다. 이에 대한 미적 탐색은 전통적인 이론미학으로부터 일상의 미학으로의 이행이 필요함을 일깨워준다. 따라서 미적인 것에 대한 논의는 일상의 미학의 전개에다 초점을 맞추게 된다.

일상의 삶이 예술의 영역에 깊이 들어옴에 따라 그간 첨예하게 대립되었던 미학이나 반미학, 나아가 비미학 사이의 경계도 사라지게 되었다. 미적 관심이나 미적 가치는 일상생활의 한 가운데에 늘 친숙하게 나타나고 있으며, 예술은 일상을 영위하는 삶의 본질적이고 지속적인 부분이 되고 있다.[18] 예술현상이 독립된 대상이나 활동으로 일어날 때에도 그것은 광범위한 일상생활 속에서 제일 먼저 그리고 지속적으로 아주 폭넓게 나타난다. 미적인 것에 대한 관심은 매우 독특한 성격을 지니고 있으나, 다른 관심과 분리되어 있는 것이 아니라 그것들과 더불어 섞여 있다.[19] 미적 관심은 다

---

18 '홍대 앞 예술시장 프리마켓'에서 2002년 6월에 시작한 '일상예술창작센터'는 시민과 창작자가 주체가 되어 문화공동체를 일구며, 작가와 시민의 경계를 허물고, 일상과 예술의 벽을 넘어 누구나 작가가 될 수 있음을 보여준다. 2010년 5월에 노동부로부터 사회적 기업 인증을 받았으며, 삶과 일, 작업이 일체가 된 예이다.

19 여기서 매우 독특한 성격이란 무관심성을 말한다. 흔히 무관심을 관심의 결여나 부

른 관심들에 부수하여 일어나고 다양한 방법으로 그것들에 관여하며, 전체 생활에서 똑같이 중요한 의미를 지니고 있다. 따라서 우리는 어디에서나 미적 관심이나 미적 가치를 비롯하여 미적인 판단과 더불어 살아가고 있다.[20] 달리 말하면, 미적 관심이나 미적 성질이 나타날 가능성은 매우 포괄적이고 광범위해서, 그것은 늘 우리와 함께 있으며 우리의 생활주변 가까이에 있다.

일상을 이끌어가는 일상성은 매일, 그리고 자주 일어나는 일상이 지닌 특성이나 상태이다. 미적인 경험은 일상생활의 유형에 뿌리를 두고 있다.[21] 또한 일상생활에서의 예술은 일상적 사건이나 흥미로부터 떨어져 있지 않으며 그 성격상 다른 생활의 영역과도 얽혀 있다. 사람들은 개인적으로든 집단적으로든, 혹은 생리적으로든 사회적으로든 다양한 기능을 수행한다. 일상생활 속의 기능, 형태나 구조는 미분화된 전체를 이루고 있다.[22] 미분화된 전체 속에서의 미적 관심은 다른 일과 더불어 지속되고 있는 일상사이며, 극소수 개인들의 특수한 관심에 한정되는 것이 아니라, 일상인 모두에게 거의 모든 생활에서의 기본적인 욕구와 충동이 되고 있다. 그렇듯 예술은 인간생활에 널리 스며들어 있으며, 미적인 것은 우리가 어디에서나 보는

주의로 해석하기도 하나 이는 잘못된 것이다. 칸트의 무관심은 아름다움의 온전한 이해를 위한 관심의 집중이요, 조화이다. 이는 불교에서 말하는 무심의 경지와도 견주어 볼 수 있다. 무심(無心)이란 유심(有心)의 반대로서, 유심은 욕망으로 채워진 번뇌의 산물인 반면에, 무심은 번뇌를 벗어난 평온과 관조의 산물임을 주목할 필요가 있다.

20   M. 레이더/B. 제섭, 『예술과 인간가치』, 김광명 역, 까치출판사, 2001, 149쪽
21   Kwang Myung Kim, "The Aesthetic Turn in Everyday Life in Korea", *Open Journal of Philosophy*, 2013, Vo. 3, No. 2, 360쪽.
22   Henri Lefebvre · Christine Levich, "The Everyday and Everydayness", *Yale French Studies*, No. 73, 1987, 7쪽.

인간본성에 자리 잡고 있는 깊은 관심들 가운데 하나이고,[23] 우리의 관심과 주의를 공동체 안에서 면면히 이어주는 살아있는 끈이다. 이 끈은 칸트가 언급한 바와 같이, 공통감common sense, Gemeinsinn, sensus communis으로 연결되어 있으며, 이 연결이 곧 개인 간의 단절을 넘어 전달과 소통을 서로 가능하게 한다. 그리하여 공통감은 일상을 이끌어주는 중심개념이 된다. 특히 칸트미학에서 공통감은 미적 인식의 지평을 넓혀주며 취미판단의 상호주관적 타당성의 근거가 된다.[24] 다음에 일상성을 연결해주는 공감과 소통으로서의 일상미학을 살펴보기로 한다.

---

23   M. 레이더/B. 제섭, 앞의 책, 180쪽.

24   John H. Zammito, *The Genesis of Kant's Critique of Judgment*, The University of Chicago Press, 1992, 2쪽.

3. 공감과 소통으로서의 일상 미학[25]

고대미학으로부터 중세를 거쳐 근대미학에 이르기까지 전통적인 형이상학적 미학에서의 핵심은 무엇보다도 미美의 본질이란 무엇인가를 밝히는 일이었다. 미의 본질이란 미가 무엇이라고 정의하는 일과 연관된다. 그런데 시대나 지역의 다름에도 불구하고 보편타당한 미의 본질을 내세우기란 지난한 문제이다. 비록 불분명하지만 이런저런 본질이라는 공통적 특성이 있다고 가정하는 질문은 출발부터 논리적 오류를 내포한 '본질론자의 오류 essentialist fallacy'일 수 있다. 칸트는 미의 본질에 대한 기존의 해명이 불충분하거나 아예 어렵다고 보고, 미의 본질해명이 아니라 미의 판정능력에 대한 탐구를 행한 것으로 알려져 있다. 칸트의 이런 탐구는 그 나름의 해답을 얻기 위한 매우 영리한 접근이라 여겨진다. 그는 취미를 위한 규칙들을 수립하여 예술에 있어서의 판단기준들을 세우는 일을 수행한다.[26] 이는 우리가 일상에서 미를 체험하며 판단하고 해석하는 것과도 매우 긴밀하게 연관된다. 마치 우리가 음식의 맛을 볼 때, 음식 맛에 내재한 어떤 본질을 말하지 않고 그저 맛이 이러저러하다고 평가하거나 판단하는 일과도 같다. 이때 객관적인 본질이 아니라 맛보는 자에 따른 주관적인 판단이나 평가가 개입된다. 실제로 맛의 본질을 정의하거나 이해하고서 맛을 즐기는 사람이 몇이나 되겠는가. 주관적임에도 불구하고 사람들은 이러한 판단이나 평가에 기꺼이 동의한다. 칸트는 미에 있어 객관주의 입장을 찾으려고 표방하면서

---

25 김광명, 『칸트의 삶과 그의 미학』, 학연문화사, 2018, 제8장(289~316쪽) 참고.

26 Hannah Arendt, *Lectures on Kant's Political Philosophy, ed. and with an Interpretive Essay by Ronald Beiner,* The University of Chicago Press, 1982, Fifth Session, 32쪽.

도 개별성과 주관성을 늘 중심에 두고 생각한다. 여기에 그의 독특한 미적 태도론이 놓여 있으며, 이러한 문제의 지평은 공통감과 이의 확장으로서 일상생활의 현장에까지 이어진다. 미는 기본적으로 개인적인 영역이지만, 그 한계를 넘어 사회적 성격을 지닌다. 물론 그것의 근간은 공감과 소통에 있다.[27] 공감은 서로 간에 공유하는 공통의 감각이요, 감정이다.[28] 우리의 일상이 누구에게나 별 이의제기 없이 그대로 일상으로 이어지는 까닭은 아마도 서로 간에 공감과 소통을 평범한 것으로 공유하고 받아들이기 때문일 것이다. 만약 일상과는 다른 비일상의 경우엔 공감과 소통이 단절된다. 그러나 어떤 계기가 부여되어 비일상이 일상의 부분이 된다면, 비일상은 공감과 소통의 폭을 넓히게 되어 새로운 일상으로 자리 잡게 된다.

미적인 문제는 논리적인 영역이 아니라 감성적인 영역에 속한다. 미적인 것은 이성능력을 유비적으로 사용하여 철학이전에 정의된 것에 대한 반성을 통해, 이성적 사유의 영역을 보편적으로 공유할 수 있게 한다.[29] 우리는 우리 삶의 일상적인 순간들에 미적으로 깊이 개입하고 있으며, 거기에서 도덕적 활동을 촉진시키는 미적 만족감을 얻는다. 미적 만족감은 인간심성을 순화시켜 주고 결국엔 도덕적 심성과 만나기 때문이다. 이는 일상의 경험에 미적인 것이 스며들어 있기에 가능한 일이다.[30] "일상생활에 대한 미적

---

27 사전적으로 공감(共感)은 '다른 사람의 감정이나 의견, 주장에 대하여 자기도 그렇다고 느끼는 것'이며, 소통(疏通)은 '서로 간에 막히지 아니하고 잘 통하거나 뜻이 서로 통하여 오해가 없음'을 뜻한다.

28 '공통의 감각'이란 뜻의 독일어 Gemeinsinn에서의 'gemein'은 '공통의, 공동의, 보통의, 일상의, 평범한, 세속적인'등의 의미를 담고 있다. 이 말은 우리가 어디에서나 부딪히는 범속한 것(das Vulgare) 혹은 일상적인 것을 통칭해서 가리킨다.

29 Roger Scruton, "In Search of the Aesthetic", *British Journal of Aesthetics*, Vol. 47, No 3, 2007, 232쪽.

30 Sherri Irvin, "The Pervasiveness of the Aesthetic in Ordinary Experience", *British*

반응을 특징지을 때 우리는 모든 사람의 동의를 구하는 판단과 주관적인 즐거움을 알리는 판단 사이의 구분 뿐 아니라 모든 사람의 동의를 구하는 판단에 대한 특별한 이론적 관심을 주장하게 된다."[31] 일상생활은 미적 특성과 표현으로 가득하고, 어떤 일상의 경험은 그 탁월성과 기교로 인해 그대로 미적 경험이 되기도 한다. 칸트는 일상에서의 쾌적함과 아름다움을 구분하며, 특히 쾌적함을 상대적으로 경향성과 관련지우며, 아름다움을 무관심적 쾌의 원천으로 본다. "쾌적한 것에 관해서는 누구나 자기 나름의 고유한 취미를 가지고 있다."[32] 쾌적한 것에 관한 판단은 개인감정에 기초를 두고 있다. 이에 반해 아름답다고 판단하는 경우엔 자기 자신으로서의 판단에서 출발하나 이를 넘어서 모든 사람을 대변하여 판단을 내리는 셈이다. 여기에 공통감이 개입된다. 인류가 지니는 공동체적 집단이성이나 집단합의와도 같다. 엄격하게 말하면 집단이성이라기 보다는 이성의 유비나 유추로서 모든 개개인에게 타당하게 적용되는 특별한 성격의 감성인 것이다. 그런 까닭에 미적인 것의 출발은 개별적인 단칭판단이지만, 모두가 흔쾌히 받아들이는, 즉 전칭판단적으로 적용된다고 하겠다.

이를 보다 더 전개해보면, 칸트가 『판단력비판』 6절에서 말하듯, 미란 개념을 떠나서 보편적 만족의 객체로서 표상된다. 미적 판단이 갖는 보편성은 개념으로부터 나오는 것일 수 없다. 여기서 말하는 개념은 이론적이거

Journal of Aesthetics, Vol. 48, No. 1, 2008, 44쪽.

31   Christopher Dowling, "The Aesthetics of Daily Life", *British Journal of Aesthetics*, Vol. 50, No. 3 2010, 238쪽.

32   I. Kant, *Kritik der Urteilkraft*(이하 *KdU*로 표시), Hamburg: Felix Meiner, 1974. 7절 19쪽.

나 실천적 개념을 가리킨다.[33] 즉, 이론이성이나 실천이성에서 전제되는 개념에 근거를 둔 보편성이 아니라는 말이다. 취미판단에는 주관적이지만 동시에 보편성에 대한 요구나 요청이 결부되어 있다. 취미판단에 있어서 표상되는 만족의 보편성은 단지 주관적이되, 타자들 간의 공감과 소통을 가능하게 한다. 취미판단에 있어서 요청되는 바는 개념을 매개로 하지 않은 만족으로서 이에 관한 보편적 찬동이나 합의에 근거한다. 이는 모든 사람들에 대하여 타당하다고 간주될 수 있는 미적 판단이 가능하다는 사실이다. 취미판단은 이러한 동의를 규칙의 한 사례로서 모든 사람들에게 요구한다. 이 사례에 관한 확증을 취미판단은 개념에서 기대하는 것이 아니라 다른 사람들의 동의나 미적 찬동에서 기대한다. 이렇게 보면 보편적 찬동이란 하나의 이념의 차원에 가깝게 된다.[34] 우리가 일상생활에서 공동체를 유지하며 사는 것은 이러한 보편적 찬동이 전제되어 있기 때문에 가능한 일이다. 이러한 가능성은 공동체적 감각이 공동체적 이념이 되는 것과 같다.

미적인 것과 연관하여 우리의 태도는 일상의 실천적 혹은 실제적 관심과는 거리를 둔 채 어떤 대상이나 활동에 대한 무관심적으로 받아들이는 것이다.[35] 이것은 우리가 일상을 살아가고 있지만 일상에 매몰되지 않고 일상과는 어느 정도 거리를 두며 여타의 이해관계를 떠나 관조하는 미적 태도이다. 이 거리는 물리적이 아니라 미적이거나 심리적인 데에 기인한다. 칸트는 이런 식의 감상방식을 '자유미'라 부른다. 일상에선 우리는 미적인 것과 실천적인 혹은 실제적인 것을 완전히 통합하여 체험한다. 어떤 대상을

---

33 이른바 개념미술에선 완성된 작품이 아니라 사진이나 도표, 이미지 등을 이용해서 제작과정의 아이디어나 개념을 보여준다.

34 I. Kant, *KdU*, 8절, 25-26쪽.

35 Yuriko Saito, *Everyday Aesthetics*, Oxford University Press, 2007, 26쪽.

일정한 개념의 조건 아래에서 아름답다고 말하는 경우엔 취미판단은 그러한 조건으로 인해 순수하지 못하다. 자유미pulchritudo vaga란 대상이 무엇이어야만 하는가에 관한 개념을 전제하지 않는다. 반면에 부수미 또는 의존미pulchritudo adhaerens는 개념에 의존하며 개념을 전제한다. 즉 개념에 따른 대상의 완전성을 전제한다. 일상에선 부수미보다는 자유미가 우리에게 직접적으로 미적 만족을 준다. 자유미는 개념에 의하여 한정된 것이 아니라, 개념과는 무관하게, 개념을 떠나 자유로이 그리고 그 자체로서 만족을 주는 대상이다. 자유미를 판정할 때에 그 취미판단은 순수한 취미판단이다. 객체가 무엇이라고 표현해야 하는가에 대해 어떤 목적의 개념이 전제되어 있지 않다.[36] 칸트에 의하면, 어떤 사물을 그것의 가능을 규정하는 내적 목적에 관련시킬 때 그 사물의 다양에 관해서 느끼는 만족은 개념에 근거를 둔 만족이다. 자유미는 감관지각에 나타나는 바에 따라 판단을 내리고, 부수미는 사고思考 안에 있는 개념에 따라 판단을 내린다. 자유미는 순수하며 직접적인 취미판단을 내리고, 부수미는 응용된, 간접적인 취미판단을 내린다고 하겠다.[37]

우리는 일상생활의 현장에서 감성의 활동을 통해 세상을 접하게 되고 인식하게 된다. 특히 예술 및 문화 활동을 포괄하는 문화예술의 영역에서 감성의 활동은 두드러진다. 대상에 대한 1장 2에서 살펴본, '빠른 생각과 느린 생각: 직관과 이성'은 다음의 비교에서도 그대로 타당하다. 예술가의 미적 인식과 과학자의 학적 인식을 보면, 전자는 혼연confuse하되, 후자는 판명distinct하다. '혼연'은 판명하지 않은 것이며, '판명'은 다른 모든 것과 확실

---

36 I. Kant, *KdU*, 16절, 49쪽.
37 I. Kant, *KdU*, 16절, 51-52쪽.

히 구분되는 인식이다. 예술가의 정서와 감정은 작품을 통해 공통감의 전
제 위에서 감상자에게 전달되며 보편적으로 인식할 수 있다. 미적 판단의
토대로서의 공통감은 공동체의 구성원이 공유하는 감각이다. 공동체의 감
각은 그로 인해 야기된 감정을 공동체 구성원들이 공유하게 한다. 인간존
재는 감정에 대한 이론적 작업을 통해 감정의 객관화라는 인식의 지평을 스
스로 실현하고, 일상의 삶에서 그것을 '구체적인 실천'[38]으로 옮겨 놓는다.
실천이란 느낌의 매개에 의해 실제로 일상의 현장에서 구체적으로 이루어
진 행위이며, 우리의 감정은 일상적인 삶의 실천과 어떤 매개 없이 직접 만
나게 된다. 따라서 감정을 제대로 파악할 수 있는 장소란 바로 인간이 스스
로 경험하는 장場이요, 일상적 삶의 활동무대가 된다. 이러한 활동무대에서
우리는 감정을 공유하며 공동체적 감각을 향유한다.[39]

우리는 일상적 삶의 무대에서 경험을 한다. 경험을 통해 얻은 경험적 인
식이란 개별적이고 특수한 대상에 대한 구체적 인식인 것이다. 이에 반해
일반적이고 보편적으로 설정한 인식이란 일상에선 다만 가설적인 구성물
에 지나지 않는다. 경험이란 하나의 의식 안에서 여러 현상이 다양하게 나
타나고, 이들의 종합적인 결합에서 개념적 인식이 생긴다.[40] 칸트에 의하
면, 경험은 감관적 지각에 관계되는 대상의 인식이다. 그에게 있어 인식
의 대상은 일반적인 규칙, 즉 범주에 의해 지각이 종합되면서 성립되는 것
이고 그것은 일반적인 규칙에 따른 종합에서 온 성과라 할 것이다.[41] 일반

38   Wolfahrt Henckmann, "Gefühl", *Artikel, Handbuch philosophischer
      Grundbegriff*, Hg. v. H. Krings, München : Kösel 1973, 521쪽에서.
39   김광명, 『칸트의 판단력 비판 읽기』, 세창미디어, 2012, 98쪽.
40   I. Kant, *Prolegomena*, 제22절, Akademie Ausgabe(이하 AA로 표시), IV, 305쪽.
41   A. Schöpf u.a., "Erfahrung", *Artikel, Handbuch philosophischer Grundbegriffe*,

적 규칙은 그것이 지각에 관계되는 한, 하나의 인식을 이끈다. 이 때 지각은 일반적 규칙과 이에 대한 하나의 인식을 이어주는 관계적 위치를 차지한다. 경험적 세계에 대한 인식은 시간과 공간의 직관형식에 의하여 받아들여진 다양한 지각의 내용에 통일된 질서를 부여하는 순수오성의 범주에 의해서 구성된다. 이러한 범주 및 이것을 직관적인 지각내용에 적용할 수 있는 바탕이 되는 '순수오성의 원칙'을 구성적 원리라고 하는데, 이 원리는 한편으로는 받아들이는 것으로서의 수용적 직관형식과 다른 한편으로는 한계를 정해주는 통제적 혹은 규제적 원리로서의 이념으로 구별된다.[42] 일상에서의 수용적 직관과 그 한계를 정하는 이념의 규제적 원리는 서로 되먹임 feedback하며 생활세계를 이끌어간다.

칸트에 의하면 유기적 존재자인 인간은 기계적·물리적 존재와는 달리, 자신 속에 무엇인가를 능동적으로 형성하는 힘을 소유하고 있다. 인간유기체의 삶은 동물적인 삶과는 달라서 그 자체가 이미 직접적인 삶이라기보다는 삶에 대한 반성이며, "삶의 유추"[43]인 것이다. 삶을 유추하는 일은 다른 사람의 체험을 자신의 체험으로 받아들이거나 이전의 체험을 다시 체험하는 것처럼 느끼는 삶의 추체험追體驗의 문제와도 연관된다. 다른 사람의 체험을 자기 체험으로 여기는 데는 감정이입이 필요하다. 삶이란 욕구능력의 법칙에 근거하여 행위하는 존재자의 능력 일반이다. 삶 자체와 삶의 유추와의 구별은 곧 동물적 삶과는 구분되는 인간적 삶의 특수성에 기인한다.

München : Kösel 1973, Bd. 2, 377쪽 이하.

42   김광녕, 앞의 책, 99쪽.

43   I. Kant, KdU, 65절, 293쪽. '유추' 또는 '유비'(아날로기아, ἀναλογία)는 수적인 비례나 기하학적인 비율의 동등함을 의미하거니와, 이미 알고 있는 유사함에 기초하여 아직 알고 있지 못한 유사함을 추정하는 추론을 가리킨다.

또한 이는 바로 인간과 동물을 구별해주는 하나의 인간학적 단초와 근거가 된다. 대상에 의해 촉발되는 감각은 우리내부의 감정의 내용이 되며, 이것이 미의 판단과 관련될 때에는 곧 간접적이며 반성적이 된다. 주체와 대상 간에 놓인 관계가 객관적이며 대상 중심적이라는 사실은 대상에 대한 제일 차적 의식이라 하겠고, 미적 판단은 제이차적인 의식으로서 행위 중심적이고 반성적이다. 이것은 삶에 대한 인식이나 인식판단이라기보다는 삶에 대한 유추적인 구조인 것이다.[44] 저마다 경험하는 삶의 내용과 형상이 서로 다른 이유이다.

삶에 대한 유추적인 구조를 보편적으로 받아들일 만한 가능적 근거가 미적 판단으로서 취미이다. 구체적이면서도 일반적인 경험에 이르도록 이끌어주는 판단의 출발이 곧 공통감각이다. 칸트에 의하면 감각이란 사물을 통한 감성의 정감에 달려 있으며, 이는 의식의 수용성에 대한 주관적 반응인 것이다. 감각을 통해 우리는 우리 밖에 있는 대상을 일차적으로 인식에로 가져온다. 따라서 감각은 우리 밖에 있는 사물에 대한 우리들의 표상을 주관하고, 그것은 경험적 표상의 고유한 성질을 이루게 한다. 감정은 내부적으로 순수한 주관적 규정이지만, 감관지각은 외적 대상과의 접촉에 기인한 까닭에 객관적이고, "대상을 표상하는 질료적 요소"[45]이다. 이 질료적 요소에 의해서 어떤 현존하는 것이 우리에게 주어진다. 칸트에서의 감각은 "우리가 대상에 의해 촉발되는 방식을 통해 표상을 얻는 능력"[46]으로 활동한다. 그리하여 우리는 감각을 통해 주어진 시공간 안에서 현상과 관계를

---

44   김광명, 앞의 책, 100쪽.

45   I. Kant, *KdU*, Einl, XL XL.

46   Ludwig Landgrebe, "Prinzip der Lehre vom Empfinden", *Zeitschrift für Philosophische Forschung*, 8/1984, 199쪽 이하에서.

맺는다. 감각은 우리로 하여금 대상을 직관할 수 있게 하는 직접적인 소재인 것이며, 공간 속에서 직관되는 것이다. 이는 시간과 공간에 걸쳐있는 실질적이며 실재적인 것이다.[47]

감각은 대상이 우리의 감각기관에 미치는 영향이며, 우리를 둘러싸고 있는 일상의 생활환경과 직접적으로 접촉한 결과를 기술해준다. 감각이란 우리가 시간 및 공간의 조건 아래에서 현실적인 것으로 그 특징을 드러낼 수 있는 감관의 표상이요, 경험적 직관이다. 이런 까닭에 감각이란 그 본질에 있어 경험적인 실재와 직접적인 관련을 맺고 있다. 따라서 감각은 일상생활에서 자아와 세계가 일차적으로 소통하고 전달하며 교섭하는 방식이다. 또한 감각은 우리가 경험하는 현상들의 고유한 성질을 결정해준다. 여기에서 감각의 성질 그 자체는 경험적이며 주관적이다. 어떻게 감각하는가의 문제는 직관의 순수한 다양성과도 관계하고 있으며, 현상이 비로소 일어나는 장소와도 관계를 맺고 있다. 감관대상을 감각함에 있어서 쾌나 불쾌를 고려하여 볼 때, 이러한 현상의 다양함은 더욱 두드러진다.[48] 칸트가 전제하고 있는 바는 전달되지 않는 감각이란 의미가 없으며, "감각은 보편적으로 전달될 수 있는 만큼만 가치를 지닌다"[49]는 것이다. 쾌 또한 보편적으로 전달될 수 있을 때에 무한히 증대된다. 전달되지 않고 소통되지 않은 감각은 가치를 잃게 된다. 감각의 전달로서의 공감과 소통은 기본적으로 일상을 일상으로 연결해주며, 일상에 대한 미적 탐색을 가능하게 한다.

---

47 김광명, 앞의 책, 101쪽.
48 김광명, 앞의 책, 101-102쪽.
49 I. Kant, *KdU*, 41절, 164쪽.

4. 맺는 말

　요즈음의 일상은 예전과 달리 일그러지고 변형된 일상의 연속이다. 때로는 여러 이유로 인해 건강함을 상실하고 질병이 만연한 비일상의 일상이 전개되기도 한다. 일상이 비일상이 되고 있는 실정이다. 일상에 대한 새로운 접근과 의미부여가 필요한 때이다. 우리가 살아가는 일상생활의 내용이란 보통 사람의 삶을 통해서 거의 모든 인간이 일상적으로 행하는 것들이다. 예술과 일상의 경계가 무너지고, 많은 작가들이 일상생활에서 보고 겪을 수 있는 사소한 것들을 토대로 작업을 한다. 때로는 일상생활의 부분을 오브제로 활용하여 예술영역 안으로 끌어 들인다. 어떤 작가는 자신의 일상적 삶을 이끌어가는 신체 감각의 움직임을 미적 경험의 소재로 활용하기도 한다. 일상의 미학은 지극히 평범한 일상에서 지각할 수 있는 미적인 것에 대한 미학적 탐색이다. 전통적 형이상학의 미학에서와는 달리 일상의 미학에선 미적인 것에 대해 행위자와 제작자, 비평가와 관찰자가 동시에 또는 순차적으로 관여하고 참여한다. 미적인 것에 대한 특유한 정서, 지각 및 경험을 보편적으로 전달하고 관여하며 소통하는 이론저 근거로서 우리는 칸트의 공통감에 주목한다.

　미적 대상에 대한 정서와 지각을 누구나 경험하기 위한 필수조건은 소통가능성이다. 칸트미학에 있어 소통 및 전달가능성을 이끄는 능력이 미적 판정능력으로서의 취미이다. 공통감은 무엇이 만족을 주는가를 감정에 의해 규정하는 주관적 원리이지만, 그것은 또한 공동체적 감각이자, 이념으로서 구성원 상호간에 소통을 가능하게 하고 전달이 가능하도록 한다. 공감과 소통은 일상의 단절을 극복하고 일상의 정체성을 담보하는 원동력이다. 공적인 영역이란 소통이 가능한 열린 공간으로서, 행위자나 제작자 뿐 아니라 비평가와 관찰자가 함께 이루는 공간이다. 일상에서의 미적인 것에 대한 공감과 소통은 일상의 미학의 주된 내용이다. 미는 개인의 차원을 넘어 공동체 안에서 서로의 감정을 공유하게 하고 소통하게 한다. 칸트에게 있어 미를 판정하는 능력인 취미판단의 전제는 공통감이다. 무엇보다도 공통감이 있기에 다양한 감정의 소통이 가능하며, 일상을 일상이도록 해준다.

일상에 변화를 가하는 것은 비일상적인 것이고, 이것이 다시 새로운 일상이 되는 패러다임의 이동을 우리는 목도한다. 예술과 삶의 경계가 허물어진 이후, 예술과 일상의 삶은 긴밀하게 연관되고 있다. 누구나 예술가가 될 수 있고, 또한 아무도 예술가일 수는 없다. 또한 무엇이나 예술일 수 있고, 어떤 것도 예술일 수 없는 역설적인 상황이 닥쳐온 것이다. 따라서 예술, 비예술, 반예술, 나아가 미학, 비미학, 반미학과의 경계가 더 이상 의미가 없게 되었다. 미적인 것은 일상의 미학의 전개에 있어 중요하다. 그 이유는 미적인 것은 우리의 태도와 경험에 의해 지각되며, 일상생활에 깊이 스며들어 있기 때문이다. 감정의 전달가능성으로서의 공통감은 개별적 정서가 아니라 보편적 정서를 위한 능력이다. 공통감에서의 '공통'은 '공동의, 보통의' 의미 외에 '일상의, 평범한, 세속적인'의 의미를 더불어 담고 있다. 공통감은 단순한 감각이 아니라 공동체가 지향하는 공동체적 감각의 이념으로서, 그것은 보편적 전달가능성 및 소통가능성에 의존한다. 공통감은 우리를 공감하게 하고 소통하게 하며, 일상의 일상성을 지켜주는 역할을 한다. 따라서 오늘의 미학은 일상의 미학으로 귀결된다고 하겠다.

무용총의 고구려 수렵도

한국의 전통 보자기

마르셀 뒤샹, 〈샘〉, 1917

마르셀 뒤샹, 〈병걸이〉(1914년 원본의 복제품), 1961, Philadelphia Museum of Art

앤디 워홀, 〈Campbell's Soup Cans〉, 1961, MoMA

최정화, 〈꽃의 향연〉, 생활 그릇, 2015, 75.5×122×290㎝

아니쉬 카푸어, 〈Cloud Gate, 구름문〉, 2004

제임스 터렐, 〈Aten Reign〉, 자연광, LED조명, 2013, 가변크기
Solomon R. Guggenheim Foundation, New York (Photo: David Heald)

4장
'단순성'의 미학과
한국인의 미적 정서

1. 들어가는 말[1]

오늘날 인간의 삶은 아주 복잡하게 얽혀 있으며, 지식과 정보가 넘치는 시대임에도 불구하고 예측할 수 없는 여러 일들이 불규칙적으로 발생하고 또한 불확실성이 널리 확산되고 있는 실정이다. 자연과학자들은 얼핏 무질서한 것처럼 보이는 현상 이면에 단순한 인과법칙이 존재한다고 말한다.[2] 자연과학이 금과옥조로 여기는 인과법칙을 포함하여 그 밖의 어떤 원칙이 세계를 지배하고 있는지 정확히 알 수도 없기에 세계의 존재근거와 이유를 밝히지 못하고 있는 상황이다. 영국의 과학저술가이자 천체 물리학자인 존 그리빈John Gribbin(1946~)은 복잡성의 내면에는 단순함이 자리하고 있으며, 단순함은 모든 복잡성의 모태가 되는 우주의 심오한 성질이라고 주장한다. 그에 따르면, 단순함이야말로 우리의 존재기반이며 만물에 숨겨져 있는 구조와 조화인 것이다.[3] 역설적으로 들리긴 하지만 단순성과 복잡성은 동전의 양면과도 같이 서로 기대고 있다. 이른바 과학에서의 등식은 양변이나 양항의 균형을 전제로 한다. 등식을 이루기 위해서는 불균형과 복잡성을 해소해야 가능할 것이다. 러시아의 대문호인 톨스토이Leo Tolstoy(1828~1910)에 의하면, 중요한 일을 하는 사람들은 그 누구보다도 단순하다고 한다. 왜

---

1 김광명, 『자연, 삶, 그리고 아름다움』, 북코리아, 2016, 1장과 2장을 참조하여 보완하고 재구성함.

2 우주의 형성과 구조, 그 움직임과 발달에 대한 근본적인 문제를 탐구하는 물리 우주론 (physical cosmology)에 의하면, 모든 우주공간에 스며들어 있을 것으로 추정되는 에너지의 정체를 우리는 거의 알 수 없다. 이른바 암흑에너지, 암흑 물질은 우주의 96%를 차지한다. 김상욱, 『떨림과 울림』, 동아시아, 2018. 7쪽.

3 존 그리빈, *Deep Simplicity: Bringing Order to Chaos and Complexity*. 『딥 심플리시티: 카오스, 복잡성 그리고 생명체의 출현』, 김영태 역, 한승, 2006.

냐하면 그들은 쓸데없는 복잡한 생각을 할 여유가 없기 때문이다. 역설적으로 들리지만 재미있는 표현이다. 사람의 지혜가 깊으면 깊을수록 생각을 나타내는 말은 아주 단순해지며, 단순함은 천재에게 주어진 재능이다. 그런데 이 단순함은 오히려 문명이전의 원시시대의 문화예술 현상에서 잘 보여주고 있으며 어른보다도 동심童心의 세계와 맞닿아 있다.

고대 이집트의 벽화나 원시동굴의 벽에 그려지거나 새겨진 조형물에서 알 수 있듯이 단순성은 실재의 것에 대한 묘사를 넘어서 역사의 여러 단계를 거쳐 현대미술 전반에까지도 적잖이 나타나고 있다. 단순성은 관찰자가 어떤 현상에 대한 경험을 통해 빚어낸 압축된 표현이라 할 수 있다. 단순성은 작가들이 자신의 관점에서 대상을 해석하면서 형태를 지혜롭게 가감하는 중에 취한 방식의 자연스런 결과이다. 조형표현의 요소로서 형태는 작가의 일차적인 표현양식이며 형태의 여러 변형을 통하여 작가는 표현하고자 하는 의식을 최적화시킬 수 있다. 단순화는 작가의 의도에 따라 대상의 불필요하고 무의미한 부분을 과감하게 생략하고 적절한 형태로 명확하게 표현될 때 나타난다. 단순화된 형태는 세심한 관찰과 기록에 의한 사실주의적 형태에 비해 간결하고 본질적이며 순수하다는 특징을 지닌다. 따라서 간결성은 형태변형에 따른 단순화과정의 산물이라고 말할 수 있다.

왜 단순성에 대한 미적 성찰이 필요한가? 영국미학회의 회장이자 그 학회지의 창간 편집인을 지낸 오스본Harold Osborne(1905~1987)이 말하듯, 예술이 예술가의 자기보상 활동이요, 구제활동의 연장선 위에 있다고 한다면, 아마도 단순성은 이와 가장 기본적으로 연관될 것이다. 무엇보다도 단순성은 우리의 정신을 소박하고 온전하게 하는 까닭이다. 단순성에로의 회귀는 복잡성의 미로를 벗어나 원래 있었던 근원적인 삶으로 회복하는 길이다. 미국에서 영국으로 귀화한 모더니즘 시인인 엘리엇T. S. Eliot(1888~1965)은

"사람의 마음이 누그러지고 느긋해질 수 있음은 예술이 복잡하게 얽힌 사람의 삶을 단순화시켜 주기 때문이다. 그런 단순화를 통해 사람의 삶은 넉넉하고 신선해질 수 있다"[4]고 말한다. 예술 자체가 지닌 단순화하는 힘과 그로 인한 여유롭고 느긋한 삶을 지적한 좋은 예이다. 그럼에도 근대 이후 도시적 삶과 발전이라는 미명아래 복합성과 복잡성이 시대의 특징이 줄곧 되어 왔으나 그 결과로 인해 인간은 소외되고 물화되기에 이르렀다. 따라서 이런 상황에서 단순함 혹은 단순성의 미학에 대한 논의가 필요할 것이다. 필자는 이러한 단순성과 연관하여 한국미의 의미와 가치를 캐보려고 한다. 하지만 긴 우리의 역사에 비춰 한국적 미감을 한마디로 정의하거나 논하는 일은 온당치 않을 것이다. 그러한 "특징이 없어서가 아니라 우리 미술의 역사가 매우 길고 지역이나 분야 간의 차이도 적지 않기 때문이다."[5] 그럼에도 단순성이 지향하는 바와 연관하여, 한국적인 미감美感, 즉 한국인의 미적 정서에 그것이 어떻게 녹아들어 있는가를 고찰하는 것이 이 글의 의도이다. 먼저 단순성에 대한 이론적 논의나 그 배경이 무엇인지, 그리고 어떤 미적 성찰이 가능한가를 보기로 한다.

---

4   김형국, 『장욱진-모더니스트 민화장(民畵匠)』, 열화당, 2004, 151쪽.
5   안휘준·이광표, 『한국미술의 美』, 효형출판, 2008, 31쪽.

2. 단순성의 이론적 배경과 미적 성찰

2.1. 이론적 배경

철학에서 '단순하다'는 의미는 세계의 본질을 이루는 구조나 그 구성요소, 또는 그것을 기술하는 바가 복잡하거나 복합적이지 않다는 것이다. 이는 주로 자연과학의 맥락에서 객관적, 논리적 단순성의 개념을 가리키는 바, 논리체계의 형식적인 특성을 뜻하기도 한다.[6] 특히 미학에서 '복잡하지 않고 간단한 성질'로서의 단순성은 미감 즉, 미적 정서나 미적 감정의 천진함, 순수함, 순박함, 진실성과 친연親緣관계에 있다. 주지하는 바와 같이, 단순성의 상대어는 복잡성 혹은 복합성이라는 말로 대신할 수 있을 것이다. 상대적으로 단순성은 어떤 사물에 대한 복합성의 결여나 불충분함을 나타내기도 한다. 그리고 때로는 그 자체로 아름다움이나 명증성을 뜻하기도 한다.[7] 조형예술의 본질은 모든 시각요소들이 통일성을 이루면서도 간결한 구조와 역동적인 생명감의 표현에 있다.[8] 문학에서도 구문상의 단순성은 문장의 구조나 기능, 구성요소에서 드러나는 기본적인 형식이다. 또한 존재하는 것, 즉 현존재의 존재방식에 대한 해석으로서의 존재론적 단순성은 존재의 근본적, 보편적 규정을 극명하게 드러낸다. 단순성의 힘은 존재 자체에 이르는 열쇠이다. 단순성은 복잡하고 복합적인 것의 이면에 감춰진 것, 즉 은폐된 망각lethe을 밝게 드러낸다는 의미에서 진리aletheia에 가깝다.

---

6   Mary Hesse, "Simplicity", in: Paul Edwards(ed.), *The Encyclopedia of Philosophy*, Vol. Seven, New York: The Macmillan Company & The Free Press, 1978, 445쪽.

7   Philippe Costamagna, *Histoires d'œils*. 필리프 코스타마냐, 『가치를 알아보는 눈, 안목에 대하여』, 김세은 역, 글담출판사, 2017, 123쪽 '가장 단순한 것이 가장 아름답다.'

8   오춘란, 「명품의 조형성 연구」, 『철학논총』, 새한철학회, 17/18집, 1999, 1쪽.

가장 위대한 이념은 명쾌하며, 단순하다.

지극히 간단한 요소라 하더라도 복합적으로 작용하여 복잡한 형태를 구성할 수 있다. 복잡한 현상들의 집합체인 복잡계複雜系, complex system라는 그 복잡한 현상의 얼개 뒤를 들여다보면 '간결함'이 구조적인 특성으로 자리하고 있음을 알 수 있다. 복잡한 재료 혹은 소재는 될 수 있는 한, 소수의 구조적인 특성으로 구성되어 있다. 표현의 구조를 이루고 있는 소재 또는 요소는 비록 간결하더라도 풍부한 의미를 잃지 않으며, 오히려 압축으로 인해 해석의 여지를 풍요롭게 담고 있다. 정신적 내용의 복잡함은 반드시 복잡한 재료를 통해서만 나타나는 것이 아니다. 의미의 풍요로움은 간결한 것을 통해 나타나는 편이 오히려 더 압축된 의미를 함축하게 된다. 지각적 조직화의 원리를 찾고자 하는 게슈탈트 심리학파들은 간결화의 원리를 단순히 인지의 장場 원리로서만이 아니라 기억의 과정에도 이를 적용한다. 기억한 도형의 변화에도 간결화의 법칙이 영향을 미친다. 간결화는 인지에 있어 질서의 원리인 동시에 쾌적함을 낳는 원리이기도 하다. 구조의 간결화는 인지의 장에서 근본적인 원리이다. 그런데 구조인지는 인지의 장을 구조로서 파악하는 것이며, 구조인지에서 간결화의 의미는 자극의 단순성으로서 사물의 형이나 색이 단순한 것이고, 의미의 단순성으로 이어진다.[9]

단순화라는 것은 양적인 차원의 접근이 아니라 오히려 편안함과 즐거움을 주는 심리적이고 질적인 차원에 대한 감성적 접근이다. 단순함과 복잡함은 서로 공생 관계를 맺고 있는 특징이 있다.[10] MIT 미디어랩의 마에다

---

9   오춘란, 위의 글, 9-10쪽.
10   존 마에다, *The Laws of Simplicity*, MIT Press, 2006. 『단순함의 법칙』, 윤송이 역, 럭스미디어, 2007, 136쪽.

John Takeshi Maeda(1966~)는 단순함이란 단순한 까닭으로 인해 극히 미묘하고, 또 그것을 규정짓는 특징이라는 것들도 지극히 함축적이라고 말한다.[11] 그는 디자이너, 컴퓨터공학자, 저술가를 겸하여 활동하며 예술적 상상력과 공학기술이 서로 교차하는 지점에 관심을 갖고, 또한 디자인과 공학의 상호연결을 시도한다. 그는 간결함이 위트의 영혼이라면, 단순성은 디자인의 영혼이라고 말한다. 단순성은 인간사유의 본성에 이르는 길이며, 지각의 본질에 닿아 있다. 그에 있어 단순함은 외관상 명확한듯하지만 무의미한 것을 제거하고 오히려 의미 있는 것을 함축하는 것이다. 단순함 속에 압축된 의미가 담겨 있기 때문이다. 과학은 현실에서 복잡함의 이면에 숨겨진 단순성을 간추려냄으로써 발전하게 된다.[12]

인간이 경험한 요소들은 파편으로 낱낱이 분해되지 않고 일종의 구조나 구성의 원리에 의해 지배된다. 인간의 지각을 구조화하는 양식은 주관적이며 개인차가 있으나, 원칙적으로 가능한 한 단순화, 질서화를 지향한다. 나아가 인간의 지각은 긴장을 최소화하려고 한다. 긴장을 최소화하려는 지각 구조화의 경향은 이른바 '좋은 게슈탈트의 법칙law of good gestalt'과 연관되며, 이러한 지각경향은 일반적인 것으로 받아들여진다. '좋은 게슈탈트'는 게슈탈트 이론의 한 원리로서, 하나의 지각구조가 동일한 지각 패턴에 근거하고 있는 다른 지각구조를 만들어 지각하는 경향이 있다.[13] 예술현상과 시

---

11   존 마에다, 앞의 책, 144쪽. 단순함이란 뜻의 simplicity란 단어 속에 함축이라는 뜻의
      단어 implicity가 이미 숨어 있음은 시사하는 바가 크다.
12   Ilya Prigogine · Isabel Stangers, *Order Out of Chaos*, 1984. 일리야 프리고진· 이
      사벨 스텐저스, 『혼돈으로부터의 질서-인간과 자연의 새로운 대화』, 자유아카데미,
      2013(1판2쇄), 60쪽.
13   게슈탈트 심리치료에 적용되는 법칙으로 통폐합의 법칙, 유사성의 법칙, 근접성의
      법칙, 단순성의 법칙, 연속성의 법칙 등이 있다. 여기서 단순성의 법칙은 주어진 조건

지각의 관계에 대한 예술심리학적 고찰에 지대한 관심을 기울인 예술지각 심리학자인 루돌프 아른하임Rudolf Arnheim(1904~2007)은 단순한 원형에 대한 지각적 우선이 발생적으로는 아동화에서 원의 우선으로 나타나고 아동이 낙서하듯이 아무렇게나 휘갈겨 그린 것 속에서 잘 정리되고 통일된 형이 나오는 것을 보는 일은 자연계의 기적의 하나라고 언급한다.[14] 매우 음미해볼 만한 함축된 지적이다.

대체로 어린이들은 그들이 그리고자 하는 형체들과 공간 관계들을 조잡하게나마 근사近似하게 그린다. 한 물체를 지각하는 일은 그 물체 안에서 충분히 단순하고, 또한 파악될 수 있는 형태를 찾아내는 것이다. 어린이는 단순한 몇 개의 선들로 사람의 모습이나 동물의 형태를 그린다.[15] "어린 시절에는 벽돌이나 모래로 무엇이든지 만들 수 있다고 느끼며, 빗자루가 마술 지팡이가 되고 돌멩이 몇 개로 마법에 걸린 성을 쌓기도 한다."[16] 형태심리학이 말하는 '순수한 지각'은 추상적인 개념이며,[17] 좋은 연속의 원리에 의해 요소들은 통합된 전체로 융합된다.[18] 사고의 바탕으로서의 지각은 개별성이 아니라 처음부터 보편성과 추상성을 띤다. 추상은 정적靜的이지 않고 동적動的이며, 구조는 단순하게 지각된다.[19] 인간의 마음은 분리되고 흩어져있는 실체들이 서로 충분히 닮았을 경우에 이들로부터 연속체를 조직하

아래에서 최대한 가장 단순한 방향으로 지각하여 인식하는 것이다.

14 오춘란, 위의 글, 8쪽.

15 루돌프 아른하임, 『시각적 사고』, 김정오 역, 이화여자대학교 출판부, 2004, 378쪽.

16 E.H. 곰브리치, 『서양미술사』, 백승길/이종숭 역, 예경, 2007(초판, 6쇄), 584쪽.

17 루돌프 아른하임, 『예술심리학』, 김재은 역, 이화여자대학교출판부, 1989, 416-417쪽.

18 루돌프 아른하임, 『시각적 사고』, 85쪽.

19 루돌프 아른하임, 앞의 책, 483-484쪽.

여 단순화할 수 있다.[20] 단순성의 원리에 따른 '좋은 형태'는 오랜 시간 관찰해보면 구조상 '전형적 형태'로 변형된다. 이는 결코 외형적 단순함이 아니라 추상적 본질을 오랜 시간 더듬어온 과정으로부터 비롯된 것이다. 진정한 일반화에 관해 과학자는 그 개념들을 완성하고, 예술가는 그 이미지들을 완성한다.[21] 그런데 이미지가 형태라면, 개념은 내용이어서 이미지와 개념, 형태와 내용은 상호보완 관계에 놓인다.

2.2. 단순성에 대한 미적 성찰

회화에 있어서 '단순하다'라는 말은 원시미술의 오브제들에서 보듯, 생명현상의 유지에 불필요한 것들은 모두 제거하고 가장 필요한 요소들만을 유기적으로 결합하여 생동감을 보여 준다. 이를테면, 어린이의 그림은 성인이 그린 그림보다 더 단순하다고 말할 수 있다. 그러나 때로는 성인의 그림이나 현대문명의 원숙한 미술양식에서도 어린이 그림에서와 같은 단순함이 엿보인다. 그 이유는 양자에 똑같이 논리이전, 의식이전, 반성이전의 시각과 순진무구한 눈의 즐거움이 있기 때문이다. 이러한 시각은 아동화를 연상시키기도 한다. 무엇보다도 순수성은 대상의 단순화에서 비롯된다. 선사시대 인류가 남긴 미술이 기원전 3만년에서 1만년에 걸쳐서 이루어졌다는 유구한 역사적 사실보다도 더욱 중요한 것은 암각화나 동굴 벽화에서 볼 수 있는 디자인이나 선 구성의 단순성이 오늘날의 추상화나 아동화 초기의 회화적 모티브를 포함하고 있다는 사실이다.[22]

---

20   루돌프 아른하임, 앞의 책, 273쪽.
21   루돌프 아른하임, 앞의 책, 278쪽.
22   오춘란, 위의 글, 6쪽.

'원시적'이라는 말을 우리는 '문명이전의 야만'이라고 폄하하여 받아들인다. 그러나 이런 특성보다는 오히려 '자연그대로의 순진한 또는 본능적인 천진난만함'과 동일한 의미를 갖는 것으로 보아야 할 것이다. 원시미술은 시원적始原的으로 순수하며 단순 소박하고 무엇보다도 생생한 역동감을 드러낸다. 아이들의 마음 상태에서도 일상의 사물들은 생동감 넘치는 중요한 것으로 받아들여진다는 점[23]이 이와 비슷하다. 원시미술은 선사시대 동굴벽화 등 문명이전의 원시적인 상태에서 발생한 삶과 죽음이 하나로 통합된 모든 양식의 미술을 통칭하여 붙이는 말이다. 그 특징은 극도로 압축된 색, 선, 면 등의 추상화 경향을 지닌 단순화이며,[24] 바라보는 사람들이 느끼게 되는 예술적 힘의 시각적 충격이 매우 직접적이다. 원시 예술가는 예술적 정확성을 갖고서 형태의 외적 모습이나 세세한 부분들을 제작하려고 시도하는 것이 아니라 본질이나 내적 의미를 형상화한다.[25] 영국의 시인이자 문예평론가인 허버트 리드Herbert Read(1893~1968)는 '원시적'이라는 말을 특정한 장소나 시대 또는 인류의 특정한 유형을 가리켜 제한적으로 사용하지 않고, 발달의 초기단계에 나타나는 일반적 의미로 사용함으로써 오늘날에도 세계의 각 지역에 살고 있는 원시적인 종족의 예술뿐만 아니라 역사이전의

---

23 E. H. 곰브리치, 앞의 책, 600쪽.

24 여기에선 '원시성'의 문제를 특정 사회문화적 가치기준에서가 아니라 추구하는 가치의 근본성에서 본다. 이와는 달리 원시주의를 Colin Rhodes는 그의 저서 *Primitivism and Modern Art* (Thames and Hudson, 1997)에서 낭만적, 절충적, 양식적, 지각적 측면으로 나누기도 하고, Robert Goldwater는 그의 저서 *Primitivism in Modern Art* (Harvard Universty Press, 1966)에서 낭만적, 정서적, 지성적, 잠재의식적 측면으로 나누어 고찰한다. 박연실, 「20세기 서구미술에서 '원시성'의 문제」, 『미학·예술학 연구』13, 2001, 243~272쪽 참고.

25 Paul S. Wingert, *Primitive Art: Its Traditions and Styles*, Cleveland and New York: Meridian Books, 1969(Second Printing), 377쪽.

원시적 발달단계에 있는 광범위한 인류의 예술까지도 포함시키고 있다. 매우 탁월한 지적이 아닐 수 없다. 그는 아동화의 모티브를 이용하고 있는 현대작가들이 미술의 영원한 근원으로 되돌아가고자 하는 욕망을 표현한 것이라고 지적한다. 원시동굴의 미술에서 보이는 다양한 동물의 형상이나 사람의 형상, 기호는 명료하지 않은 여러 흔적들로서 주술적, 상징적, 종교적 의미를 아울러 담고 있다고 하겠다.[26]

다른 한편, 동양화에서의 간결성은 예술가가 직관에 의해 대상을 포착할 때, 그리고 자연과 물아일체物我一體를 이루어 대상의 본질을 얻고자 할 때 표현양식의 일종으로 나타난다. 이 때 형상이 아무리 간소하더라도 작가는 마음으로 그것을 나타내는 것이기 때문에 본질만 잃지 않는다면 간소한 형상이 그 자체로 온전한 작품이 될 수 있는 것이다. 이를테면 화폭에 등장하는 사물과 더불어 그것을 바라보는 작가 자신까지 함께 바라보는 경지는 거의 명상의 단계라고도 할 수 있다.[27] 특히 중국의 남종화는 간결하면서도 거친 화풍에 강렬한 토착적인 경향을 보이며, 선화禪畵는 형식적인 면을 극도로 생략하는 감필減筆의 화법으로 간일簡逸하게 그 특성을 드러낸다. 그리하여 미의식들을 집약해서 간략한 형태의 모습으로 대상을 단순화하여 그 본질적인 성격을 표현한다. 이는 순수를 향한 의지와 노력으로 집약된다. 순수란 내면적으로 보아 정신이 다른 것과 섞이지 않으며, 외면적으로는 조형요소인 색채와 형태의 단순함을 말한다. 단순하다는 말은 일상생활에서

---

26   예술에 특히 철학적, 종교적 의미를 부여하여 '예술종교'의 길을 열어놓은 칸트를 떠올릴 수 있다. R. Zimmermann, *Geschichte der Ästhetik als Philosophische Wissenschaft*, 1858, p. IX.

27   오주석은 김홍도의 〈舟上觀梅圖〉를 예로 들어 이를 잘 설명하고 있다. 오주석 『한국의 美』, 솔, 2016(51쇄), 100쪽.

도 널리 쓰이고 있는 만큼 그 의미가 폭넓다고 할 수 있겠으나 예술에 있어서, 특히 회화에서는 몇 가지의 관계들을 갖는 패턴의 단순화를 가리킨다.

고대 그리스 조각 작품에 나타난 이상적인 아름다움의 특성을 독일의 미술사가인 빈켈만J. J.Winckelmann(1717~1768)은 '고귀한 단순과 고요한 위대edle Einfalt und stille Größe'라는 말로 아주 명쾌하고 간명하게 기술한 바 있다. 그는 그리스 예술을 모범적인 규범으로 삼으며, 추구하는 미의 이상을 단순함에서 오는 고귀함과 위대함 속에 흐르는 정적靜寂과 고요함에다 설정했다. 단순은 간결, 소박, 순진의 의미를 아울러 담고 있다. 조각에 나타난 그리스 작품들의 탁월한 특징은 그 자태와 표정에서 고귀한 단순함이 드러나며, 또한 고요한 정조情調의 위대함을 지닌다. 이상적인 아름다움의 속성으로서의 '단순성'은 궁극적인 존재의 속성인 '통일성'과 '비분할성'에 근거를 둔다. '가장 아름다운 존재는 고요한 존재이다.'[28] 이상미에서의 단순성은 단지 동일한 것을 기계적으로 혹은 양식적으로 반복하는 단조로움을 의미하는 것이 아니라 다양성의 조화로운 비분할성을 의미한다. 빈켈만은 이러한 의미에서 단순성의 성격을 고귀한 것으로 간주하여 '고귀한 단순'이라고 불렀던 것이다. 최고의 미가 지향하는 이념은 가장 순수한 것, 즉 가장 단순한 것으로 나타난다고 할 수 있다. 이런 맥락에서 볼 때 고요함과 단순성은 표출에 관한 한 거의 동일한 의미이다.[29] 이는 성聖과 속俗의 이분법을 넘어

---

28 기정희, 「고귀한 단순과 고요한 위대」, 『지중해 지역연구』, 제5권 제1호 2003, 48쪽 및 *Nachahmung der griechischen Werke in der Malerei und Bildhauerkunst*(1755), *Johann Winckelmann Sämtliche Werke*, I, Donauöshingen: Im Verlage deutscher Klassiker, 1965 / *Geschichte der Kunst des Altertums*(1764), *Johann Winckelmann Sämtliche Werke*, IV, Donauöshingen: Im Verlage deutscher Klassiker, 1965 162쪽.
29 기정희, 위의 글, 49쪽.

그 경계를 허물고 종교적 숭배대상을 세속적 예술에 편입시킨 신플라톤주의적인 미론과도 연관된다. 다시 말하면 빈켈만이 그리스예술에서 지적한 점은 "예술이 조화, 질서, 단순성, 절도節度와 같은 전형적인 고전적 성질을 포착할 수 있는 한, 즉 고귀한 단순과 고요한 위대를 발생시킬 수 있는 한, 인간은 충분히 신성神性에 도달할 수 있다"[30]는 것이다. 이를테면 이로 인해 신과 같은 경지인 등신성等神性, Gottgleichheit에 다다른 것이다. 이는 우리가 가장 신성한 품위에 이른, 탁월하고 걸출한 작품을 가리켜 신품神品이라고 일컫는 맥락과도 같다.

스코틀랜드의 생물학자이자 문인인 웬트워스 톰슨Wentworth Thompson (1860~1948)은 그의 저서 『성장과 형태에 관하여On Growth and Form』에서 형태의 생명력에 특히 주목한다. 그는 "바다의 파도, 해변의 잔물결, 곶 사이에 뻗은 모래사장의 포괄적인 곡선, 언덕의 윤곽, 구름의 형태, 이 모든 것들이 너무나 많은 형태의 수수께끼들이요 너무나 많은 형태학의 문제지만, 자연 과학자들은 이 모든 것을 어느 정도는 쉽게 읽어내고 적절하게 풀 수 있을 것이다. …아울러 그 모든 것에 내재적인 신학적 의의가 있다는 점은 의심의 여지가 없다. 그러나 우리가 그것들의 본질적인 조화와 완벽함을 고려해 '그것들이 훌륭하다'고 보는 것은 과학자들이 생각하는 수준과는 또 다른 수준"[31]이라고 말한다. 이러한 훌륭한 가치 판단은 학적, 논리적 인식

---

30   J. Chytry, *The Aesthetic State : A Quest in Modern German Thought*. California: Univ. of California Press, 1989, 17쪽.

31   W. Thomson, *On Growth and Form*, J.T. Bonner ed. Cambridge: Cambridge University Press, 1961 reprinted 1992, 7쪽. 마틴 켐프, 『보이는 것과 / 보이지 않는 것』 *Seen / Unseen: Art, Science & Intuition from Leonardo to the Hubble Telescope*, 오숙은 역, 을유문화사, 2010, 251쪽 참고.

이 아니라 미적, 감성적 인식을 통해 가능한 것이며 삶의 질적 수준을 높이는 것이다. 르네상스시대에서 현대에 이르기 까지 '시각적인 것'의 역사와 '시각적 직관'의 의미를 천착한 옥스퍼드대학 미술사교수인 마틴 켐프Martin J. Kemp(1942~)는 공간지각의 문제, 공간적·시간적 패턴, 조직화 수준에 대한 반응, 부분과 전체의 관계, 관찰자와 관찰대상의 관계에 대한 해석, 그리고 보이는 세계와 보이지 않는 세계에 대해서 예술과 과학이 공유하는 '시각적 직관'을 보여준다. 예술과 과학의 이미지들 속에서 반복되어 나타나는 일정한 주제를 추적하여, 이것이 보이는 세계와 보이지 않는 세계에 관한 공통의 '구조적 직관'임을 말한다.

합목적적인 자연선택의 이론은 오랜 진화과정에서 단순하고 원시적인 형태를 통해 드러난다. 서로 매우 다른 유형의 관찰자들이 자연형태와 과정 속에서 특정의 기본구조를 구조적으로 직관할 때, 우리의 지각 자체가 그런 구조를 파악하도록 내재적인 중력 작용을 보인다.[32] 그리고 프랙탈 fractal[33]을 중심으로 '새로운 복잡성과 오래된 단순성'이 서로 연관된다. 복잡성은 근대 이후 새롭게 등장한 것처럼 보이지만, 기실은 단순성이 이미 오래 전에 고대로부터 그 안에 잉태되어 있다는 전제이다. 몇 개 안 되는 구성 부분만 가지고도 복잡성이 만들어진다.[34] 자연에서 발견되는 프랙탈의 예로, 강줄기의 긴 흐름에서 보면 강의 부분과 전체가 서로 닮아 있음을 들 수 있다. 어느 지역에서나 강의 모습은 비슷한 형태를 취하며, 본류와 지류

---

32 마틴 켐프, 앞의 책, 264쪽.
33 부분과 전체가 동일한 모양을 취하며 자기유사성과 순환성의 특징을 지닌다. 단순한 구조가 반복되면서 복잡한 전체구조를 만든다. 그러나 그 바탕은 단순한 구조임을 유의해야 한다.
34 마틴 켐프, 앞의 책, 278쪽.

는 전체적인 강줄기의 모습에서 보면, 아주 유사하다. 또한 많은 비로 인해 계곡의 곳곳에 땅이 패여 새롭게 물의 흐름이 생겨나고, 작은 물줄기가 모여 작은 시내가 되고 얼마 있다가 큰 줄기로 만나 이윽고 작은 강을 이루어 큰 강을 만나 마침내 대양으로 뻗어나가는 행태를 반복한다. 나무의 경우도 이와 비슷하다고 하겠다. 나무가 크게 자라면 큰 가지가 나뉘면서 여러 작은 가지가 생기고, 이 작은 가지에서 또 더 작은 가지들이 갈라진다. 그리고 나무는 뻗어나가 우듬지가 된다. 이렇듯 나무는 저마다의 프랙탈차원을 가지고 있다. 이런 나무의 프랙탈 형태는 물과 영양분을 적절하게 운반하여 마치 신경계처럼 전체에 고르게 보내는 역할을 수행한다.

프랙탈 시각예술 가운데 특히 디자인의 예를 보면, 프랙탈의 형태적 특징을 기하학적 조형성으로 이용하고 있음을 알 수 있다. 프랙탈의 성질은 형태적으로 반복되며 유사성을 띠고 있기에, 질서나 조화, 통일성 같은 프랙탈의 형태적 특성은 기본적인 디자인 원칙을 구성한다. 프랙탈 디자인에서의 자기유사성은, 기본적 형태요소의 크기를 늘리거나 줄이면서 배열되는 데에서 드러난다. 이런 기본형태 요소는 끝없이 반복되며, 이 가운데서 보는 이로 하여금 질서와 조화, 통일성을 느끼게 해준다.[35] 예를 들면, 이탈리아 르네상스를 대표하는 레오나르도 다 빈치Leonardo da Vinci(1452~1519)는 물결의 소용돌이 속에서 질서 패턴의 단순성을 찾고자 했다. 또한 독일 르네상스 회화의 완성자라는 평가를 얻고 있는 뒤러Albrecht Dürer(1471~1528)는 자신의 '나뭇잎 선'을 구성하기 위해 기하학의 단순한 원리를 이용했고, 그것들은 직관적으

---

35 프랙탈 디자인은 포토샵이나 일러스트 같은 컴퓨터그래픽 툴로 만들 수 있다. 그래픽 툴로 프랙탈디자인을 만드는 방법은 기본 형태를 복사해서 크기를 점점 줄이거나, 점점 늘리면서 반복해서 확장시키는 것이다.

로 시각적 영역에 거주했다. 그 시각적 영역은 수학적인 자연의 설계를 토대로 아름다움을 밝히기 위한 것이었다. 자연현상에는 구조적으로 예측 가능한 규칙성과 더불어 수학적 성격을 지니고 있으며 개별형상이 절대적 규칙성으로 환원되지 않는 유기적 다양성이 동시에 결합되어 있다.[36]

단순성에 대한 추구는 비디오 아티스트인 빌 비올라Bill Viola(1951~)에게서도 볼 수 있다. 그는 영상매체를 통해 '나는 누구인가, 어디에 있으며 어디로 가고 있는가' 라는 정체성 물음에 대한 답을 끊임없이 찾으며 작업한다. 이런 맥락은 나중에 9장1에서 다룬 조각가 박찬갑의 설치조형 작업에서도 시도된다. 아무튼 빌 비올라의 작품가운데 〈순교자(흙·공기·불·물)〉 시리즈 중 하나인 〈물의 순교자Water Martyr〉(2014)나 〈도치된 탄생Inverted Birth〉(2014)이 주목할 만하다. 그런데 여기서 그는 가능한 한 불필요한 요소를 없애고 본질에 직접 접근하여 단순성을 체험하며, 삶의 근원적인 문제를 다룬다. 그로 하여금 단순성에 영향을 끼친 두 요소는 동양의 전통문화양식과의 만남과 기본적인 창작도구인 카메라의 단순화 장치이다.[37] 특히 그에게 선禪사상의 핵심인 좌선坐禪, 내관內觀, 내성內省은 정신적 직관으로서 단순성의 소중함을 일깨워 준 것으로 보인다. 어떤 간접적인 매개물 없이 나와 사물이 직접 맞닿아 대면하고 대화를 나누는 것이다. 종교적 명상이나 수행은 단순성과 만나는 길이며, 단순성의 체험은 아름다움의 근원에 다가가는 길인 것이다.

---

36 마틴 캠프, 앞의 책, 296-297쪽.
37 그는 35㎜필름이나 HD비디오를 사용하여 촬영하고 이를 LCD 타입의 평면 스크린에 투과하여 물리적 세상의 현실적인 형태를 보여 준다.

3. 한국미의 특색과 한국인의 미적 정서[38]

한국미의 특색은 같은 동아시아 문화권이지만 중국 및 일본과의 비교에서 더욱 두드러지게 나타나는 바, 일본예술에서 흔히 보이는 화려한 장식성이나, 중국예술에서 보이는 규모의 완벽성을 추구하기보다는, 막사발이나 달항아리에서 우리가 체험하듯 투박하며 자연스러운 소박함 그 자체이다.[39] 물론 소박한 면만 있는 것이 아니라 석굴암이나 고려청자와 같이 섬세하고 격조 높은 감성도 함께 공유하고 있다. 그럼에도 특히 한국미에서 드러난 자연스러움, 순진무구함, 온유함, 모자란듯하면서도 모자라지 않은 넉넉함은 무관심적인 관심의 경지를 보여준다. 한국미의 특징을 우리가 멋 또는 무기교의 기교, 나아가 소박미라고 할 때, 그것은 인위적인 꾸밈이 없는 자연과의 합일을 말하며, 이는 우리의 일상적인 삶의 양식에도 관계있는 도가道家적인 태도와 어느 정도 일치한다.[40] 만물이 주어진 천성에 따라 조화를 이루는 것, 즉 자연의 순리에 따라 조화를 이루어 가는 것이 한국인의 심성이 지향하는 이상이다. 그리하여 자연에 무심한 신뢰를 보내고 이에 따르는 순응이 한국미의 특색이 된다. 일제강점기의 미학자요 미술사학자인 우현 고유섭(1905~1944)은 한국미의 특색을 구수한 큰 맛, 질박함, 무

---

38 김광명, 「한국인의 삶과 미적 감성」, 135-146쪽 참조. 『Culture and Sensibility in East Asia』 국제학술회의 '동아시아의 문화와 감성' 2014. 12. 4.~12. 8 한국학 중앙연구원.

39 한·중·일 미술의 차이점을 최순우는 다음과 같이 잘 지적하고 있다. "중국은 거만하고 크고 우람하고 과장하여 권위적이고 일본은 날씬하고 수다스럽다. 그러나 한국은 順理를 거슬리지 않고 익살과 해학이 있는 자연스러운 아름다움이 가장 돋보이지 않는가." 최순우, 『나는 내 것이 아름답다-최순우의 한국미사랑』, 학고재, 2016(개정판 1쇄), 12쪽.

40 조요한, 『한국미의 조명』, 열화당, 1999, 198-199쪽.

기교의 기교, 무작위의 작위, 무계획의 계획으로 밝히고 있다.[41] 그가 지적한 '구수한 큰 맛'은 생활태도에서 온 것이요, '고수한 작은 맛'은 우리의 산세山勢나 하천의 흐름 등 자연환경에서 온 산물이다. 생활태도와 환경의 산물이 어느 한 편에 기울지 않고 혼연일체가 되어 고유섭 미론의 핵심을 이룬다.[42] 이는 너무나 천연스러워 꾸민 데가 없이 수수하며, 자연에 동화하고 순응하는 심리를 절묘하게 잘 지적한 것이라 하겠다.

제작하는 마음의 순수하고 순진함은 그대로 바라보는 감상자에게도 전달되어 한국예술미의 한 특성을 이룬다. 제작자의 어떤 주관적인 의도나 목적도 여기에 담겨 있지 않다. 그저 대상을 있는바 그대로 바라보며 대상이 지닌 성질을 온전히 살려내어 제작에 임한다. 자연에 곧바로 화답하는 조화, 평범하고 조용한 효과, 그 모든 것에 대한 집착을 버린 무아무집無我無執의 생각이 담긴다.[43] 여기서 우리는 무작위의 무욕성 또는 무의지성, 무관심의 자연미를 향수하게 된다.[44] 크게 보면, 서구와 대조하여 동양적인 미가 지닌 일반적인 특색의 일면이기도 하다. 일찍이 노자는 인간이 땅의 법칙에 따르고, 땅은 하늘의 법칙에, 하늘은 도의 법칙에, 도는 자연의 법칙에 따른다고 하였다.[45] 인간, 땅, 하늘, 그리고 이를 하나로 관통하는 도道가 동일한 연속선상에 있으며 미분화된 하나를 이룬다. 도道란 무위자연의 도이며, 만물의 생

---

41 특히 기교는 인간과 자연 사이를, 신과 인간 사이를 멀어지게 한다. 무기교의 자태로 되도록 자연 모습 그대로 살린 우리 민족의 소박성을 엿볼 수 있다. 강우방,『미의 巡禮-체험의 미술사』, 예경, 1993, 23쪽 및 고유섭,『韓國美術史及美學論考』, 통문관, 1963, 3-13쪽.
42 고유섭,『한국미술사 상-총론편』, 우현 고유섭 전집 1, 열화당, 2007, 18쪽.
43 김원용,「한국미술의 특색과 그 형성」,『한국미의 탐구』, 열화당 1996 (1978년 초판) 31-32쪽.
44 조요한 , 앞의 책, 327쪽
45 『노자』, 象元, "人法地, 地法天, 天法道, 道法自然".

성과 번영, 운행질서의 원리이다. 그리고 천지 만물은 질서와 조화의 이치를 따른다. 따라서 우리가 추구하는 미는 인위적인 꾸밈이 없는 자연과의 합일된 경지이다. 이를테면 소박한 멋을 부리되 자연에 적응하여 따르고, 기교를 부리되 무기교의 경지를 이루는 것이다. 유한하고 유심有心한 존재인 인간이 자연에 대해 무한하고 무심無心한 경외와 신뢰를 보내는 것이니, 이는 자연에 순응하는 우리의 소박한 심성에서 우러나온 것이다.

한국의 미술은 언제나 담담하고 무표정한 듯 예사로운 매무새를 지니며 욕심이 없다. 예술제작에 있어 재료와 솜씨는 최소한 필요하되 없으면 없는 대로, 있으면 있는 대로 사람의 손이 간 듯, 가지 않은 듯 부자연스런 꾸밈이나 가식이 없다. 무엇보다도 한국예술이 지닌 일반적인 특징은 조화로운 간결미요, 소박미이다. 이는 철저한 소박주의에 근거한다.[46] 한국인의 정서를 비교적 잘 아는, 호주 National Art School 교수인 이본 보그Yvonne Boag(1954~)[47]는 한국의 오방색을 순수한 추상형태의 선과 면에 활용하고 이를 단순화하여 표현하고 있다. 오방색은 오색, 오방, 오행으로서 우리 생활 태도 및 정서와 밀접한 관련을 맺으며 삶의 생성과 질서, 조화의 원리를 이룬다. 이렇듯 서구문물에 젖은 작가라 하더라도 일단 한국적 소재를 접하게 되면 다른 모색을 하게 됨을 보여준다. 이러한 이본 보그의 예술적 시도를 평론가 윤진섭은 '복잡성에서 단순성으로의 이행'이라는 평으로 적절하게 지적한 바 있다. 색과 선, 면과 같은 회화의 기본적인 조형요소는 작품의 바탕이면서 동시에 주제이나, 무엇보다도 단순성이 추상의 본질과도 맞닿

---

46   최준식, 『한국미, 그 자유분방함의 미학』, 효형출판, 2005, 69쪽, 93쪽.

47   〈The Sound of Light〉 전, 표갤러리 서울 본관, 2014, 6.11-6.30 특히 작품 〈Namsan Park, Spring〉(2014), 〈War Memorial Museum〉(2014) 참고.

아 있음이 흥미롭다.

  조선미술의 의미를 밝히며 최초의 통사를 쓴 에카르트Andreas Eckardt(1884
~1971)[48]는 불교이념을 묘사한 조각과 부조는 세련되고 심오한 감정을 보여
주며 형태도 완벽하다고 평한다. 그는 고대 간다라 전통에 기초를 둔 조선
미술은 고전적 양식에 도달했다고 본다.[49] 단순성과 절제라는 미적 이상은

---

48   한국명은 옥낙안(玉樂安)이며, 독일 뮌헨출신의 가톨릭사제이자 미술사학자, 언어학
     자, 한국학자이다. 1909년 베네딕트 교단의 신부로 한국에 파견되어 20여 년 동안 거
     주하며 선교활동을 하는 중에 경성제국대학 강사로 언어와 미술사를 가르쳤다. 1928
     년 독일로 돌아간 뒤, 최초의 한국미술통사인『조선미술사』(1929)를 출간했으며, 이
     후 뮌헨대학에서 한국학과의 교수직을 역임하며 한국과 중국, 일본의 문화에 대한 많
     은 저술들, 즉『조선어문법』(1923),『중국, 그 역사와 문화』(1959),『일본, 그 역사와 문
     화』(1960),『한국, 그 역사와 문화』(1960),『한국의 음악, 가곡, 무용』(1968),『한국의
     도자기』(1968) 등을 남겼다.
49   안드레 에카르트,『조선미술사』, 권영필 역, 열화당, 2003, 374쪽. 에카르트의 견해
     대로 조선미술에 영향을 끼친 간다라(Gandhāra) 전통을 좀 더 살필 필요가 있다. 간
     다라는 지역적으로 인도의 서북부에 위치하나 문화, 풍토, 종족 등 여러 면에서 서아
     시아와 남아시아, 중앙아시아의 여러 요소를 두루 갖춘 인도의 관문이다. 인류문명사
     에서 간다라미술은 동서양문화가 서로 만나는 장이다. 헬레니즘과 불교, 그리스와 이
     란, 인도와 중국을 연결하는 문명사의 대사건이 일어난 장소이다. 그래서 간다라미술
     은 동방의 종교전통과 서방의 고전미술 전통이 기묘하게 결합된 혼성양식을 띠고 있
     다.(이주형,『간다라 미술』, 사계절, 2015(2판), 29쪽.) 서양고전미술의 기준에서 보
     면, 간다라 미술은 독특한 정신성이 표현되었음에도 불구하고 대부분 형식화되고 무
     미건조하며 기술적으로도 어설프게 보이기도 한다. 간다라미술은 초월적인 불(佛)의
     세계가 아니라 현실세계의 고뇌를 제도하려는 부처와 그 제자 및 그 후의 승단의 변천
     을 표현하고 있다. 사리탑과 다른 신성한 건축물을 장식했던 간다라 부조(浮彫)는 그
     단순성과 정면표현법에서 양감(量感)과 박진감의 조형법이 특색인 마투라(Mathura,
     델리에서 남동쪽으로 145km 정도 떨어진 곳에 위치하며, 고대인도의 경제적 중심지
     였으며 대상무역의 경로였던 곳이다. 인도신화에 등장하는 비슈누의 화신인 크리슈
     나의 탄생지로 알려져 있으며 힌두교의 성지가운데 하나로 여겨진다.)미술과 비슷하
     지만, 간다라장인(匠人)들은 부처의 일대기를 여러 장면에 새겨 불교예술에 지속적으
     로 공헌했다. 또한 간다라의 사리탑은 정교한 장식으로 유명한데, 난간이 없고 설화
     적이며 장식적인 부조가 탑의 몸체에 직접 새겨져있는 것이 특징이다.

고전적 영향에 의한 것이다. 그리고 단순성은 기계론적 가치가 아니라 정제된 형식미이다.[50] 조선미술의 고전성은 소박성에 다름 아니다. 에카르트는 조선 미술에 대한 자신의 견해를 밝히며 그 특질을 '단순성' 혹은 '간결성'이라고 강조한다. 그는 미술에서의 과장과 왜곡이 없는 상태를 '자연스러움'으로 인식하고, 일상생활에서의 단순성이나 욕심이 없는 상태와 연결지었다. 단순성은 소박성과도 통하고, 단아端雅함의 또 다른 표현이다. 에카르트는 '소박성'을 미술의 모든 장르에 걸쳐 적용할 뿐만 아니라 이 간결미와 소박미를 '고전적인 성격'이라고까지 끌어 올린다. 예를 들면, 중국의 건축 구조물은 그 장대한 계획에도 불구하고 모양이 옆으로 딱 바라지고 어색하다. 조선의 구조물은 항상 비례가 적합하고, 자유롭고도 장중하게 상승하는 기세를 보인다. 조선의 건축물은 단순하여 욕심이 없어 보이며, 세세한 선과 비례, 그리고 장식에서의 부드럽고 조화로운 색채감각이 두드러진다. 또한 조선의 탑은 단순하고 시원적始原的이며 다소간에 우직해 보인다. 조선미술에는 놀라울 정도의 간결성이 있으며, 선이나 비례의 아름다움에 대한 세련된 감각과 장식에서 조각과 부조를 적절하게 사용한다. 조선의 조각은 고귀함과 부드러움, 우미함과 자기 침잠, 경쾌하면서도 기품있는 강함이 두드러진다. 대체로 조선의 예술작품들은 세련된 미적 감각, 절제된 고전적인 아름다움을 지니고 있다. 때때로 과장되거나 왜곡된 것이 많은 중국의 예술작품이나, 감정에 차 있거나 형식이 꽉 짜여진 일본의 예술작품과는 달리, 조선의 예술작품은 동아시아에서 가장 아름답고, 고전적古典的이다. 이는 아름다움에 대한 자연스러운 감성의 발로이다.

에카르트는 기본적으로 조선 미술을 고전적 관점에서 해석하며, 건축, 불

---

50   안드레 에카르트, 앞의 책, 7-8쪽.

탑, 조각, 회화(특히 벽화), 도자기 등 조선 미술의 대부분의 장르에 고전적인 특질이 내재해 있음을 강조하고 있다. 고전성은 좌우대칭적인 구조, 힘이 한쪽으로 치우치지 않은 균형감과 평온함이 그 특징이다. 균형감과 평온함이란 단순성의 개념과도 상통한다. 이러한 단순성과 더불어 한국 미술에는 꾸밈없는 소박성이 함께 한다. 거기에는 과도한 장식을 피하는 절제가 따르며, 복잡하고 어수선한 것이나, 야단스럽고 천박한 것에 대해서는 체질적으로 거부감을 갖는다. 에카르트의 이와 같은 개념설정과 해석은 오스트리아 태생의 영국 미술사학자인 에른스트 곰브리치E. H. Combrich(1911~2001)의 논의와도 어느 정도 맥을 같이 한다. 즉, 곰브리치는 기교적이고 거추장스런 장식성과는 달리 '서양미술에 있어서의 절제라는 미적 이상은 고전적 영향에 의한 것'으로 보았다.[51] 그리하여 그는 단순성을 고전원리로 해석하고, 그것의 시원을 '설득하고 논증하는 기술'인 고대수사학에서부터 캐내었다. 이러한 미적 특성으로서의 '단순성'은 사실상 19세기후반부터 유럽미술평단에 대두된 중요한 개념 중 하나가 되었으며, 오늘날에도 새롭게 재해석되고 있다. 이는 단색화의 기본바탕과 연결되고 있거니와 우리의 미적 관심을 끌고 있기도 하다.

대체로 예술은 삶을 돌아보게 하며 삶을 생각하게 하는, 삶의 반영으로서 삶과의 유기적인 관계 속에 있다. 삶의 완성도는 자기를 충실히 함으로써 자신을 비우고, 자신을 비움으로써 자기 자신을 보다 더 무르익게 한다.[52] 건축 중에서도 일상생활과 밀접하게 연관되어있는 일반주택 가운데 초가집을 포함한 서민주택은 한국미의 특징을 잘 담아내고 있다. 건축의 외양

---

51 안드레 에카르트, 앞의 책, 7쪽, 역자해제.

52 김우창,『사물의 상상력과 미술』, 김우창 전집 9, 민음사, 2016, 157쪽.

과 구조적 세부는 소박하면서도 고전적 균제미를 갖추고 있다. 우리의 주택은 조촐하고 의젓하며 주위의 자연풍광과 그 크기를 비롯한 모양새가 알맞게 어울린다. 사면의 자연풍광 속에 조화를 이루어 그대로 편안하며 아늑하다. 자연의 한 부분이 집 뜰의 일부를 이루고 집 앞의 뜰은 담을 넘고 들을 건너 자연 속으로 널리 퍼져 나가 일체를 이룬다. 이는 한국적 주거환경의 자연스런 모습이다.[53] 다른 한편 한국도자기의 미적 가치는 중국이나 일본의 경우처럼 채색과 형태를 과장되게 꾸미지 않고, 오히려 유약을 부드럽게 발색시키고, 형태를 창조적으로 변형시킨다. 도자기에 있어서도 단순함과 조용함, 균제와 자연스러운 조화 등이 지배하고 있다. 단순성의 감각과 더불어 중용의 미, 조화와 비례의 미가 함께 한다. 기계적이고 맹목적인 반복으로서의 단순성이 아니라, 단순성의 외연外延이 확장되는 것이다. 고전성, 타고난 단순성에도 불구하고 고상함, 세련미 등의 특성이 고전적인 선의 움직임으로 그리고 겸허한 형식으로 함축된다.

우리 일상의 경우, 중국여성의 전족纏足이나 일본의 분재盆栽와 같은 부자연스런 미를 이상으로 삼지 않고, 항상 아름다움에 대한 자연스러움을 표현한다. 소박함과 순수함의 결정체는 옛 돌조각에서도 나타난다. 우리 돌조각에 새겨진 아름다움과 매력은 돌의 원초적 순수감성과 건강성, 그리고 단순미와 절제성에서 온다. 또한 꾸밈없이 단순하게 돌이나 나무에 표현된 동자상童子像의 둥그런 얼굴형태의 이목구비는 전형적인 한국인의 자연스런 심성을 상징한다. 나아가 민중의 소박한 믿음을 담고 있는 민불民佛은 단순성의 미학을 잘 드러낸다. 대전 보문산의 민불이나 진안 마이산의 마애

---

53   최순우, 『무량수전 배흘림기둥에 기대서서』, 학고재, 2002, 14-15쪽.

민불은 좋은 예다.[54] 한마디로 여기서 우리는 소박한 민중의 심성을 엿볼 수 있으며, 이는 자연스런 단순미의 발로이다.

---

54 특히 〈대리 석불 입상〉(전남 화순군 화순읍 대리 355/화순군 향토문화 유산 제10호)은 들판 한 가운데 당산나무와 함께 마을 공동체 신앙의 상징물로 서 있다. 수수하고 편안한 미소가 우리의 할머니나 어머니의 꾸밈없고 소박한 모습과 너무나 닮아 있다. 마을의 수호신노릇을 하는 벅수는 무서운 귀면형 부터 투박하고 일그러진 괴력의 장수형, 촌부의 인자한 모습, 심통이 난 듯한 할아버지와 할머니의 모습, 해맑은 미소년의 얼굴모습까지 해학과 익살스러운 표정을 담아 우리의 자화상을 그대로 보여준다.

4. 맺는 말

    필자는 철학적 사유나 모색의 근본 목적이 모든 복잡한 것을 단순하게 만드는 데에 있다고 본다. 왜 우리는 복잡한 것을 피하고 단순한 것을 지향할까? 원래부터 복잡한 것은 없었을 것이며, 처음엔 단순한 것만이 존재했을 것이다. 그렇다면 언제 단순함을 찾게 되었으며, 무엇이 단순한가? 겉으로 보기에 단순하냐 혹은 복잡하냐의 문제가 아니라, 복잡하게 얽힌 듯 보이는 문제의 얼개를 열고 그 본질이 해명될 때 단순해진다. 자연과학이든 인문사회과학이든, 거의 모든 과학의 원리가 그러하다. 그렇다면 무엇이 문제의 본질인가? 우리의 삶에 직접적인 영향을 미치며 삶과 직결된 문제가 바로 문제의 본질일 것이며, 그 이외의 것은 본질을 떠난, 단지 파생적일 뿐이다. 때로는 본질과 파생의 구분이 별 의미 없을 수도 있다. 마치 중요한 것과 중요치 않은 것 혹은 귀한 것과 사소한 것의 구분이 지나치게 자의적일 수도 있기 때문이다. 삶에 연결되어 있지 않은 본질은 설득력을 잃으며 단지 형식에 머무르고 만다. 단순함과 본질은 '바람직한 삶'에 깊이 연루되어 있다. 복잡하고 번잡한 세상을 사는 오늘날의 우리는 소박하고 단순한 삶을 동경하며 지향한다. 무질서한 복잡성의 이면에는 단순성의 질서가 있으며, 단순함은 모든 복잡성의 모태라는 사실을 많은 자연과학자들이 지적하고 있거니와 예술 또한 의미의 함축을 위한 단순한 표현을 시도한다. 새로운 복잡성과 오래된 단순성은 서로 연관된다. 새롭게 등장하는 듯한 복잡성은 이미 오래전 그 바탕에 단순성이 자리 잡고 있다는 말이다. 단순성은 복잡성에 시간적으로 선행하여 본질적으로 존재한다.

    단순성에로의 회귀는 복잡성의 미로를 벗어나 원래의 시원적인 삶에로 되돌아가는 것이다. 이는 원시성에서 확인할 수 있거니와 동심의 세계와도 맞닿아 있다. 근원에 대해 성찰하다 보면 단순성과 만나게 된다. 이 단순성은 자연에 내재된 어떤 원리이기 때문이다.[55] 자연의 순리에 따라 자연과의 조화를 이루며 단순소박하며 간결한 삶은 한국적인 미감, 즉 한국인의 미적 정서와 감성이 오랫동안 지향해 온 이상이다. 앞서 보았듯이, 일찍이 에카르트는 한국미술이 과장과 왜곡이 없다는 점에서 그 자연스러움과 단순함을 높이 평가한 바 있다. 한국인의 미적 정서 혹은 감성에 녹아 있는 단순성에 대한 미적인 성찰은 소박함, 조촐함, 절제와 여유로 나타난다. 단순성과 연관되는 무관심성은 자연에 순응하는 심리로 변한다.[56] 욕망으로 채우기보다는 무욕으로의 비움은 간결하고 명료한 선의 구성에서 드러난다. 나아가 무욕으로의 비움은 우주의 공간과도 맞닿아 있다. 꾸미려하거나 과장하지 않는 자연스러움은 절제미와 단순미에서 두드러진다. 예술이 진정으로 자기보상과 자기치유활동을 한다면, 한국인의 미적 정서와 감성에 바탕한 한국미의 근저에 놓인 단순성은 이 시대에 아주 시의적절한 의미를 던지며, 온전치 않은 우리의 심신을 치유하며 정화해준다고 할 것이다.

---

55 사계절의 순환이나 주기적인 지각의 변동 등은 좋은 예이다. 자연을 알기 위해 자연과학에 대한 전문적인 식견을 갖추면 더할 나위 없이 바람직할 것이나, 우리가 자연의 순리를 생각하는 것만으로도 단순성을 이해하고 받아들이는데 부족함이 없다.

56 우리의 미적 감성의 특성을 무관심성으로 파악한 고유섭의 견해는 '미의 무관심적 만족'을 강조한 칸트미론의 논의와 더불어 비교해 볼 만하다고 하겠다. 김광명, 『예술에 대한 사색』, 2006, 학연문화사. 특히 5장 무관심성과 한국미의 특성: 칸트미학과 연관하여, 101~118쪽 참고 바람.

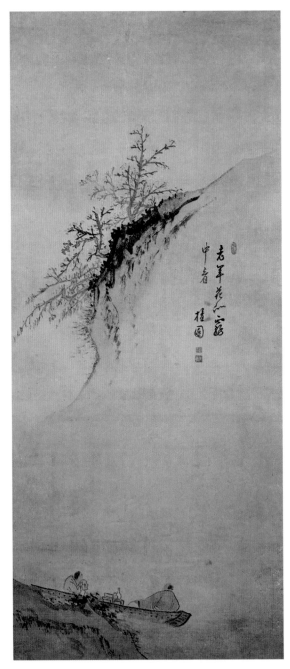

김홍도, 〈주상관매도〉, 종이에 수묵담채, 164×76㎝, 개인소장

Bill Viola, 〈Water Martyr〉(출처:http://www.tate.org.uk)

막사발, 조선시대

〈백자달항아리〉, 높이 43.8㎝, 17세기 후반~18세기 전반, 국보 제310호, 국립고궁박물관

Yvonne Boag, 〈Clearing Mines in the DMZ〉

〈화순대리석불입상〉(전라남도 문화재 자료 제243호)

5장
예술과 과학의
상호연관성에 대한 성찰

1. 들어가는 말

고대의 수많은 예술가들은 기하학적 구성으로서의 대칭과 조화, 수학적 비례에서 아름다움의 원형을 추구하였다. 지금의 시각에서 우리가 일반적으로 생각하는 것보다 중세엔 더 풍부한 기술의 진보나 기술적인 창조활동이 있었다. 이와 같은 사실은 예술의 주도적 위치를 차지한 교회건축 및 이에 종속된 조각이나 회화에서 더욱 두드러졌다. 그 후 르네상스 시대에 이르러서는 과학기술과 예술의 통합적인 세계관이 구축되기에 이르렀다. 이른바 르네상스의 전인적 인간형이라 할 레오나르도 다 빈치Leonardo da Vinci(1452~1519)는 얼핏 보아 서로 공통점이 없어 보이는 요소들을 결합하고 연결하여 새로운 유형을 만들어냈으며, 다양한 현상 가운데 보편적인 규칙을 찾으려 애썼다. 그리하여 화가, 발명가, 기술자, 해부학자의 다중역할을 훌륭하게 수행했다. 오늘날 과학의 소재와 영역이 여러 예술 장르 깊숙이 들어와 있는 예술문화 환경에서 '과학과 예술의 만남' 혹은 '과학기술, 문학, 예술의 만남', '예술과 과학의 융복합'이라는 맥락의 토론이나 세미나, 그리고 전시가 심심찮게 열리고 있다.[1] 첨단 과학기술은 예술에 더욱 더 참신한 소재를 제공하며, 다양한 미디어 아트나 영상예술을 비롯하여 새로운 테크

---

[1] 국립현대미술관 서울관은, '예술과 기술의 실험(E. A. T.-Experiments in Art and Technology): 또 다른 시작'(2018. 5. 26.-9. 16)을 전시했으며 연계 세미나로 '예술, 과학, 그리고 기술: 앞으로 다가올 것은 무엇인가'(2018. 6. 16.-17)를 진행했다. 그리고 대전비엔날레 2020은 '인공지능'과 예술의 융합과 연결의 가능성을 모색하는 전시를 2020. 9. 8.-12. 6에 걸쳐 'AI:햇살은 유리창을 잃고'라는 주제로 열었다. 참고도서로는 유진 S. 퍼거슨,『인간을 생각하는 엔지니어링』, 박광덕 역, 한울, 1998. 아서 I. 밀러,『천재성의 비밀-과학과 예술에서의 이미지와 천재성』, 김희봉 역, 사이언스 북스, 2001 등이 있다.

놀로지 예술의 출현을 가져 온다. 이렇듯 과학기술과 예술의 새로운 통합 및 융복합에 들어선 시대에 예술과 과학의 상호연관성에 대한 근본적인 성찰이 절실하게 요구된다고 하겠다.

미국미학회장과 미국철학회 태평양 분회장을 역임한 워싱턴 대학의 철학과 명예교수인 멜빈 레이더Melvin Rader(1903~1981)와 미국미학회장을 지낸 오리건 대학의 철학과 명예교수인 버트럼 제섭Bertram Jessup(1899~1972)이 함께 저술한 역저인,『예술과 인간가치』를 필자는 오래 전에 우리말로 번역하여 국내에 소개하고 꾸준히 강의교재와 연구 자료로 사용하면서 특히 제11장인「예술과 과학」에 주목한 바 있다. 필자는 예술과 인간가치의 여러 영역, 즉 도덕, 종교, 역사, 경제활동, 자유, 환경을 다루는 가운데 특히 미적 가치의 본질을 과학의 소재 및 방법과 연관하여 탐구한 탁월한 저술이라고 생각하여 이 내용을 중심축으로 검토하면서 필자의 견해를 보태려고 한다.[2] 예술과 과학에서의 진리, 두 영역이 다루는 소재 및 서로 상이하면서도 연관되는 탐구 방법, 양자가 생산해낸 산물의 특성, 그리고 예술과 과학이 주는 즐거움을 살펴보되, 그간의 시간의 흐름에 비추어 몇몇 자료와 논의를 보완하여 상호연관성을 성찰해 보고자 한다.

---

2   Melvin Rader/Bertram Jessup, *Art and Human Values*, New Jersey: Prentice-Hall, Inc., 1976. 멜빈 레이더 · 버트럼 제섭,『예술과 인간가치』, 김광명 역, 이론과 실천,1987(초판 1쇄), 까치, 2001(2판1쇄), 2004(2판 2쇄), 제11장 예술과 과학, 369~427쪽.

2. 예술과 과학에서의 진리문제

일반적으로 진리란 '참된 이치 혹은 참된 도리'이다. 또한 '명제가 사실에 정확하게 들어맞아 논리에 모순되지 않는 바른 판단이며, 누구나 인정할 수 있는 보편적인 법칙이나 사실'이다. 실제로 진리란 무엇인가에 대해 서로 다른 시대나 학자의 관점 및 학문영역에 따라 여러 층위에서 논의되고 언급된다. 하이데거Martin Heidegger(1889~1968)는 예술의 근원으로서의 진리를 말한다. 예술의 본질은 존재자의 진리가 작품 속으로 스스로를 정립하는 것이다. 그에 의하면, 진리는 감춰진 것을 드러내는 것이며, 비본래적인 것을 걷어내고 본래적인 것을 밝히는 것이다. 예술작품 속에는 '진리의 어떤 일어남'이 작용한다.[3] 이는 예술에서 진리의 의미를 명쾌하게 밝힌 것이라 여겨진다. 한편, 과학에서의 진리란 현상을 설명해줄 수 있는 설명체계로서 자연현상을 이해하기 위한 하나의 도식이며, 명확하게 입증된 과학적 사실이다. 이와 같은 서로의 상이한 입장을 염두에 두되, 여기에서의 논의는 대체로 앞서 언급한 두 학자, 멜빈 레이더와 버트럼 제섭의 의견에 좇아 살펴볼 것이다.

삶의 현상과 내용을 완벽하고 완전한 하나의 직물을 구성하는 데 필요한 여러 가닥의 실들에 비유해보면, 예술과 과학은 삶이라는 전체의 직물구성을 위한 중요한 씨실과 날실로서 상호관계를 맺고 직조된다. 예술은 삶과의 연관 속에서 삶의 진리를 추구하고, 과학은 자연현상에서의 진리를 탐구한다. 다 같이 진리를 추구한다는 점에서는 같지만, 그 내용과 방법은 다르다. 영국의 미술비평가인 허버트 리드Herbert Read(1893~1968)는 "방법론

---

3   마르틴 하이데거, 『숲길』, 신상희 역, 나남, 2020, 38쪽.

이외에서는 과학과 예술을 구별하지 않으며, 과거에 양자를 다르게 본 것은 단지 이들의 활동 범위에 대한 제한된 시각에 기인한 것이다. 같은 현실이라도 접근하는 방식에서 예술은 표현적이고 과학은 설명적"[4]이라고 간결하게 구분한다. 인간의 삶에 관한 학문으로서 정신과학을 기획한 딜타이 Wilhelm Dilthey(1833~1911)의 해석학 이후, 전통적으로 인문과학은 이해하고, 자연과학은 설명한다는 입장과 궤를 같이 한다. 과학과 예술을 분명하게 구분하는 입장에 서면, 진리 혹은 지식이 과학에는 직접적으로 적용되지만, 예술에는 간접적으로 적용된다. 논리 실증주의 철학자인 루돌프 카르납 Rudolf Carnap(1891~1970)은 어떤 형태의 예술에서도 그 목적이 새로운 지식을 얻는데 있지 않다고 말하며 지식과는 거리를 둔다. 그러므로 우리가 예술로부터 얻는 것은 그것이 무엇이든 간에, 거기에 감정적 혹은 형식적 즐거움을 부여할 수 있지만 지적 의미를 부여할 수 없게 된다.[5] 즉, 지적 의미에서의 지식이 아닌 것이다. 그러나 과학에서 통용되는 이론 이성을 예술의 미적 감성에 유추해 보면, 인간과 세계를 인식하는 지적 의미의 확장으로서 상보적임을 알게 된다. 따라서 예술이 전적으로 진리와 무관한 것은 아니다. 예술도 진리를 표현할 수 있으나, 이는 매우 우발적이거나 부수적이라는 입장을 취한다. 이런 견지에서 보면, 시 예술에서의 시란 "미적 우연 혹은 우유성aesthetic accident에 의하여 진리를 내포하고 있을 수는 있으나, 이것이 시적 본성을 이루는 부분은 아니다."[6] 이와 연관하여 우리는 다다이스트가 추구했던 '우연'의 의미를 생각해볼 수 있다. 이를테면 '예술가는 영

4   Herbert Read, *Education through Art*, New York: Pantheon Books, Inc., 1943, 11쪽.

5   Stephen D. Ross, *Literature and Philosophy; an Analysis of the Philosophical Novel*, New York: Appleton-Century-Crofts, 1969, 219쪽.

6   Sidney Zink, "Poetic Truth", *The Philosophical Review*, 54, 1945, 133쪽.

혼으로 자신을 표현해야 하며, 예술 작품은 그 영혼과 하나가 되어야 한다.'
고 주장하는 뒤샹Marcel Duchamp(1887~1968)의 '기성품(레디메이드)'이 드러내
는 전위성은 인과관계의 부재라는 우연을 나타낸다. 물론 우연의 개입이라
하더라도 이는 작가의 예술의지의 발로인 셈이다. 그는 우연이 왜 발생할
수 있는가라는 이유를 추적하며 이를 물리적으로 가시화하여 작품으로 형
상화하고자 했으며, 다다이즘과 초현실주의적 접근으로 미술사에 획기적
인 전환점을 가져왔다. 이외에도 인간 신체의 움직임에 대한 예리한 관찰
을 토대로 새로운 시지각의 방향을 이끌어낸 그의 〈계단을 내려오는 누드
2Nude Descending a Staircase, No. 2〉(1912)는 주목할 만하다. 활동사진의 경우
와 같이 매순간의 움직임이 회화에 역동적으로 반영된 것이다.

　과학과 예술은 여러 면에서 근본적으로 다르지만 각각은 인간이 세계를
이해하고 인식하는 데 그 자체의 독특한 방법으로 기여한다. 영국의 시인
세실 데이-루이스Cecil Day-Lewis(1904~1972)는 과학이 측정이나 규칙성의 양
적 영역을 확장시키는 데 반하여 시는 우리의 통찰력으로 하여금 감정과 가
치의 질적 영역을 심화시킨다고 말한다. 그에 의하면, 질적인 면과 양적인
면에서의 차이가 과학과 시의 영역을 규정해준 셈이다.[7] 『세계 가설』(1942)
과 『개념과 질』(1967)의 저자인 스티븐 페퍼Stephen C. Pepper(1891~1972)는 예
술이란 느껴진 성질을 매우 생생하게 실현하는 반면, 과학은 인과관계에 대
한 개념적 파악을 제공한다고 말한다. 예술과 과학은 하나의 문화적 제도
안에 존재하며, 각각에 특유한 중요한 문화적 가치를 지니고 있다. "예술의
문화적 가치는 주로 향유하는 데 있으며, 과학의 문화적 가치는 도구적으로
사용되는 데 있다. 이 둘은 인간의 지식 축적에 매우 크게 기여하는 바, 예

7　Cecil Day-Lewis, *Way to Knowledge*, Cambridge at the University Press, 1957, 16쪽.

술은 질적인 인간생활의 경험에, 과학은 인간환경에 대한 개념적 통제에 기여한다. 예술과 과학이 각각으로부터 결코 멀리 떨어져 나가지 않도록 인간의 지혜가 요구되며, 균형 잡힌 세계관과 인간의 생활 및 행위를 치우침이 없이 판단하기 위해 예술과 과학은 서로를 필요로 한다."[8] 각각 향유와 도구로 표현되는 예술과 과학의 기능과 역할의 대비는 서로 보완관계에 있다. 이를테면, 도구로 사용하며 향유하고, 동시에 즐기면서 도구로 사용하는 것이다.

예술과 과학은 각자의 독특한 방법으로 인간의 통찰력에 기여하며, 서로 간에 경쟁적이라기보다는 상호보완적이다. 과학적 담론은 시가 아니며, 과학적 발견에 대한 설명은 허구가 아니다. 우리가 인정하게 될 두 가지 시도는 목적과 가치에서 서로 다르다. 과학은 사실에서 진리를 찾고 예술은 사실에 대한 느낌과 상상적인 것을 느끼는 데 진리를 부여한다. 과학에서 인간은 사물들이 인간의 욕구나 소망, 두려움과는 별개의 것임을 알고 있으며, 이 점을 잘 인식하고 판단하며 분석하는 관찰자로서의 존재이다. 그런데 예술에서의 인간은 부분적으로는 우리가 보여주고 말하거나 상상하는 바로 그 실체인 것이다. 만일 과학에서의 관찰결과나 실험이 인식적 태도와는 다른 종교적, 이념적 혹은 여타의 정치적 태도를 취한다면 그것은 매우 불합리하고 객관성을 상실할 것이다.[9] 예술에서 '느껴진' 성질이란 감각적 사실에 바탕을 두지만, 과학에서의 느낌이란 일관되지 못하며 믿을 수 없는 부적절함으로서 진리의 근거가 될 수 없다. 즉, 일관성과 객관성을 상

---

8 Stephen C. Pepper, *Concept and Quality*, La Salle, Ill.,: Open Court Publishing Company, 1967, 619쪽.
9 멜빈 레이더 · 버트럼 제섭, 앞의 책, 372-373쪽.

실하고 있기 때문이다.

경험은 '실제로 무엇을 시도해 보거나 겪어 봄'으로서 우리 삶을 온갖 의식적 활동 속으로 이끌어준다. 듀이John Dewey(1859~1952)는 일상의 단순한 경험과 '하나의 경험'의 차이를 구별한다. 예술이란 미적 경험을 토대로 고도의 표현적인 행위에 의해 미적 대상을 형상화한다. 듀이에 의하면, 우리는 "미적 경험 덕분에 대상의 한 부분인 자연과 인간에 대한 이해력 혹은 지성의 증가와 심화된 지적 능력을 가질 수 있게 된다. …표현력과 고조된 지적 능력은 여전히 설명을 요한다. …삶의 뒤엉킨 정황은 미적 경험으로 인하여 좀 더 이해할 만하게 다듬어진다. 하지만 이는 개념적 형식으로의 환원을 통하여 성찰과 과학이 그것들을 더욱 이해할 만하게 탈바꿈시킴으로써 이루어지는 것이 아니라, 명백하고 이치에 맞는, 그리고 강력하거나 '감동적인' 경험의 재료를 가지고 그것들의 의미를 부여함으로써 이루어지는 것이다."[10] 미적 경험은 사물에 대한 이해의 폭을 넓혀주고, 지적 능력의 고양으로 연결되어 우리에게 세계를 새롭게 바라보게 한다.

개념적이고 인식적인 과학, 그리고 표현적이고 정감적인 예술은 사물의 온전한 이해를 위해 상호보완적이다. 모든 사물을 이해하고 여기에 다양성 안의 조화라는 질서를 부여하는 일은 과학과 예술이 공유해야 할 과제이다. 도로시 월시Dorothy S. Walsh(1929~)는 실제의 생활을 통해 얻게 된 경험과 예술에서 향유할 수 있는 '가상적인 경험'을 구별하였다. '생활경험'이란 생활 속에서 일상적으로 일어나는 것이며, '가상적 경험'이란 상상 속에서 구성된 것이다. 예술가에 의해 만들어진 가상적 경험은 대단히 고양된 표현력을 필요로 한다. "실제 경험으로서의 생활 경험은 특이하고 단편적이며

---

10   John Dewey, *Art as Experience*, New York: G. P. Putnam's Sons, 1934, 288-290쪽.

매우 빨리 지나가버리지만, 계속해서 일어나는 주기적인 변화에서 어느 한 순간의 일을 구성하고 표현한 가상적 경험은 충분히 깨닫고 공감할 수 있는 무엇인가를 제공해준다."[11] 예술이란 가상적 경험의 구성을 통하여 질적으로 다른 '하나의 경험'을 특징짓는 어떤 구체적인 통찰력을 확장해주고 정교하게 다듬어 준다. 이런 가상적 경험이 진정한 것으로 우리에게 다가올 때 우리는 이를 '진리'로 받아들이게 되고, 이것이 삶에 대한 우리의 이해에 깊이를 더해줄 때 우리는 '지식'이라 일컫는다. 우리는 과학적 담론에서의 '진리'나 '지식'의 의미와의 혼동을 피해야 한다. 예술적 진리란 상상적이거나 허구적인 경험에 구현된 것이고, 반면에 과학적 진리란 실험적 방법에 의해 검증된 것으로 철저하게 사실적인 것을 뜻한다. 허구를 바탕으로 작품을 지어내는 작가들은 과학자와는 달리 작품이 포함하고 있는 전제를 우선적으로 주장하지 않는다. 작가들은 그것을 허구적으로 사용할 뿐이다. 그러나 허구적 의도가 인식적 의도를 가로 막는 것은 아니다. 허구적 작품이라 하여 그것이 전적으로 비인식적인 것은 아니다. 허구라 하더라도 어느 정도 인식에 도움을 줄 수 있다. 이는 마치 신화가 대체로 허구이지만 역사적 현실을 인식하는 데 직간접으로 도움을 주는 이치와도 같다. 신화의 다양한 내용들은 동서고금을 넘어 실제 삶이 추구하는 가치와 이념에도 많은 영향을 끼치고 있다는 점에서 그러하다.

허구와 진리가 서로 상충되어 나타나는 것은 아니다. 허구적인 것에 의해서도 진리를 나타낼 수 있기 때문이다. 허구는 직접 인식에 의하지 않는 이차적 의도나 목적의 기능을 함으로써 인식적으로 유의미한 표현을 한다.

---

11   Dorothy Walsh, *Literature and Knowledge*, Middletown, Conn.: Wesleyan University Press, 1969, 139쪽.

예술의 상상적 차원은 가치 표현적 특성의 자연스러운 결과이다. 예술가란 인생과 자연의 가능성을 가치의 관점에서 예견하고, 작품 속에 자신들이 발견하고 창조한 가치를 구현한다. 미적 대상의 성질들은 관심을 기울이는 가치의 문제이지, 종합적인 사실의 문제가 아니다. 그것들은 '느껴진' 성질의 문제이고, 감지하며 평가하는 것과는 별개다. 모든 가치란 상상력에 의해 창조되는 까닭에 흔히 이상적이고 실제적이지 않다. '생생한 경험'의 특성이라는 의미에서 그들이 실재적일 때조차도, 그들은 주체-객체라는 근대적 이분법을 벗어나 주체와 객체가 맺는 상황에서 관계적인 성질을 지닌다. 주체와 객체가 맺는 관계를 바라보는 또 다른 주체는 반성작업을 계속하면서 근원적인 관계로 다가간다. 예술에서는 어떤 무엇에 대해 피동적으로 느껴진 바와 대상에 대해 주체적이고 능동적으로 느낀 바가 내적으로 연결되어 있어 분리할 수 없으며 서로에게 영향을 미친다. 그런데 예술의 본질적 요소로서 문자 그대로 해석된 사실을 받아들이고 그것에만 연연하는 일은 '사실주의자들의 오류the factualists' fallacy'에 빠지게 된다. 즉, 가치를 사실 그대로 환원시키는 오류를 범하게 된다는 말이다. 이런 까닭에 예술작품의 평가에서 지식이나 진리라는 말보다는 '취지'나 '의미', '통찰력', '표현성'이라는 말이 즐겨 사용된다. 표현적 특성을 지닌 예술작품은 듀이의 맥락에서 보면, '하나의 경험'과 가까운 일종의 구체적이고 '생생한' 의미를 함축하고 있는 셈이다.[12] 대상의 표현성에 함축된 의미를 끌어내어 적절하게 표현하는 일은 예술가의 몫이다.

예술의 언어를 소통수단의 매개로 파악하며 세계를 바라보는 넬슨 굿맨 Nelson Goodman(1906~1998)은 예술을 하나의 기호체계로서 세계를 이해하고

---

12 멜빈 레이더 · 버트럼 제섭, 앞의 책, 376-377쪽.

인식하는 것으로 본다. 그는 "미적 경험 속에서 '정감이 인식적으로' 기능한다."고 말한다.[13] 이때 정감이 수행하는 인식의 기능은 세계와 대상에 대한 언어적 인식으로 이어진다. 정감과 상상에 의하여 탐구된 가능성은 현실 그 자체만큼이나 의미가 있으며, 객관적으로 증명되지는 않지만 있음직한 하나의 세계는 영혼을 감동시키는 아름다운 경지에까지 미치게 한다. 영국의 철학자이자 수학자인 화이트헤드Alfred North Whitehead(1861~1947)는 "예술이 나오게 된 경험의 깊이와 타당성이란 어떤 의미를 지닌 것이다. 만약 예술이 단지 의식적으로 현명한 추리에 의하여 만들어진다면, 그것의 운명은 이미 정해진 셈이다."[14]라고 말한다. 예술로부터의 경험과 과학적 추리의 차이는 비교적 분명하다. 추리에 바탕을 두고 결정론적 접근을 수행하는 과학과는 달리, 심오함, 우아함, 세련됨, 탁월함 등과 같이 공감적 깊이에 바탕을 평가나 인식은 작품의 미적 특성을 잘 드러낸 말이다. 이는 단지 어떤 형식으로 환원될 수 없거니와 과학적 검증에 종속되지 않는다.

13   Nelson Goodman, *Languages of Art: An Approach to a Theory of Symbols*, Indianapolis and New York: Bobbs-Merrill Company, 1968, 248쪽.

14   *Dialogues of Alfred North Whitehead*, as Recorded by Lucien Price, Boston: Little, Brown and Company, 1954, 70쪽.

3. 예술의 소재로서의 과학

예술은 사실의 현상 및 내용에 직면하여, 그리고 이를 경험한 전체 영역을 정감적이고 감각적으로 다룬다. 그러나 때로는 새로운 인식의 지평을 확장하여 지적으로 접근한다. 미적 경험이란 근본적으로 과학적 경험을 비롯한 다른 모든 종류의 경험으로 이루어진 현실세계와 연관되며, 때로는 그것으로부터 생긴다. 경험과 동떨어진 사물로서의 '미적 상태'란 공감을 자아내지 못하며 허상으로 머문다. 예술이 표현하는 느낌과 감정 및 태도는 과학이 부여해주는 소재에 대한 사실과 진실에서도 대부분 제시될 수 있다. 예술이 독립적으로 함축하고 있는 바를 나타내는 원동력인 상상력을 들여다본다면, 결국에는 과학적 사실과 이론에도 어느 정도 연관됨을 알 수 있다. 상상력은 현존하지 않은 것을 현존하는 것처럼 내면에 그려보는 능력이고, 눈에 보이지 않는 것을 눈에 보이게 하는 힘이며, 낯설고 잘 모르는 것을 잘 알려져 있는 익숙한 것을 이용하여 유추해내는 능력이다. 나아가 상상력은 한 분야의 여러 요소를 다른 분야의 요소들과 결합시켜 보게 하는 역량을 지닌다. 과학과 예술에서 상상력을 체험하고 또한 이를 학습하며 훈련하는 일은 삶의 질을 높이고 즐거움을 배가하기 위해 동일하게 중요한 역할과 기능을 수행한다. 이런 학습 및 훈련과 연관하여 주목할 만한 예로 우리는 '익스플로러토리움Exploratorium'을 들 수 있다. 이는 샌프란시스코에 위치한 과학, 기술 및 예술 박물관으로서 과학 교육을 목적으로 하되 직접 체험 프로그램을 계발하여 장려하는 독특한 체험과학의 현장이며 과학과 예술이 밀접하게 만나는 장소이다.[15] 과학과 예술의 공통점은 자연현상

---

15   핵물리학자이자 이론물리학자이며 원자폭탄을 개발한 로버트 오펜하이머(Robert

을 세밀하게 관찰하고 이를 해석하여 새로운 패턴을 만들어낸다는 것이다. 그리하여 인간의 경험을 확장하여 세계에 대한 인식의 지평을 넓혀 준다. 우리가 자연을 바라볼 때엔 언제나 과학자이면서 동시에 예술가의 눈으로 지각해야 한다.[16] 흔히 말하듯, 실제에 있어서 우리의 눈은 마음과 연합하여 좌뇌(논리적, 이성적, 부분적-분석적, 객관적)와 우뇌(직관적, 감성적, 총체적-종합적, 주관적)의 상보적 작용과 역할을 수행하며 사물을 지각하고 인식한다.

　과학적 탐구를 통해 찾아볼 수 있는 수많은 예술적 소재들을 적절하게 잘 지적한 바 있는, 스코틀랜드의 자연주의자이자 애버딘 대학의 저명한 자연사 교수인 아서 톰슨Arthur Thomson(1861~1933)은 "과학은 이른바 예술의 천연자원이라고 할 거대한 보고寶庫"[17]라고 강조한다. 중요한 경험의 일부가 수 있는 사실에 대한 과학적 보고를 보면, 예술에 대한 관심은 예술과 과학 사이의 중요한 관계가운데 하나임을 알 수 있다. 과학과 예술 모두는 동일한 세계를 대상으로 삼고 있다. 과학은 세계에 대한 우리의 이해를 나타내며 예술은 세계를 향한 우리의 감정태도를 드러내는데, 예술은 부분적으로 과학에 의해 보고되고 이론화된 세계를 감성적으로 표현하기도 한다. 자연에 내재된 오묘한 아름다움에 감동하며 마음의 위안을 삼은, 영국의 낭만주의 시인이며 계관시인인 워즈워스William Wordsworth(1770~1850)는 새뮤얼 테일러 콜리지Samuel Taylor Coleridge(1772~1834)와 함께 쓴 『서정적 담시Lyrical Ballads』(1798)의 서문에서 과학과 시 예술 사이의 관계에 대해 다음과 같이

Oppenheimer, 1904~1967)의 동생이며 과학교육에 관심이 많았던 물리학자인 프랭크 오펜하이머(Frank Oppenheimer, 1912~1985)가 1969년에 개관했다.

16　홍성욱, 「이성과 상상력」, 과학기술과 예술, 과학-문화예술 소통워크숍, 2014. 5. 15.

17　Arthur Thomson, *Introduction to Science*, New York: Henry Holt and Company, 1912, Chap. VI Scince and Art, 192쪽.

언급하였다. "과학을 하는 사람은 멀리 떨어져 알려지지 않은 후원자처럼 진리를 추구한다. 그는 외로이 이 일을 소중히 여기고 사랑한다. 모든 인류가 그와 함께 노래를 부르며 우리가 자주 만나는 친한 친구와 함께 진리 가운데 즐거워한다. 시는 모든 지식의 생명이고 영혼인데, 이는 과학의 모든 것을 감동적으로 표현하는 것이다."[18] 시가 감동적으로 표현하는 바는 과학과 별개의 것이 아니라 과학이 다루는 모든 것과의 연관 속에 있다는 말이다. 귀기울여 경청할만한 내용이다.

예술가들이 대상을 '경이로운 눈'으로 바라보고 느끼는 것뿐만 아니라 이를 토대로 작품으로 창작해내는 일은 과학적 보고 및 이론에서 밝힌 것과 무관치 않다. 모든 학문의 출발은 대상을 새롭게 보는 '경이로운 눈'에서 가능하기 때문이다. 과학은 관찰이나 공리적 측면에서 지적 경험을 좌우할 뿐만 아니라, 그것의 사상과 마찬가지로 감각적이고 지각적인 예술의 형태와 특성을 넓혀주고 방향을 제시하며 변화시키는 데 도움을 준다. 무지로 인해 왜곡된 것과 형언하기 어려운 직관력의 결여로 나타난 표현적 왜곡 사이를 우리는 구별해야 한다. 만일 시인이 오류의 경우를 묘사하고자 한다면 아리스토텔레스Aristotle(384~322 BC)의『시학』에서의 언급을 살펴 볼 필요가 있다. "오류를 범했으나, 그럼에도 그로 인해 예술의 목표에 도달할 수 있다면 그 오류는 정당화될 것이다. 하지만 만일 시 예술의 특별한 법칙을 어기지 않으면서 목표가 더 잘 성취될 수 있다면, 오류란 정당화되지 않는다. 왜냐하면 모든 종류의 오류는 가능하다면 피해야 하는 까닭이다. 다시 말해 오류가 시 예술의 근본요소를 손상하고 있는가 혹은 그것에 대한 어떤

---

18   멜빈 레이더 · 버트럼 제섭, 앞의 책, 381쪽.

우연성을 손상하고 있는가 하는 문제이다."[19] 우리는 일반적으로 비표현적이고 부주의한 오류를 피해야 한다. 그런데 오류로 인해 오히려 예술의 목적을 이룰 수 있고, 예술적 진리가 고양될 수 있다면 오류가 정당화될는지도 모른다. 예를 들면, 시적 가치나 시적 진리는 시가 표현하는 문자적 진리나 혹은 어떤 부분에 의해서 결정되는 것이 아니다. 시는 실제적인 문제를 직접적으로 혹은 완곡하게 언급할 수 있으며, 그 시는 시적 오류가 없으면서도 역사적으로나 과학적으로 잘못을 범할 수 있다. 시는 어떤 일의 상태나 있는 그대로의 사실이 아니라, 그 사건의 사실이나 상태에 대한 느낌을 전달하거나 표현하는 것이다. 과학적, 역사적 정확성을 표현하는 것이 시적 진리가 아니라, 느껴진 성질의 공감적 전달이 진리인 것이다. 이처럼 시 예술에서의 느낌의 전달과 표현은 예술 일반의 영역으로 확장되어 적용될 수 있을 것이다.

세상에는 인간의 감각기관으로 관찰할 수 없는, 즉 너무 작거나 커서 안 보이거나 못 보는 것, 혹은 너무 멀리 있거나 지나치게 가까이 있어 실체를 알 수 없는 것들이 많이 있다. 괴테Johann Wolfgang von Goethe(1749~1832)에 따르면, "현미경이나 망원경은 본래 순수한 인간의 감각을 혼란시킨다."[20] 그는 특히 육안에 의한 직관을 중요시하며 현미경이나 망원경에 기대어 사물을 관찰하는 일을 인간의 감각에서 순수함을 빼앗아 가는 것이라고 하여 아주 부정적으로 본다. 이에 반해 현대조각의 선구자요, 개척자인 영국의 조각가 헨리 무어Henry Moore(1898~1986)는 현미경과 망원경이라는 과학

---

19 Aristotle, *Poetics*, trans. S. H. Butcher, London: Macmillan & Company, 1911, sec. XXV.

20 괴테, 『잠언과 성찰』, 장영태 역, 유로서적, 2014, 119쪽.

적 도구에 의해 드러난 형태까지 포함하여 자연형태에 대한 예술가의 관심을 다음과 같이 평한 적이 있다. 즉, "자연에 대한 관찰은 예술가의 삶의 한 부분인데, 그것은 그의 고정된 지식을 넓혀주고 공식화에 의한 작업으로부터 예술가에게 신선한 생기를 부여해주며 영감을 길러준다. 인간의 모습은 나에게 매우 깊은 관심을 불러일으키는 것이지만, 나는 조약돌, 나무, 바위, 뼈, 식물 등과 같은 자연 대상물의 관찰로부터 형식과 리듬의 원리를 찾아냈다. …자연에는 조각가가 그것으로부터 고정된 지식의 경험을 넓혀갈 수 있는 형태와 리듬에 무한한 다양성이 있으며, 현미경과 망원경이 이 분야를 확대해 주었다."[21] 자연 형태에 대한 세밀한 과학적 관찰로부터 예술적 소재를 끌어내어 인식의 지평을 넓히고 생기를 불어넣은 헨리 무어의 작가적 경험이 묻어난다. 바로 이런 맥락에서 그는 생전에 자신의 작품이 자연 속에 그대로 전시되길 소망했으며, 그의 작품이 지닌 강한 원초적 생명력이 자연과 더불어 되살아나길 바랐던 것으로 보인다.

인체비례의 해부학적 선구자인 레오나르도 다 빈치로부터 우리 시대의 전위파에 이르는 예술가들은 그들의 자연과 현실의 예술적 연출 위에 과학의 영향을 인정하고 있다. 기계적이고 역동적인 평형상태라는 사물의 현대적 개념은 키네틱 아트kinetic art의 선구자인 알렉산더 칼더Alexander Calder(1898~1976)의 움직이는 조각에 반영된 것으로 볼 수 있다. 이는 과학적 원리에 예술을 접목시킨 것으로 기계장치와 자연재료가 어우러진, 말하자면 예술과 과학이 서로 만나는 또 하나의 현장이라 하겠다. 또한 입체주의를 선언한 작가들의 시도는 단일한 절대관점의 전통을 포기하고 다양한

---

21   "On Sculpture and Primitive Art", ed. Herbert Read, *Unit One*, London: Cassell and Company, 1934. 멜빈 레이더 · 버트럼 제섭, 앞의 책, 388쪽에서 인용.

상대적 관점들의 동시성을 결합하였던 아인슈타인Albert Einstein(1879~1955) 처럼 상대성 물리학에서 적잖은 영향을 받은 것으로 볼 수 있다. 생물과학의 영역에서 보면, 부분과 전체 사이의 유기적이고 통합적인 관계에 역점을 두는 현상이 생물이 살아가는 환경에서 증가하고 있음을 알 수 있다. 전체가 부분에 선행되며 모든 부분을 결정해준다는 유기체에 대한 생각과 생태학적 공동체 사상은 상호의존적으로 살아가며 그 기능을 수행하는 유기적 조직, 그리고 진화과정에서 출현한 단계들에 대한 생각이다. 여기엔 단지 우연히 덧붙여진 결과들이 아니라 실로 의도된 창조적 종합이 있는 것이다.[22] 이러한 창조적 종합은 예술적 모색에서도 그대로 수용되고 시도된다.

20세기 초중반의 예술 형식에서 특히 추상성에 대한 두드러진 강조는 과학에서의 형식적 혁명과 나란히 일종의 예술적 혁명을 이루고 있다. 예술가와 과학자는 같은 의미를 지닌 세계에 살고 있으며, 과학자의 현실에 대한 해석은 예술가가 소재를 취하고 다루는 방법과 표현에도 깊은 영향을 미치지 않을 수 없다. 예술과 과학 사이의 긴밀한 관계를 언급한 허버트 리드의 생각을 길게 인용해보면 다음과 같다. "과학의 다양한 부분에서 '형식'이나 '형태'에 부여되고 있는 점증된 의미는 자연현상 및 믿을만한 예술작품의 구조에, 동일성은 아니라고 하더라도 어떤 동일한 방향의 가능성을 시사해준다. 예술작품이 어떤 율동적인 혹은 심지어 정확한 기하학적인 종류의 형식구조를 지니고 있다는 것은 여러 세기 동안 극소수의 허무주의자들(예를 들면, 다다이스트들)이 인식한 것이었다. 아무튼 구조나 비례-그 유명한 황금분할-의 몇몇은 오랫동안 인정되어온 자연에 상응물이 있다. 소수의 신비주의적 측면을 제외하고, 드문 예들이지만 이를 통해 자연이 예술에 대하

---

22 멜빈 레이더 · 버트럼 제섭, 앞의 책, 389-390쪽.

여 무의식적인 배려를 하고 있다거나, 또는 예술가가 무의식적으로 자연을 모방하고 있다는 가정을 세울 수 있다. 하지만 지각 그 자체는 본질적으로 형태를 선택하고 형태를 만드는 기능이라는 점, 형태가 물리적 구조나 신경 체계의 기능에 내재되어 있다는 점, 사물 자체는 이치에 맞는 형태나 미분자의 배열을 분석한다는 점에 대한 뜻밖의 사실, 그리고 이러한 모든 형태들이 '미적인 것'으로 특징지을 수 있는 그들 부분들의 조직에 의해서 효율적이고 존재론적으로 중요한 것이라는 점진적 인식 등, 이제 이러한 모든 발전은 예술작품과 자연 현상에서 동일한 수준의 물음을 던지고 있다."[23] 자연에 대한 지각에서 예술과 과학이 공유하는 부분을 여러 구조와 형태로 표현해 볼 수 있다.

과학적 인식과 예술적 인식 사이의 친밀한 관계에 대해서는 수잔 랭거 Susanne K. Langer(1895~1985)가 인간 감정과 연관하여 논한 '마음'의 주장에도 귀를 기울일만한 점이 있다.[24] 자연의 물리적 존재세계는 기호로, 인간의 의미세계는 상징으로 나타난다. 예술에서의 정서란 혼란스럽거나 무형적인 것이 아니라 그 나름의 구조와 형태를 지니고 있으며 어떠한 인식에 기여한다. 작품엔 대체로 작가의 감정이 표현된다. 그리고 작품과 표현된 감정 사이의 상징관계는 서로 동형적인 형태로 연결된다. 정서적 움직임으로서의 마음의 출현에는 생물학적 조건들이 뒤따른다. 과학의 자료가 흔히 예술적 관심의 대상이 되는 것처럼, 예술의 자료는 과학적 관심의 명백한 소재가 된다. 이는 예술과 관계있는 활동들에서 잘 드러난다. 예술에 대한

---

23 Lancelot Law-Whyte(ed.), *Aspects of Form: A Symposium on Form in Nature and Art*, Bloomington: Indiana University Press, 1966 에서 Herbert Read의 서문.

24 Susanne Langer, *Mind: An Essay on Human Feeling*, 3 vols., Baltimore: The Johns Hopkins Press, 1967, 1972, 1982.

과학적 고찰에서 과학의 역할은 분명하며, 기하학이나 수학, 화학이나 물리학은 기본이거니와 세부적으로 색채학, 광학 및 해부학은 좋은 예이다. 예술에서 자료산출의 활동은 창조적이고 동시에 감상적이며 비평적이다. 또한 과학적 활동은 미적 창작 및 그 반응에 대한 실제적인 조건과 규칙성을 연구하는 일을 포함한다. 철학적 활동은 자료산출이나 과학적 접근의 두 활동에서 기술된 연관성을 다루며 지향하는 가치와 의미를 물으며 해석한다.[25] 그리고 이러한 해석은 인간 삶의 질적 고양과 연관되는 통찰이다.

생물진화의 관점에서 보면, 미적인 반응들은 종種의 생존을 위한 주요 요소이며, 특히 성적 유혹이나 성행위와의 연관 아래 설명된다. 예를 들면, 밝고 화려한 색조를 띤 새의 깃털은 미적으로 매력적이고 서로 교미하는 데 생물학적으로도 유용하다고 생각해왔다. 실제로 밝고 매력적인 깃털을 소유한 몇몇 새들의 사례에서 보듯, 그들이 교미하는 데 깃털을 모양내어 다듬고 과시하는 것은 생물학적으로 미적 행위의 연장선에서 해석된다. 다윈이 『인간의 유래 Descent of Man』(1871)에서 밝히듯, 수컷 새가 암컷 새 앞에서 깃털을 세우고 뽐내며 화려한 색을 정성 들여 과시함으로서, 암컷이 성적 상대인 수컷의 아름다움에 감탄하여 성적 유혹에 응할 것이라는 사실은 의심할 여지가 없다.[26] 이처럼 새와 동물이 온갖 색깔로 치장하는 일이나 인간이 자신의 몸을 인위적으로 멋있게 치장하는 일 사이에 생물학적 본능의 측면에서 서로 유사성이 있어 보인다. "생물학적으로 요구되는 기본 이상으로 화려하게 노래하고 춤추는 종의 생물은 많다. 예를 들면, 긴팔원숭이는 멋들어진 이중창을 주고받고, 두루미는 근사한 짝짓기 춤을 춘다. 극락

---

25   멜빈 레이더 · 버트럼 제섭, 앞의 책, 392쪽.

26   멜빈 레이더 · 버트럼 제섭, 앞의 책, 394쪽.

조는 당당하게 자신의 멋진 깃털을 뽐낸다."[27] 과학과 예술은 인간과 자연 사이의 다양한 많은 관계를 서로 '이해와 설명'의 측면에서 드러내 보인다. 이러는 와중에 진화라는 긴 과정은 삶의 생존을 위한 거친 싸움터처럼 보인다. 예술은 삶이 그 거친 생존의 전쟁터에서 벗어나 심리적이고 미적인 거리를 둘 때 가능한 안락함과 즐거움의 산물로 다가온다.

독일의 철학자이며 심리학자인 칼 그로스Karl Groos(1861~1946)는 놀이와 예술 사이의 진화적 뿌리를 예술적 솜씨 혹은 예술가적 기교에서 찾았다.[28] 예술에 대한 생물학적 해석은 미적 경험이 특별하지 않고 보잘것없는 능력으로부터 발생하지만, 근본적으로 보면 모든 생물학적 기능은 생존을 위해 합목적적으로 생물학적 가치를 부여하는 것으로 이해될 수 있으며 보통의 감각과 지각의 인식으로 구성되어 있다. 우리가 자연계의 유기체가 꾸려가는 삶의 모습에 주의를 집중해보면, "우리가 개체로서 그 유기체와 공유하고 있는 어떤 특징이 드러난다. 우리 자신과 마찬가지로 다른 생명체도 목적론적 삶이 중심이다."[29] 이러한 목적론적 삶은 아름다움에 대한 합목적적 이해와도 연결되는 대목이다. 이런 경우 어떤 결론이 미리 설정한 근거에 두지 않고 나오지만, 그 결과는 이미 정한 목적에 마치 의도적으로 부합한 것처럼 여겨진다. 이를테면 잘 살아가는 삶인 것이다.

---

27   David Rothenberg, *Survival of the Beautiful*, 2011. 데이비드 로텐버그, 『자연의 예술가들』, 정해원·이혜원 역, 2015, 16쪽. 18-21쪽에서 저자는 다윈의 자연선택(natural selection)과 적자생존(適者生存, survival of the fittest)과 대비하여, 미적 선택(aesthetic selection)과 미자생존(美者生存, survival of the beautiful)을 말한다.

28   Karl Groos, *The Play of Animals*, New York: Appleton-Century, 1898 및 *The Play of Man*, New York: Appleton-Century, 1901.

29   폴 W. 테일러, 『자연에 대한 존중-생명중심주의 환경윤리론』, 김영 역, 리수, 2020, 163쪽.

4. 예술과 과학에서의 방법

과학에서의 "실험은 일어나는 사실들을 단지 충실하게 관찰하거나 단순히 현상들 사이의 경험적인 연관관계를 찾으려는 것을 의미하지는 않으며 오히려 이론적인 개념과 관찰 사이의 체계적인 상호작용을 전제로 한다."[30] 과학적 방법은 예상한 모형과 실험을 통해 얻어진 결과 사이의 합치에 의해서만 타당한 방법으로 적용된다. 예술과 과학은 둘 다 창조적인 상상력의 산물이며, 무의식의 깊은 샘에서 길어낸 결과물이다. 미국의 물리학자이며 노벨물리학상 수상자이고, 아인슈타인과 함께 20세기 최고의 물리학자라고 일컬어지는 리처드 파인만Richard Phillips Feynman(1918~1988)은 과학에서의 상상력이란 예술가의 상상력과는 또 다른 의미에서 퍽 흥미로운 것이며, 가장 어려운 점은 한 번도 본 적 없는 것을 상상해야 하는 것이라고 말한다.[31] 예술가는 다루고자 하는 주제에 대한 면밀한 관찰과 정확한 보고에 의해서 자극받을 수 있으며, 과학적 연구방법에 필적할만한 방법상의 정확도를 유지할 수 있다.[32] 19세기 미국의 사실주의 화가이자 사진가, 조각가, 순수미술 교육자이며, 나아가 미국의 시각예술 영역에 큰 영향을 끼친 인물 중 한명으로 평가되고 있는 토마스 에이킨스Thomas Eakins(1844~1916)의 예

---

30 Ilya Prigogine · Isabel Stangers, *Order Out of Chaos*, 1984. 일리야 프리고진· 이사벨 스텐저스, 『혼돈으로부터의 질서-인간과 자연의 새로운 대화』, 신국조 역, 자유아카데미, 2013(1판2쇄), 41쪽.

31 Maria Konnikova, *Mastermind: How to Think Like Sherlock Holmes*, Viking Press(2013). 마리아 코니코바, 『생각의 재구성』, 박인균 역, 청림출판, 2013, 4장 「왜 상상력이 중요할까?」에서.

32 멜빈 레이더 · 버트럼 제섭, 앞의 책, 397쪽.

를 보자. 에이킨스는 자기 시대의 지배적인 지적 경향의 흐름에 보조를 맞추면서도 예술적 자질과 과학적 자질을 독특하게 겸비한 인물이었다. 그는 의과대학에서의 수련을 통해 당대의 누구보다도 많은 해부학적 지식을 갖추게 되었다. 일찍이 1870년대와 1880년대에 사람과 동물의 운동을 촬영한 그의 실험은 이미 활동사진motion picture의 등장을 예견한 것이었다. 수학자이며 원근법의 대가로서 그는 자신의 초기 회화를 건축물처럼 정확하게 구상하고 그렸다. 이를테면 물결조차도 특별한 원근법적 방식으로 그렸다.[33] 과학자는 관찰한 결과에 대해 과학적으로 정확한 보고의 유무에 관심을 갖는다. 이에 반해 예술가는 종류나 형태에 대한 보고가 아니라 개체를 정확히 묘사하는 데 더 큰 관심을 갖는다. 어떤 종류나 형태에서의 사물보다는 대상 자체를 표현하고 상상하고 만든다는 점에서 과학자와는 다르다.

과학은 그 본래 목적인 명확성에서, 그리고 해부학이나 식물학상의 그림의 세부에서처럼, 보이는 형태를 묘사하는 예술적 기법을 활용할 수 있다. 과학에서의 목적은 형상을 갖출 수 있는 특정한 인물이나 사물 개체가 아니라 묘사된 여러 種의 형상이나 관심을 끄는 사물에 있다. 과학 작업은 지식에 제일차적 목적을 추가한다는 점에서 개념적이다. 이에 반해 예술 작업에서의 제일차적 의도는 개념적인 것이 아니라 감각적, 지각적, 상상적인 것이다. 예술적 소산은 하나의 가공품인 것이다. 과학이 만들어낸 산물은 가설이나 이론의 결과물이다. 과학은 가공품을 생산할 때조차 예술품과는 다르게 응용되거나 사용된다. 과학은 그것이 추구하는 대로 어떤 안案을 세우며 이에 근거하여 방향이나 공식을 제공하고, 물리적으로 체계화할 때는 재생산을 위한 모델을 제공하며, 혹은 대량으로 생산할 때는 실제적 양을

---

33 Lloyd Goodrich, "Thomas Eakins Today", *Magazine of Art*, 37(1944년 5월), 163쪽.

제공한다. 그 방향이나 공식은 생산 대상이나 생산 방법 혹은 사용 방법을 말해준다. 이와 달리 예술은 제한적으로 하나의 에칭etching의 복제나 작품을 재생할 경우를 제외하고는 어떤 실용적 지식이나 실용적 물건도, 대량으로 생산하기 위한 모델도 제공하지 않는다. 예술작품은 양과는 무관하며 특유한 질에 관련된다. 예술작품에서의 반복 가능한 특수성이란 없으며 특수성은 별개로 진행된다. 이는 과학에서의 이론적 일반성과는 매우 다르다.[34]

예술에서 '무엇이' 표현되었는가는 그것이 '어떻게' 표현되었는가와 불가분의 관계에 놓인다. 다루는 내용과 본질, 소재와 방법 및 표현은 상호 연관 속에 있다. 멜빈 레이더와 버트럼 제섭은 예술적 방식과 과학적 방식의 일반적인 차이를 들면서, 예술은 '고립시키며isolate', 과학은 '연결시킨다connect'고 구분한다. 말하자면 예술의 창조적 고립과 과학의 누적적 연결을 밝힌 것이다. 독일계 미국인 심리학자인 후고 뮌스터베르크Hugo Münsterberg(1863~1916)는 이러한 차이점을 좀 더 분명하게 바다의 묘사에 있어 화가와 과학자가 취하는 서로 다른 방법을 들어 비교 설명한다. "대양 저편은 내가 그 모든 진리와 실재를 알고자 했던 나의 체험이었다. 과학자가 다가와서 바닷물에서 결정結晶된 소금을 보여주었고 전기 분해된 기체를 보여주었다. 그리고 실로 나의 실용적 목적에 가장 유용한 지식인 물방울의 운동을 수학적 그래프로 보여주었다. 그러나 그가 보여준 모든 진실 속에는 물결, 하얀 파도, 빛나는 푸르름이라고 할 바다 그 자체는 없었다."[35] 과학자와는 대조적으로 화가는 우리의 주의와 관심을 부서지는 파도의 개별적이고 독특한 실체 속으로 이끌어간다. 화가는 '왜'라든가 '어디로부터' 혹

---

34   멜빈 레이더 · 버트람 제섭, 앞의 책, 398쪽.
35   멜빈 레이더 · 버트람 제섭, 앞의 책, 399-400쪽.

은 '어디로'와 같은 이론적, 실천적 근거를 묻지 않고서 오로지 미적 대상 자체에 대한 직접적인 체험의 생생한 느낌 가운데 '무엇'이 대상인가에 대해 미적인 주의와 관심을 기울인다. 그림을 그리는 화가의 붓은 물결의 운동을 관찰하는 물리학자나 수학자의 계산, 원소의 성분을 분류하는 화학자의 분석 못지않게 이론적, 실천적 관심이 아니라 그 자체에 대한 순수한 관심으로서의 물결을 음미한다. 칸트I. Kant(1724~1804)의 미학 용어를 빌리면 이는 '무관심적인 집중'인 것이다. 무관심은 관심의 배제나 결여가 아니라 어느 한 곳에 치우침이 없는 관심의 조화이며 고도로 집중된 관조의 경지이다. 예술과 과학의 특성을 살펴보면서, 전적으로 그리고 배타적으로 예술은 고립시키고 과학은 연결시킨다고 구분해서 논의하는 것은 오해를 불러일으키기 쉽다. 그 까닭은 과학과 예술은 둘 다 사물 사이의 상호관계를 드러내기 때문이다. 과학은 우연적이며 부주의한 관찰을 막아주는 동일성, 배열 및 수학적 비례를 식별할 수 있게 하는 질서를 부여하며, 또한 사물과 일을 결합하는 법칙과 인과관계를 탐구한다.

예술은 우리의 느낌과 지각 사이에 드러나는 성질들의 다양성으로부터 독특한 표현적 형식을 창조해낸다. 분석에 의해 발견될 수 있는 다양성에도 불구하고 예술작품은 하나의 통일성을 이루며, 개개의 부분은 다른 부분 및 전체와 유기적으로 관련된 상태에서 체험된다. 시인은 사물과 사물, 대상과 대상 사이의 유사성 혹은 상호연관성에 관심을 불러일으키는 표현수단들이라고 할 수 있는 은유나 상징을 사용한다. 은유는 사물의 본래 의미를 표면에 나타내지 않고 비유만을 나타내며, 상징은 어떤 관념이나 사상을 구체적인 사물이나 심상心象을 통해 암시한다. 아리스토텔레스는 훌륭한 은유란 전혀 유사하지 않은 것 속에서도 유사성을 찾아 직관적으로 지각하도록 암시하기 때문에 은유에 정통하다는 것은 시작詩作의 역량을 지닌 천재의 가장 확실한 표시라고 주장했다. 은유를 찾아내는 천재성은 위대한 과학자의 통찰력과 비교해볼 때 근본적으로 다르지 않다고 하겠다. 과학은 인과관계의 분석과 설명을 통해서 그리고 예술은 은유와 상징을 통해서 숨겨져 있는 것의 근본적인 관계를 드러낸다. 은유의 기능이란 얼핏 동떨어져 관계가 없는 것처럼 보이는 것들을 결합하고 연결 짓는 일이다. 숨겨진 유사성에 근거한 사물의 관계는 은유에서뿐만 아니라 예술적 상징에도 포함된다.[36] 예술적 상징은 현실을 단지 재생하거나 재현하는 것이 아니라 이미지를 통해 내적 감정이나 내면적 정서를 간접적으로 드러낸다. 상징과 은유를 사용함으로써 예술은 과학과는 다른 차원에서 서로 무관한 대상을 연결시켜 새로운 대상과 패턴을 창조해낸다.

---

36   멜빈 레이더·버트람 제섭, 앞의 책, 402-404쪽.

5. 예술적 창작물과 과학적 산물의 특성

과학은 시대를 거듭하면서 여러 자료와 업적이 쌓이며 이를 토대로 발전과 진보를 거듭한다. 이에 반해 예술은 이전의 자료가 누적되지 않으며 각각의 예술가에 의해 새롭게 시작되고 창조된다. 부분적으로 많이 중복되면서도 전체적으로 보면 독립적인 발견이나 발명들은 과학적 발전에서의 성숙과 원숙함의 분명한 표시이다. 여러 과학자들이 공통의 관심사에 대하여 거의 같은 시기에 같은 방법으로 반응한 결과들에 대한 여러 예들을 지적할 수 있다.[37] 서로 유사하면서도 독립적인 발견들은 과학이 공유할 수 있으며 누적적이라는 사실을 잘 설명해준다. 과학적 창조는 '때가 무르익어 찰 때'에 거의 필연적인 결과로 도출되기 마련이다. 새로운 연구의 장場에 들어선 과학자들은 그들 전임자들이 취한 자료와 일궈낸 업적들을 검토하고 개조하여 진일보시킨다. 기존의 과학적 업적들은 새로운 필연적 발견들에 의해 교체되고, 기존의 것들은 시대에 뒤떨어진 것이 된다.

과학자들과는 달리, 예술가들은 시간의 선후에 관계없이 비교적 유일하고 확고부동하게 나타나는 독창적인 창조의 결과물들을 만들어낸다. 20세기 초 양자역학의 발전에 지대한 공헌을 한, 독일의 물리학자인 베르너 하이젠베르크Werner Karl Heisenberg(1901~1976)는 예술에 대한 자신의 독특한 체

---

37 William Fielding Ogburn, *Social Change*, New York: The Viking Press, Inc., 1937, 90~102쪽. 해왕성의 발견-애덤스(1845)와 르 베리에(1845). 별의 시차 측정-베셀(1838), 슈트루베(1838), 헨더슨(1838). 미적분학-뉴튼(1671), 라이프니츠(1676). 주기율 및 상승력에서의 원자의 최초배열-드 샹쿠르투아스(1864), 뉴런즈(1864), 로타 마이어(1864). 주기법칙-로타 마이어(1869), 멘델레예프(1869). 에너지 본존법칙-메이어(1843), 줄(1847), 헬름홀츠(1847), 콜딩(1847), 톰슨(1847). 자연도태와 변이설-다윈(1858), 월리스(1858). 돌연변이설-코르친스키(1899), 드브리에(1900) 등.

험을 토로한 적이 있다. 그는 이른바 피아노 소나타 역사에 있어 새로운 전환점을 이뤘다고 평가받는 '베토벤의 소나타 작품 111번Beethoven Piano Sonata Op.111 No.32 in C Minor'을 들으면서 동료과학자들에게 이렇게 말하였다. "만일 내가 태어나지 않았다 하더라도 다른 어떤 사람이 불확정성의 원리를 발견하였을 것이다. 그러나 베토벤이 존재하지 않았다면 지금 우리는 이 위대한 음악작품을 향유하지 못했을 것이다. 이것이 바로 과학과 예술의 차이이다."[38] 하이젠베르크에 따르면, 그의 불확정성의 원리는 다른 과학자에 의해 축적된 실험 자료를 근거로 결국 더욱 많은 것을 포함하는 원리 혹은 더 나은 정교한 원리에 의해서 대체될 수도 있었다는 말이다. 그러나 진정한 예술작품은 다른 것으로 대체나 교체가 불가능하며 특정한 예술가에 고유한 예술적 특성과 생명력을 영원히 유지할 것이다.[39] 과학적 발견과 발명은 누적된 결과에서 비롯된 산물이지만 예술적 창작은 누적된 것과는 별개로 거의 새롭게 개별적이며 독창적으로 진행된 결과 나온 창조물이다.

과학의 언어는 객관적 의미에서 고도의 일반성과 통일성을 나타낸다. 과학적 언어의 상징은 과학자들 사이에 의사소통의 일반적이며 분명한 매개체라는 의미에서 규칙화된다. 이에 반해 예술가의 언어는 예술가의 독특한 직관과 개인적 시각을 표현하는 것으로 다양한 양의 특정한 부호와 상징으로 이루어진다. 칸트는 '미적 이념'을, 그것에 대한 적당한 개념의 가능성을 배제한 많은 생각을 이끌어내는 상상력의 재현이라고 말했다.[40] 이념이란 일정한 원리에 따라 어떤 대상에 관계하는 표상이지만 결코 그 대상을 인식

---

38   Julian Huxley, "Ritual in Human Societies", ed. Donald R. Cutler, *The Religious Situation*, Boston: Beacon Press, 1968, 699쪽.

39   멜빈 레이더 · 버트람 제섭, 앞의 책, 405쪽.

40   멜빈 레이더 · 버트람 제섭, 앞의 책, 406쪽.

할 수는 없고 다만 사유할 수 있을 뿐이다. 이러한 이념이 상상을 하는 심적 능력, 대상을 구성하는 개념 작용의 능력과 같은 인식능력을 상호의 합치라는 주관적 원리에 따라 어떤 직관에 관여하는 경우에는 미적 이념이 된다. 미적 이념의 표현은 형식적 성질에 주목함으로써 이루어진다. 특히 대상을 지각하는 형식을 판정함으로써 우리는 미적 이념을 인정하게 된다. 예술가의 독특한 특수성은 미적 이념의 표현능력이요, 이것이 곧 천재이다. 천재에 의해 산출된 미적 이념은 감성적 직관을 매개로 하지만 감성적인 것을 넘어 초감성적인 것을 예상하게 한다.[41] 더욱이 자연 현상의 이면에 감춰진 원리와 원형을 밝히는 데는 천재적 발상과 보는 안목이 필요하다. 미적 이념은 주어진 개념에 추가된 상상력의 표상이다. 이 표상은 하나의 특정한 개념을 나타내는 표현을 찾을 수 없을 정도로 부분 표상들의 다양함과 연결되어 있다. 미적 대상은 이론적으로 개념화할 수 없는, 고유하고 개별적인 본래의 모습으로 나타날 때 우리는 이를 아름다운 것으로 체험하며 향유하게 된다.[42]

예술의 언어는 그것의 구체성과 풍부한 함축성 안에서 추상적 사유의 한계 너머에 존재하는 데에까지 이른다. 과학적 언어의 의미는 명확한 개념 아래 고정될 수 있으며 예술적 언어의 의미는 유동적이며 함축적이다. 과학은 예술보다 더 용이하게 사람에서 사람으로, 세대에서 세대로, 지역에서 지역으로, 시공을 넘어 보편적으로 전달될 수 있다. 예술은 서로 공감하며 받아들일 만하면서도 신뢰할만한 객관적 평가기준이 없는 반면, 과학적

---

41   김광명, 『칸트 판단력비판 연구』, 이론과 실천, 1992, 재출간은 철학과 현실, 2006, 129~132쪽.
42   김수용, 『아름다움과 인간의 조건-칸트미학에 대한 하나의 해석』, 한국문화사, 2016, 69쪽.

가정은 보편적으로 인정된 증명방법과 기술에 의거하도록 되어 있다. 과학은 그 정확한 논증작업을 통해 과거의 과학으로부터 객관적으로 타당한 것은 무엇이든 통합할 수 있으며 그것을 더욱 정확하고 광범위하게 발전시킬수 있다. 이에 비해, 개인의 감정이나 독특한 취향 및 자질과 더 많이 관련된 예술은 과학처럼 과거의 업적들을 쉽게 통합하여 새로운 것을 창조해낼수는 없다.

다른 한편, 과학에서의 누적적 특성과 연관하여 예술이 지닌 누적적 특성이 또한 있음을 밝힌 경우를 보자. 미국의 예술철학자이며 예술사가인 토머스 먼로Thomas Munro(1897~1974)는 『예술의 진보Evolution in the Arts』(1963)에서, 예술의 진보과정을 세밀히 관찰해보면 예술 역시 누적적이라는 사실이 드러난다고 지적한다. 이는 과학은 누적적이며, 예술은 비누적적이라는 통상의 생각에 이의를 제기한 것이다. 특히 진보라는 의미는 긍정적인 변화나 발전을 추구하는 것으로서 합법칙성이나 합목적성에 따른다. "모든 훌륭한 예술가들은 과거와 현재의 예술작품에 의하여 많은 영향을 받았다. 음악전문가들은 하이든과 모차르트에게서 바흐나 헨델과 여러 면에서 닮은 점을 찾을 수 있다. 이것은 베토벤, 쇼팽, 브람스에게서도 마찬가지이다. 미술을 감정하는 사람도 엘 그레코에게는 틴토레토와 후기 비잔틴 미술의 영향이 적지 않음을 알 수 있다. 틴토레토로부터는 조르조네와 티치아노의 많은 영향을, 라파엘로와 레오나르도로부터는 조토와 마사초의 많은 영향을 볼 수가 있다. 중국 송대의 풍경화가 지닌 전통적 특성은 이후의 중국과 일본의 풍경화에도 남아 있다. 물론 새로운 것이 가미되었으며 전체적인 양식은 다르다고 할 수 있지만, 과거에 성취된 요소는 남아 있다."[43] 먼로는

43　Thomas Munro, *Evolution in the Arts and Other Theories of Cultural History*,

예술적 양식이 지나간 많은 것을 발전시키고 통합한다고 주장한다. 먼로의 이런 주장에도 불구하고, 예술사조의 진행과정을 보면, 발전과 통합을 위해 과거 업적이나 성취로부터 다소간의 영향은 있을 수 있겠으나, 과학에서만큼 누적적인 결과로서 어떤 특정한 예술작품이 창작된다고 보기는 어렵다. 말하자면 예술에서 이전 시대의 흔적이나 영향을 어느 정도 찾아볼 수 있겠으나, 이는 과학에서 만큼 누적된 관찰 자료나 결과물을 토대로 새로운 과학적 사실을 규명하는 일과는 전적으로 다르다고 하겠다. 왜냐하면 과학에서는 거의 한 치의 오차도 없이 검토되고 비판받아 적용되기 때문이다.

　과학적 산물과 예술적 산물 사이에서의 독특성의 정도는 어떠한가를 물을 수 있다. 분자유전학자인 군터 스텐트Gunther S. Stent(1924~2008)는 과학의 산물은 예술적 창작물에 비해 덜 독특한가에 대해 의문을 던졌다.[44] 그는 뉴턴Isaac Newton(1643~1727)과 라이프니츠Gottfried Wilhelm Leibniz(1646~1716)의 미적분학 사이에, 또는 다윈Charles Robert Darwin(1809~1882)과 월리스Alfred Russel Wallace(1823~1913)[45]의 자연도태론 사이에 뚜렷한 차이를 발견한 사회학자 로버트 머튼Robert K. Merton(1910~2003)의 과학사회학적 연구를 이용하여 탐구했다. 머튼은 과학과 사회 사이의 상호작용을 분석하고, 과학의 내부구조를 사회학적으로 이해하고자 했다. 스텐트는 예술적 창작물이 흔히 여기는 것처럼 그렇게 독특한 것은 아니라고 생각했다. 그는 표현이 다소 다르더라도 내용에 관한 한 셰익스피어William Shakespeare(1564~1616)의 비극

　　Cleveland: The Cleveland Museum of Art, 1963, 356쪽.

44　　Gunther S. Stent, "Prematurity and Uniqueness in Scientific Discovery", *Scientifc American*, 227(1972년 12월), 84-93쪽.

45　　'생물지리학의 아버지'로 불리는 월리스는 다윈과 독립적으로 자연선택을 통한 진화의 개념을 제시했으며, 다윈과 함께 진화론의 공동 창시자로 평가받는다.

은 셰익스피어가 없었더라도 쓰여졌을 거라고 파격적으로 주장했다. 극을 두드러지게 하는 인간의 감정에 대한 그 '깊은 통찰력'조차도 다른 극작가에 의해서도 제공될 수 있었을 거라고 스텐트는 믿었다. 스텐트는 과학의 위대한 발견 가운데 몇몇은 다음 세대의 과학자들에 의해서 마침내 그것의 결정적인 중요성이 인정될 때까지는 거의 인식되지 못한 채 지나간다고 지적하였다. 멘델Gregor Mendel(1822~1884)은 1866년 유전에 관한 근본법칙을 발견하였으나, 30여 년이 지난 1900년에 이르러 그 위대한 업적이 생물학자들에 의해 인식되고 증명되기까지는 알려지지 않았던 것이다. 마찬가지로 예술사에서도 많은 작가들, 예를 들면, 엘 그레코El Greco(1541~1614)나 얀 베르메르Jan Vermeer(1632~1675), 그리고 반 고흐Vincent van Gogh(1853~1890), 윌리엄 블레이크William Blake(1757~1827) 등은 그들 자신의 시대에는 거의 인정받지 못했다.[46] 물론 이는 객관성의 문제로 인한 것이 아니라 서로 다른 취향이나 취미에 기인하여 빚어진 결과라고 하겠지만 말이다. 예술과 과학의 산물과 업적 사이에 시간차를 두고서 인정여부를 비교하는 것은 그 질과 양의 성격이 많이 다르다고 해야 할 것이다.

과학에 부여된 규범적 지식은 그 영역에서의 발견을 고무시키며 비규범적 외부침입에 대해 저항하는 강력한 구조적 형태를 띤다. 이렇듯 스텐트는 '때가 도래하지 않음 또는 시기상조prematurity'를 구조주의 시각에서 해석하였다. 새로운 발견은 그것이 이러한 구조에 적합하도록 만들어질 때까지 또는 구조가 잘 변화될 수 있어서 발견과 일치할 때까지는 이해되지 않은 채로 남아있게 된다. 만일 발견이 규범적 지식에서 크게 일탈되는 것이 아니라면 변화는 최소화될 수 있다. 그러나 일탈이 클 때 요구되는 변화의

---

46   멜빈 레이더 · 버트람 제섭, 앞의 책, 408-409쪽.

몇몇 예를 보면, 프톨레마이오스Klaudios Ptolemaios(83년경~168년경)의 천동설 중심의 천문학에서 코페르니쿠스Nicolaus Copernicus(1473~1543)의 지동설중심의 천문학으로의 변이, 뉴턴의 고전역학 물리학에서 아인슈타인의 양자역학 물리학으로의 변이와 같은 과학적 대변혁이 일어날 수도 있다. 변화가 제때에 맞춰 일어날 때까지 이단적인 과학적 발견은 아직 시기상조라 하겠는데, 그것이 받을만한 정당한 인정을 얻어내는 데는 실패하게 된다. 그런데 정도나 강도는 다르지만 비슷한 변혁이 예술의 진행과정에서도 일어난다고 하겠다. 이를 테면 고딕 건축양식에서 르네상스 건축양식으로, 신고전주의 회화양식에서 낭만주의 회화양식으로의 이행 같은 일이 일어난다. 그런데 피카소Pablo Picasso(1881~1973)의 회화작품 가운데 최초의 입체파 작품이라고 부를만한 〈아비뇽의 처녀들Les Demoiselles D'Avignon〉(1907)은 인정받기까지 그리 오래 기다릴 필요가 없었다. 왜냐하면 회화에서의 혁명적 변화가 이미 물밑에서 진행되고 있었기 때문이다. 오늘날은 새로운 형태의 예술에 대해 거의 저항이 없다고 하겠으며, 이는 혁명의 시기가 너무나도 성숙되어 새삼스럽게 충격을 줄만한 것이 거의 없기 때문이다. 가히 현대는 혁명과 변혁의 시대라 해도 과언이 아니다. 과학에서의 판단기준은 정확한 검증 기법으로 인해 예술에서의 정당성의 기준보다 좀 더 정확하며 불변하다는 점을 제시해준다. 우리는 과학의 누적적인 특성과 예술의 비누적적인 특성과의 대조가 쉽사리 과장될 수도 있다는 점을 잘 안다. 그럼에도 미세한 차이를 대조할 수 있는 중요한 여지가 남아 있다고는 하겠다.[47] 이에 대한 좀 더 섬세한 논의가 필요한 이유이다.

---

47   멜빈 레이더·버트람 제섭, 앞의 책, 410쪽.

6. 예술과 과학이 주는 즐거움의 특성

예술과 과학은 우리에게 어떤 즐거움을 주는가. 어느 쪽이든 만약 어떠한 즐거움도 줄 수 없다면, 우리를 흥분시키거나 감동을 주지 못할 뿐 아니라 우리의 삶에 아무런 영향을 미치지도 못할 것이다. 특히 이 가운데서도 예술은 '삶을 위한 힘에의 의지'의 본질 속에서 정립된, 힘의 향상을 위한 조건으로서 '삶의 위대한 자극제'인 까닭이다.[48] 삶을 위한 힘은 생명력이요, 삶을 이끌어가는 에너지이다. 로버트 오펜하이머는 순수과학이 주는 아름다운 매력에 대해 다음과 같이 말한다. "우리는 실용적 목적이나 지식이 주는 힘을 활용하여 얻게 된 이익으로부터는 새롭고 심오한 지식-세계의 면모를 변화시키고, 세계에 대한 인간의 전망을 변화시켜온, 그리고 끊임없이 더 심오하게 변화해야만 하는-이 발생하지 않는다는 사실을 알고 있다. 우리들 대부분이 타락으로부터 아주 벗어나 있는 이 대부분의 순간에 우리를 지탱해주고 고무해주며 이끌어준 것은 자연 세계의 아름다움과 그것의 이상하고 강력한 조화이다."[49] 또한 영국의 화가이자 예술비평가인 로저 프라이Roger Eliot Fry(1866~1934)는 예술에서의 최고의 즐거움은 과학이론에서의 최고의 즐거움과 일치하는 것 같다고 토로한다. "복잡함 속에서 조화를 명료하게 인식할 때 동반되는 감정은 과학과 예술에서 대단히 유사하기 때문에 그 두 가지가 심리적으로 동일하다고 생각하지 않을 수 없다. 그것은 말

---

48 니체, 『힘에의 의지』 단편 851, 1888. 마르틴 하이데거, 앞의 책, 326쪽.

49 Robert Oppenheimer, *Science and the Common Understanding*, New York: Simon and Schuster, 1954, 97-98쪽. 멜빈 레이더 · 버트람 제섭, 앞의 책, 411쪽에서 재인용.

하자면 양쪽 과정의 최종 단계"[50]라고 말한다. 예술과 과학이 주는 즐거움과 만족의 현상은 비슷하지만 물론 그 원천은 다르다고 하겠다. 말하자면 과학이 합리성에 바탕을 둔, 명료한 지적인 만족감에서의 즐거움을 준다면, 예술의 경우엔 감성에 기인한, 혼연하면서도 반성적인 만족감에서의 즐거움이다. 예술에서의 반성행위는 만족감의 근원에 있다. 칸트는 이를 '미적 만족감'이라 부르며, 그것을 '합목적성'에 귀속시킨다.[51] 어떤 의도나 목적을 미리 상정하지 않았지만 결과적으로 개인의 차원을 넘어 보편적으로 우리에게 만족과 즐거움을 가져다주기 때문이다.

어떤 결과와 산물을 도출하기 위해 반드시 필요한 화합되고 응집된 충동은 예술에서뿐만 아니라 과학에서도 근본적인 역할을 한다. 아인슈타인은 에너지와 질량의 관계를 $E = mc^2$ 라는 등식으로 표현하였다. 이 등식은 우주에 대한 인간의 심상에 놀랍고 새로운 통일성을 가져다준다. 영국 워릭 대학교 수학과 명예교수이며 영국왕립학회 특별회원인 이언 스튜어트Ian Nicholas Stewart(1945~)는 이러한 등식들은 수학, 과학 및 기술공학에서 매우 중요한 생명선이며 생명소라고 말한다. 등식들은 등식을 이루기 전, 양항兩項 또는 양변兩邊 사이에 등식에 도달하기 위한 감춰진 힘들을 내부에 지니고 있으며, 자연의 가장 내밀한 비밀을 드러낸다.[52] 생성과 소멸의 과정에서 보면, 어떤 것도 고유의 외양을 유지하지 못한다. 하지만, 사물을 새롭게 혁신하는 자연은 이런 형태에서 저런 형태로 사물을 회복시켜준다. 결국엔

50   Roger Fry, *Vision and Design*, New York: Brentano's, 1924, 83쪽.

51   Luc Ferry, *Homo Aestheticus*, Grasset & Fasquelle, 1990. 뤽 페리, 『미학적 인간』, 방미경 역, 고려원, 1994, 5쪽.

52   Ian Stewart, *In Pursuit of the Unknown-17 Equations That Changed the World*, New York: Basic Books, 2012, viii-ix.

이 세상에 있는 어떤 것도 사라지지 않으며, 단지 사물은 변하고 형체를 바꿀 뿐이다.[53] 이를 테면, 에너지 불변의 법칙이나 질량불변의 법칙은, 이동하기 전후에나 사용하기 전후에 그 총량이 같다는 등식을 전제로 하여 성립된다. 이러한 등식으로 인해 생명의 순환 또한 가능하다. 그리하여 우리는 등식을 통해 놀라운 체험을 하게 된다. 주목할 점은 등식은 균형을 전제로 한다는 것이다. 등식을 이루기 위해서는 근본적으로 불균형을 해소해야 한다.[54] 미래에 대한 보다 더 적극적이고 진실한 비전을 내다보면, 인공지능의 시대에 인간과 컴퓨터의 공생은 필연적인 연관을 맺고서 전개될 것이다. 양자에 있어 최상의 것은 모두를 조화롭게 결합하는 일이다. 미래에 고도로 진전된 컴퓨터란 각자로부터 서로 배우고, 서로의 능력을 최상을 향해 행하도록 인간과 더불어 협업하는 일이 될 것이다.[55]

자연의 오묘한 이치는 과학자들에게 사명감과 더불어 심미적 성취감을 가져다준다. 영국의 뛰어난 수학자이며 시인이고, 또한 과학철학자이며 문예비평가인 브로노프스키J. Bronowski(1908~1974)는 "우리가 사실들 속에서 찾아낸 유사성을 확장하고자 함은 예술에서뿐만 아니라 과학에서도 부단한 충동이다. …우리가 유사성을 더욱 광범위하게 발견하면 할수록 우리는 우주의 질서를 확대하게 되며, 더 나아가 우주의 화합을 넓히게 된다. 우리의 사고가 추구하는 것이 바로 자연의 생물과 무생물의 화합이다. 이것은 자연이 균일한 것이어야 한다는 어떠한 가설보다도 훨씬 심오한 개념이다. 우리는 자연이 하나의 시종일관한 단일체임을 발견하고자 추구한다. 이것

53 오비디우스, 『변신 Metamorphoses』, 이종인 역, 열린책들, 2018, 568쪽.
54 Ian Stewart, 앞의 책, 283쪽.
55 F. David Peat, From Certainty to Uncertainty-The Story of Science and Ideas in the Twentieth Century, Washington, D.C.: Joseph Henry Press, 2002, 46-47쪽.

이 과학자들에게 사명감을 주며 또한 그것은 심미적 성취감을 주는 것이기도 하다."[56]라고 말한다. 유사성과 동일성의 근거에 대한 탐구는 과학과 예술의 본질에 대한 접근이며 미적 성취감을 느끼게 한다.

과학도 예술도 세계를 주어진 그대로 받아들이는 것은 아니다. 예술과 과학 두 분야에서 창조적 상상력이 수행하는 역할은 공통적이다. 이 양자는 모두 사실 세계에 어떤 작용을 가하여 궁극적으로는 이전과는 전혀 다른, 새로운 사실과 가치로 향한다. 과학은 자연에 잉태된 가설과 상상력에 의해서 서로 동떨어진 사물들을 새로운 방법으로 연결하고 배치한다. 예술과 과학은 둘 다 새로운 가능성을 모색한다. 과학에서의 새로운 발명이란 전혀 무관한 것처럼 보이는 물질들 사이에 형성된 새로운 관계를 찾아냈을 때 생기는 것이다. 예술에서의 새로운 창조 역시 새로운 관계를 발견했을 때 혹은 새로운 중요한 의미를 찾아 부여하게 되었을 때 생긴다. 예술은 사실의 문제를 넘어서서 상상과 감정에까지 미친다는 특징을 갖는 까닭에 과학과는 다르다. 예술은 사실을 넘어서, 상상적으로나 허구적으로 배열된 상상력 넘치는 세계를 보여준다. 이렇게 예술은 생소한 느낌을 끌어내며 놀라움과 찬탄의 감정을 자아낸다. 과학은 치우침 없이 냉정하게 그리고 감정에 호소함이 없이 사실 세계를 보여 준다.

과학은 예술과는 서로 다르지만 각각 나름대로의 심미적 차원을 지니고 있지 않을까 생각해본다. 우리가 지나치기 쉬운 과학이 지닌 심미적 차원을 아서 톰슨은 다음과 같이 표현한다. "세상에 가득한 힘, 만물의 광대함

---

56 J. Bronowski, *The Common Sense of Science*, Cambridge, Mass.: Harvard University Press, 1958, 133-134 쪽. 멜빈 레이더 · 버트람 제섭, 앞의 책, 412쪽에서 재인용.

과 복잡함 및 생명력, 감각적 생의 풍부함, 끊임없는 변화 속에서의 지속적인 질서, 상호관계의 진동망vibrating web, 무수한 조화, '앞으로 전진하는 멜로디의 조화' 같은 진화적 절차, 철두철미한 아름다움 등을 생각해볼 때 우리가 감탄하는 것은 당연하다고 확신하게 된다."[57] 그렇다면 과학이 지닌 심미적 차원의 근거는 무엇일까. 그것은 아마도 고도의 합목적성의 원리에 내재되어 있을 것이다. 표현된 물상의 각 부분 상호 간 또는 전체와 부분 간의 양적인 일정한 관계로서의 비례란 우주라는 바로 그 통일체를 설명하는 형이상학적인 원리인 것이다.[58] 어쩌면 지나친 확대 해석의 우려가 없진 않겠으나, 고도의 형이상학적 원리 안에 합목적성이 내포되어 있을는지 모른다. 존재의 속성과 가치는 무한히 충만하고 다양하나, 다양성 속에서 조화를 이루는 까닭이다. 일찍이 아인슈타인이 장엄한 우주의 조화와 질서 앞에서 신비로움을 느낀다고 고백한 것처럼, 이는 보이지 않는 손이나 예정조화처럼, 신의 의도로 보이는 합목적적 과정의 일환일 것이다.

과학적 해석은 사실적 보고와 사실적 발견의 테두리 안에서 행해진다. 인식의 계발에서 느껴지는 단순한 감정적 만족이 아닌 심미적 상상력과 일련의 감정을 명백히 불러일으키는 과학적 진술의 예를 다윈의 『종의 기원에 대하여On the Origin of Species』(1859)에서 찾아 볼 수 있다. 다윈은 자연의 척도에서 가장 멀리 떨어져 있는 동물들과 식물들이 얼마나 복잡한 관계의 그물로 함께 엮여 있는지를 밝히고 있다. 예를 들어 땅벌들은 삼색제비꽃의 가루받이를 위해 절대적으로 필요한 곤충이다. 그런데 땅벌의 개체 수

57   Arthur Thomson, 앞의 책, 172쪽.
58   Umberto Eco, *Storia Della Bellezza*, 2004. 움베르토 에코, 『미의 역사』, 이현경 역, 열린 책들, 2005(1쇄), 2014(6쇄), 88쪽.

는 벌집과 그 보금자리를 파괴하는 들쥐의 수에 의해 크게 좌우된다. 땅벌의 집은 들쥐로 인해 파괴되고, 또한 들쥐의 개체 수는 고양이의 수에 의해 크게 영향을 받게 된다. 어떤 지역에 고양이의 수가 많으면 처음에는 쥐, 다음에는 벌들의 간섭을 통해서 그 지역의 어떤 종류의 꽃의 출현빈도가 좌우된다. 다윈의 설명처럼, 땅벌, 들쥐, 고양이, 그리고 꽃이 서로 맺고 있는 연결고리는 객관적으로 실험하고 검증한 결과 밝혀진 과학적 사실이다. 다윈은 일정한 곳에서 특정한 꽃과 벌, 들쥐 및 고양이의 빈출도를 관찰하여 상호관계의 그물망을 짜고 있다.[59] 다윈에게는 자연 질서로부터 느끼는 즐거움이 예술에서 오는 즐거움의 살아있는 대체물이었을 것이다. 그리고 대단히 아름답고 경이로운 무수한 형태로 진화해 왔으며 지금도, 그리고 앞으로도 그러한 방향으로 진화할 것이다.[60] 미적 경험은 단지 허구에 머무르지 않는다. 그것은 사실을 취하는 방법, 사실과 대면하고 사실을 배열하며 사실의 가능성을 상상하는 방법이기도 한 것이다. 이러한 시도는 과학적 방법에로 적용되고 응용된다.

누누이 지적한 바와 같이, 과학과 예술은 비록 여러 측면에서 다르지만 같은 세계에 속하며 비슷한 창조적 재능에 의지하여 상상적 즐거움과 인식의 통찰에 기여하고 있다. 과학자는 인간을 기계적 수준으로 환원하려고 시도함으로써 때로는 예술가들과 갈등적 혹은 적대적 관계에 놓이기도 한

59　멜빈 레이더 · 버트람 제섭, 앞의 책, 415쪽. 존재의 대연쇄 개념은 Arthur O. Lovejoy, *The Great Chain of Being: A Study of the History of an Idea*, Cambridge Mass.: Harvard University Press, 1936 참고.

60　Martin Rees, *On the Future: Prospects for Humanity*, Princeton University Press, 2018. 마틴 리스, 『온 더 퓨처-기후변화, 생명공학, 인공지능, 우주연구는 인류미래를 어떻게 바꾸는가』, 이한음 역, 길벗, 2019, 160쪽.

다. 노벨 생리·의학상을 받은 프랑스의 생화학자인 자크 모노Jacques Lucien Monod(1910~1976)는『우연과 필연 Chance and Necessity』(1970)에서 '생명체는 화학기계'라고 언명한다. [61] 여기서 진일보하여 어떤 학자는 '생명체는 생화학 기계'라고 말한다. 생명의 출현은 분자적 차원의 미시세계에서 우연히 발생하면서 시작하지만 그 진행은 변이를 거치면서 필연적인 방향으로 매우 기계적으로 이루어진다. 우연성이 지닌 필연적 관점은 앞서 언급한 아름다움이 주는 즐거움의 합목적성과도 연관된다고 하겠다. [62] 또한 미국의 행동주의 심리학자인 스키너B. F. Skinner(1904~1990)는 인간의 '자유와 존엄'에 대한 믿음을 근대과학 이전 시대의 자취라고 규정한다. 이러한 단순한 일반화는 널리 신임을 얻는 반면에, 반발을 초래하기도 했다. 생명의 신비와 유일함, 가치의 중요성과 효력을 믿는 사람들은 과학주의나 과학만능주의를 거부하고 때로는 종교에서 위안을 찾기도 하며, 나아가 예술에서 상상력의 자유와 해방감을 구한다. [63] 우리가 경계하는 일방적이고 일면적인 과학주의는 집단이나 개인이 갖고 있는 과학에 대한 극단적인 태도나 사유체계인 까닭이다.

자연 과학의 성과를 실현하여 실용화하는 기술공학은 과학의 발달에 의해서 가능해진 기술과 발명에서 비롯된다. 이는 고도의 과학적인 지식을 실용적으로 사용함을 뜻한다. 기술공학은 인간이 무엇인가를 만들기 위해

---

61 자크 모노,『우연과 필연』, 조현수 역, 궁리, 2010, 73쪽. 그는 1965년에 효소의 유전적 조절 작용과 바이러스 합성에 대한 연구로 프랑수아 자코브(François Jacob, 1920~2013), 앙드레 르보프 André Michel Lwoff, 1902~1994)와 공동 수상했다.
62 우리는 흔히 일상에서 '의도하지 않은 우연한 발견, 혹은 운 좋게 발견한 데서 얻은 뜻밖의 재미나 기쁨'을 serendipity 라 하는데, 한번 음미해볼만한 의미라고 생각한다.
63 멜빈 레이더·버트람 제섭, 앞의 책, 416-417쪽.

서 사용하는 모든 기구와 기술 전부를 포함한다. 손으로 사용하는 도구와 기계들뿐만 아니라 컴퓨터 프로그래밍과 시스템 분석 같은 지적 도구들까지도 포함한다. 우리는 기계적 장치가 지닌, 인간성을 빼앗는 기능으로 인해 인간의 삶이 '일차원적으로' 되어간다는 말을 듣는다.[64] 이와 달리 우리는 기술공학이 한편으로는 우리의 시야와 기회를 오히려 크게 넓혀주고 있다고 생각한다. 현대예술은 현대의 기술공학 만큼이나 복잡하고 판독불가능하다. 현재가 과거와 다른 것처럼, 심지어 그 이상으로 미래 역시 현재와 다르게 펼쳐질 것이다. 과거의 기본적인 발견들이 심오한 기술적 변화를 가져왔듯이, 새로운 발견들이 미래에 그와 유사한 변화를 가져오리라고 기대할 수 있다.[65]

인간의 지각능력으로 관찰할 수 있는 한계를 보면, 세계는 구조적으로 미시세계와 거시세계로 나뉘는 바, 그 규모에서 양극단은 서로 멀리 떨어져 있거니와, 이에 대한 연구는 상호관련이 있으며 모두 인간지식의 거대한 확장을 약속해준다. 무엇보다도 미적으로 가장 심각한 위협은 자연의 아름다움과 대지의 풍광이 본래성을 상실하고, 비본래적인 모습으로 가득 차 있다는 점이다. 기계화는 인간의 마음과 인격의 정체성을 무너뜨리고, 인간정신을 황폐화시키기에 이른다. 그 결과로 예술의 원천인 상상력의 자유와 내적 자발성이 짓눌리게 된다. 우리의 불안정한 문명 속에서 예측을 한다는 일은 자칫 허망하고, 때로는 위험해 보이기까지 한다. 20세기 가장 영향력 있었던 과학 철학자인 칼 포퍼Karl Raimund Popper(1902~1994)가 『역사주

64 헤르베르트 마르쿠제, 『일차원적 인간-선진산업사회의 이데올로기 연구』, 박병진 역, 한마음사, 2009 참고.
65 멜빈 레이더 · 버트람 제섭, 앞의 책, 418쪽.

의의 빈곤 *The Poverty of Historicism*』(1957)에서 논했듯이, 과학의 발견과 기술의 발명은 그들의 바로 그 새로움 때문에 미리 예측할 수 없으며 그들의 부작용 역시 거의 예견할 수 없다. 역사주의자는 상상력의 부족으로 인해 변화의 조건 자체가 변화한다는 사실조차도 상상할 수 없다. 우리는 예측 가능한 미래가 아닌 '다가올 사물의 다중적인 불확실한 국면'과 마주하고 있는 것이다.[66] 과학적 상상력이 필요한 이유이다. 이러한 과학적 상상력은 예술적 상상력을 자극한다.

원자나 분자는 비록 붙잡기 어려운 것이지만, 그래도 미로와 같은 인간마음의 회로보다는 이해하기 더 쉬울 것이다. 마음의 실체를 우리는 만질 수도 붙잡을 수도 없기 때문이다. 영국의 시각인류학자이며 기호학자인 그레고리 베이트슨Gregory Bateson(1904~1980)은 마음의 생태학을 탐구하며 인공지능과 생명공학의 기술 중심 시대에 창조적으로 살아가기 위한 심미적 마음의 생태학적 회로를 제시한다.[67] 마음은 생각, 느낌, 의식 및 무의식 같은 다양한 양태들의 총체이지만, 복잡성 속에서 일정한 패턴을 창출할 수 있는 관계적 과정 속에 있다. 보고, 듣고, 느끼고, 생각하고, 행동하는 것은 우리에게 뇌가 있어서 가능한 일이다. 마음은 인간의 영역을 넘어 주위 환경과 역동적인 소통을 꾀한다. 모든 존재가 생존을 위해 서로 연결되어 있으며 상호작용을 하고 생태적 관계망에 기반을 둔 마음은 인간 중심주의를 넘어선다. 다양한 삶의 형식을 담아 표현하는 예술의 경우를 생각해보자. 여기에 작동하는 심미적 마음의 회로는 복잡성과 우연성으로 가득 찬 환경 속에서 각 개체로 하여금 환경에 합당한 창조를 수행하며, 생태학적 조화를 꾀

---

66 멜빈 레이더 · 버트람 제섭, 앞의 책, 419쪽.
67 그레고리 베이트슨,『마음의 생태학』, 박대식 역, 책세상, 2006.

하는 삶의 원리로 작동한다. 또한 우주에서 가장 복잡한 우리 뇌의 뉴런을 통해 만들어지는 기억의 활동과 작용은 유전정보를 전달하는 유전자보다 훨씬 더 다양하다.[68] 우리는 원자를 분리해서 에너지로 활용하였고 우주로 로켓을 발사하여 신비의 수수께끼를 풀고자 했다. 이런 목적을 위해 가장 명민한 기계들을 발명했지만, 인간의 공격적 심리와 그 행동의 기원은 무엇이며, 그리고 그것을 어떻게 다스릴 것인지를 알지 못했다. 또한 이웃과 어떻게 소통하고 공감하며 더불어 사는 삶의 지혜를 배우지 못했다. 우리의 마음을 이해하는 것은 단지 지식의 힘이 아니다. 더욱이 효율과 경영의 기술을 토대로 거대해진 조직들은 놀라운 속도로 팽창하고 발달해 왔지만 삶의 질 향상을 위한 자유로운 가치나 이념들은 조금도 나아가지 못하고 있는 상황이다. 이러한 점을 개선하기 위한 몫은 예술에 달려 있다고 하겠다.

---

68   마틴 리스, 앞의 책, 222쪽.

7. 맺는 말

우리는 실로 기술이 지배하는 이른바 '범 기술'의 시대문화에 살고 있다. 과학기술로 인한 획기적인 지배와 혁신이 지속되는 경향인 '팍스 테크니카 pax technica'의 시대에 살고 있다는 말이다. '자연 과학, 응용과학, 기술 따위를 실제로 인간 생활에 적용하여 유용하도록 가공하는 수단'인 과학 기술은 단지 도구로만 사용되는 데 그치지 않고 도덕적, 미적 목적을 이루는 데 확장되어 사용될 때에 보다 더 건전한 사회를 만들 수 있을 것이다. 과학과 기술에 대한 반동으로서가 아니라 그것을 개선하여 균형 잡힌 문화를 만든다는 것은 더욱 사려 깊은 일이다. 역사적 진행을 거슬러 기술에 반하는 문화를 만드는 일은 현실의 삶을 거슬리는 일이 되고 말 것이다. 기계는 현대문명의 필연적인 산물이요, 정상적인 도구이지만, 도구는 이용하는 것이지 그것에 예속되거나 비인간화에 사용되어서는 안 된다. "자연의 생명체를 여러 가지 도구나 대상으로 본 것은 그들의 본래적 가치를 부정하는 것"[69]이기 때문이다. 비본래적인 상태를 벗어나 본래적 가치를 추구하는 일은 우리의 정체성 회복을 위해서도 매우 중요하다. 그럼에도 기계중심의 도구나 수단을 포기하고 기술 이전 시대의 삶으로 되돌아가기는 어렵다. 과학과 기술의 성장을 멈출 수는 없으며 인간은 기술적 진보에서 오는 편리함과 효용성을 기꺼이 포기하지 않으려고 할 것이다. 그들의 생활 대부분이 바로 그것에 의존하고 있기 때문이다. 우리는 과학기술을 미적인 안목과 결합하여 상호연관성을 토대로 삶의 질을 높이는 계기로 삼아야 할 것이다. 과학기술과 균형을 이루도록 예술의 역할을 더욱 더 고양시켜야 한다. 생생하고 개인적이

---

69   폴 W. 테일러, 앞의 책, 101쪽.

며 감정적 자발성이라는 측면은 과학기술 문명이 결여하고 있는 바이며, 바로 이 점에서 예술은 과학과는 차별화된 힘을 발휘할 수 있다.[70]

프랑스의 철학자이며 신학자요, 사회학자인 자크 엘륄Jacques Ellul(1912~1994)은 인간의 자유 자체를 위태롭게 하는 기술의 기계적 적용과 반복을 비판했다. 기술은 사회 안에서 기술체계를 형성하며, 기술자체의 논리를 따르면서 스스로 성장해간다. 그 결과 기술은 천연자원을 고갈시키며 문명을 획일화하기에 이른다. 그에 의하면, "기술은 예측성을 요구하는데, 그것은 정확한 예측이라야 한다. 그 경우에 기술이 인간을 압도하게 된다. …기술은 인간을 기술적 동물로 몰아가며, 인간은 기술의 노예 가운데 으뜸이다. …그리하여 인간의 자율성은 더 이상 존재하지 않게 된다."[71] 이러한 엘륄의 비관론과는 대조적으로 이미 50여 년 앞서 듀이는 낙관론을 폈다. 듀이에 의하면, 세계는 전혀 종말적이거나 치명적인 상황이 아니다. 인류의 문제에 대해 생각하는 능력을 좀 더 공감적이고 과학적으로 발전시키며, 우리가 기술의 풍요한 수단을 인간생활에 특별히 유익한 방향으로 사용한다면, 우리는 우리사이에 유행하고 있는 비관주의에 대해서 실용적인 해답을 찾을 수 있을 것이다. 우리는 비관론과 낙관론의 어느 한쪽에 치우치지 않은 균형을 취하며 양극단을 피하고 모든 분야에서 조화와 통합을 필요로 한다.[72] 그러기 위해서는 예술과 과학의 근본바탕에 대한 성찰이 필요하다. 과학실험탐구의 기초가 되는 조건인 가설은 임의로 고안되는 것이 아니다.

---

70   멜빈 레이더·버트람 제섭, 앞의 책, 422~424쪽.
71   Jacques Ellul, *The Technological Society*, New York: Alfred A. Knopf, inc., 1964, 138쪽.
72   멜빈 레이더·버트람 제섭, 앞의 책, 425쪽.

가설은 자연의 근거로부터 전개되어 그 근거로 다시 기입된다.[73] 가설을 통해 실험을 거쳐 밝혀진 이론은 가설의 근거인 자연의 밑그림으로 환원되는 것이다. 과학적 가설이 자연의 내적 원리에 기반을 두고 있듯이, 자연은 예술과 과학이 공유하는 근거이며 서로 연결해주는 고리이기 때문이다.

기술은 문화적 맥락을 떠나 홀로 존재할 수 없으며, 삶의 문화적 맥락 속에서 작동한다. 그것의 잠재력은 건설적이면서 동시에 파괴적인 양면을 지니고 있으므로 그 건설적 측면을 키우고 파괴적 경향을 줄여야 한다. 따라서 기술은 온전한 삶을 위해 적절하게 통제되고 조절되어야 한다. 과학과 기술은 상상력과 통찰력에 의해서, 경영적 기술체계의 도구로서가 아니라 삶을 자유롭고 창조적일 수 있게 하는 수단으로서 사용되어야 한다. 개인과 단체는 대량 표준화를 지양하고 기계화에 대항하는 힘으로서의 상상력의 세계를 지향해야 한다. 우리 사회의 탈집중화와 문화의 갱신이 있어야 하며, 기계에 앞서 인간성을, 그리고 공공의 선善과 아름다움을 고려해야 한다. 예술의 올바른 기능은 상상력이 풍부한 지식을 모든 가치 영역에서 보여주는 일이다.

과학기술의 올바른 기능은 과학을 응용하여 긍정적 가치를 극대화하고 부정적 가치를 극소화하는 일이다. 예술은 상상력을 제공해주며 과학기술은 소재와 방법을 알려준다. 예술과 과학이 균형 잡힌 사회에서는 이 두 가지가 서로를 지지하고 보완해주는 기능과 역할을 한다.[74] 기계적 법칙으로 인해 직접적 경험에서 오는 풍부함과 감성의 자발성이 사라지게 되고 의미를 잃게 되는 경우를 우리는 경계해야 한다. 사물을 창조하고 또 신선하게

---

73   마르틴 하이데거, 앞의 책, 125쪽.
74   멜빈 레이더 · 버트람 제섭, 앞의 책, 426쪽.

바라보는 일이 우리 모두의 관심이어야 한다. 양이 아닌 질, 획일성이 아닌 창조성, 고정성이 아닌 유동성, 타율성이 아닌 자발성, 가공된 것이 아닌 생생함을 강조하는 것이 예술의 역할이다. 우리는 예술적 모색을 통해 물화된 오늘날의 삶 속에서 우리 자신의 고유한 생활리듬을 찾고 우리 삶을 성찰해보아야 할 것이다.

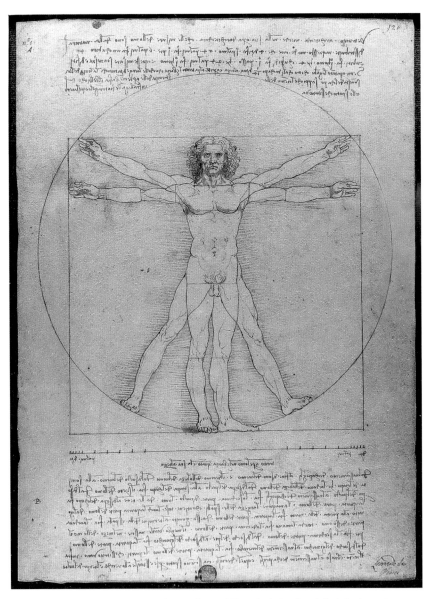

레오나르도 다 빈치의 소묘작품, 〈비트루비우스적 인간 또는 인체비례도〉, 1490

파블로 피카소, 〈아비뇽의 처녀들, Les Demoiselles d'Avignon〉, 1907

마르셀 뒤샹, 〈계단을 내려오는 누드 2, Nude Descending a Staircase, No. 2〉, 1912

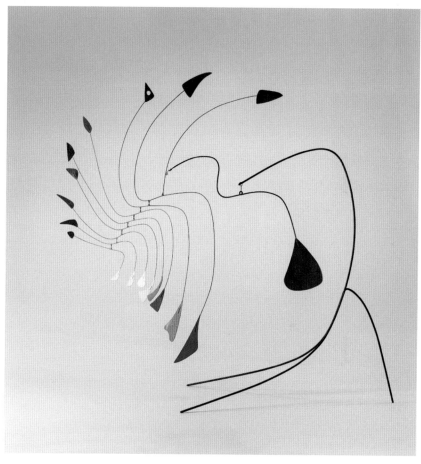

알렉산더 칼더, 〈작은 거미, Little Spider〉, painted sheet metal and wire overall,
111.1×127×139.7㎝, 1940, National Gallery of Art, Washington

헨리 무어, 〈기댄 형상, Reclining Figure : Arch Leg〉, 1963~1964

6장
미적 소통을 위한 생각

예술에 나타난 작가의 생각은 작품을 바라보는 관람객이나 감상자 혹은 비평가의 생각과 어떻게 만나는가. 일본의 원로작가인 후지시로 세이지藤城 淸治의 '카게에影絵'(그림자 그림) 예술세계는 독특한 소재와 기법으로 '빛과 그림자'의 대비와 조화를 통해서 시적이고 동시에 서사적인 내용을 담고 있으며 동심의 세계를 새롭게 해석하고 소통을 꾀하는 데에서 우리에게 깊은 공감을 자아낸다. 작가 이건용은 주변 생활환경과의 생태적 소통을 위해 '회화적 몸'을 활용한다. 달팽이의 느린 움직임을 자신의 움직임으로 재현한다거나 손발의 움직임과 같은 몸의 표현을 통해 인식영역을 확장하고 세계와의 소통을 꾀한다. 다음으로 흔치 않은 소재인 '거울'을 이용한 작가 이열의 '거울형 회화'는 생성공간을 확장하여 반영된 모습을 잘 표현한다. 작가 이 열의 거울회화 작업은 새로운 시각에서 우리와 교감하고 공감의 폭을 넓혀준다. 끝으로 작가 이종목의 작품세계는 시공간의 동양적 조형화를 통한 정체성을 모색하여 우리와 소통을 시도한다. 수묵담채를 토대로 생동하는 한국적인 미감을 동양적 세계관에 기대어 천착하면서도 그것을 넘어선다. 그는 다양한 기법의 변주 속에 전통과 근대에 대해 깊이 사색하면서 내면세계의 깊은 정신을 담고 있다.

1. '빛과 그림자'의 대비와 조화를 통한 소통 :
작가 후지시로 세이지藤城 淸治의 '카게에' 예술세계

　우리의 주된 관심사는 예술에 표현된 작가의 예술의지와 생각을 살펴보
며 작품을 바라보는 관람객이나 감상자 혹은 비평가의 그것과 어떻게 만
나는가를 추적하는 일이다. 일본의 원로작가인 후지시로 세이지藤城 淸治
(1924~)의 '카게에影絵'(그림자 그림) 예술세계는 독특한 소재와 기법으로 '빛
과 그림자'의 대비와 조화를 통해서 서정적이고 동시에 서사적인 내용을 담
고 있다. 거기에 펼쳐진 동심의 환상 세계는 우리에게 깊은 공감을 자아낸
다. 후지시로 세이지가 표현하고 기술하는 있는 예술세계를 접하면서 필
자는 작가에게나 평자, 관람객 모두에게 던져진 끊임없는 물음인 '좋은 예
술작품 혹은 걸작이란 무엇인가'를 다시금 떠올리게 된다. 이에 대한 여러
논의와 정의定義가 있어 왔으나 필자의 생각엔 무엇보다도 '역동적인 힘으
로서의 상상력이 살아 숨 쉬는 화폭을 통해 우리의 삶에 새로운 가능성을
열어 놓으며, 현재와 미래를 이어주고 세상에 대한 인식의 폭을 넓혀주는
작품'일 것이다. 우리는 예술을 통해 '모르는 미지未知의 것들(the unknown
unknowns)'[1]을 앎의 세계로 가져 오며, 삶을 위한 앎의 지평을 끊임없이 넓
혀 왔다. 인류 문명사는 지적 호기심이나 인식의 확장과정과 무관치 않다.
예술의 소재가 되는 미적 상상력은 무궁무진하고 그 한계는 없어 보인다.
예술이란 원래 현실을 펼쳐 가능성의 세계로 이어주며, 과거를 현재화하고

1　Martin Rees, *On the Future: Prospects for Humanity*, Princeton University Press,
　　2018. 마틴 리스, 『온 더 퓨처-기후변화, 생명공학, 인공지능, 우주연구는 인류미래를
　　어떻게 바꾸는가』, 이한음 역, 도서출판 길벗, 2019, 240쪽.

현재를 미래로 연결해주는 까닭이다. 때로는 순수와 근원, 본질을 찾기 위해 어른의 세계를 동심의 어린이 세계로 되돌리고, 문명의 시대를 원시시대로 거슬러 올라가기도 하며, 도시를 벗어나 자연 그대로의 삶을 동경하기도 한다. 이러한 시도는 보이는 세계와 보이지 않는 세계, 현실의 세계와 꿈의 세계 사이에 갈라진 틈을 서로 이어주는 다리의 역할을 한다. 이런 맥락에서 '카게에'[2]를 독자적인 예술장르로 끌어올린 거장이자 모뉴멘트 작가인 후지시로 세이지의 예술세계를 그의 십대로부터 구십대 후반의 연륜에 이르기까지 예술 수업과정 및 편력과정과 연관하여 살펴보고자 한다.

후지시로 세이지는 정교함이 깃든 장인적인 역량으로 선선線을 구성하고 형태를 빚어내 이를 작가의 예술적 상상력과 결합하여 아주 독특한 '카게에'의 아름다움을 자아낸다. 빛과 그림자가 조화롭게 이루어낸 환상적인 아름다움을 창조해내는 것이다. 광영光影의 회화이며, 광채光彩의 회화인 '카게에'의 화두는 물론 '빛과 그림자'이다. 기법을 보면, 종이에 작가가 의도하는 밑그림을 그린 뒤에 여러 색깔의 얇은 셀로판지, 이른바 조명필름을 면도날로 자르거나 채도나 명도를 조절하기 위해 긁어내고 또한 뒷면에 종이를 덧대어 색을 입혀 빛을 반사하게 하는 작업이다. 이 때 빛의 투과율을 알맞게 조절하는 조명을 통해 스크린에 투사하여 환상적인 색감과 그림자를 서로 어울리게 하고 한계를 모르는 우리의 상상력을 자극하는 작품을 만든다. 작가는 일반적인 커터를 사용하는 대신에 세심한 주의를 요하는 날카로운 면도날을 사용하는 중에 손끝과 일체가 되어 오히려 면도날이 아니라 손이 오려내는 듯한 기분이 들어 신기하고 즐겁다고 말한다.[3] 이런 작가의 느낌

---

2 카게에(かげえ)는 影絵 또는 影画로서 '그림자 그림'을 뜻한다.
3 이는 장자(莊子)가 언급하는 '물아일체(物我一體)'이며, 달인의 경지인 '포정해우(庖丁

은 우리의 오감에도 그대로 전달되며 심心과 수手가 하나 된 절묘한 경지를 맛보게 된다.

17세기에서 20세기 초 일본 에도 시대 사람들의 일상생활이나 풍경, 풍물을 그린 우키요에浮世絵는 모네, 드가, 고호와 같은 유럽의 많은 인상파 작가들에게 영향을 미쳤거니와 19세기 중후반의 유럽 미술사조에도 나타나 보인다. 미술사적으로 후지시로 세이지의 작품은 색채의 마술사라 할 마티스Henri Matisse(1869~1954)나 샤갈Marc Chagall(1887~1985)의 색 운용을 떠올리게 하며, 또한 피카소Pablo Picasso(1881~1973)가 형태의 다양한 입체적 변용을 통해 사물의 본질을 추구한 것과도 잘 어울리게 하는 국면을 보여준다. '카게에'는 빛과 그림자에서 연상되는 것처럼 흑과 백의 강한 대비를 근거로 백색부분에 적, 황, 녹색 등의 풍부한 색채를 적절히 가미하여 작품의 투명성을 다양하게 펼치고 농담을 달리하여 원근감을 표현한다. 치밀하게 구성된 선과 형태에 작가가 의도하는 정신세계가 담겨 있다. 그가 화폭에서 전개하는 따뜻하고 아름다운 환상의 세계는 작가의 메시지이면서도 동시에 이 시대가 요구하는 메시지인 평화와 사랑, 그리고 공존과 공생의 예술적 가치를 풍부하게 담고 있다고 하겠다. 미적 가치란 '미적 관심의 체계'로서 여기에 주체와 대상, 사물과 정신의 관계가 조화롭게 녹아 있다.

일본에 유학하는 동안 작가와의 오랜 친분을 통해 그의 작품세계를 잘 알고 있는 '케이 아트커뮤니케이션'의 강혜숙 대표가 주도면밀하게 기획한 전시는 작가의 초기 흑백작품부터 최신작까지 140여점에 걸쳐 넓게 포괄하고 있다. 잡지 『중앙공론』에 연재(1958-1963)한 「서유기」의 삽화에 그린 〈손오

解牛)'에 다름 아닌 듯 보인다. '포정해우(庖丁解牛)'는 전국시대 양나라에 살던, 소 잡는 솜씨가 뛰어난 포정이 소의 뼈와 살을 신기에 가깝게 발라낸 것을 비유한 것이다.

공의 얼굴〉(1958)이나 미야자와 겐지宮澤 賢治(1896~1933)의 〈은하철도의 밤〉을 비롯하여 그의 작품에 등장하는 주요 소재인 고양이, 요정, 소년과 소녀, 물고기, 비둘기를 비롯한 여러 종류의 새 등은 꿈과 희망이 오묘하고 신기하게 어울린 상상력의 세계가 되어 작가의 예술적 동기를 잘 알려준다.[4] 현재 일본성인들의 거의 대부분이 어린 시절에 동화집에 실린 작가 후지시로 세이지의 카케에 삽화를 보고 꿈을 키우며 성장했다고 해도 과언이 아니라고들 말한다. 여전히 나스 고원那須 高原의 고요하고 아담한 숲 속에 위치한 후지시로 세이지 미술관(관장은 후지시로 아키藤城 亞季)에 남녀노소의 구분 없이 많은 이들이 찾아와 작품을 진지하고 즐겁게 감상하고 있는 모습이 이를 잘 증명해준다고 하겠다.

카케에의 등장이 1948년이니까 지금으로 보면 이미 70년을 넘는 긴 세월이다. 후지시로 세이지는 일찍이 십대에 수채, 유화, 에칭 교육의 훈련을 받고 그 후에 기존의 전통이나 권위에 도전하여 새롭고 혁신적인 예술의 흐름을 추구하는 가운데 자신의 작품세계를 모색해왔다. 그는 전시 중戰時中임에도 약관의 19세에 첫 개인전(긴자銀座의 菊屋화랑)을 열고 이십대의 나이에 들어서게 된다. 일본의 독립협회전을 비롯한 여러 전시에서 탁월한 평가를 받은 바 있다. 그는 인형극 활동에 관심을 기울이게 되고, 그 무렵 케이오 대학 교수로 연극, 특히 인형극 연구의 대가인 오자와 요시쿠니小沢 愛

---

4   태평양 전쟁 중에 케이오 대학 예과 학생이던 후지시로 세이지는 해군 예비생으로 사가공항 부대에 입대한 후로 전쟁에 참여하여 전쟁으로 인한 공포와 고통을 몸소 체험하게 된다. 고된 훈련이 끝나면 그는 소년병들에게 인형극을 보여주고 함께 공연하며 마음을 달래고 위안을 삼았다고 한다. 이를 계기로 작가는 작품을 통해 전쟁의 비참함과 평화의 절실함을 널리 전하기로 결심하게 되었다고 한다. (『요미우리 신문』 2018년 8월 6일자, 작가의 자전적인 글, 「평성 최후의 여름 전후 73년 (1)」에서)

圈(1887~1978)에게서 차츰 중국, 터키, 인도네시아 등 아시아 여러 나라의 그림자 연극을 접하게 되고 실제로 교회의 주일학교에서 그림자극을 상연하게 된다. 이십대 후반에 처음으로 카게에 그림책인 『호기심과 상상력이 가득한 『포도주 병의 이상한 여행』을 출간했다. 이어서 어린이의 순수한 마음과 우정을 엿볼 수 있는 안데르센Hans Christian Andersen(1805~1875) 원작의 인형음악극인 〈눈의 여왕〉을 상연한 바 있다. 또한 16세기 무렵 독일에서 도자기 공업으로 유명했던 도시인 뉘른베르크에서 만든 도자기 난로[5]에 등장하는 소년이야기를 담고 있는 '뉘른베르크 동화'는 작가에게 지대한 영향을 준 것으로 보인다. 삼십대의 나이에 들어 다수의 카게에 극을 상연하고, 사십대 후반엔 TV날씨예보를 카게에로 진행하여 널리 화제가 되기도 했다. 이는 예술과 삶의 연관을 시도하며 생활 속에 카게에의 예술세계를 깊숙이 끌어들인 예라 할 것이다. 오십대 이후 지금까지 카게에 화집을 여러 권 출간하였다. 특히 『예수』(1980), 『천지창조』(1991), 『유럽의 교회 스케치집』(1993), 『성서이야기』(1995)는 작가의 기독교적 예술관을 뚜렷하게 보여주는 예라 하겠다.[6] 미술평론가이자 동경예대 교수를 지낸 세기 신이치 瀨木 愼一(1931~2011)가 지적한 바 있듯, 후지시로 세이지의 이러한 시도는 단지 어떤 특정 종교인으로서 보다는 오히려 현대를 살아가는 사람들에게 꼭 필요한 덕목인 '사랑'이라는 보편적이고 궁극적인 주제를 전해주려는 의도

---

5 동화에 나오는 도자기 난로 제작자는 실제인물인 아우구스틴 히르쉬포겔(Augustin Hirschvogel, 1503~1553)로서 도예가, 판화가, 지도제작가였다.

6 도치기현 나스(那須) 고원에 위치한 후지시로 세이지 미술관(2013년 4월 26일 개관)은 주변의 자연경관이 수려하고 경내에 아담한 교회가 자리하고 있으며 작가의 작품이 프레스코화로 제작되어 천정과 창문을 꾸미고 있기에 중세 교회의 프레스코와는 또 다른 친근한 동화적 분위기를 자아낸다.

로 보인다. 인간은 유한성을 극복하고 무한성을 추구하는 존재로서 근본적으로 종교적일 수밖에 없으며, 따라서 종교인homo religiosus이기 때문이다. 언젠가 다큐멘터리와 장편 극영화로 유명한 영화감독인 하니 스스무羽仁 進(1928~)는 작가의 작업실을 방문하고 작가와 만나 대화를 나누는 가운데, 특히 11년에 걸쳐 노고를 기울인 역저力著인『천지창조』에서 책의 처음에 등장할 화면인 '혼돈'을 맨 마지막에 완성하였다는 고백을 듣는다. 작가적 정신과 고심의 흔적을 엿볼 수 있는 대목이다. 이와 같은 작가의 고백은 태초에 빛이 있기 이전의 혼돈의 세계에 대한 작가의 집중적인 천착이야말로 조화와 혼돈, 빛과 그림자라는 강렬한 대조와 대비가 필요한 이유를 잘 말해준다고 하겠다. 역설적으로 혼돈의 정체를 파악함으로써 질서와 조화를 찾는 일은 그림자를 추적함으로써 빛을 찾아가는 역추론의 작업과도 같아 보인다. 빛과 그림자, 혼돈과 질서는 서로 대립되는 것이 아니라 생명현상에 관련된 기본적인 양상들이다. 창세기 노아시대의 대격변을 알리는 '대홍수'의 혼란가운데에서도 생명의 소중한 씨앗이 잉태함을 깊이 응시하는 작가의 예술적 안목이 돋보인다. 이는 그의 생명존중사상을 중심으로 전개되는 작품세계를 이해하는 데 결정적인 계기를 제시해 준다.

작가의 일생을 걸쳐 주목할 만한 작품이 거의 대부분이라 하겠지만, 그 가운데 중심된 몇몇을 들여다보면서 그 의미를 생각해보기로 한다. 〈캔은 춤춘다〉(1990)는 요정들의 역동적인 춤을 선보인 것으로 팝아트의 기수인 앤디 워홀Andy Warhol(1928~1987)의 작품인 〈캠벨 수프 캔〉(1962)을 떠올리게 한다. 앤디 워홀의 작업이 현대인의 사물적 일상을 나열하여 표출한 것이라면 후지시로의 작업은 보다 더 인간적인 생활세계에의 율동적 접근을 보여준다는 점에 차이를 엿볼 수 있다. 〈창 속의 소녀〉(2008)는 후지시로 세이지가 1주일 동안 병원에 입원한 중에 창문 밖을 바라보며 아픔으로부터 벗어나길 소망하면서, 도쿄시내에 밀접하게 들어 서 있는 고층건물들에서 얻은 영감을 토대로 그린 것이다. 병실의 창에서 바라보이는 외부 건물의 창을 자신의 독특한 시각으로 부분과 전체 및 원근遠近의 조화를 꾀한 작품이라 하겠다. 때로는 가까이 또는 멀리 그 너머를 바라보는 것이다. 마치 동양의 산수화에서의 고원高遠・심원深遠・평원平遠이라는 삼원법三遠法[7]이 적절히 활용되어 깊은 맛을 더한 것으로 보인다. 〈하늘을 나는 요정〉(1953)에서의 요정은 작가 자신의 분신과도 같다. 요정妖精, Fairy은 전설이나 동화 속에 등장하는 초자연적인 존재로 흔히 조그마한 인간 모습을 하고 있으며 무궁무진한 상상의 세계를 대변한다. 후지시로 세이지의 〈수련과 요정〉(1982)은 모네Claude Monet(1840~1926)의 인상주의적 수련과는 또 다른 맛의 카게에로서 작가만의 독특한 해석을 접할 수 있다. 〈월광月光의 소나타〉(1981)는 은은하고 고요한 달빛에 어린 세세한 나뭇잎의 생생한 움직임에 대한 묘사를 통해 빛과 색이 함께 어울린 아름다움의 정수를 잘 보여준다. 실재의 나뭇잎 움직임과 가상으로 비친 나뭇잎 그림자의 움직임은 또 다른 상상력을 자극한다.

후쿠오카 시박물관 전시(2015. 4. 10. ~5. 24)의 평에서 오카모토 마사히코岡本 愛彦는 후지시로 세이지를 가리켜 자신이 표현하고자 하는 바를 자유자재로 빚어내는 '조형시인造型詩人'이라 칭한 적이 있다. 이는 시적 상상력을 조형화한 작가의 탁월한 역량을 아주 적절하게 잘 지적한 것이다. 〈하늘을 나는 난쟁이〉(1953)는 매우 전위적이며 팝아트적이면서도 꿈과 환상의 서

---

7 북송(北宋)의 곽희(郭熙)에 의해 정립된 이론으로 고원은 산 아래에서 꼭대기를 올려다보는 앙시(仰視), 심원은 산 앞에서 산 뒤를 굽어서 넘겨다보는 부감시(俯瞰視), 평원은 가까운 산에서 먼 산을 바라보는 수평시(水平視)이다. '올려다보며 넘겨다보며 먼 데를 바라보는 시선'이다. 서양의 원근법과는 확연히 다른 관점이다.

사를 담고 있는 작품이다. 여기에 시인 기타바타케 야호北畠 八穗(1903~1982)
가 자신의 시상詩想을 덧붙이고 있으니 시화詩畵일체의 경지를 새삼 느낄
수 있다. 미야자와 겐지 동화의 화본畵本인 『은하철도의 밤』(1982~2010)이나
〈바람의 마타사부로〉(1983)에서 후지시로 세이지는 카게에의 진수를 잘 보
여준다. 또한 〈四季의 影繪〉 연작(1978~1995)에서 계절의 특징과 변화를 작
가 특유의 시선으로 압축하여 끌어낸 점은 사계절을 바라보는 독특한 즐거
움을 더해 준다. 그의 사계를 들여다보면, 〈봄〉에서는 이제 막 피어오르는
꽃의 꿈과 환상, 봄바람과 소녀, 꽃과 소녀를 다룬다. 봄의 자연경관을 알리
는 〈경칩 꽃과 나비〉(2016)는 한편의 시화詩畵가 하나로 압축된 모습이다. [8]
〈여름〉은 뜨거운 바다와 소년, 주룩주룩 내리는 여름 빗속에 우산을 쓴 소
녀의 모습을, 〈가을〉은 창밖에 하늘거리는 코스모스, 곡식이 무르익은 들녘
을, 〈겨울〉은 눈 내리는 전경을 바라보는 고양이를 인간과 대비하여 드러낸

---

8   이런 분위기에 어울린, 시화(詩畵)가 하나 된 경지를 보여 준 강순예 시인의 시 '일어
    나요 개구리-경칩'이 있어 여기에 옮겨 놓는다.

    이따금 꽃샘잎샘
    볼이 시려도

    홍매화 산수유 생그레 웃고
    갯버들 보얀 솜털 눈부신데

    장독 언저리 냉이싹 피고
    파릇한 미나리 봄뜻 그윽한데

    언제 일어나지요?
    봄님 속삭임에

    까무룩 긴 잠 개구리
    화들짝 눈을 떠요

모습이다. 특히 서사시처럼 기념비적으로 펼쳐진 벽화가 여러 점이 있는 바, 그 가운데서도 〈地球讚歌〉(1992)과 〈生命讚歌〉(1999)가 단연 돋보인다. 우리가 살고 있는 터전으로서의 지구에 대한 작가의 지극한 사랑과 생명의 존엄성을 엿볼 수 있다. 어떤 면에서는 생태학적 복원과 순환을 강조하여 예술이 나아가야 할 방향을 웅변으로 암시한 것으로 보인다. 이어서 원폭피해로 인해 20만 명 이상의 생명을 앗아간 폐허의 현장인 히로시마 원폭돔 위로 종이학이 날으며 수련과 조화를 이루어 표현한 〈슬퍼도 아름다운 평화로의 유산悲しくも美しい 平和への遺産〉(2005)은 우리로 하여금 비극미를 느끼게 한다. 미적 범주의 하나로서 비극미는 예나 지금이나 인간의 심성을 고양시켜주고 정화淨化해주는 카타르시스catharsis의 역할을 한다.

그는 '빛과 그림자'의 대비를 시적이고 동시에 서사적인 세계에 담아 사랑과 행복, 낙원, 평화, 그리고 삶의 기쁨으로 표현했다. "빛은 투명하고 순수하기에 조그마한 흠도 없다. 그 빛으로 혐오감이 없는, 가장 순수한 아름다움 같은 것을 만들 수 있다."고 작가는 말한다. 빛으로 인해 만물이 성장하고 생성된 근원을 살필 수 있는, 작가 나름의 체험에서 우러난 지적이요, 고백이다. 그는 2019년 이후 구십대 후반의 나이에 이른 오늘에도 여전히 왕성한 작품 활동을 하고 있으며 우리를 살아있는 꿈과 동화의 세계로 안내한다. 흔히 그를 가리켜 일본인의 미적 감성에 유럽적인 회화적 구성을 극명하게 잘 조화시킨 탁월한 작가로 보기도 하지만 그의 작품은 이제 어떤 특정 지역을 넘어 우리에게 즐거운 상상력을 불러일으키는 보편적인 정서로 다가 온다. 그가 추구하는 빛과 그림자는 현재의 실상과 아직 다가오지 않은 '가상假像'⁹의 미래세계와도 대비해 볼 수 있을 것이다. 현실에 반하

9 '실물처럼 보이는 거짓 형상'으로서의 '가상'은 미학사에서 독일어 'Schein'(영어 Shine)

는 가상이 아니라 가상을 도입하여 더 나은 현실의 이미지를 구축하는 것이다. 이를테면 건조하고 각박한 현실이 더욱 풍요로워지는 셈이다.

작가는 단순히 작품을 보여주는 데 그치지 않고 나라나 지역, 그리고 세대를 넘어 관객과의 소통에 근거한 보편적인 공감을 강조한다. 여기에서 우리는 감동하며 즐거움을 공유할 수 있다. 작가는 몸소 노구를 이끌고 쓰나미 현장과 지진으로 인한 폐허, 원전사고의 현장을 누비며 스케치하고 자신의 작품에 생명을 불어 넣는다. 그가 펼친 동화적이고 범종교적인 환상의 세계는 전쟁의 참화와 유달리 많은 자연재해를 자주 겪은 일본인들의 아픔을 위로하고 치유하기 위한 것이지만, 나아가 지구온난화나 대기오염, 온갖 전염병 등 환경재앙이 일상이 되고 있는 오늘의 현실에서 우리에게도 각별한 의미를 던져 준다. 무엇보다도 그는 필자와의 대화 속에서 동족상잔의 한국전쟁을 겪은 우리와 동병상련의 고뇌를 함께 갖고 있다고 밝힌 바 있다.[10] 우리는 작가가 던지는 메시지 속에서 아울러 시대가 지향해야 할 시대의 메시지를 읽는다. 여기서 우리는 미래지향적 시대정신을 공유하게 된다.

작가 후지시로 세이지는 1965년 이후 한일국교 정상화 40주년이 되는 이른바 '한·일 우정의 해'인 2005년에 강혜숙 선생의 선견지명있는 기획으

이며 '빛을 비춘다'는 의미가 있음을 주목할 필요가 있다. 예술에서의 가상은 단지 거짓 형상이 아니라 '진리를 비추는 빛'인 것이다. 따라서 빛을 머금은 그림자는 빛의 가상으로서 진리를 내면에 이미 함축하고 있는 것이다.

10 2019년 11월 초에 며칠간의 틈을 내서 필자는 최진용 선생(전 국립극장장, 인천문화재단 대표이사), 강혜숙 선생(케이 아트커뮤니케이션 대표)과 동행하여 후지시로 세이지 스튜디오 및 미술관을 방문하여 작가와 대화를 나눌 소중한 기회를 가졌다. 또한 같은 해 11월 말에 다가올 예술의 전당에서의 전시현장을 둘러보기 위해 한국을 방문한 후지시로 세이지 선생 및 후지시로 미술관 관장과 함께 『문화일보』 이경택 문화부장과 대담을 나눈 바 있다. (「한일관계 어렵지만… 예술은 모든 것 뛰어넘어-그림자 회화 '카게에' 작가 후지시로 세이지 방한」, 『문화일보』 2019. 12. 10. 참조)

로 ㈜롯데쇼핑 에비뉴엘 개관 기념 초대전을 성황리에 가진 바 있다. 이때의 전시에 즈음하여 짧은 일정으로 한국을 처음 방문한 작가는 한국의 음식과 전통주를 맛보고 또한 특유한 건축미를 지닌 고궁을 거닐며 한국인의 심성과 미적 감성을 어느 정도나마 체험했던 것으로 보인다. 2005년 한국에서의 첫 전시 이후 15년이 흐른 뒤, 예술의 전당에서의 두 번째 한국 전시[11]를 앞두고 다시 한 번 한국을 방문한 작가에게나 관람자에게 감회가 유달리 특별하고 새로울 것으로 보인다. 2021년 6월, 서울 예술의 전당에서의 전시에 즈음하여 "한국 전시에 온 마음을 쏟고 있다. 수많은 작품 가운데 〈잠자는 숲〉(2020)은 한국전시를 위해 특별히 제작했다. 나는 한국을 잘 알고 싶고, 한국을 더 가까이하고 싶다"고 작가는 힘주어 말한다. 그는 한국의 전래동화에도 각별한 관심을 보이며 한국 어린이가 지닌 동심과 환상의 세계를 자신의 작품에 꼭 소개하고 싶다고 필자에게도 전한 바 있다. 앞서 언급했듯이, 평화와 사랑, 그리고 공생의 이념과 가치를 추구하는 그의 작품이 한일국교 정상화 55주년을 맞아 한·일 양국 간에 드리워진 온갖 오해와 불화, 반목과 갈등을 넘어 공감과 소통, 공존과 번영을 가져오는 소중한 기회가 되길 바란다. 나아가 한·일 양국을 넘어 코로나 팬데믹이라는 미증유의 사태에 직면하여 고통을 겪는 세계 곳곳에 치유의 삶을 위한 이정표가 되길 기대해 마지않는다.

---

11   한국에서의 두 번째 전시는 2020년 6월 25일부터 약 90일 간의 일정으로 서울 예술의 전당(예술의 전당 한가람미술관 2층 전관)에서 열릴 예정이었으나 예기치 않은 코로나 바이러스(COVID-19)의 확산으로 인해 사회적 거리두기의 일환으로 늦춰져 2021.6.26.-10.16(예술의 전당 한가람미술관 3층 전관)에서 '빛과 그림자의 판타지 전'이라는 주제로 열린다.

후지시로 세이지, 〈하늘을 나는 난쟁이〉, 1953

후지시로 세이지, 〈수련과 요정〉, 1982

후지시로 세이지, 〈바람의 마타사부로〉, 1983

후지시로 세이지, 〈캔은 춤춘다〉, 1990

후지시로 세이지, 〈슬퍼도 아름다운 평화로의 유산〉, 2005

후지시로 세이지, 〈창 속의 소녀〉, 2008

후지시로 세이지, 〈꽃과 소녀〉, 2010

후지시로 세이지, 〈경칩 꽃과 나비〉, 2016

후지시로 세이지, 〈잠자는 숲〉, 2020

2. 생태적 소통으로서의 '회화적 몸' : 이건용의 작품세계

우리나라 전위예술 1세대에 속하며 대표적인 행위예술작가로 알려진 작가 이건용의 개인전이 몇 해 전에 리안 갤러리(2017. 05.18~07.29)에서 열렸다. 필자는 이 전시뿐 아니라 작가 이건용의 작품세계를 관통하는 키워드가 무엇인가에 대해 고심하다가 작가의 깊은 회화적 성찰과 마주하게 되었다. 몸으로서의 예술이 발아發芽하게 된 〈신체항身體項〉(1971) 이후, 작가는 현대예술의 전위적 흐름을 이끌어 오면서 자신의 삶을 예술에 투영하고 있다. 얼핏 보면, 1960년대 후반 이래 행위와 개념에 집중했던 그간의 작품세계로부터 '회화의 회화성'이라는 최근의 시각으로 조망을 옮기고 있는 것으로 보이지만, 〈드로잉 방법〉연작에서 〈신체 드로잉〉연작을 거쳐 〈바디스케이프〉 연작으로 이어진 작품은 생태적 소통을 위해 작가 자신의 몸을 일관되게 예술적 소재로 삼은 것에 다름 아니라고 하겠다. 특히 2014년 국립현대미술관에서의 회고전인 "달팽이 걸음: 이건용"은 작가의 대표적인 퍼포먼스 작품인 바, 달팽이 걸음처럼 느리게 몸이 남긴 흔적이 우리 삶의 현장과 맺고 있는 긴밀한 관계를 투영한 생태적 모색이다. 이러한 모색은 작가의 작품 활동 전체에 스며들어 있으며, 앞으로도 그러하리라고 예상된다.

특히 리안 갤러리에서의 전시는 퍼포먼스 및 개념미술의 측면과 어느 정도 거리를 두고 전위적이며 독창적인 작가의 회화성을 재확인할 수 있는 계기가 될 것으로 보인다. 퍼포먼스 작업[12]의 일환으로 알려진 1976년을 기점

---

12 이건용은 1975년 4월, 백록화랑의 "오늘의 방법전"에서 퍼포먼스인 〈실내측정〉과 〈동일면적〉을 선보였는데, 공간의 길이와 면적을 논리적이고 계획적인 방식으로 측정하는 행위예술을 펼쳤다. 그는 일시적이고 우연적인 행위가 아닌 매우 논리적이고 계획적인 방식으로 진행하는 행위예술에 주목하였다. 우리는 여기서 논리와 비논리,

으로 시작된 〈신체 드로잉〉 연작은 드로잉이 퍼포먼스의 과정에서 나온 기록이며 그 결과물임을 보여준다. 그 가운데 몇몇 작품을 보면, 〈드로잉 방법〉(76-3-2008)은 앞을 향해 걸어오는 여성의 사진이 바탕화면에 깔려 있고 하트모양의 붓터치가 그 주변을 그리고 있으며, 〈드로잉 방법〉(76-1-2011-B)은 저절로 흘러내린 붓자국, 그리고 붓자국에서 흘러내린 물감자국이 화면을 분할하되 강강(强)과 약약(弱), 동동(動)과 정정(靜)이 적절하게 혼합된 모습으로 변화를 준다. 〈드로잉 방법〉(2011~2014)은 캔버스의 중앙에 사진을 오려 붙이고 서서 팔을 벌린 모습이 실루엣으로 배경과 상을 이루어 투영되고 그 주변을 둥글게 칠한 모습이 나타난다. 〈신체 드로잉〉(2015)에서는 신체의 움직임이 수의적/비수의적, 자발적/비자발적인 손놀림에 의해 붓터치가 부채살 모양으로 펼쳐진 그림을 보여준다. 신체 드로잉에서 행한 퍼포먼스는 신체 작업의 현장을 그대로 우리에게 전달한다. 작가 자신이 서 있는 공간은 비어있으며, 팔과 손이 닿는 화면에 획을 긋듯 칠해진 모습이다. 누구라도 그런 위치에서 그런 자세를 취하고 싶은 마음을 갖게 한다. 작가는 캔버스의 뒤나 캔버스를 등지고 몸을 중심축으로 하여 옆이나 뒤로 손을 뻗어 닿은 영역에 물감을 칠하고, 캔버스의 앞면에 드로잉을 해나가는 방식을 취한다. 이어서 아크릴 물감을 사용하여 팔을 좌우로 움직이며 하트 모양을 그린다. 작가는 몸을 움직이면서 물감을 흘리고 떨어뜨리며 붓질을 진행한다. 물감이 마르지 않은 상태에서 색이 서로 섞이며 남긴 흔적은 의도하지 않은 효과를 나타내고 때로는 표현주의적 색채를 띠게 된다. 오브제나 설치작업과 같은 다양한 매체를 사용하여 작업을 이어온 이건용의 작품에서 몸을 중심에 두고 펼쳐진 드로잉과 퍼포먼스는 특히 매우 긴밀한 관계를 유지하고

우연과 필연이 논리적으로 그리고 필연적으로 전개됨을 본다.

있다.

작가의 회화작업은 〈신체 드로잉〉 연작에서의 이미지들이 변형되며 〈바디스케이프〉에 이르고 있다. 랜드스케이프landscape가 지상의 풍경이요, 시스케이프seascape가 바다경치이듯이 바디스케이프bodyscape는 몸이 펼친 풍경이요, 몸이 그린 전경이다. 시각예술 영역에서 바디스케이프는 '몸과 몸의 재현을 둘러싸고 산출되는 일련의 기호들의 복합체'[13]라는 의미로 쓰이기도 한다. 이건용에게서는 몸 전체 혹은 몸의 일부인 손이 팔다리나 몸체와 관련을 맺으며 그리는 것이다. 〈바디스케이프〉(76-1-2015)는 붉은 색 바탕에 검정색과 흰색 물감이 자연스레 겹쳐 흘러내리며 그 위에 흑과 백의 붓자국이 선연하게 섞여 있다. 〈바디스케이프〉(76-1-2017-B)는 캔버스에 아크릴로 그린 몸의 경치를 보여준다. 또한 연필심에 가해진 힘의 강약이 적절한 면 분할과 함께 전달된다.[14]

이건용의 작업에서 예술적 표현의 주된 소재인 신체는 그리는 행위에 영향을 미치고 있다. 그는 "내 그림은 몸으로 느끼고 부딪히며 만든 전인적인 회화"라고 말한다. 온몸을 매개로 하여 이루어지는 세계에 대한 우리의 인식들을 보여주기 위한 작업이다. 몸의 표현이며, 몸의 소통을 통한 새로운 인식이다. 이는 회화에 대한 새로운 시각과 접근이며, 새로운 그리기의 시도이다. 작가는 신체의 흔적들을 그림 속에 담아내며, 그동안 보지 못했던 새로운 이미지와 마주하게 된다. 작가의 창의적 자의성을 바탕으로 하

---

13 니콜라스 미르조에프, 『바디스케이프: 미술, 모더니티, 그리고 이상적인 인물상』, 이윤희 · 이필 역, 1999 참고.

14 2007, 07.11~08.12, 서울시립미술관에서 "신체에 관한 사유(Text in Bodyscape)"라는 주제로, '흔적', '기억', '몸짓', '사유'의 네 섹션으로 구성된 전시가 있었다. 작가 이건용은 몸의 움직임을 선으로 그린 신체드로잉을 '몸짓' 섹션에서 선보였다.

되 우연성이 개입되어 표현영역을 자연스럽게 넓히게 된 그림이다. 또 하나 주목할 점으로 2016년 갤러리 현대에서 보여 주었던 퍼포먼스의 주제는 "이벤트-로지컬"이었다. 이벤트의 내용은 여기저기로 발걸음을 옮겨가며 신체에 주어진 한계 안에서 드로잉을 하는 것이었다. 전혀 어울리지 않을 이벤트와 논리의 조합이지만, 단지 우연히 일어나는 해프닝이 아니라 근원적인 데로 다가가기 위한 논리적 시도를 하면서 예상치 않았던 생기발랄함이나 기운생동이 여기에 더해진다. 작가는 행위를 통해 구성한 명제와 실제 경험하는 세계와의 관계를 고민하게 되거니와 양자를 매개하는 것은 작가 자신의 '신체'이다.[15] 작품 안에 작가의 작품제작과정이 촬영된 사진이 콜라주처럼 붙어 있는 것도 이를 증명해준다고 하겠다.

이건용 작품세계의 깊이를 좀 더 들여다보기로 하자. 그는 "몸에 대한 이야기를 철학자의 말로 풀어보려 했다. 현대세계에서 복잡해지는 예술, 오리무중인 상황에서 기본을 이야기 하는 몸을 통해 드로잉적 회화를 선보인 것 같다. 붓이나 물감을 사용하면서 면이 나오고, 드로잉에서 회화로 중첩이 되면서 퍼포먼스 요소가 드로잉보다 더욱 강렬하게 드러나는 것 같다"고 말한다. 이건용의 작업에서 특히 주목할만한 점은 지각의 현상학자인 메를로-퐁티Maurice Merleau-Ponty(1908~1961)의 신체론이 그의 예술에 미친 영향이다. 메를로-퐁티에 따르면 회화는 몸을 만나고 또한 접촉하면서 그 몸을 그려낸다. 정확히 말하면 몸에 의한 지각이요, 몸에 의한 의식의 결과물이 회화인 것이다. 따라서 몸의 존재론은 예술의 존재론이 된다. 그에 있어 몸은 체화된 의식conscience incarnee이다. 몸은 세계를 하나 되게 구조화한다. 몸과 세계는 뫼비우스 띠처럼 얽혀 있으며, 안과 밖의 구분이 없거니와 몸

---

15 독립 큐레이터 안소현의 평문, 「이벤트-로지컬: 지금, 다시, 그 자명함에 대하여」 참고.

은 우리와 세계를 이어주는 살아있는 끈이다. 몸을 통해 지각한다는 것은 우리에게 세계를 우리 삶의 친숙한 환경으로서 나타나는 세계와의 생명적인 의사소통이다.[16] 몸Leib, chair, body은 의식과 별개의 객관적인 신체가 아닌 주체의 신체이며 고유한 몸corps propre이다. 나의 실존이란 내가 지각하며 살아있는 몸을 파악하는 고유한 방식이다. 그리하여 나는 몸을 통해서 나를 볼 수 있다. 메를로-퐁티에서의 몸은 지각과 행위의 중심이며, 표현하는 능력의 핵심이고, 모든 언어와 의미의 핵심이다.[17] 이런 관점, 즉 소통과 표현으로서의 몸은 이건용의 작품에도 상당 부분 적용된다고 하겠다.

작가 이건용은 예술가의 신체, 곧 몸이 아주 중요한 예술적 매개물이 될 수 있으며, 또한 되어야만 한다고 믿으며 작업해오고 있다. 이를 실현하기 위한 것이 앞서 언급한 그의 〈신체 드로잉〉 연작이다. 그의 회화적 이미지는 우리의 신체조건이 그린다는 행위 작업에 미치는 영향이며, 몸이라는 조건을 매개로 해서만 이루어지는 세계에 대한 우리들의 인식이다.[18] 이건용은 '예술이란 무엇인가'에 관한 근원적인 물음에서부터 출발하여 회화의 본질과 존재의 근거를 자신의 끊임없는 실험을 통해 찾고자 한다. 몸 혹은 신체와 작품이 전시되는 장소 및 관객이 맺는 관계는 그의 작품을 통해 서로 공존한다. 이건용의 이러한 시도는 다양한 작품의 내용과 방법, 형식을 이루고 있다.

작가 이건용은 자신이 원래 의도하지 않았거나 중요하게 여기지 않은 것, 예상치 못했던 것들 즉, 의외의 예술적 성과들까지도 담아내려고 한다. 작

---

16   메를로-퐁티, 『지각의 현상학』, 류의근 역, 문학과 지성사, 2006, 105쪽.
17   리차드 슈스터만, 『몸의 미학』, 이혜진 역, 북코리아, 2013, 129쪽 참고.
18   전시를 기획하며 소개한 최진희의 글 참고.

가는 "과거에는 우연과 실수를 허용하지 않았다. 하지만 인간은 과오도 범하고 실수도 하면서 우연과 만난다. 그리하여 자기 안의 세계와 끊임없이 마주한다. 회화는 생각하는 대로만 결론지어지는 것이 아니다. 내 회화는 고도의 성과를 배제하고, 그 방법과 시간에 있어서 누구나 할 수 있는 일이다. 누구와도 소통이 가능하다는 것을 의미한다. 결국 보다 더 소통하기 위함"이라고 강조한다. 이건용의 작품을 통해 우리는 그리는 행위에 몸이 미치는 영향을 다시금 생각해본다. 그리하여 몸을 매개로 하여 우리가 살고 있는 세계를 인식할 수 있다. 그의 회화적 몸은 신체 드로잉을 거쳐 몸이 그리는 경관이며 전경인 '바디스케이프'로 수렴된다. 그는 작업현장에서 몸으로서 예술과 소통을 꾀한다. 이 소통은 작품을 바라보는 관객에게도 그대로 유지된다. 우리 몸이 보여주는 것이 곧 예술이 보여주는 것이며, 몸 자체가 예술매체이고 이는 자연의 일부가 된다. 이건용의 작품은 자연이 그러하듯, 우리 몸이 소멸과 순환을 반복하며 예술의 장場으로 회귀하는 생태계의 일원임을 확인해준다.

이건용, 〈The method of Drawing 76-1-2011-B〉, 2011, 60×72cm, Acrylic on canvas

이건용, 〈he method of Drawing 76-2-2011〉, 2011~2014,
260×194cm, Photo and Acrylic on canvas

이건용, 〈The method of Drawing 76-4-2015〉, 2015, 91×117㎝, Acrylic on canvas

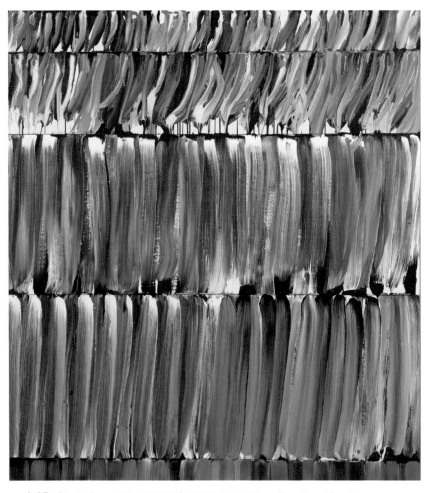

이건용, 〈Body Scape 76-1-2017-B〉, 2017, 171×151㎝, Pencil and Acrylic on canvas

이건용, 〈Body Scape 76-1-2017-C〉, 2017, 171×151㎝, Pencil and Acrylic on canvas

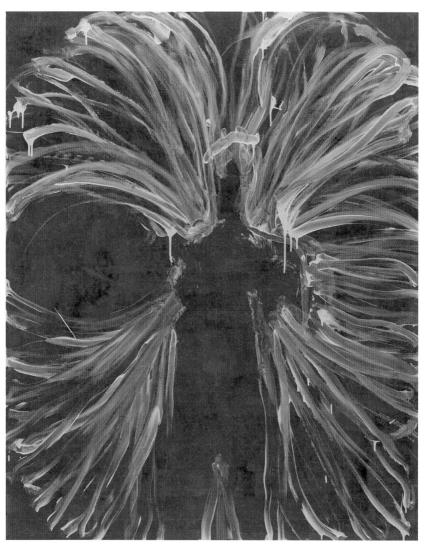

이건용, 〈Scape 76-2-2017-01〉, 2017, 162×130cm, Acrylic on canvas

3. 생성공간의 확장과 반영으로서의 '거울' : 이열의 〈거울형 회화〉

이 글에서 필자가 소개하고 논의할 작가 이열의 작품은 〈거울형 회화-배꼽에 어루쇠를 붙이다〉(2017년 제작 3점), 〈거울형 회화-배꼽에 어루쇠를 붙이다〉(2018년 제작 1점), 그리고 〈Mirror Painting〉(2019년 제작 4점)으로 모두 8점이다. 이 가운데 다섯 작품 사진을 올린다. 작품의 중심소재는 거울이며 이를 둘러싼 회화적 모색의 가능성이다. 작가 이열은 학부시절에 사실성에 바탕을 둔 구상작업을 꾸준히 하다가 그 후 차츰 번짐이나 드리핑 기법 등을 시도하고 평면의 공간성을 강조하며 추상표현작업을 하게 된다. 작업하는 중에 사물의 생성과 소멸의 과정에 눈을 뜨며 원시적 이미지요소를 찾게 되고 근원적인 것을 탐색하게 된 것으로 보인다. 내면세계를 서체적 접근을 통해 풀어가며 덧칠이 아니라 붓의 즉흥적 움직임을 활용한 일필일획으로 투시하고 자유로운 독자적 작품세계를 모색한 것이다. 그리하여 그가 추구하는 본질이 자신의 조형어법에 자연스레 스며들게 한 것으로 보인다. 이제 이러한 작업에 이르게 된 맥락을 좀 더 짚어보고, 작품에 담긴 미학적 의의를 살펴보려고 한다.

1989년 바탕골 미술관에서의 첫 개인전의 주제인 〈생성공간-변수〉는 2011-2012년에 이르기까지 20여 년 간 다수의 연작으로 이어지고 이후의 작품에 일관되게 영향을 미치고 있다. 왜 생성공간인가? 그는 보이지 않는 세계를 어떻게 보이게 할 것인가를 보여주는 일련의 과정을 생성공간으로 풀어 본다. 영겁의 공간은 무한하며 자연은 생성과 소멸의 과정을 되풀이한다. 여기에 제시한 생성공간과 변수의 상관관계는 작품세계의 중심축을 이루며 변화를 보이고 있다. 특히 변수變數란 어떠한 대응 관계에 영향을 미치며 변화하는 요인이다. 그런데 이는 수학적인 함수관계로 대응하여 주어진 범위 안에서 변화하는 수이기도 하다. 변수는 우연적인 것의 개입으로 발생한다. 그리고 변수에는 우연에 따른 시간이 개입된다. 세상은 우연적인 것과 필연적인 것, 원인과 결과, 나아가 이를 넘어선 합목적적인 관계로 이루어진다. 원래 자연은 필연적 우연과 우연적 필연을 함께 포괄한다.[19] 궁극적으로 사라지는 것은 없으며, 단지 에너지가 이런 저런 모습으로 변화하여 지속될 뿐이다.[20] 이런 과정에서 우연적 개입의 변수, 또는 어떤 주제를 바탕으로 하되 여러 가지로 변형한 변주變奏나 변화를 엿볼 수 있다. 어떤 이는 예술에서 의미를 찾으려고 하기 보다는 예술을 예술자체로 경험해야 한다고 주장한다. 어떤 면에서 타당한 말이라 여겨진다. "해석한다는 것은 의미라는 그림자 세계를 세우기 위해 세계를 무력화시키고 고갈시키는 일"[21]이기도 하기 때문이다. 이런 주장에 따르면, 예술은 세상 속에 있는 어떤 것이지, 그저 세상에 관해 말해주는 텍스트나 논평은 아닌 것이다.[22] 무엇보다도 작품을 통해 작가의 숨은 자아를 만나는 일이 중요하다. 작가는 자신에 관해 말하는 것이 아니라 자신에게 회화적으로 말을 걸어 본질이 무엇인가를 묻고 캐어 낸다. 즉, 본질을 드러내기 위한 방식인 것이다.

작가 이열은 2006~2007년 남아프리카공화국의 케이프타운에 체류하며 연중 온화한 그곳의 상쾌한 바람과 햇살 좋은 쾌적한 날씨로 인해 색의 발

---

19 자연의 이중적 의미에 대한 논의는 김광명, 『칸트의 삶과 그의 미학』, 학연문화사, 2018. 특히 제3장 칸트미학에서의 자연개념을 참고하기 바람.
20 김상욱, 『떨림과 울림』, 동아시아, 2018, 219쪽. 저자는 진동은 기계적이지만 떨림은 인간적이라고 지적한다. 우주는 우리가 알 수 없는 암흑물질 혹은 암흑에너지(96%)로 가득하다.
21 수전 손택, 『해석에 반대한다』. 이민아 역, 도서출판 이후, 2003, 25쪽.
22 수전 손택, 앞의 책, 45쪽.

색이나 표현이 강렬해지고 아주 밝은 분위기의 그림을 그리기도 했으나, 귀국 후에는 차츰 원색이 퇴조하게 되었거니와 거칠고 걸쭉한 돌가루나 부드러운 유리가루를 사용하여 깊이 감을 더해 표현하게 되었다. 광택을 최소화하고 과슈에 혼합한 검은색에 스며 든 깊이와 무한한 느낌을 자아낸 것이다. 작가 이열은 새로운 기법이나 재료, 시대상황에 대한 나름대로의 모색을 추상표현성에 담아 표현하였다. 어떤 틀이나 형태를 빌어 작가 자신이 추구하는 이미지를 담아낼 수 있지만, 모던적 사유에서는 소재나 기법은 본질을 드러내기 위한 것으로 부차적이다. 하지만 포스트모던적 사유에서는 이 양자의 본말이 전도된다.[23] 그렇다 하더라도 무엇이 본질인가라고 물어야 하는 것은 작가에게 끊임없이 던져진 과제이다. 그것은 작가자신의 내면세계에 깊이 자리한 근원적인 것이기 때문이다. 이를테면, 〈거울형 회화-배꼽에 어루쇠를 붙이다〉에서 '어루쇠'란 쇠붙이를 갈고 닦아서 만든 거울을 가리킨다. 말하자면 쉽게 변하지 않고 오래 지속하는 강인함에 부쳐진 '쇠붙이 거울'이다. 배꼽은 모체와 생명을 이어준 흔적으로서 사람 신체의 중심에 자리한다. 이열은 거기에 어루쇠를 붙임으로서 그 중심의 속까지 꿰뚫어 보려고 시도한다. 이에 우리는 본질을 드러내기 위한 가능성을 읽어내는 작가적 안목을 눈여겨 볼 필요가 있다. 그는 사물에 대한 예리한 관찰을 토대로 현상과 내면의 조화를 꾀하는 것으로 보인다. 상상력이 숨 쉴 공간으로서의 여유와 여백은 예술과 삶의 연관성을 드러낸다. 자신의 삶이 작품에 투영되도록 자신의 삶을 지탱해주는 가치를 압축하여 표현한 것이

---

23   소재와 기법을 본질에 대응하여 보면, 소재와 기법은 주변부로, 본질은 중심부로 볼 수 있을 것이다. 중심부가 주변부를 재단하는 것이 아니라 주변부를 통해 오히려 중심부를 들여다보는 것이다.

다. 여기에 다양한 모양의 틀이 거울을 감싸는 테두리로서 등장하게 되고, 거울에 중첩하여 비친 형상은 삶의 의미를 내면에 깊이 쌓아둔 것이다.

작가 이열이 소재로 택한 거울이란 10여 년 전 동두천 미군기지 철수 현장에서 나온 것을 처음으로 수집하게 되고, 2014년부터 거울을 재료로 한 본격적인 작업이 시작되었다. 이어서 2015년 파리 국제예술공동체Cité des Arts에서 1년간 레지던시로 머물면서 인근의 벼룩시장이나 골동품가게에 들러 특별한 관심을 두고 구한 데에서 거울소재의 작업은 더 심화된다. 거울의 테를 두른 프레임은 시대의 취향을 담고 있으며 아울러 오브제의 성격을 띠고 있다.[24] 거울 작품에서는 보는 각도와 방향에 따라 이미지들이 다르게 보이기도 하고, 거울 표면을 깎아낸 표면의 흔적들은 켜켜이 쌓인 시간의 흔적을 보여준다. 거울은 우리 마음에 남긴 이미지의 잔상을 만들어낸다. 거울이란 빛의 반사를 이용하여 물체의 모양을 비추어 보는 물건을 가리키고, 어떤 사실을 있는 그대로 드러내거나 보여 주는 것을 비유적으로 이르는 말이기도 하다. 작가는 거울이 지닌 본래의 비추는 효과나 기능을 넘어 선과 색의 자유로운 조합을 통해 새로운 이미지를 드러내고자 한다. 〈생성공간-변수〉가 거울이라는 매체에 의지해 시공간을 넓혀 간 것이다. 이 때 생성공간은 생성의 과정에 따라 변화하며 우연적 변수가 자연스레 개입된다.[25]

---

24 미술평론가 정연심은 이러한 이열의 작품에서 회화적 흔적과 시간의 흔적을 함께 읽고 있으며, 또한 여백의 공간에서 동양화의 필묵에 보인 선의 역동성과 유영하는 색채를 아울러 본다.

25 *Art in America*의 편집장인 리처드 바인(Richard Vine, 1948~)은 이열이 "한국 추상 예술의 평면성과 역동성을 서양의 우발적인 충동과 결합시키며 형식적인 구성과 제스추얼리즘 사이의 균형을 취한다"고 말한다. 또한 한국의 평면성과 역동성을 이분법 속에서 완성해 낸다고 한다. 이 이분법은 검정과 갈색계열의 어두운 톤의 그림들과

거울회화를 통해 작가가 보여주고자 하는 것은 무엇일까? 평론가 전영백은 작가 이열이 표현방식이나 매체를 바꾸어 오브제를 활용한 입체감의 작업을 한다는 뜻에서 '거울회화'를 새로운 실험이라 말하기도 한다. 거울 안에 갖춰진 여러 겹의 천은 기억이 쌓인 지층의 단면처럼 오래된 형상의 흔적이며 또한 바라보는 관람자의 이미지가 거듭 겹치거나 포개어져 나타난다. 전통회화와는 매체나 표현방식이 다른, 거울이나 유리가 지닌 속성은 생성의 공간을 이룬다. 작가 이열은 세월의 흔적이 밴 거울표면의 부식과 얼룩을 자연스럽게 이용하고 여기에 붓자국이나 스크레치를 더하여 회화적 변용을 모색한다. 거울에 비친 시공간은 보이지 않는 세계의 이면을 드러낸다. 이열은 거울과 액자 오브제를 사용하여 거울을 소재로 회화적 가능성을 탐색함으로써 캔버스와 안료로 이루어진 전통회화의 프레임을 벗어나 현대 작업과 접목한다. 낡은 틀의 액자에 오래된 거울은 작가에게 세상을 새롭게 지각하는 표현성의 확장으로 등장하게 된 것이다.

작가 이열은 거울표면에 자신이 의도한 질감을 얻기 위해 특수용액을 사용하여 반사면을 부식시키거나 도구로 긁는 등 부단히 각고의 실험과 모색을 반복한다. 부식된 거울 너머 희미하게 보이는 상象의 윤곽은 그림의 중요한 부분이 된다. 드러난 상象과 그것의 배경은 상호보완작용을 한다. 형식적인 표현방법과 재료 및 표현매체에 대해 작가 이열은 "그동안 추구해왔던 작업이 크게 변화했다고 생각하지 않는다. 거울이라는 재료에서 차이를 보일 뿐이다. 거울에는 누군가를 비추고 반영한 오랜 세월의 시간이 쌓여 있다. 그것은 세월의 흔적과 상처를 암시한다. 거울은 또 다른 생성의 마당이자 증식增殖의 공간이다."라고 말한다. 그의 거울회화 작업은 시간과 더

밝게 채색된 나무의 형상들에서 대조를 이룬다.

불어 생성된 공간의 의미를 새로운 시각에서 바라보게 하며, 우리와 교감하고 공감의 폭을 넓혀준다. 외출하거나 외출에서 돌아올 때 적어도 하루에 몇 번씩이나 거울을 접했을 우리의 일상을 돌이켜보면, 작가 이열의 거울회화 작업은 우리가 지금까지 살아 온 삶의 이미지가 투영된 시공간을 되돌아보게 하고 앞으로 펼쳐질 세계를 가늠하게 한다.

이열, 〈거울형 회화-배꼽에 어루쇠를 붙이다〉, 2017.05, 129.5×160.0㎝, Mixed Media

이열, 〈거울형 회화-배꼽에 어루쇠를 붙이다〉, 2017.05, 81.0×180.0㎝, Mixed Media

이열, 〈거울형 회화-배꼽에 어루쇠를 붙이다〉, 2017.07, 97.0×70.0㎝, Mixed Media

이열, 〈mirror painting〉, 2019, 34.2×34.2㎝, Mixed media

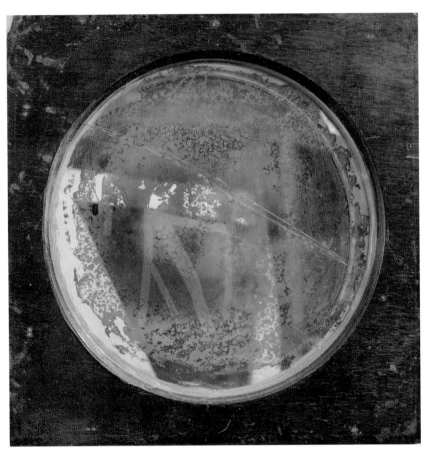

이열, 〈mirror painting〉, 2019, 31.6×32.2㎝, Mixed media

4. 시공간의 동양적 조형화를 통한 정체성 모색 : 이종목의 작품세계

여러 면에서 궁리하고 탐구하는 작가 이종목의 예술세계에 대해 다양한 해석이 가능하겠지만 필자의 생각엔 그는 시공간의 동양적 조형화를 통해 줄곧 자기 정체성을 모색해 온 것으로 보인다. 그는 전통적인 한국화의 소재와 구성에 대한 여러 실험을 통해 필筆과 묵墨의 다양한 변주의 가능성을 꾀하고 있다.[26] 그간에 수묵담채를 토대로 생동하는 한국적인 미감을 동양적 세계관에 기대어 천착하면서 전통과 근대에 대해 깊이 사색을 해 온 것이다. 작가 이종목의 작업 경향을 보면, 초기에는 수묵과 색채를 다양하게 사용하면서도 동양화의 한계를 인식하고 재료의 물성을 살피고 질감이 빚어낸 동적인 어울림을 표현하였다. 산山과 물水로 대변되는 자연의 경계를 탐색하고 이어서 시공간을 넘어 자유로움 그 자체를 찾아 나선 것이다. 나아가 도시, 인물, 자연 풍경을 서정적으로 표현하고, 여러 재료를 과감하게 도입하여 물성의 변화를 예리하게 관찰하고 그 역동적인 흐름을 좇아 자연 풍경과 내면 풍경의 존재 방식을 다양하게 펼쳐 왔다.

특히 2010년 〈Holy Paradox〉 연작부터는 철판을 사용할 뿐 아니라 캔버스에 화려한 색채와 강렬한 필치의 아크릴 작업을 선보이는 등 수묵의 정신세계를 확장하여 자유롭게 표출하고 있다. 만물이 서로 모순되고 상반된 에너지로 결합되어 있음을 〈Holy Paradox-Hidden Love〉(2012)와 〈Holy Paradox-花神〉(2017)의 화폭에 담았다. 특히 〈Holy Paradox〉연작에서 작가

---

26 평론가 신항섭은 이종목에게서 점, 선, 면을 중심으로 필묵의 현대적 변용을 모색하는 것으로 보며, 순수한 선의 다채로운 조형미를 추구한 것으로 본다.

는 태초의 혼돈에서 비롯된 모순과 역설을 '성스럽다'고 표현한다. 작가는 패러독스에 덧붙여 왜 '성스럽다'고 표현하는가? 아마도 실체의 원인이나 근거를 밝힐 수 없기에 오히려 경배敬拜의 대상으로 보며, 이를 성(聖)이라는 수식어에 담아 표현하려는 듯하다. 패러독스는 참된 명제와 모순되는 결론을 낳는 추론으로서 이율배반二律背反인 바, 이는 우주만물의 속성이기도 하지만 무엇보다도 우리가 사는 삶이 곧 자가당착自家撞着이요, 모순과 역설의 연속이지 않은가. 작가는 고요한 관조 속에서 만물의 이치를 깨달으며 이를 그림으로 펼쳐 보인다. 그런데 얼핏 보면 혼돈스럽고 복잡하여 모순으로 가득 찬 듯하지만, 그 내면을 들여다보면 조화와 질서를 엿볼 수 있다. 무릇 예술이란 밖으로 드러난 외면적 질서 뒤에 '숨은 질서hidden order'를 찾아 나선 긴 여정에 다름 아니다. 그의 〈신들의 땅〉(2012)에서 보인 수수께끼 같아 보이는 암호나 부호 같은 형상을 띤 신들의 자유로운 유희는 이러한 질서와 조화를 찾아가는 과정이다. 캔버스 위에 화려한 색채와 역동적인 필치의 아크릴 작업을 하면서 유희적인 붓의 흔적이나 자국을 남기고 내면의 무의식을 밖으로 드러낸다.

사물의 존재를 우리의 시지각에 비추어 크게 둘로 보면 비가시적인 것과 가시적인 것으로 나뉜다. 그런데 이 양자는 지각의 현상학자인 메를로-퐁티Maurice Merleau-Ponty(1908~1961)가 지적하듯, 애매성 가운데 경계가 불분명하게 섞여 있음을 우리는 알 수 있다. 이는 무無와 유有, 몸과 마음의 문제와도 연결된다. 흔히 말하듯, 몸은 가시적이지만 마음은 비가시적이다. 몸과 마음이 하나로 연결되어 있듯이, 가시적인 것과 비가시적인 것은 서로 섞여 있다. 양자의 상호작용을 통해 유기적인 생명은 유지된다. 작가 이종목은 생명현상의 미세한 발아 순간을 포착하며 생명의 신비는 오직 직관으로만 다가갈 수 있다고 본다. 비가시적인 것을 통해 가시적인 것을 보아야 하며, 가시적인 것 너머의 비가시적인 것을 헤아릴 때에 사물의 진수眞髓를 온전히 알 수 있는 법이다. 작가는 하늘과 땅 사이를 홀로 걷는다는 의미의 '건곤독보乾坤獨步'라는 아주 독특한 글씨체를 작품에 되새기는 중에, 우리로 하여금 인간실존의 의미를 과제로 던진다. 인간은 절대자 앞에 고독자로서 있기 때문이다. 안과 밖, 무한과 유한, 채움과 비움의 사이를 독특한 필체로 마치 유희하듯 노니는 미적 경지를 보여 준다. 이러한 경지는 우아하고 멋스런 정취로서 지악至樂과 무악無樂이 하나인 〈風流 1~6〉(2018)로 수렴된다. 속된 일상을 떠나 풍치 있고 멋스럽게 유희하는 중에 미적 경지를 체험하는 것이다.

그의 작품을 관통하는 깊은 사유가 있다면, 아마도 그것은 노자의 무위자연일 것이다. 노자의 『도덕경』 제1장의 끝에 '동위지현同謂之玄, 현지우현玄之又玄, 중묘지문衆妙之門'은 '그런 것 같기도 하고 그렇지 않은 것 같기도 하여 얼른 분간이 안 되고 이상야릇하여 모두가 묘하게 들락날락하는 문'을 가리킨다. 문은 들락날락하는 영역을 나누는 지점으로서 안과 밖의 경계에 있는 허공이며, 만물이 들고나는 오묘한 통로이다. 도道는 가히 추론하거나 추측할 수 없는 현묘하고 심원하다. 따라서 도道에 근원을 둔 만물은 다종다양하여 온갖 현묘함을 드러낸다. 중묘지문衆妙之門이란 비가시적인 무와 가시적인 유로 이루어진 천지만물이 들고나는 현묘한 문이다. 이치나 기예의 경지가 헤아릴 수 없이 미묘하고 심원하여 천지만물이 들고나는 경계가 심오하고 기묘하다. 이는 기운이 생동하여 경계를 자유로이 넘나드는 수묵의 정신과 맞닿아 있다.

특히 『도덕경』 41장에 등장하는 명제와 반명제, 정正과 반反은 서로 대립을 뜻하는 것이 아니라 오히려 양립과 병존을 통한 지혜의 터득이며, 이는 곧 작가의 예술정신으로 이어진다. 마치 음양이 상극이 아니라 상생의 원리인 이치와도 같다. 이는 이른바 서구문명사에서 발전과 진보의 원동력으로서 대립과 반목을 전제로 풀어가는 변증법적 화해와 지양止揚과는 판이하게 다르다. 이를테면, 작가의 작품에 '명도약매明道若昧, 진도약퇴進道若退, 이도약뢰夷道若纇, 상덕약곡上德若谷, 대백약욕大白若辱, 광덕약부족廣德若不足'[27] 등의 양면성으로 표현된다. 그의 작품에서 이들 경구가 화면의 오른 쪽에 여백을 두고 왼편에 대비를 이루며 자유분방한 필체, 즉 이종목체로 농담을 달리하여 쓰여 있다. 무엇보다도 주객主客의 분리라든가 시시비비是是非非의 구별이 별 의미가 없다. 이런 맥락에서 작가의 〈或重於泰山, 或輕於鴻毛〉(2018)는 동양화적 구상인 듯하기도 하고 아닌듯하기도 하며, 정正으로서의 무거움과 반反으로서의 가벼움의 경계를 아우르고 있다. 그림과 글씨에서 선과 점이 서로 얽혀 얼룩으로 빚어져 형상을 이루면서 양립과 병존의 모습을 보여준다. 작가는 이러한 양립과 병존을 인위와 무위자연이 물 흐르듯 조화를 이루는 경지로 풀어낸다. 〈꽃은 두 번 날리지 않는다〉(2018)에서 보는 바와 같이, 물의 흐름이 캔버스 위에 가변 설치한 도자기 사이를 감고 돌아 흐르는 모습에서도 이러한 경지는 여실히 느껴진다.

인간은 시공간적 존재이며, 예술 또한 시공간적 차원에 머무를 수밖에 없다. 작가는 시간의 공간화와 아울러 공간의 시간화를 도모한다. 시간이 채워진 내용이 공간을 이룬다. 태고의 시간을 응축시켜 공간화하고 다시 응축된 공간을 시간으로 펼쳐 풀어낸 것이다. 또한 긴 시간의 축적을 한 순간의 짧은 공간에 담아 작가는 "천년을 하루처럼, 하루를 천년처럼"이라 말한

---

27 '밝은 길은 어두운 듯하고, 나아가는 길은 물러나는 듯하며, 평평한 길은 울퉁불퉁한 듯하고, 높은 덕은 골짜기와 같으며, 큰 맑음은 더러운 듯 하고, 넓은 덕은 모자란 듯하다.'는 역설의 공존은 예술세계 뿐만 아니라 우리 삶의 영역에도 깊이 들어와 있다.

다. 이에 내면의 정신세계가 온축蘊蓄되어 자연스런 먹의 번짐과 은은한 맛의 감성이 뒤따른다. 그의 작업엔 긴 호흡의 먹과 필선의 향기가 묻어난다. 이는 아마도 작가 나름의 오랜 연륜에 걸친 내공이 쌓여진 뒤에 우러난 모필의 맛과 운필의 묘가 어우러진 산물일 것이다. 존재하면서 존재하지 않는 시간의 자취가 먹의 농담과 필선이 지나간 흔적에 알 듯 모를 듯 고스란히 배어 있다.

작가 이종목에게서 주목할 점 가운데 또 다른 하나는 중국 도자기의 본고장인 징더전景德鎭에서 작업한 세라믹 인장을 적극적으로 활용하여 자신의 작품세계에 도입한 일이다. 세라믹으로 된 인장印章은 붓으로 그린 듯, 손으로 빚어낸 수묵화에 다름 아니며, 인장으로 찍어낸 결과물 역시 그러하다. 주지하듯, 각刻은 서화의 낙관에 쓰이는 도장을 새기는 예술로서 글씨의 한 분야를 차지하고 있다.[28] 시간의 흐름과 공간의 다름에 따라 행해진 글씨의 함축된 힘은 여러 가지 모습과 더불어 인면印面 안의 자태와 함께 그 정취를 드러낸다. 더욱이 도자기로 만든 원판 도인陶印에 호랑이, 거북, 봉황, 물고기 등의 형상을 새겨 넣어 상상의 즐거움을 더한다. 그림과 글씨가 어우러져 그림이 글씨로 되고 또한 글씨가 이미지화된 그림을 나타난다. 어떤 것은 전체적으로 시간이 응축된 덩어리의 형상을 이루고 있다. 먹으로 화선지에 산수를 그린듯하나, 이는 전통 수묵화가 아니라, 어떤 변화된 모습으로서 오히려 탈장르화 된 제삼의 새로운 유형을 보여 준다. 때로는 자유자재로 붓이 지나간 흔적을 남기되 마치 낙서한 듯한, 또는 그리다 만듯하나 나름대로의 완성의 맛을 드러낸 그림들이라 하겠다. 미완에서 느낄 수 있는 독특한 완성의 맛이다.

---

28 흔히 시서화 일률(詩書畵 一律)외에 여기에 각(刻)을 더하여 사절(四絶)이라고도 한다.

작가는 그림 그리는 작업의 과정을 사람됨의 수행修行과 수양修養의 연장선에서 바라본다. 그에게서 화격畵格과 인격人格이 하나인 까닭이다. 그의 조형성은 밖보다는 안에 관심을 두고 이루어지지만, 밖을 통해 안을 들여다보는 것을 강조한다. 안과 밖의 경계는 옅어지고, 안과 밖은 서로 교감하게 된다. 로고스로서의 언어는 파장에너지로 변환되어 글씨의 모습으로 쌓이게 되고, 여기에 쏟은 시간들이 응축되어 나타난 결과물이 곧 그림이 된다. 따라서 그림 안에 과거로부터 현재까지 이어진 작가의 역사가 담겨 있거니와 그림이 곧 작가의 몸 안에 남겨진 무늬로 표출된다. 그는 만물의 생성과 변화를 주도하는 다양한 에너지의 힘을 여러 모습으로 화폭에 담아내려고 한다. 작가 스스로 기법보다는 정신이 중요하다는 입장을 취하지만 필자의 생각에는 기법의 변주 속에 내면세계의 정신이 담겨 있는 것으로 보인다. 이를테면 벽으로부터 바닥에 세로로 길게 늘어뜨린, 물을 만난 물고기의 형국을 그린 〈魚得水〉(2015)의 서예는 글씨의 특유한 리듬감과 조형성을 잘 보여준다. 그의 작품에서의 필선은 오랜 시간 탐구해온 수묵화의 정체성이 자기다움으로 발현된 결과이다. 붓이 전달하는 기운찬 생명력, 선의 자유로움에는 무위의 자연스러움이 깃들어 있다. 작가의 다양한 실험들은 수묵의 연장선 위에서의 변주이며 자기 정체성을 찾기 위한 모색이라고 하겠다. 이는 수묵세계의 무궁무진한 확장이요, 작가 이종목이 구축한 고유한 예술세계이다.

이종목, 〈Holy Paradox-Hidden Love〉, 2012, 182×92㎝

이종목, 〈How long will wander〉, 2012, 90×92㎝, 철

이종목, 〈魚得水〉, 2015, 600×175㎝, 한지에 수묵과 도인

이종목, 〈Holy Paradox - 花神〉, 2017, 109×78.8㎝, acrylic and pencil on paper

이종목, 〈꽃은 두번 날리지 않는다〉, 2018, 캔버스 위에 도자기 가변설치

이종목, 〈풍류〉, 2018, 140×70㎝, 한지 위에 채색, 6점

이종목, 〈或重於泰山或輕於鴻毛〉, 2018, 68×135.5㎝, 천 위에 목탄, 아크릴릭

7장
생명에 대한 생각과 깨달음

생명은 자연의 기본법칙들과 양립한다. 어떤 면에선 생명현상은 자연적인 과정으로서 아주 우발적으로 발생한다. 생명의 특이성이란 우리가 인정하지 않으면 안 되는 하나의 사건이다.[1] 살아 있다는 것은 우리에게 매우 소중한 가치인 만큼, 생명을 작품의 주제로 다루는 작가는 무수히 많다. 생명의 처음과 끝은 서로 맞물려 역동적으로 순환한다. 제한적이긴 하지만 몇몇 작가의 경우를 들어 그 의미를 생각하며 다루어보려고 한다.

작가 황인철은 생명의 역동적 과정에서 욕망과 환희를 본다. 우리는 회화적 사유를 통해 생명의 근거를 물으며 실존적 고뇌를 겪게 된다. 그리고 이러한 고뇌로부터의 치유를 모색한다.

작가 권경애는 생명의 모태인 자신의 '어머니'에 대한 회상을 통해 이 모든 과정을 풀어 본다. 모두에게 각자의 어머니에 대한 회상은 각별하겠으나, 작가 권경애는 여성으로서의 삶을 조건 없는 무한한 사랑으로 구현하는 은혜로운 어머니 모습을 떠올리며 작업에 임한 것으로 보인다.

작가 심영철의 설치 조형작품세계는 자연과 인간, 그리고 테크놀로지가 아름답게 조화를 이루고, 그 안에서 사랑이 움트고 생명이 숨 쉰다. 설치조형의 세계에서 아름다운 조화로서의 '사랑과 생명'을 확인하는 것이다.

'보리생명의 작가' 송계 박영대는 생명의 상징과 깨달음을 '보리'에서 찾는다. 근대화 이전의 전통적인 삶에서 우리에게 주어진 가난 속에서 '보리'는 춘궁기春窮期의 각박한 생활정서를 나타내는 주요한 소재이다. 작가는 강인하고 끈질긴 생명력의 상징적 의미를 원초적으로 대변하며, 보리의 생

---

1   Ilya Prigogine · Isabel Stangers, *Order Out of Chaos*, 1984. 일리야 프리고진· 이사벨 스텐저스, 『혼돈으로부터의 질서-인간과 자연의 새로운 대화』, 신국조 역, 자유아카데미, 2013(1판2쇄), 137쪽.

성과 성장, 소멸의 과정에서 생명의 거대한 순환과 깨달음을 표현한다.

1. 생명의 역동적 순환- 욕망과 환희 : 황인철의 작품세계

작품과 이론, 그리고 비평과 해석의 문제는 미학이 다루는 학문적 영역에서 매우 중요한 위치를 차지한다. 필자가 갖고 있는 평소의 생각은 어떤 외부 이론을 도입하여 작품을 평가하고 재단하기보다는 작품에 대한 내적 천착을 통해 이에 타당한 이론을 끌어내는 작업이 매우 중요하다는 점이다. 달리 말하면 해석을 통해 작품에 의미를 부여하는 것이 아니라 작품의 내부에 잉태된 의미를 발견해내는 것이다. 작품 안에서 의미를 발견하는 것과 작품 밖에서 의미를 부여하는 것은 근본적인 차이가 있다. 작품의 의미를 발견하는 일이 작품의 재창조를 위한 작가와 작품, 평자 혹은 관람객 간의 자연스런 환류還流, feedback이다. 위대한 작품은 우리가 작품을 체험하며 발견해내는 이해와 평가의 범주 안에 있다.[2] 이제 필자의 이러한 학문적 입장에 근거하여 조각가 황인철의 대표적인 여섯 작품을 토대로 그의 작품세계를 들여다보기로 한다.

오랜 기간 장인적 정련과정을 거쳐 습득한 황인철의 솜씨와 역량이 매우 탁월해 보이며, 소재로 택한 사물과 대상을 잘 마무리하여 자신의 예술언어로 표현하는 뛰어난 작가라 여겨진다. 작가는 극단의 기예적 정련精鍊을 거친 이후에 자신이 추구하는 예술의 본래 모습을 드러낸다.[3] 그는 조각이나 공예, 설치의 경계를 넘어 표현 영역을 줄곧 확장하며 작업해왔다. 작업의

---

2   Gary Gutting, *What Philosophy Can Do*, New York/London: W. W. Norton & Company, 2015, 201쪽.

3   이는 노자가 '대교약졸(大巧若拙)'이라 일컫는 것과도 비유된다. 이는 기술이 기술을 감추듯, 뛰어난 기술적 역량을 발휘하여 제작한 작품은 그 기술이 완전히 은폐되어 있어 마치 기술을 전혀 부리지 않은 듯하다.

초기엔 판금기법을 이용해 유기적인 곡선미를 추구하였고, 90년대 이후에는 금속공예와 어느 정도 거리를 두며 소재를 청동으로 바꾸어 주조鑄造에 전념해 온 것이다. 그는 공예의 미적 측면을 탐색하여 순수조형의 의지를 작품으로 승화하였다. 특히 생명의 유기적 특성에 관심을 기울이며 조형예술이 맺는 자연 및 생활환경과의 관계를 새롭게 설정하였다. 새로운 천년에 들어와 '생명', '생성', '생태' 라는 주제를 작품세계에 형상화하고자 하였다. 이러한 문제의식은 다루는 소재에 깊숙이 자리하고 있으며, 평론가 이일(1932~1997)이 언급한 바와 같이 '유기적인 원초주의'의 단초를 담고 있는 것으로 보인다.[4] 말하자면 생명을 품은 원초적 작품의 출발인 것이다.

황인철이 던지는 중심된 화두는 '생명'이다. 따라서 '생명'을 어떻게 표현할 것인가? 그리고 '생명'으로부터 무엇을 끌어내어 자신의 작품세계를 이끌어 갈 버팀목으로 삼는가? 이러한 문제는 전적으로 작가의 예술의지에 달려 있다. 〈영원한 생명-욕망〉은 날렵하게 유영遊泳하는 물고기의 형상과 입모양, 그리고 비상하는 날개의 모습을 빚은 것 같기도 하고, 전체적으로 보면 하늘을 향해 욕망의 나래를 펼치는 사람의 두상頭像과도 비슷해 보인다. 서로 다른 형상들이 유기적으로 결합하여 생명을 낳는다. 이렇듯 다의적 형상의 혼용을 보임으로써 우리의 상상력을 자극한다. 우리는 황인철의 작품에서 원초적 형상이 유기적인 구조로 통합되어 있음을 본다. 그는 자신의 내부로부터 발산되는 창조적인 열정을 기존예술의 전통에 머무르지 않고 새롭게 변형시키고 있다.[5] 작가는 생명에서 영원성을 읽는다. 물론 개

---

4   이 일은 「황인철 환경 조형전」 평론(1995)에서, 브론즈 특유의 촉감과 율동적인 곡선미를 덧붙인다.
5   김영호의 2000년 황인철 개인전 평론에서.

별자로서의 개체적 생명은 일정기간에만 지속할 뿐이지만, 보편자로서의 생명 자체는 이 세상이 존속하는 한, 영원히 지속된다.[6] 무엇보다도 생명을 가능하게 하는 요인은 살고자 하는 욕망과 욕구일 것이다. 욕망이나 욕구는 인간이 삶을 살아가는 데에 필수적인 동인으로 작용한다. 삶을 유지하는 데 필요한 적절하고 적합한 욕망이나 욕구가 충족되면 우리는 만족감과 쾌감을 느끼게 되고, 충족되지 못하면 고통과 불만, 불쾌감을 느끼게 된다. 아름다움은 직접적으로 우리에게 만족과 즐거움을 준다. 앞서 살펴 본 〈영원한 생명-욕망〉과 함께, 〈영원한 생명-환희〉는 선線의 처리에 있어서 추상화한 형태, 나아가 상징적 추상형태의 조각이라는 측면에서 브랑쿠시 Constantin Brancusi(1876~1957)의 〈공간의 새Bird in Space〉(1923)와 부분적으로 닮아 있으나, 황인철의 〈영원한 생명-환희〉는 생명을 잉태한 태초의 물질 현상으로서 원형질의 움직임을 표현하고 있다는 점에서 구별된다. 원형질은 항상성恒常性, homeostasis[7]을 유지하면서 활발한 생명활동을 영위한다. 그 과정에서 욕망은 '환희'로 바뀐다. '환희'는 몸의 즐거움과 마음의 기쁨을 통틀어 이르는 말로서 '매우 기쁜 상태이거나 커다란 기쁨의 경지'에서 우리가 체험하는 바이다. 카타르시스에 이르는 길목이다.

나아가 그의 〈생명-역동〉을 보면, 한스 아르프Hans Arp(1887~1966)의 〈인간구현체Human Concretion〉(1935, '인간의 응결'이나 '인체의 응고'로도 번역됨)가 떠오른다. 매끄러운 표면, 생물체의 미세한 움직임, 살아 움직이는 비정형적 유동성을 암시한다는 점에서 그러하다고 하겠다. 살아 움직이는 역동성

---

6 유럽의 중세철학에서 '보편논쟁'이라는 이름으로 '보편'의 존재여부에 관해 '개별자'와 '보편자' 간의 우위 논쟁이 있어 왔다.
7 생체가 여러 가지 환경 변화에 대응하여 내부 상태를 일정하게 지속적으로 유지하는 생명현상이다.

은 곧 생명을 뜻한다. 우리가 흔히 동양화에서 서화의 풍격과 뜻의 높은 경지를 기운생동氣韻生動이라 일컫는 것과도 같다. 인품이 높으면 기운이 높고, 기운이 높으면 놀라운 생동의 경지에 이르지 않을 수 없다. 살아있는 생기는 곧 생명력이다. 〈생명의 굴레〉는 태초의 생명을 낳는 여성 몸의 특성을 상징화하여 강조한 것으로 보인다. 그리고 생명의 역동적 힘에서 우리는 에너지의 변화와 순환을 보게 된다. 이는 우리에게 주어진 의무이자 법칙으로서 마치 영겁회귀처럼 지속된다. 생명존재가 영원히 반복된다는 인식은 생명에 대한 우리의 강한 긍정에서 비롯된다.

조각가 황인철의 대표작 가운데 하나인 〈서 있는 눈〉은 1994년 대검찰청의 청사 신축을 기념하기 위한 상징조형물로서 높이는 8m이다. '서 있는'의 의미는 직립보행하는 인간의 독특한 특성이라 하겠다. '서 있는'의 의미는 다양하겠으나 여기에서는 '깨어있는'의 의미를 함축하고 있다. '눈'은 사물을 응시하고 직시한다. 우리는 세계를 응시하고, 세계는 우리를 응시한다. 말하자면 주체와 대상 간의 상호응시이다. 이 작품은 머리를 위로 처들고 사색하며 언어를 사용하는 특성을 잘 드러낸다. 또한 '눈'은 사물을 지각하며 판단하는 동시에 세계를 향해 열린 창문이기도 하다. 눈을 두 손으로 감싸며 보호하고 있는 형상이다. 약간의 틈새를 두고 지상으로부터 하늘을 향해 모은 두 손, 그리고 그 길이를 달리 함으로써 약간의 변화를 주어 눈을 감싸 안은 모습이다. 두 손 사이의 빈 공간은 여유와 여백의 미美를 보여 준다. 모든 범죄로부터 국민을 보호하고 정의를 실현하라는 명령이 대검찰청 신청사에 담긴 투철한 사명감과 책임감으로 이어진다. 깨어 있는 눈을 통해 그 역할과 기능이 상징적으로 잘 드러나 있다. 이 소형물 외에 그가 창원시 공설운동장에 설치한 높이 11m의 새천년 조형탑인 〈얼·힘·빛〉(2000)은 주변 환경과 조형물의 조화를 잘 꾀한 것으로 환경조형물의 예술성을 한 차원 높인 것이라 평가된다. 특히 생명이 갖추어야 할 가치 지향성을 아주 명료하게 담고 있기에 그러하다. '얼'은 정신의 줏대로서 넋이요, 영혼이며, 역동적인 생명을 얻고 있다. '빛'은 단지 물체를 지각한다거나 공간을 지각하는 데에 머무르지 않고 존재와 진리의 근간이기도 하다. 이는 특히 옛 부터 밝음을 지향하고 숭상하는 우리 민족의 정신과도 연결되며, 여기서 우리는 새로운 시대의 밝은 미래를 향한 진취적인 기상을 엿볼 수 있다.

앞서 언급한 바와 같이, 황인철의 작품세계에 나타난 현대조각의 흐름을 보면 브랑쿠시나 아르프가 시도한 추상조형의 특색과 연결된 맥락을 찾을 수도 있겠지만, 자기 고유의 것을 찾아가기 위한 모색의 수련과정으로 여겨진다. 소재의 다양한 특성을 찾는다거나 장르의 경계를 확장하고 환경조형성에 대한 인식을 새롭게 한다는 점에서 황인철의 실험적 작업은 계속될 것이다. 무엇보다도 생명이 없는 소재에 자신의 감정을 투사하여 유기적인 생명체로 완성해 낸다는 점에서 그러하다. "모든 것은 변한다. 이 세상에 변하지 않고 그대로 지속되는 것은 없다. 모든 사물은 유동적이고 사물의 겉모습은 일시적이다."[8] 이 세상의 어떤 것도 처음 태어난 그대로 고유의 외양을 유지하지 못한다. 자연은 사물을 새롭게 변화시키며 이런 형태에서 저런 형태로 사물을 바꾼다. 하지만 이 세상에 있는 어떤 것도 사라지지 않으며, 단지 사물은 변하고 형태를 바꿀 뿐이다.[9] 이러한 변화 속에서 비본래적인 것을 벗어나 본래적인 것을 찾는 과정으로서 생명의 의미를 묻는 일이 중요하다. 그것이 태초의 시작이기 때문이다. 황인철이 작품에서 추구하는 원초적 생명력은 생명의 역동적인 순환에 기인하며 이는 영원한 생명

---

8 오비디우스, 『변신 Metamorphoses』, 이종인 역, 열린책들, 2018, 565쪽.
9 오비디우스, 앞의 책, 568쪽.

력으로 이어진다.

환경은 예술과 필연적인 관계를 맺고 있으며 유기물의 생명체와 무기물의 비생명체는 생태학적 균형을 이룬다. 환경은 우리의 생명체를 유지해주는 몸의 거처이며, 예술은 마음을 다스려주는 거처이다.[10] 우리는 환경을 통해서 예술을, 그리고 예술을 통해서 삶을 들여다봐야 한다. 모든 생명, 모든 인간이 보다 바람직한 환경을 찾고 만들어가는 것은 자연의 필연적인 이치이다. 인간의 삶이란 개별적인 나의 삶으로부터 시작하되, 사회 환경이나 자연환경의 세계를 거쳐 다시 '나'에게로 회귀한다. 일찍이 어떤 철학자는 '나'라는 인간을 '체험'하는 것, 그것이 곧 '삶'이라고 말한 바 있다. 개별적 개체로서의 '나'와 '공동체'가 이루는 세상은 생명현상을 공유하며 상호 관계를 맺고 있으며 원환고리처럼 연결되어 있다. 황인철의 조각세계는 우리에게 이를 다시금 새롭게 각인시켜준다고 하겠다.

---

10 박이문, 『생태학적 세계관과 문명의 미래-과학기술문명에 대한 대안적 통찰』, 미다스북스, 2017, 589쪽.

황인철, 〈영원한 생명-욕망(Eternal Life-Desire)〉, 2007, 69×16×64㎝, 브론즈

황인철, 〈영원한 생명-환희 01(Eternal Life-Delight 01)〉, 2007, 101×21×76㎝, 브론즈

황인철, 〈생명-역동(Eternal Life-Vitality)〉, 2011, 88×26×31㎝, 브론즈

황인철, 〈얼, 힘, 빛(새천년 조형탑-창원시 공설운동장)〉, 2001, 11m,
브론즈, 스테인레스, 화강석

황인철, 〈생명의 굴레(The circle of life)〉2011, 43×22×60cm, 브론즈, 화강석

황인철, 〈서 있는 눈(Standing Eye)〉, 1994, 높이 8m, 대검찰청사 상징조형물

2. 생명의 근거와 치유로서의 회화적 사유 :
'어머니'에 대한 회상: 권경애의 작품세계

작가 권경애는 동덕여대에서 교육자로서 후진을 양성하면서 그간 20여 회의 개인전과 400여회의 단체전에 출품하여 작가적 역량과 독자적 예술세 계를 선보여 왔다. 또한 인천여성미술비엔날레 조직위원장, '한국여성미술 120인 전' 추진위원장, (사)한국여류화가협회 이사장 등의 직책을 비롯하여 여러 단체에서 예술행정가적 수완을 발휘하여 왔다. 권경애는 자신의 작품 을 통해 끊임없이 생명의 근거를 묻고, 유한자인 인간존재가 겪을 수밖에 없는 한계와 상처의 극복과 치유를 모색해 온 것으로 보인다. 그리고 이런 과정의 중심에 '어머니'의 이미지가 자리하고 있다. 특히 '금보성 아트센터' 에서의 주목할만한 전시(2017. 2. 16. ~2. 26)는 작가 자신의 '어머니'에 대한 간 절한 소망과 그리움이 기도문처럼 전개되어 있다. '어머니'에 각인된 작가 의 작품세계가 지닌 상징적 의미를 살펴보기로 한다.

작가에 있어 삶과 작품은 대체로 불가분의 관계에 놓인다. 그리하여 우 리는 작가적 삶과 예술의 동일성을 확인하게 된다. 작가 권경애 삶의 중심 에 어머니가 끼친 영향이 중첩된 이미지의 형상화로 나타난다. 회자정리會 者定離요, 생자필멸生者必滅이라는 순리 앞에, 얼마 전 사랑하는 어머니를 여 의고 자식 된 도리를 다하지 못한 깊은 회한悔恨에 잠겨 있는 필자는 전시장 에서 만나서 나눈 작가와의 길지 않은 대화 속에서 이런 영향이 작품에 체 화incarnation되어 깊숙이 녹아 있음을 느꼈다. 이 체화의 독특한 체험이 작 가민의 고유한 예술세계를 그리고 있다. 작가 권경애에게 어떤 어머니였기 에 이토록 절절한 여운으로 남아 있는가를 곰곰이 반추해본다. 작가의 어 머니는 제도권의 교육을 받지 않으셨지만, 결혼하기 전에 원불교의 여성 성직자인 교무를 가리키는 정녀貞女로서의 삶을 한동안 사셨다고 한다. 한 가정을 지키는 어머니의 삶에 그치지 않고 이 세상 사람들에게 조건 없이 사랑을 베푸는 어머니의 삶을 택한 것이다. 원불교는 우주의 무한한 생명력, 음양조화의 상생원리를 일상의 삶에서 수행하는 것을 덕목으로 삼는다. 작가는 여성으로서의 삶을 조건 없는 무한한 사랑으로 구현하고자 하는, 자애롭고 은혜로운 어머니 모습을 떠올리며 작업에 임한 것으로 보인다.

작가 권경애는 이미 '갤러리 가이아'에서의 전시(2012. 7. 18. ~7. 24)를 통해 세상에서 가장 아름다운 단어인 '어머니'의 이미지를 회화적으로 표현한 바 있다. 새로운 삶, 진실한 사랑, 자연의 위대한 삶, 최선을 다하는 삶, 절제, 희망, 가치 있는 삶의 실천, 절대자에 대한 믿음 등의 화두를 어머니로부터 이어받아 그 깊은 뜻을 생각하는 시간들로 채워진 작품들이다. 언제나 바르고 조용한 인품을 지닌 어머니에 대한 작가의 회상은 단출한 유품 속에 '상선약수上善若水'라고 쓰인 서예작품 넉 점으로 거슬러 올라간다. 이는 아마도 어머니의 네 자녀들에게 주시려는 듯 곱게 싸여 있었다고 한다. 잘 아는 바와 같이, '상선약수上善若水'는 노자사상의 압축된 표현으로 '으뜸 되는 선善은 물과 같다.'는 의미이다. 우리가 바라고 소망하는 이상적인 삶이란 물의 자연스런 흐름을 따르는 것이리라. 물은 모든 만물에 생명을 불어넣어 성장하게 하며, 위에서 아래로, 높은 곳에서 낮은 곳으로 흐른다. 물은 자신의 모습을 고정시키지 않고 항상 변화를 가능하게 함으로써 상대방을 거스르는 일이 없다. 모든 것이 자연스레 흐르면서 여러 가지 덕을 지니는 물처럼 살아가는 것이 도가사상에서의 이상적 삶일 것이다. 특히 권경애는 '2015 세계수채화 트리엔날레'(제4부 전시, 2015. 6. 9. ~6. 14)에 '고임에 대하여'라는 주제아래 물을 매개로 색과 종이가 만난 '고임'의 상태에 착안하여, 셀 수없이 써 내려가는 '어머니'라는 글자가 점이 되고 선이 되어 면을 이룸을 표현했다. 어머니의 사랑이 시간과 함께 고이며 화폭에 그려진 작품을 선보인 것이다.

　작가의 작업은 어머니를 마음 속 깊이 부르는, 애잔하고 절절한 목소리를 담아 반복하여 써 내려간 작가자신의 실존적 흔적이다. 써나가는 행위는 생명을 받은 곳, 조건 없는 무한한 사랑의 세계를 찾아가는 귀소본능으로 회화세계를 펼쳐주고 있다. 월간 미술세계의 선임기자인 백지홍은 '갤러리 미술세계'에서의 전시(2014. 4. 23.~4. 29)에서 "어머니, 작가를 둘러싼 우주"라는 주제로 언어의 회화적 특성을 고찰한 바 있다. 작가는 자기수양의 과정으로 반복된 작업을 통해 자신의 세계를 심화하고 확장한다. 생명, 죽음, 사랑, 열정 등을 상징하는 적색과 그 대척점에 있는 청색에 대한 탐구를 엿볼 수 있다. 음양의 조화를 상징하는 적색과 청색은 작가의 중심적인 색상이다. 화폭의 양면을 적절하게 나누어 각각 적색과 청색의 점과 선과 면이 대조를 이룬다. 그리고 서로 다른 평면을 맞대어 이른바 '다름의 어울림'을 모색한다. 다름에 머무르지 않고 어울려 조화를 꾀한 것이다. 또한 곧게 뻗은 수직은 태어남의 강한 힘을, 비스듬한 선은 변화와 역동성을, 수평선은 정지와 죽음을 상징한다. 2000년에 어머니의 갑작스런 타계로 작가의 삶에 새로운 전환점을 맞이하게 되면서, 화구를 펼쳐들고 그저 어머니 세 글자만을 반복해서 적어나갈 뿐이었다고 다음과 같이 말한다. "어머니를 부르는 그림을 그리기 시작했다. '어'자를 쓰면 어머니가 오시는 것 같고 '니'자를 쓰면 어머니가 가시는 것 같은 거다." 어머니가 남겨놓고 떠난 일기장에는 어머니의 인생 십계명을 비롯한 어머니의 세계가 담겨 있었다고 작가는 말한다. 이와 같은 시종始終은 지금까지도 지속되는 작업이며, 앞으로도 계속 이어질 것이라고 작가는 다짐한다.

　우리가 잘 알면서 반복하는 이야기이지만, 생명의 거처로서 유일한 세계인 '어머니'는 개별자이며 보편자이다. 이 양자를 함께 아우르는 바가 보편적 개별자요, 개별적 보편자인 것이다. "우리가 여기 있다는 것은 무지무지하게 작은 것 속에 우리가 있으며, 동시에 또한 무지무지하게 큰 것 속에 있다. 어머니라는 존재로 인해 내가 있듯 '나'란 존재는 수많은 것들과 연결되어 있다. 큰 우주까지 연결되는 온갖 것들이 집약되어 현재의 '나'가 존재한다."라고 작가는 말한다. 작가 권경애의 캔버스에서 반복되는 어머니는 나에게서 타인으로, 다시 진정한 나에게로 되돌아오는 모멘텀이다. "일부러 어떻게 해야겠다는 의도를 가지고 작업하는 것이 아니라, 나는 그냥 어머니라고 쓸 뿐이다. 그 과정을 통해 내 안에서 생각이 정리되고, 회화의 세계가 내게 접근해온다. 어머니가 돌아가신 후 나는 매일 아침 새 생명을 받은 것처럼 기뻐하며 살고 있다."라고 이어 말한다. 적색과 청색이 빚어내는 삶의 상징, 음과 양의 조화를 이루며 반복된 글자 '어머니'는 작가의 회화적 사유의 중심이다. 작가는 여러 스승들로부터 배우는 중에, 영원한 생명과 완전미를 추구한 표승현(1929~2004)선생으로부터 삶의 구원의 의미, 예술에 이르는 구도자적 자세를 깨달은 것으로 보인다. 비록 창작물이 완성을 지향한다 하더라도 그 앞에는 구원을 갈망하는 모든 생이 늘 미완으로 남아 있기 때문이다. 완성을 추구하되, 미완으로 머무르는 영원한 진행형인 것이다. 마치 미완에서 완성을 보는 미켈란젤로나 다 빈치의 예술세계를 떠올리게 하는 것과도 같다.

작가 권경애에 있어, 체화된 회화적 사유는 객관적 접근을 통해 변형되기 전에 원초적인 감각경험을 일깨우고 회복시키려는 시도이다. 체화된 회화적 사유는 세계의 타자성他者性을 유지하고 보존함으로써 세계를 구원해 내려고 한다.[11] 우리는 여기서 실존을 긍정하되 세계로의 개방성을 추구하며, 새로운 삶vita nova을 지향한다. 아름다움을 창조해내는 능력이 곧 생존의 이유이며, 그 주된 특질이다. 메를로-퐁티Maurice Merleau-Ponty(1908~1961)는 마지막 저술인『눈과 정신』(1961)에서 "화가는 자신의 몸을 세계에 빌려줌으로써 세계를 회화로 바꾼다."[12]고 말한다. 회화 속에서 지각하는 자와 지각되는 것은 겹친다. 지각하는 주체가 지각되는 객체의 구성에 동참한다. 자신의 존재를 확인할 수 있는 유일한 근거이다. 체화 혹은 육화는 우리로 하여금 자연의 기원으로 돌아가게 한다. 메를로-퐁티는 색이란 사물에 대한 입문이며 질감, 동일성, 차이 등을 나타내고 사물들의 심장으로 데려간다고 말한다.[13] 비슷한 맥락에서 권경애는 '어머니'라는 글꼴을 색으로, 선으로, 면으로 변형하여 우리를 생명의 근거에로 인도하는 것으로 보인다.

권경애의 회화적 평면은 중층적이지만 단색화면의 특성을 지니고 있다. 평론가 윤진섭이 지적하듯, 단색은 한 가지 색이 아니고 여러 색이 다층적으로 섞이되, 주도적인 단색을 드러낸다. 미술사적으로 보면 단색조의 화면은 모더니즘의 정신성 및 미니멀리즘의 양식과 일정 부분 공유한다. 어떤 이미지를 뚜렷하게 드러내지 않고 물감의 질료적 특성이나 흔적을 화면에 남긴다는 점에서 그러하다. 물성과의 만남에서 작가의 작위나 의도를 가능한 한 감춘다. 그리하여 작위적 의도를 숨기면서 단색의 화면이 물 흐

---

11   재커리 심슨,『예술로서의 삶-니체에서 푸코까지』, 김동규 · 윤동민 역, 갈무리, 2016, 334쪽.

12   시릴 모라나 · 에릭 우댕,『예술철학-플라톤에서 들뢰즈까지』, 한의정 역, 미술문화, 2013, 237쪽.

13   시릴 모라나 · 에릭 우댕, 앞의 책, 245쪽.

르듯 스스로 자연스레 전개된다.[14] 갈고 닦는 수행의 반복행위에서 관조와 명상의 자태를 엿볼 수 있다. 그 안에서 색의 미묘한 울림과 농담 및 면의 대비가 이루어내는 리듬감이 있으며 세련된 추상적 표현효과를 낳는다. 여기서 리듬감이란 곧 생명감이다. '상선약수'가 뜻하는 바, 작가는 면을 가득 채움으로써 역설적으로 자연스런 비움의 미학을 낳는다. 같은듯하면서도 다른, 다른듯하면서도 같은 반복을 통한 작가의 끊임없는 작업은 더 높은 예술적 경지에 이르게 한다. 권경애의 작업은 치열한 과정이지만, 그 결과물은 치열함을 넘어 치유와 무념무상의 평온한 경지를 아울러 일깨워준다.

---

14 김광명, 『자연, 삶, 그리고 아름다움』, 북코리아, 2016, 150쪽.

권경애, 〈Symbol - Red · Blue - Life〉, 2007, 73×91cm, Oil on Canvas

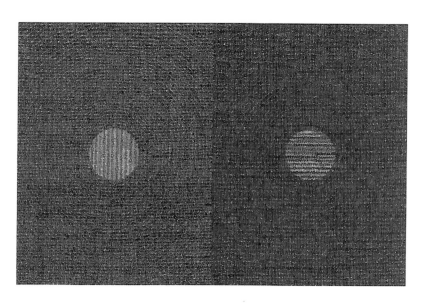

권경애, 〈Symbol - Red · Blue - Life〉, 2008, 73×91㎝, Acrylic on Canvas, 2점

권경애, 〈Symbol -Blue - Life〉, 2014, 72.7×91㎝, Acrylic on Canvas

권경애, 〈Symbol - Red · Blue - Life〉, 2016, 72.7×91㎝, Acrylic on Canvas

권경애, 〈Symbol - Red · Blue - Life〉, 2017, 72.7×91㎝, Acrylic on Canvas, 2점

권경애, 〈Symbol - Red · Blue - Life〉, 2020, 130.3×162.2cm, Acrylic on Canvas

3. 아름다운 조화로서의 '사랑과 생명' :
심영철의 설치조형세계

작가 심영철의 설치 조형작품세계는 자연과 인간, 그리고 테크놀로지가 아름답게 조화를 이루고, 그 안에서 사랑이 움트고 생명이 숨 쉰다. 필자가 보기엔 아름다운 조화의 근거는 사랑과 생명이다. 작가에게서 사랑은 예술의 바탕이자 신의 섭리이고, 기독교적인 데서 출발한다. 사랑의 결실로서 맺어진 생명은 원시적이며 원초적으로 태동한다. 그의 작품에서는 자연의 숲과 인공의 자연이 과학기술의 산물인 네온, 광섬유, 홀로그램, 비디오 등을 매개로 하여 아름다운 조화를 빚어낸다. 작가는 초중고교를 포함한 성장시절에 익혔던 무용을 통한 역동적인 몸의 움직임과 음악성 및 유화와 수채화의 체득이 작품의 출발이라고 말한다. 그리고 학부 및 대학원에서 학습하고 연구한 조각의 재료와 기법을 비롯하여 작업과정에 대한 진지한 이해, 미국유학(Otis/Parsons School of Art and Design, Golden State University) 중에 탐구한 조각적 환경매체에 대한 실험이 작가의 작품세계를 이루는 근간이 되고 있다. 그리고 지금까지의 작가적 삶에서 체험했던 내용들이 한데 어우러져 여러 소재와 방법론을 통해 조형화되어 나타난 것으로 보인다. 그간 심영철은 토탈미술상(1994), 한국미술작가상(2001), 제10회 마니프 특별상(2004), 석주미술상(2007), 국제미술대전 은상(2008) 등을 잇달아 수상함으로써 작품성을 인정받으며 자신의 고유한 조형어법을 정립하여 우리에게 선 보이고 있다.

평론가 심영호가 잘 지적하고 있듯이, 심영철의 조형세계를 우리는 단지 연대기적으로 나누기 보다는 경향별로 접근하여 조각으로서의 빗Comb의 조형, 설치로서의 메시지, 테크놀로지로서의 전자정원, 공공성으로서의 모뉴멘털 가든, 부조浮彫로서의 가상공간, 그리고 퍼포먼스와 비디오라는 여섯 카테고리로 살펴 볼 수 있겠다. 작업할 때에 작가는 기본적으로 어떤 형태를 취한 뒤, 여기에 정신성을 부여하여 이념화하고 이를 변형하여 조형적 표현의 극한에까지 이르게 한다. 이를테면 첫 개인전인 1983년 〈빛의 단계적 표상〉 연작에서 석양녘에 빗살에 투영된 빛의 음영에서 자연의 신비스런 생동감과 조형미를 터득하여 표현한 것이 좋은 예이다. 마치 그릇표면을 점과 선으로 빗살처럼 그은 신석기시대의 빗살무늬토기를 연상하게 한다. 빛의 모습을 석재와 목재로 다양하게 변주한 이래로 네온과 홀로그램을 이용한 설치작업, 뉴미디어, 퍼포먼스, 환경미술 등 여러 장르를 혼합하여 오늘에 이르기까지 창작의 열정을 쏟아내고 있다.

심영철은 지난 30여 년간 전자 가든Electronic Garden, 모뉴멘털 가든 Monumental Garden, 시크릿 가든Secret Garden, 매트릭스 가든Matrix Garden이란 일련의 가든 연작을 거치는 동안 인간 존재의 유한성과 종교적 무한성 및 구원의 문제, 현실과 가상, 현세와 우주라는 갈등구조를 오랜 기간 성찰해 왔다. 왜 가든일까? 심영철의 작업에서 가든은 모든 요소가 유기적으로 조화를 이루며 생명을 유지하는 공간이다. 기본적으로 작가는 옛 이야기에서 새로운 이미지를 끌어낸, 캐나다의 평론가 루시아나 벤지Luciana Benzi가 평하듯, 기독교에서 예술적 영감을 얻고 있으나 이에 머무르지 않고 다양한 소재를 자유롭게 펼쳐 자신의 조형세계를 표현한다. 말하자면, 〈전자정원〉에서는 에덴동산으로 표현되는 유토피아의 메시지, 〈모뉴멘털 가든〉에서는 환경과 더불어 생성과 소멸이 무한 반복되는 자연의 순환구조, 〈시크릿 가든〉에서는 자연의 생명을 꽃이 지닌 양성적兩性的 형태로 찬미하고, 〈매트릭스 가든〉에서는 공간의 무한성과 에너지를 통해 명상과 치유를 형상화하여 자신에게로 되돌아온다.

심영철의 작품이 지향하는 바와 연관하여 우리는 빛을 활용한 숲과 정원, 공간을 탐색한 제임스 터렐James Turrell(1943~)을 떠올릴 수 있다. 그의 작품은 우리를 정신적으로 일깨워주는 어떤 힘을 지니고 있으며, 우리 스스로를 들여다보게 한다. 빛의 예술Light Art은 빛의 존재감을 다양한 공간 안에서 증명해 보임으로써 명상과 사색으로 우리를 안내한다. 작가 심영철에게 빛은 물질성과 정신성, 종교성을 동시에 함께 지니고 있다. 나아가 빛의 움직임을 이용하여 다양한 시각실험을 시도한, 아이슬란드계 덴마크 작가인 올라퍼 엘리아슨Olafur Eliasson(1967~)은 우리에게 새로운 경험의 가능성을 보여줌으로써 미적 인식의 지평을 선사한다. 다양한 오브제를 이용하여 작품을 제작한 심영철은 엘리아슨이 조각, 설치, 사진, 회화 등 여러 매체를 혼합한다는 점에서 서로 중첩된다.[15] 미디어 아트의 선구자인 백남준(1932~2006)의 예술세계는 소리와 빛의 움직임으로 가득 차 있다. 기술을 이용한 자연주의와 리얼리즘을 부활하여 인간화된 기술을 택한 백남준은 심영철에게도 적잖은 영향을 준 것으로 생각된다.

심영철이 설치조형의 세계에서 시도하는 바는 장르의 해체라기보다는 여러 장르가 복합적으로 공존하는 중에 우리의 오감을 자극하고 소통하게 하는 것이다. 작가는 2009년 석주미술상 기념전(선화랑, 서울), 2011년 환상 몽타주 설치미술 퍼포먼스(강남구민회관, 서울), 2012년 Korean Artist Project, 이어서 한국미술관에서의 〈매트릭스 가든〉 연작을 통해 생명의 원천이자 씨앗인 자궁(子宮)에 대한 미적 인식, 2014년 제주 현대미술관에서

---

15 이야기와 신화가 깃든 원시의 숲, 환상과 전설, 원시성이 서식하는 이미지의 세계를 보여 준, 프랑스 작가 앙리 루소(Henri Rousseau, 1844~1910)에서 우리는 참신성과 원시성이 어울리는 자연스러움, 정원의 원조로서 원시림과 같은 원초적인 세계를 동경하게 되고, 심영철의 예술적 구상과도 만나게 되는 접점을 본다.

의 회고적 성격의 전시 〈춤추는 정원〉에서 신비로운 여성의 몸에 대해 천착을 하며 그 깊은 생명의 근원을 설치, 연극, 무용적인 요소가 통합된 퍼포먼스를 통해 제시한다. '정원'을 수식하는 '전자', '모뉴멘털', '시크릿', '매트릭스'와 같은 주제의 여러 변화를 두고서 작가는 "컨셉을 바꾼 것이 아니라 정원이 계속 진화하는 것으로 본다. 기독교적 창조론을 따르되, 예술 활동에 있어서만은 진화론적 입장에 찬성한다. 따라서 생물이 주위환경에 적합한 기능이나 구조로 변해가듯 예술 또한 점진적인 발전을 이뤄야 한다"라고 말한다. 말하자면 창조적 진화론이요, 진화적 창조론인 셈이다.

〈전자정원〉 연작에 대한 평가에서 비평가들은 다양한 견해들을 내놓고 있으나 작가는 종교적 메시지를 테크놀로지와 연계시켜 자신의 조형세계를 구축한 것으로 보인다. 특히 〈모뉴멘털 가든〉 연작은 거대한 석조기둥과 여러 크기와 모양의 버섯을 등장시켜 실내의 밀폐된 조형적 공간을 자연 숲의 공간으로 확대하여 멀티미디어 예술을 지향한다. 〈Shape of Sound〉 연작은 음향을 빛과 이미지를 품은 공간지각의 요소로 다루어 조각의 영역을 확장하고 있다. 나아가 관람객이나 방문객으로 하여금 스테인리스 재질의 구슬이 꿰어진 커튼을 터치하게 하고 작품의 내부공간으로 들어갔다 나가는 과정에서 관객이 중심추를 만지고 참여하는 인터랙티브를 유도함으로써 작품의 일부가 되게 한다.

"가상공간은 시지각의 차원을 넘어 영적靈的인 차원에 까지 확장되는 4차원의 공간"이라는 작가의 의지가 반영된 〈매트릭스 가든〉을 좀 더 들여다보면, 어떤 것들은 폭포처럼, 다른 것들은 비상하는 물체처럼, 또는 사랑스러운 꽃잎처럼 보인다. 〈매트릭스 가든〉에서는 현실과 가상의 무수한 조합이 만들어낸 인간과 우주의 매트릭스 구조를 표현하고 있다. 스테인리스 재질의 구球와 광섬유를 재료로 하여 작가는 미술과 기술, 음악과 빛이 하나로 통합된 멀티미디어의 공共감각적 예술을 추구한다. 작가에 의하면, 빛에 반사된 스테인리스 구球는 이 세상 모든 것을 담을 수 있다. 반짝이는 구의 표면에 담긴 주변 경관에 매료된 우리의 시선도 이 구球 안에 담을 수 있어 우리 자신이 곧 소우주가 된다. 작가는 자연과 인공적인 것, 그리고 영감의 상호 공존을 표현하면서, "단순한 기계적 장치를 넘어서 인간성을 보여주려는 것이 작업의 본질"이라고 밝힌다.

작가에게서 예술은 '작가정신을 드러내는 활동'이다. 인간은 근원적으로 종교성을 추구한다. 작가가 제시한 여러 주제의 정원에서 분출된 에너지는 우리의 눈과 눈을 서로 마주보게 한다. 그리고 그 눈빛의 울림은 아우라를 형성하며 어떤 특정 종교의 교리에 치우친 이념이 아니라 종교의 보편적 가치로서 사랑을 실현한다. 마치 〈매트릭스 가든-지혜의 눈〉에서 9개의 눈이 오묘한 빛을 뿜어내어 끝없이 변주한 것처럼 그러하다고 하겠다. 흙, 물, 불, 돌, 나무와 같은 자연적인 요소에 인공적인 요소가 덧붙여지고 여기에 테크놀로지가 매개되어 조화를 이룬다. 이처럼 작가는 과학기술적 요소를 결합하여 표현을 극대화한다. 개체가 모여 군집을 이루고 형태를 만들며, 때로는 그래픽의 요소를 덧붙이고 관람객과 소통을 꾀한다.

요즈음 디지털 기술을 활용하여 예술과 과학 기술의 영역을 자유롭게 넘나드는 인터랙티브 미디어아트에 대한 관심이 높다. 인터랙티브 키네틱 설치 작품으로 자연을 인간세계에 가까이 끌어와 교감을 나타내며 서로의 공존가능성을 보여주기도 한다. 소리, 냄새, 터치 등의 지각을 통한 공감적 소통은 자연과 인간, 과학기술 사이에 놓인 거리를 좁혀준다. 이로 인한 소외의 극복은 우리에게 치유의 삶으로 인도한다. 이러한 다양한 시도와 실험은 작가 심영철의 설치조형세계에서 확인해 볼 수 있다. 작가는 시대상황의 변화를 잘 읽으며 삶의 현실을 자신의 작품에 반영함으로써 자연과 예술, 테크놀로지 및 삶의 문화가 한데 어울려 살아 숨쉬는 공간을 만들고자 한다.

심영철, 〈Matrix Garden - 천상의 꽃〉, 2012, 240×240×150㎝, 스테인레스, 조명

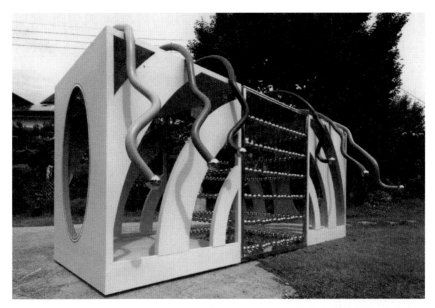

심영철, 〈Matrix Garden - 천상의 꽃〉, 2009, 240×240×150㎝, 스테인레스, 조명

심영철, 〈Matrix Garden - Jagung〉, 2012, 스테인레스 스틸

심영철, 〈Matrix Garden〉, 2012, 스테인레스, 광섬유, 500×500×700㎝

심영철, 〈Matrix Garden - Eyes〉, 2012, 스테인레스 스틸, 전기, 유리, 500×200×30㎝

심영철, 〈빛의 꽃〉, 2012, 스테인레스, 700×500×500㎝

4. 생명력의 상징과 깨달음으로서의 '보리' : 송계松溪 박영대의 작품세계

일반적으로 작가와 작품, 그리고 평자와 감상자는 서로 유기적인 삼면관계를 이룬다. 작가의 삶과 작품의 관계를 보면, 작가의 삶이 뿌리이고, 작품은 그 결과물이요, 열매이다. 대체로 작가가 살아온 삶과 그의 작품은 불가분의 관계에 놓이게 마련이다. 삶의 지난한 과정에서 작가가 겪어 온 체험은 그대로 작품으로 투영되어 주제를 이룬다. 작가가 겪는 구체적이고 개별적인 체험이 민족과 시대의 흐름 속에서 형성된 것이라면, 그것은 작가에 고유한 구체적인 개별성을 넘어 보편적 공감을 자아내고 공동체적 가치를 반영하게 된다. 이는 작가 박영대에게 '보리'가 갖는 독특한 의미와도 깊이 연관된다. '보리'라는 주제는 그의 작품에서 중심이 되는 축軸으로서 작품이 드러내고자 하는 기본적인 사상이나 이념을 담고 있다. 이른바 근대화 이전 우리의 전통적인 삶에서, 늦봄과 이른 여름에 걸쳐 묵은 곡식은 다 떨어지고 어렵게 살던 보릿고개는 우리에게 공동으로 부과된 고난의 연속이었다. '보리'는 춘궁기春窮期 농촌의 각박한 생활정서를 나타내는 주요한 소재이며 강인하고 끈질긴 생명력의 상징적 의미를 원초적으로 대변한다. 근본 소재로서의 보리는 생명의 씨앗이며 생명의 발아發芽로서 삶의 밑바탕을 이룬다. 무엇보다도 보리의 생명 근거는 우리의 산야山野이며, 대지大地는 모든 생명의 모태이다. 작가 박영대에게 예술이란 대지를 뚫고 나온, 이를테면 감춰진 것을 드러낸 생명의 자태로 다가온다. 대지를 들추고 일어 선 '보리'로 수렴된, 작가 박영대의 삶과 그의 작품이 지닌 예술적 의미를 살펴보기로 한다.

보리는 가을(10월 중하순에서 11월 초 무렵)에 씨를 뿌려 초여름(5월 하순)에 거두는 주요 농작물로서 한파가 몰아치는 겨울의 차가운 땅속에서 싹을 틔우고 한겨울 바람막이도 없는 논밭에서 푸르름을 견지하며 생명력을 돋우는 식물이다. 척박한 땅을 고르고 씨앗을 뿌려 가꾸고 수확을 한 후에 다시 후일을 꾀하며 밭고르기를 되풀이하는 농부의 작업이 작가의 작업과정에도 그대로 반영된다. 작가의 삶에 의식적으로든, 또는 무의식적으로든 흙과 생명에 대한 깊은 연민과 사색이 자리 잡고 있으며 그것이 보리로 상징화된 것으로 보인다. 그는 청주 미호천 주변에 살던 어린 시절, 일명 청주분지라고도 불리는 미호평야를 이루는 미호천 변의 밀밭과 보리밭에서 보리를 직접 경작하며 보고 자랐다. 보리의 질긴 생명력에 감탄했으며, 그런 까닭으로 자연스럽게 보리가 작품의 주된 소재가 된 것이다. 혹독한 겨울을 견디고 자라 소중한 열매를 맺는 데서 생명의 경이로움을 보았기 때문일 것이다. 박영대의 보리는 초창기의 〈청맥青麥〉(1973)에서 시작하여 파도처럼 출렁이는 거대한 물결인 〈맥파麥波〉(1975)를 거쳐, 마침내 누렇게 들판을 물들이는 〈황맥黃麥〉(1976)을 통해 수확을 기다리는 풍요로운 마음을 담아 여러 모습으로 표현되어 왔다. 이렇듯 청맥에서 맥파를 거쳐 황맥을 그렸고, 여기에 다소간의 변화를 도모하여 1978년엔 맷방석을 그리기 시작했다. 맷방석은 맷돌을 쓸 때 밑에 까는, 짚으로 만든 방석으로서 전통적인 생활정서를 엿볼 수 있는 소재이다. 그 위에 온갖 곡식이 놓여진다. 우리의 전통적인 소박한 미의식이 담겨진 백자와 생명의 보리를 대비하여 조화를 이룬 〈백자와 보리〉(1996)는 그 작품성이 두드러져 보인다. 보리의 알갱이를 섬세하게 그리는 그의 작품을 보면 우리는 보리의 특유한 생명력과 그 아름다움을 느낄 수 있다. 형태의 구도에서 보면, 사실화에서 출발하여 반추상, 나아가 추상으로의 변모를 거듭하고 있으며, 재료와 기법의 면에서 보면 채색과 수묵을 사용하되, 서양화에서의 유화나 마티에르 오브제 및 평면적 입체도 아울러 시도한다. 그는 보리의 성장과 발육, 결실의 과정을 수묵이나 채색, 구상이나 추상의 경계를 넘어 자신의 독보적인 예술세계로 표출한 것이다.

작가의 작가적 역량의 과정을 보면, 초등학교, 중학교, 그리고 고등학교의 미술반에서 본격적인 그림 공부를 시작했으며, 중등 교사의 꿈을 안고 열심히 공부하여 국가 자격 검정고시를 통해 미술교사가 된 그는 여고에서 미술교사로 재직하며 학생 교육과 함께 그림에 대한 열정을 갖고서 자신의 예술세계를 추구했다. 이러는 중에 홍익대 대학원의 연구과정에서 동양화를 전공하며 채색에 눈뜨게 된다. 특히 그의 화풍에 전환점을 맞이하는 순간은 홍익대 대학원에 들어가 진채壎彩를 사용하여 독특한 조형세계를 그린 박생광(1904~1985), 그리고 조복순(1921~1981) 두 분을 만나 채색화를 접한 것이다. 교사직을 떠나 그림에 대한 열정만 지니고 서울의 인사동으로 옮겨와 20여 년간 작품 활동에 매진했다. 보리 그림으로 각종 공모전에 출품하여 국전, 한국미술대상전, 중앙미술대전 등에 입상했으며 백양회白陽會 공모전 최고상, 도쿄 텐 그랑프리, 사롱 드 브랑 대상 등 국내외에서 수많은 상을 받으며 작품성을 차츰 인정받게 되었다.

1981년 뉴욕초대전과 더불어 처음으로 해외에 나가 유럽과 동남아의 16개국 박물관과 미술관들을 둘러본 것을 계기로 이전까지의 극사실적 작업에서 추상작업으로 작품경향의 변신을 꾀했다. 형태를 단순화시키고, 색채를 살린 작품들을 그린 것이다. 평론가 최병식은 "박영대의 끈질긴 보리사랑은 이제 리듬을 구가하면서 형상적인 틀과 한계로부터 일탈된 자유를 원하고 있다. 보리는 이제 그의 우주이며, 시학이라고 할 만큼 일종의 문학적이고 종교적인 차원으로까지 진전됐다. 적어도 평생을 같이 해온 신념의 징표"라고 평했다. 그의 작품을 소장하고 있는 곳도 영국 대영박물관, 뉴욕 캐롤 갤러리, 일본 포인트아트 갤러리 등 외국을 비롯하여 충북도청, 경기도미술관, 남포미술관, 공군사관학교, 대청호미술관, 충북대병원 등 무수히 많다. 백석대는 학원 설립 40주년을 맞아 그의 작품을 기증받아 '보리생명미술관'을 개관하고 그에게 명예박사 학위를 수여했으며 석좌교수로 초빙했다. 대학의 창조관 13층에 개관한 보리생명미술관은 그가 평생에 걸쳐 그린 작품 150점이 교대로 전시되고 있다. 보리생명미술관은 영적 생명력을 강조한 백석대의 기독교 교육 이념과도 일치한다. 제1전시관은 그에게 보리작가라는 별칭을 붙여준 1973년부터 1990년 후반까지의 작품인 〈청맥〉과 〈황맥〉, 〈맥파〉 등이 전시되고 제2전시실에는 2000년부터 2007년까지의 보리에 대해 재해석한 작품이, 기획전시관에는 2008년부터 현재까지의 다양한 추상화 작품들이 선보이고 있어 보는 이들에게 보리생명의 경이로움과 감탄을 자아내고 있다.

실험과 모색의 오랜 작업과정에서 박영대는 보리의 형상이 여러 모습으로 담긴 한지를 찢거나 구기고, 이를 다시 모아 부분적으로 부쳐서 콜라주하는 혼합기법을 사용함으로서 보리에 대한 표현작업들을 재구성하였다. 이는 일정한 틀의 형태를 만들고 지우기를 반복하며 새로운 형태의 생명과 삶의 원형을 찾아가는 작업의 일환으로 보인다. 새로운 생명의 탄생을 위하여 작업실에 무수히 쌓아둔 작품들을 찢고 붙이며 구긴 흔적들이 그대로 작품의 연륜에 나이테처럼 보태진다. 오랫동안 작업을 곁에서 지켜 본 지인인 한학자 이백교가 붙여준 타이틀이 〈태소〉이다.[16] 여기엔 많은 의미가 함축되어 있거니와, 작품전개에 있어 시사하는 바가 매우 크다. 태소의 양의적 의미를 살펴보면, 태소太素는 천지개벽 이전의 혼돈상황을 가리키

16   청주교육대학교 미술관 전시(2018. 10. 30.-11. 07)에서 2017년 제작된 100호 4점을 포함해 〈태소(太素)〉 시리즈 등 모두 39점을 선보인 바 있다.

며, 태소胎所는 태胎를 봉안하던 곳이다. 이렇듯 양의적인 태소는 생명이 태어나기 이전의 바탕이며 근거이다. "태소는 한국화가 갖는 한계를 벗어나고자 하는 의도에서 시작했다. 작업실에서 수없이 실험을 하며 그리다보면 그림들이 산더미처럼 쌓이게 되는데 이것들을 버릴 수도 없고, 그렇다고 똑같은 주제를 반복할 수도 없어 고민하다가 문득 이 작품들을 토대로 삼아 또 다른 작품을 만들어보면 어떨까하는 생각이 들었다. 내가 그리는 보리가 형상을 갖추기 이전, 즉 보리라는 형태가 생기기 이전, 태초의 원류가 있었을 것 아닌가. 그 정수精髓가 있었을 것 아닌가라는 생각에 그림을 구기고, 찢고, 다시 부치면서 콜라주와 같은 혼합기법으로 작업을 시도해봤다. 그리고 아크릴, 한국화 안료 등 여러 재료들을 바르다보니 서양화처럼 입체가 생기면서 새로운 작품이 탄생하게 되었다. 태소는 언뜻 보면 서양화처럼 보이지만, 자세히 보면 서양화와는 다른, 한지가 주는 농담濃淡이 그림에 배어있다."[17]고 작가는 말한다. 태소는 앞서 언급한 바와 같이, 양의적인 태소太素이며 태소胎所이다. 혼돈chaos의 태소는 질서와 조화cosmos의 생명인 태胎를 낳는 바탕으로서, 양자의 원초적 모습인 카오스모스chaosmos를 잉태하고 있다. 작가는 1990년대 초부터 2000년대에 들어 지금까지 〈태소〉 연작에 몰두하고 있으며, 그의 작품 〈생명-태소太素〉(2009)와 〈생명-태소太素〉(2017)에 잘 나타나 있다. 이는 그의 작품 전체를 관류하는, 생명의 근거를 찾고자 하는 예술의지요, 이념이라 하겠다.

국립현대미술관 관장이자 평론가인 윤범모는 보리麥의 의미를 보리菩提로 확장하여 해석하는 바, 일견 유의미하고 타당해 보인다. 이는 작가 박영대의 의중과도 맞아떨어지는 대목이다. "보리는 우리민족의 애환과 삶이

---

17   『동양일보』, 「이 길에 서서 / 유영선이 만난 사람 - 보리 작가 박영대」, 2020. 05. 26.

담겨 있는 상징물이다. 보리는 불교에서 깨달음이라고 하는데, 나에게 보리는 곧 씨앗이다. 모든 생명은 씨앗이 있고 생명체는 움직이는 것이 철리哲理다"라고 작가 박영대는 말한다. 작가에게 보리는 곧 생명이고, 생명은 움직임의 총체적 표현이다. 그 안에 생성과 소멸의 윤회가 있고, 음陰과 양陽, 생生과 사死가 맞물리는 형국인 태극문양의 기본구도가 들어있다. 태극문양에서 음양을 나누는 가운 데 선은 매우 역동적이다. 아름다운 채색과 질감을 통한 조형적 표현이 돋보인다. 박영대의 '보리麥'는 생명과 깨달음의 '보리菩提'로 다시 태어나고 있는 것이다. 보리菩提는 팔리어와 산스크리트어에서 수행자가 최종적으로 도달할 수 있는 참다운 지혜, 깨달음 또는 앎의 경지를 일컫는 단어인 '보디bodhi'에서 나왔다. 불교에서 보리는 고타마 붓다와 그에게 가르침을 받은 나한들이 얻었다고 하는 깨달음, 또는 그 깨달음을 얻기 위한 수행 과정을 일컫는다. 이는 우주의 참 모습에 대한 올바른 인식으로 묘사되기도 하며, 보리를 얻은 뒤에는 윤회의 고리에서 벗어난다는 가르침과 깨달음을 준다. barley는 bodhi의 환유換喩인 것으로 오늘의 우리에게 시사하는 바가 매우 크다고 하겠다. 구체적 보리로부터 얻은 보편적인 깨달음의 경지인 것이다.

보리낟알은 생명의 씨앗이며, 생명의 속성은 파도의 마루와 골, 맥박의 강약처럼 '리듬律'으로 이루어진다. 리듬은 라틴어의 '주기적 흐름, 순환'을 뜻하는 '리트모스rhytmos'에서 유래한다. 그것은 사람의 생명 활동을 통하여 신체, 감성, 지성 따위에 나타나는 일정한 주기적인 흐름이다. 이러한 주기는 음의 장단이나 강약의 반복처럼 규칙적인 흐름을 유지하며 생명을 존속시킨다. 그의 〈율律과 생명〉 연작(2011)의 이미지는 소용돌이 형태로 변주되어 약동하는 듯하다. 마치 천체의 운동이나 운행과도 같아 보인다. 그는 보리생명화가로서 끊임없이 율동하고 움직이는 생동감 넘치는 생명의 속성을 표현한다. 리듬은 살아있다는 것을 증명한다. 그러기에 리듬은 곧 현존재Dasein이다. 리듬의 흐름은 우리의 날숨과 들숨의 반복적인 숨결과도 같다. 숨결, 호흡, 바람, 그리고 바람이 지나가는 움직임으로서의 바람결, 일정한 방향으로 부는 바람의 움직임은 곧 생명의 순환과 질서에 다름 아니라 하겠다.

작가가 다루고자 하는 질료나 소재로서의 사물에 대한 천착은 반드시 필요하다. 사물의 사물 됨의 특성, 사물의 근저에 놓여 있는 사물성은 사물의 특징들을 담지하고, 감각의 다양성을 통일하며, 형상화된 질료인 것이다.[18] 사물의 사물성은 예술의 예술성과 긴밀한 관계에 놓인다. 이와 연관하여 우리는 하이데거M. Heidegger(1889~1976)가 『예술작품의 근원Der Ursprung des Kunstwerkes』(1935)에서 특유하게 해석한 반 고흐Vincent van Gogh(1853~1890)의 〈구두Les souliers〉(1886)를 떠올려 볼 수 있다. 모든 작품은 사물적 측면을 지니고, 이러한 사물성으로부터 예술적 성격이 전개된다.[19] 50여 년을 한결같이 하나의 주제와 대상에 천착해온 작가정신에서 우리는 사물의 사물성과 예술의 예술성을 동시에 읽는다. 작가에게 주제의 변형이나 변주는 가능하나 전적으로 다르게 전개될 수 없는 것이다. 실험이 필요하되 그에 앞서 무엇을 찾기 위한 가설의 설정이 필요하다. 뉴턴Isaac Newton(1643~1727)에 따르면, 실험탐구의 기초가 되는 조건으로서의 가설은 아무런 근거없이 고안되는 것이 아니다. 가설은 자연의 밑그림으로부터 전개되어 이 밑그림 속으로 다시 기입된다.[20] 자연은 생명의 본질을 잉태하고 있기 때문이다. 말

---

18 마틴 하이데거, 『숲길』, 신상희 역, 나남, 2020, 30쪽.
19 마틴 하이데거, 앞의 책, 15쪽.
20 마틴 하이데거, 앞의 책, 125쪽.

하자면, 변화는 사라지지 않고 다른 모습의 에너지로 전환되며, 그 본성은 같은 것이다. "모든 것은 변한다. 이 세상에 변하지 않고 그대로 지속되는 것은 없다. 모든 사물은 유동적이고 사물의 겉모습은 일시적이다."[21] 변화는 시간의 흐름이다. "어떤 것도 고유의 외양을 유지하지 못하지만, 사물을 새롭게 혁신하는 자연은 이런 형태에서 저런 형태로 사물을 변모시킨다. 이 세상에 있는 어떤 것도 사라지지 않는다. 단지 사물은 변하고 형체를 바꿀 뿐이다."[22] 보리의 생성과 성장, 소멸이 그러하듯, 우리는 변화 속에서 변하지 않는 생명의 거대한 순환과 깨달음을 얻는다.

생성과 소멸은 그것들이 유래했던 원래의 곳으로 다시 되돌아감이요, 이것이 자연의 순리이다. 보리로 시작된 생명은 소멸의 과정을 거쳐 태초의 대지로 되돌아간 뒤에 다시 새 생명으로 태어난다. 박영대는 보리의 사실적인 모습을 천착하고 난 뒤에 생명의 다양한 역동성을 보여 줄 수 있는 추상의 무한한 가능성을 담아 내면을 외화外化하고 있다. 소재의 한계나 기법의 제한을 자유자재로 넘어 자신의 고유한 예술세계를 펼치고 있다. 그는 동양화 재료를 사용하여 화선지에 그림을 그리지만 전통산수화가 아닌, 의미를 압축한 추상적 작업을 도모한다. 그는 동양적 재료와 기법에 변화를 가하여 역동적인 추상성을 담아낸다. 작가의 대담하고 자유분방한 붓놀림과 필선, 그리고 자유로운 상상력은 보는 이에게 삶의 역동성과 더불어 풍요로운 상상력을 자아내게 한다. 보리에 기반을 두되, 자유로운 상상력이 더해져 변형한 결과는 맷방석 연작으로, 그리고 흙 연작, 이어서 향鄕, 나무, 율律, 묵흔墨痕, 태소太素 연작을 거쳐 지금에 이르고 있다. 우리는 작품의 필

---

21   오비디우스, 『변신』, 이종인 역, 열린책들, 2018, 565쪽.
22   오비디우스, 앞의 책, 568쪽.

선이나 표현효과에서 절제된 모습을 읽는다. 진리란 간단명료한 데 있고 그 표현도 지극히 소박하다. 박영대의 작가적 삶은 보리 자체로 요약된다. 작가 자신의 예술세계에서 보인 자유로운 유희의 경지는 전통적 유학의 미학사상인 '유어예遊於藝'[23]와 맞닿아 있다. 오늘날 우리는 돌아갈 고향도 없거니와 이른바 고향상실의 시대에 살고 있다.[24] 그가 향하고자 하는 본질은 고향에 뿌리를 두고 있으며, 보리로 상징되는 고향은 생명의 본질이다. 그가 지향하는 예술세계는 단순히 바라보는 대상으로서의 보리가 아니라 생명이 움트는 바탕인 것이다. 작가 박영대의 기독교적 신앙 안에는 영성적 생명이 강조되고 있음과 아울러 보리로 인한 불교적 깨달음, 자연의 순리와 회귀의 노장사상, 그리고 유어예遊於藝의 유학사상이 함께 어우러져 있다. 이렇듯 우리는 그의 예술세계를 통해 범종교적 의미와 더불어 우리 삶의 바탕이 무엇인가를 진지하게 들여다보며 깊이 명상하고 성찰할 수 있다.

---

23 『논어』,「술이(述而)」편, 志於道 據於德 依於仁 遊於藝(도에 뜻을 두고, 덕을 굳게 지키고, 인에 의지하고, 예에서 노닐다). 인간다운 삶을 위해 六藝(禮, 樂, 射, 御, 書, 數)를 익힌 경지에서의 자유로움을 말하며 유학적 미학사상의 핵심이다.

24 고도로 산업화된 현대의 기술 문명 속에서 우리는 고향을 잃어버리고 존재 의미를 상실해버린 채 살아가고 있다. 서로에게 수단과 도구가 되어 버린 물화된 세계인 것이다. 하이데거는 우리에게 고향의 들길에서 들려오는 자연의 소리에 귀 기울이며 존재의 근원을 다시 살펴보길 권한다.

박영대, 〈Taeso(太素)〉, 2019, 122×122cm, Acrylic on Canvas

박영대, 〈Taeso(太素)〉, 2019, 97×145.5cm, Acrylic on Canvas

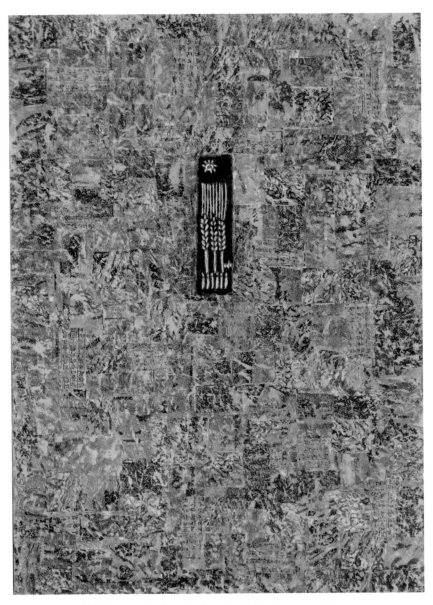

박영대, 〈Taeso(太素)〉, 2019, 65.1×90.9cm, Acrylic on Canvas

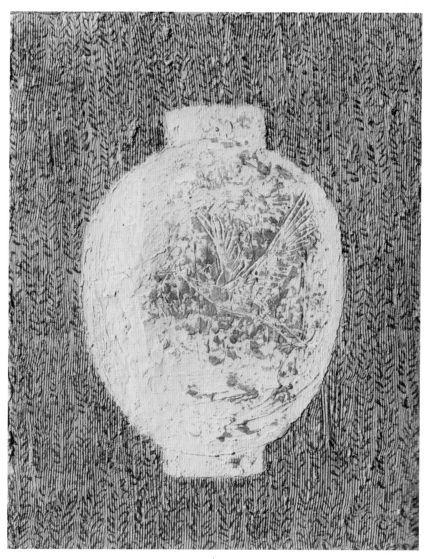

박영대, 〈Barley and Life〉, 2019, 53×42㎝, Acrylic on Canvas

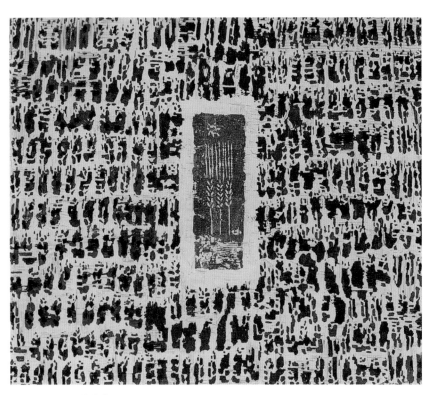

박영대, 〈Barley and Life〉, 2020, 72×63㎝, Acrylic on Canvas

박영대, 〈Barley and Life〉, 2020, 98×146㎝, Acrylic on Canvas

박영대, 〈Barley and Life〉, 2020, 46×60cm, Acrylic on Canvas

8장
시간의미의 재구성과 창조적 접근

"시간의 흐름을 되돌려놓으려면 우리는 무한히 큰 엔트로피의 장벽을 넘어야 한다."[1] 이는 과학적 이론으로는 가능한 일이지만 현실적으론 불가능해 보인다. 인간은 시간 안의 유한한 존재이다. 이러한 유한성에도 불구하고 주어진 시간을 자유자재로 넘어설 수 있는 유엔트로피일한 능력은 상상력이다. 특히 미적 상상력은 예술의 창조성으로 이어진다.

작가 정관모는 통시적으로 역사의 흐름을 꿰뚫어 보며 이를 동시적 창조성에 접목하여 자신의 예술세계를 펼친다. 주목할 점은 작가 정관모에게 인간의 역사적 삶과 생명 창조에 대한 근본적인 물음은 영성靈性에 바탕을 두고 있다는 것이다.

이와는 다른 시각에서 과거의 시간을 재현하여 현재화하는 작업을 하는 작가 한만영은 새로운 시각체험의 장場으로서의 '시간의 복제' 연작에 몰두한다. 그는 과거로부터 검증된, 동서양의 걸작명화들을 시간의 복제라는 과정을 거쳐 현재의 한 부분으로 조형화한다. 그의 작업에 표현된 오브제들은 시간의 흔적을 단지 복제하고 재생하는 것이 아니라 이질적인 시공간을 동질화하는 역할을 수행하며 우리의 시지각 체험의 장을 확장한다.

유리조형예술가인 고성희는 한국적 정서와 이미지를 모색하며 조각에서 출발하였으나 재료적 한계를 넘어서 조각과 유리를 접목하기에 이르고 또한 폐유리를 활용하는 새로운 매체 실험을 하며 조형적 표현 영역을 넓힌다. 그는 유리가 지닌 독특한 소재와 질감을 이용하여 '시간의 기억과 흔적

---

1   Ilya Prigogine · Isabel Stangers, *Order Out of Chaos*, 1984. 일리야 프리고진· 이사벨 스텐저스, 『혼돈으로부터의 질서-인간과 자연의 새로운 대화』, 신국조 역, 자유아카데미, 2013(1판2쇄), 32쪽. 엔트로피(entropy)는 자연물질이 변형되어 원래대로 돌아갈 수 없는 현상으로서 열량과 온도에 관계되는 물질계의 상태를 나타내는 열역학적 양(量)의 하나이다. 정보이론에서는 정보의 불확실성 정도를 나타낸다.

으로서의 삶'을 표현한다.

작가 서정희에게 시간여행時間旅行은 시간의 경계를 허물고 과거, 현재, 미래를 자유로이 넘나드는 여정이다. 작가는 시간의 흐름에 주체적으로 참여하여 '시간여행자'로서 시간의미를 미적으로 재구성한다.

끝으로 작가 황은성은 새로운 것에 대한 갈망과 미래에의 열정을 자신의 고유한 '뉴 퓨처리즘'에 담아 표현하고 있다. 작가 황은성에게 '뉴 퓨처리즘'은 내면의 모든 인식과 존재를 좀 디 진중한 형이상학적인 언이로 담아내며 우리의 정신세계를 미래로 이끌어가는 것이다. 특히 이런 맥락에서 흑과 백으로 빚어진 유화물감의 중첩 속에 기도의 염원을 담아 지상과 천상으로 나뉜 화폭 위의 점과 선, 면을 서로 이어 하나의 세계 안에 표현한다.

1. 통시적 역사성과 동시적 창조성의 접목 :
정관모의 예술세계

인간은 자신이 처한 실존적 상황에서 삶을 살아가는 역사적 존재이다. 또한 유한적 존재인 인간은 유한성을 극복하고 무한성을 갈망하는 존재이기도 하다. 예술가는 삶의 공간과 역사적 인 시간지평을 자신의 창조적 에너지와 예술의지로 결합하고 연결하여 작품으로 형상화한다. 그리하여 구체적인 작가 체험을 보편적으로 승화하여 우리의 공감을 자아내고 미적인 즐거움을 준다. 조각가 정관모는 우리 시대 최고의 조각가 가운데 한 사람으로, 그리고 대표적인 환경조각가 중에 한 사람으로 불리운다. 이제 그가 추구하는 예술의 동시적 가치와 의미가 무엇인가를 묻고 그가 살아 온 한국적 전통의 통시성에 그것을 어떻게 자신의 창조성에 담아내는지[2]를 살펴보고자 한다.

조각가 정관모는 1966년 중앙공보관에서의 첫 개인전을 시작으로 몇 년간의 구상과 모색의 시기를 거치면서, 그리고 1970년대를 전후하여 5년 동안 미국에서의 활동을 통해 자신의 예술이 추구해야 할 궁극적인 방향을 정한 것으로 보인다. 1970년대 중반부터 10여년에 걸쳐 〈기념비적인 윤목〉 연작을 통해 우리고유의 전통에서 조형미를 찾고 그것을 현대적 미의식에 접목하고자 시도한다. 특히 '윤목輪木'이란 승경도陞卿圖놀이에 사용하는 주사위의 일종으로 박달나무를 적절한 길이로 다섯모가 나게 깎은 것으로, 가

---

2   그가 2006년 경기도 양평군 양동면에 세운 C아트 뮤지엄의 C이니셜에 그 의미가 상징적으로 압축되어 나타나 있다고 하겠다. 즉, Contemporary(이 시대에), Creativity(창조적이고), Christianity(기독교적인 정신을 담아), Chung(작가 자신, 정관모의 예술의지)이 한 데 어우러진 아트 뮤지엄이다.

운데를 볼록하게 하고 양끝을 점점 뾰죽하게 다듬어 막대의 모서리에 1에서 5까지의 눈금을 새기고 놀이를 진행한다.[3] 민속유품들에 대한 관심을 계기로 작가는 그가 20여년 머물렀던 제주도의 생활분위기와 삶의 도구들을 엿볼 수 있는 전통 민속품[4]인 남테, 바디, 정주목, 곰박 등을 소재로 상징성과 기하학적 요소를 추출하여 〈정주목의 모뉴멘탈리티〉를 완성한 바 있다.

1980년대에는 민속품을 이용한 구체적인 조형성을 변용하여 이를 관념적인 형상으로 표현했다. 민속적인 정서를 기반으로 하되, 사물이나 사건의 이미지를 표현하는 조형방법을 택하였다. 이렇게 시도한 〈코리아 환타지〉는 작가의 체험에 비추어 우리나라의 근·현대사의 획을 긋는 연도의 숫자를 써넣고 여기에 한국의 전통문양을 기호화하여 우리의 미적 정서를 표현했다. 1990년부터는 음각된 문양이나 기호, 그리고 오브제의 표상을 통해서 인간의 잠재의식을 은유적으로 표현하고 있는데, 1996년 제주에서 열렸던 〈표상·의식의 현현〉전은 이런 성과의 한 부분이라고 할 수 있다. 이는 작가가 우리 내부에 잠재된 정서와 의식을 대상에 어떻게 반응하는가를 살핀 결과물인 바, 1974년부터 작가가 추구해온 '한국적 현대조각의 추

3　승경도陞卿圖는 '벼슬살이하는 도표'라는 뜻으로 관직을 이용한 판놀이이다. 승경도 놀이는 오각형으로 길쭉하게 만든 윤목이나 주사위를 굴려 나온 숫자를 따라 말을 이동하여 즐기던 민속놀이다. 대개 계절에 상관없이 즐겼으나, 주로 이 놀이를 통해 일 년의 운세를 점친 까닭에 정월에 행해졌다.

4　다소 생소한 이름의 민속품을 소개하면 다음과 같다. '남테'란 제주도 농사에서 여름 농사 파종 끝에 씨앗이 바람에 날리지 않도록 땅을 잘 다져 주거나 밭흙을 고르는 데 사용하는 전통 농기구로서 길이 85㎝ 정도의 통나무에 나무 말뚝을 박아 만들며 소나 말을 이용하여 끌거나 사람의 힘으로 잡아끈다. '바디'는 베틀·방직기·가마니틀 등에 딸린 기구의 하나로서 대오리·나무·쇠 따위로 만들어 베 또는 가마니의 날에 씨를 쳐서 짜는 구실을 한다. '정주목'은 제주에서 집 입구인 '올레목'에 긴 나무막대를 가로로 걸쳐 놓을 수 있도록 구멍을 뚫어 양쪽으로 세운 기둥이다. '곰박'이란 삶은 떡을 건질 때 썼던 구멍이 다섯 개 뚫린 국자를 가리킨다.

구'라는 맥락과 맞닿아 있다. 더 나아가 정관모는 2000년대 들어 '심비心碑'라는 작품의 주제를 정하고, 이를 '마음에 새긴 믿음의 표상'이라 정의하며, 기독교적인 의미와 소재를 작품에 담아서 오늘에 이르고 있다.[5]

이러한 시대구분은 시대상황에 따른 작가의 예술의지를 표출한 것이거니와 통시적 역사성이나 공시적 창조 에너지가 거의 같은 시공간 안에서 함께 하고 있다. 작가는 "평생에 걸친 작품 속에 관류하고 있는 조형정신은 결국 '내 인생' 문제였으며, 내가 나고 자란 민족의 원류인 '한국성'을 표현한 것이다. 조각은 마음의 표상이다. 조각은 마음속에 새겨진 표상을 드러내는 것"이라고 말한다. 정관모의 예술세계를 조망하면서 미술평론가인 김복영은 "크리스천 마인드를 배경에 둔 영성의 탐구자라는 데 주목하게 된다. 이는 그가 예술과 영성의 접점에 서 있음을 시사한다. 이 점에서 볼 때 그는 인류가 예술을 창조했던 이면에 영성의 깊이와 넓이를 공유하고자 할 뿐만 아니라, 인간이란 본래 영적인 존재라는 것과 영성의 근원이 곧 예술이라는 입장을 고스란히 간직하고 있다."고 말한다. 이는 조각가이자 화가인 정관모 예술에 기독교적 영성이 깔려 있음을 적절하게 잘 지적한 것이라 하겠다. 또한 미술평론가 윤진섭은 정관모의 작품의 여정에 대해 "1970년대 중반에서 2000년대에 이르는 수직 구조의 전개는 '우주의 중심'으로서의 기둥의 의미를 토템과 오방색, 그리고 기독교적 상징에 순차적으로 결부시킨 결과이다. …그것은 한마디로 집약하자면, 출발점, 즉 '기독교 정신으로의 회귀'라고 말할 수 있다."고 결론짓는다. 이들 두 평론가는 기독교정신의 구체

---

5   작품의 방향에 대한 이론적 고민과 사색의 과정이 작가의 저술로 나타나 있다. 이를 테면, 『기념비적인 윤목』, 대원출판사, 1980/『정주목의 모뉴멘탈리티』, 미진사, 1988/『표상의식의 현현』, 미술문화 1994 등이다.

적 내용을 세세하게 언급하고 있지는 않으나 그의 조각과 결부된 회화세계의 상징성에서 우리는 예수상의 의미나 십자가에 담긴 작가의 신앙고백을 읽을 수 있다. 이제 좀 더 가까이 작품의 내용과 의미를 음미해보기로 하자.

　시대상황의 세태를 비판적으로 묘사한 것으로 보이는 〈crazy years〉(2013)는 나무 등걸의 뿌리를 위로 향하여 뻗게 하고 나무기둥을 마치 장승이나 토템처럼 세운 모습이 세상의 모순과 갈등을 표출한 듯하다. 정상正常이 아닌 비정상非正常의 '미친 세월들'처럼 거꾸로 도치된 나무의 위아래는 가치가 전도된 세상을 향한 작가적 항변을 표현한 것이라 하겠다.[6] 〈기념비적 윤목, 1, 2, 3, 4, 5〉(2009~2014)연작은 검은 색 나무 기둥에 붉은 색으로 테를 둘러 새기거나 마치 부호나 기호를 각인한 듯한 작품이다. 인공적 새김과 자연스레 형성된 나무를 대비하여 조화를 꾀한 것으로 보인다. 하늘을 향해 침묵의 변辯을 토해낸듯, 동서남북, 상하좌우로 우뚝 선 기념비처럼 서 있다. 여러 개의 기둥들이 신전의 열주列柱처럼 도열하고 있는 듯하고, 마치 토템의 상像을 그리거나 조각한 토템기둥과도 같아 보인다. 이들 다섯 작품들의 주제는 같음에도 약간의 뉘앙스를 달리하여 형상화함으로써 보는 이의 다양한 상상력을 불러일으킨다. 특히 〈모음〉(2008)은 나무기둥이 숲을 이루고 있어 신비로움을 더한다.

　〈정주목의 모뉴멘탈리티〉(1987)는 두 개의 네모난 철제 기둥을 세우고 여기에 각각 세 개의 구멍을 뚫어 붉은 색을 칠한 뒤, 조금 거리를 두고 서로 떨어져 있는 둘에다 세 개의 봉을 끼워 가로로 연결한 작품이다. 세로로 세

6　이 대목에서 우리는 예술을 통한 작가의 비판적 시대정신을 읽을 수 있으며, 마치 피카소가 "그림이란 나에게 파괴의 종합"이라고 언명한 점을 떠올리게 한다. (피에르 덱스, 『창조자 피카소』, 김남주 역, 한길아트, 2005, 39쪽 참조.)

우고 가로로 연결하여 생활근거지의 안과 밖의 경계를 서로 관계를 맺어 강조한 것으로 보인다. 〈코리아 환타지 1, 2, 3〉(2013-2014)연작은 역사적인 사건이나 의미가 있는 굵직한 연도의 숫자(예를 들면, 1945, 1950, 1960, 1961, 1986, 1988 등)를 기둥에 써 넣어 상징성을 담고 있다.[7] 어떤 것은 두개의 기둥이 마주 바라보고 서 있으며, 그 각각 붉은 색과 초록색으로 얼기설기 톱니처럼 각인되어 있다. 다른 것은 뿌리 채 드러난 나무 등걸의 중심에 흰색, 초록색, 붉은 색, 노란 색이 원색으로 강한 열기를 품고 있으며, 비스듬하게 세로로 칠해진 원환이 바퀴처럼 가운데 위치하고 있다. 뒤의 배경에는 나무기둥이 둘러싸듯 서 있다. 〈코스모너지〉(2009)는 우주와 에너지의 합성어로서 질서정연하게 구성된 원자나 분자배열처럼 엮어져 있다. 부분과 전체의 역동적 에너지를 통해 질서와 조화를 엿볼 수 있다. 〈표상·의식의 현현, 1, 2, 3〉(2013-2015)은 나무기둥을 여러 부분으로 나누어 다양한 기호를 써넣은 모습이다. 그 기호들이란 시대를 지배하는 화폐단위이기도 하고, 십장생의 거북등 모습이나 원시시대의 수수께끼 같은 부호도 새겨져 있다. 작가가 어떤 의식을 대상에 투사할 때에는 늘 인간의 원초적 욕망이나 시대적 열망이 비판적으로 각인되어 드러나 있다. 그에 있어 의식儀式은 작가의 식作家意識의 투영이다.

작가 정관모에게 있어 인간의 삶과 생명에 대한 근본적인 물음은 영성靈性에 바탕을 두고 있다. 기독교적 세계관에 근거하여 작품을 제작한 조르주 루오Georges-Henri Rouault(1871~1958)의 경우, 검고 굵은 선을 색채와 어울리

---

7   정관모의 〈코리아 환타지〉는 작곡가 안익태가 우리나라 역사를 음악으로 표현한 '코리아 환상곡(코리아 환타지)'을 떠올린다. 그것은 고대의 평화스런 전원풍경을 기조로, 외세의 압제에 항거하며 투쟁한 선조들을 위로하는 내용이다.

게 하여 종교적인 깊이를 더했으며 기독교도를 넘어서 모든 사람들의 찬탄을 자아내고 있다. 앞서 언급한 바와 같이, 유한한 존재인 인간은 무한성을 추구하는 종교적 존재 혹은 종교인Homo Religiosus이다. 우리는 정관모의 작품에서 기독교적 영성을 넘어 보편적 인간 정서인 사랑과 치유, 평화의 의미를 느낄 수 있다. 한국적 미의식을 추구하는 〈코리아 환타지〉의 작가정신에서, 그리고 〈기념비적인 윤목〉이 던져주는 상징성에서, 나아가 전통의 맥락을 내포하면서도 현대의 시대정신을 놓치지 않는 작가의 치열함을 읽을 수 있다는 점에서 그러하다고 하겠다.

정관모, 〈기념비적인 윤목3〉, 2009

정관모, 〈기념비적인 윤목1〉, 2013

정관모, 〈코스모너지〉, 2009

정관모, 〈표상의식의 현현3〉, 2013

정관모, 〈코리아 판타지〉, 2013

정관모, 〈코리아 판타지3〉, 2013

2. 새로운 시각체험의 장場으로서의 '시간의 복제' : 한만영의 작품세계

작가 한만영의 작품세계는 1970년대 말에 시도한 〈공간의 기원〉 연작과 1980년대 중반 이후 지금까지 이어져 온 〈시간의 복제〉 연작으로 압축된다. 여기서 우리가 주목할 점은 그의 작품 연작에 등장하는 공간과 시간이다. 서구 근대미학의 완성자인 칸트I. Kant(1724~1804)에 따르면, 원래 시간과 공간이란 인간의 인식을 위한 선천적인 조건이다. 공간은 외적 감각의 형식이요, 시간은 내적 감각의 형식이다. 근본적으로 시간과 공간이 우리 앞에 먼저 주어져 있지 않다면 우리는 아무 것도 지각할 수 없거니와 또한 인식할 수 없다. 시간으로 채워진 내용은 공간이다. 따라서 공간의 기원이 무엇인가를 추적해보면, 자연스레 그 공간을 채우고 있는 시간으로 소급해갈 수밖에 없다. 이런 뜻에서 필자가 보기엔, 〈공간의 기원〉과 〈시간의 복제〉라는 두 축에 대한 작가의 깊은 통찰력은 매우 탁월하다고 생각된다. 35여 년에 걸쳐 〈시간의 복제〉 연작에 몰두하고 있는 작가의 말에 의하면, 이 작업은 앞으로도 큰 변화 없이 약간의 변주를 더해 진행될 것으로 보인다. 어떠한 시각에서 새로운 시간 체험이 가능한지에 대해 기대하는 바가 크다.

왜 시간의 복제인가? 작가에게 시간의 의미란 무엇인가? 원래 복제複製란 '본디의 것과 똑같은 것을 만듦'이나 '원래의 것을 재생하여 표현하는 것'이다.[8] 따라서 복제를 통해 원래의 것, 본디의 것을 떠올리게 된다. 그렇다면

---

8 요즈음 유전자를 인위적으로 조작하거나 조절하는 기술의 개발로 인해 복제인간에 대한 논의가 분분하거니와, '복제'로 인해 자연에 거슬리는 인위적인 변조에 대한 염려와 부정적 견해가 아주 많은 것이 사실이다. 하지만 '복제'라는 말에 대한 염려와 부정적 견해와는 달리, 한만영에 있어 시간의 복제는 시지각 지평의 새로운 융합을 위한

작가 한만영에게 원래의 것, 본디의 것은 무엇인가? 그는 "존재 자체가 시간"이라고 말한다. 작가에게서 시간은 삶 그 자체이며, 자연 그 자체이기도 하다. 시간의 복제를 통해 작가가 궁극적으로 의도하는 바가 무엇인가를 살펴보면 그의 예술세계가 드러난다. 흔히 인간은 '시간 안의 존재'라고 말한다. 존재론의 철학자 하이데거Martin Heidegger(1889~1976)는 시간 안의 존재인 인간을 '현존재Dasein'라고 부른다. 인간은 시간 안의 유한자이기에, 우리는 시간을 떠나서는 존재할 수 없다. 우리의 삶은 시간을 따라 흘러가다가 시간이 정지하면 죽음에 다다르게 된다. 어떤 생명에 있어 죽음이란 시간의 완성이요, 끝이다. 만약 과거의 시간을 현재화할 수 있다면, 삶과 죽음의 경계가 사라질 것이다. 작가 한만영은 시간의 복제를 통해 과거의 박제된 시간을 현재의 살아 있는 시간으로 되살리려는 시도를 자신의 작업을 통해 모색하고 있다. 시간의 재현이요, 현재화인 것이다. 작가의 발상이 돋보이는 부분이다.

작가 한만영은 여러 회에 걸친 개인전을 통해 자신의 작가의식을 잘 드러내고 있거니와, 나아가 그간 참여해온 무수히 많은 그룹전이나 단체전이 지향하는 주제들을 보면 그의 작품의 이면에 흐르고 있는 예술의지를 아울러 들여다 볼 수 있다. 이를테면, 오늘의 상황, 평면과 오브제 및 이미지, 꿈과 일상의 시간적 지평, 이미지와 추상, 범 생명관적 초월주의, 자연의 꿈, 뉴 미디어와 뉴 이미지, 전환시대의 미술지평, 창작과 인용, 전통의 맥으로서의 한국성 모색, 가상과 현실, 의식과 체험의 다양성, 새로운 형상의 언어와 정서, 자연의 소리, 현실과 환상, 실존과 허상, 이미지 천국 등이 그것이다. 우리는 작가 한만영이 특정 사조나 이념에 놀입된 미술계의 집단적 움직임

창조적이며 생산적인 과정임에 주목해야 할 것이다.

과는 일정한 거리를 두면서도 시대적 지향점을 꿰뚫어 보고 있음을 알 수 있다. 그는 시공간적, 재료적, 장르적 실험을 새롭게 펼치며 자신의 조형세계를 구축해왔다. 특히 조각과 회화의 경계를 허물어 낯설고 이질적인 이미지를 한 데 복합하고 새로운 예술의 영역을 연출하는 과정은 여전히 진행 중에 있다고 하겠다.

작가 한만영은 오랜 과거로부터 지금까지 검증된, 말하자면 자타가 공인하는 동서양의 걸작명화들을 시간의 복제라는 과정을 거쳐 현재의 한 부분으로 조형화하여 자신의 고유한 예술세계에 끌어들인다. 자신의 작업에 표현된 오브제들은 시간의 흔적을 복제하고 재생하는 소재로서의 기능 이외에 이질적인 시공간을 동질화하는 역할을 한다. 그가 오브제로 불러들이는 이미지들은 고대 로마의 신전부터 르네상스 시대의 회화, 초현실주의 작품, 그리고 고구려의 고분벽화에서 보이는 수렵도, 불상, 토우, 풍속화, 인물화, 민화, 조선조의 진경산수화, 청화백자[9]에 이르기까지 다양하다. 세부적인 묘사나 표현에 있어 극사실적이면서도 비현실적인 그의 화면에는 과거와 현재가 연결되어 있다. 그는 시간을 물리적으로 나누어 과거, 현재, 미래의 연속체로 보지 않으며, 현재라는 시점에서 이 모두를 불러내서 우리로 하여금 직관하게 한다.

우리는 시간이란 어디로부터 근원하는가를 다시 묻게 된다.[10] 이른바 원

---

9 한만영은 '아트사이드 갤러리'에서의 전시, "Imagine Across"(2017. 10. 12.-11. 05)에서 청화백자를 묘사한 작품과 캔버스에 거울을 부착한 작품을 선보였다. 특히 청화백자에서의 하늘색은 원초적 느낌을 자아내며 시간을 의미하고 동시에 상상의 공간이나 무한공간을 뜻한다.

10 성 어거스틴은 『고백록 Confessiones』에서 신에게 자신의 죄를 고백하면서 신을 찬양하고, '시간이란 무엇인가'를 물은 것으로 잘 알려져 있다.

초나 원시는 시간 이전, 역사 이전의 상태이다. 한만영의 〈시간의 복제〉는 시간이 멈춘 상태로 단순한 "회화적 재현이 아니라 회화 언어 자체의 문제를 강조한 것이고, 우리의 시각적 체험을 확산하며 새로운 영역에로 우리를 인도해준다."[11] 이러한 시각적 체험은 서로 이질적인 시공간을 융합하는, 풍부한 상상력에서 가능하다. 평론가 송미숙은 〈시간의 복제〉에서의 일관된 특징을 강한 문학성에서 찾으며 상상을 통한 시간의 유희를 읽는다. 유희는 예술을 가능하게 하는 충동이요, 에너지이다. 또한 평론가 서성록은 한만영 작품에서 '혼성모방(패스티쉬, Pastiche)적' 특성을 지적하며, 그를 이미지의 작가로 본다. 앞의 두 언급은 한만영 작품의 특성을 적절하게 지적한 내용들이라 하겠다.

그는 대중에게 잘 알려져 있는 기존의 이미지를 차용하되, 우리가 이미 알고 있는 것에 대한 새로운 시각과 해석을 제시한다. 일상의 오브제를 재구성하여 과거를 현재의 시점에서 복제하고, 그리하여 비현실과 현실이 혼재하게 되고 때로는 초현실의 세계를 추구한 것으로 보인다. 그림이나 조각, 설치의 상호구분 없이 동일한 시공간 안에서 어울린다. 이를테면 고구려의 고분벽화의 한 장면이 과거의 시간으로부터 걸어 나와 현재의 우리에게 동일한 시공간에서 자유로운 상상의 나래를 펴게 한다거나 청화백자의 하늘빛이 긴 시간의 공백을 넘어 오늘 우리의 하늘색으로 중첩된다. 그에게 시간은 물리적인 것이 아니라 '영원한 현재'로 머문다. 평면과 입체, 구상과 추상, 생성과 소멸, 현실과 비현실이 하나의 화면에서 서로 대비를 이루

11　평론가 이 일의 이와 같은 지적은 『미술춘추』 No 8, 1981, 29쪽 참고. 또한 '두손 갤러리'와 '상문당 화랑'에서 열린 한만영의 근작들의 전시(1992. 1.)에 대한 평론가 유재길의 평문, 「역동적인 힘의 표현으로 변모된 시간의 복제와 새로운 환경과의 결합」에서 인용.

며 교차한다. 이러한 대비와 교차 속에서 작가는 초현실적인 상황을 연출한다. 공간분할이나 철판, 철사를 비롯한 여러 소재를 다양하게 이용하여 그는 때로는 작가의 말처럼 목공이나 철공의 장인처럼, 혹은 칠쟁이로서 작업을 한다. 이러한 그의 조형적 모색은 자신의 조형언어를 찾기 위한 모색이요, 과정이다.

마르셀 뒤샹Marcel Duchamp(1887~1968)이 레디메이드를 차용하여 예술에 대한 기존의 평가 기준이나 분류의 의미를 통합한 것처럼, 작가 한만영은 우리의 전통적인 시공간 개념에 대한 인식과 표현에 대전환을 가져옴으로써 우리를 새로운 시각 체험으로 안내한다. 작가는 작품에서 어떤 의미를 읽어내려는 시도보다는 편안하게 바라볼 것을 권유한다. 말하자면 보는 이에게 즐거운 상상의 나래를 펼치도록 한다는 말이다. 오광수와 같은 평론가는 한만영의 작품세계에서 '고고학적 풍경'을 읽는다. 고고학이란 문자가 없던 시대에 인간사의 이해에 필수불가결한 학문으로서, 인간이 자연계에 남긴 각종 물질적 흔적들의 특성을 밝혀 인간 행위 양상의 여러 측면을 연구한다. 이러한 고고학적 정서는 우리의 깊은 내면에 감춰진 것을 마치 유물을 발굴하듯 꺼내어 인식의 지평을 새롭게 넓혀 놓는다. 이런 맥락에서 최근의 시도는 작가의 상상력에 더하여 물감의 흔적을 화면에 밑에 남겨놓아 마치 고고학적 뿌리를 제시하는 것과도 같아 보인다. 우리의 삶은 지나간 과거도 아니요, 아직 다가오지 않은 미래도 아니며, 지금 이 순간이다. 작가 한만영의 〈시간의 복제〉는 단순한 시간의 재생이 아니라 지금 이 순간을 새롭게 바라보게 하는 시각체험이다. 과거와 현재의 공존을 토대로 미래의 지평을 여는 시각체험인 것이다.

한만영, 〈Reproduction of time 85-5〉, 1985,
38×37×10cm, Mixed media in Box(Objects & Mirror)

한만영, 〈Reproduction of time - Morning〉, 1996,
256×200×16cm, Acrylic in Box & Object(Mirror)

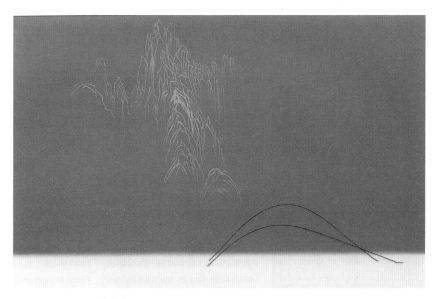

한만영, 〈Reproduction of time - Kumgangsan〉, 2002,
333.3×218.2㎝, Acrylic on Canvas & Wire

한만영, 〈Reproduction of time – Yellow Bird〉, 2005,
290.3×197×9㎝, Acrylic on Canvas & Objects

한만영, 〈Reproduction of time - Lichtenstein C.02〉, 2009,
167.5×86×26㎝, Acrylic in Box & Cello on Coiiage(Object & Mirror)

한만영, 〈Reproduction of time-Magritte Garden〉, 2017,
193.9×10×130.3cm, Mixed media on Panel(Film Mirror & Object)

한만영, 〈Reproduction of time - Explorer〉, 2017,
220×145.5×4.2cm, Mixed Media on Panel

3. 시간의 기억과 흔적으로서의 삶 :
고성희의 유리조형 예술세계

　유리조형예술가인 고성희는 홍익대학교 학부와 대학원 및 프랑스 파리 국립미술대학교에서 조각과 유리조형에 관한 공부를 하고 현재 남서울대학교 유리세라믹 디자인학과에서 교수로 재직하며 유리조형 연구소를 책임 맡고 있다. 그간 국내외에서 20회의 개인전을 비롯하여 250여회의 단체전에 참여함으로써 작가적 역량을 쌓으며 자신의 독특한 예술세계를 펼치고 있다. 앞의 이력이 말해주듯 그는 조각작업에 이어 유리조형작업에 몰두하고 있다. 특히 유리라는 소재의 조형성과 조소성을 통해 삶과 자연을 바라보는 시간에 대한 기억이 어떤 모습의 흔적으로 각인되는지를 자신만의 이야기를 담아 빛과 예술로 풀어내고 있다.

　우리에게 알려진 유리예술의 역사적 기원을 추적해보면, 국립경주박물관에서 유리구슬로 만든 독특한 유물을 만날 수 있다. 경주 황남동 미추왕릉 지구 고분에서 1973년에 발굴된 상감 유리구슬(보물 제634호)은 목걸이 장식의 일부로서 지름 1.8㎝의 유리구슬에 상감기법을 사용해 사람의 얼굴과 오리, 식물 등을 새긴 아름다운 구슬이다. 그런데 그것의 정확한 기원이나 기록이 전해지지 않고 있으며 발굴된 유리계열의 유물이 당시에 만들어진 것인지 아니면 어떤 경로를 거쳐 외국에서 유입된 것인지 조차 알려진 것이 거의 없다. 더욱이 우리나라에 유리 제조 기술이 보급된 것은 19세기 후반이고, 유리를 소재로 한 예술이 하나의 분야로 자리 잡기 시작한 것은 그보다 훨씬 늦은 1980년대 이후의 일이다.

　유리예술은 다루는 질료의 투명성을 바탕으로 한다. 미술평론가이며 유리섬 미술관(경기도 안산시 대부도 소재) 객원 큐레이터인 장동광은 '물질의 실재성과 빛이라는 비물질성의 상호교직'에 주목한다. 유리매체에 자연의 빛이나 인공조명을 활용하여 그 투명한 혹은 반투명한 질료적 몸체가 담고 있는 이야기를 들여다보는 것이다. 그리하여 유리조형은 흔히 말하는 유리공예라는 실용성이나 도구성을 넘어서게 되고 유리의 투명한 내부는 미적 공간이 된다. 고성희의 창작 계기는 유리의 투명성과 물성적 표현, 그리고 내부적 응집성과 외부적 확산성을 지각하는 것으로부터 시작된 것으로 보인다. 투명하거나 반투명한 물질을 어떻게 변주하여 내포와 외연을 서로 연결하고 인공구조물을 어떻게 기하학적 공간에 배치하여 숨겨진 아름다움을 드러내는가를 그의 작품을 통해 살펴보기로 한다.

고성희는 유리조형을 통해 시간이 남긴 자국이나 자취를 새긴다. 기본적으로 우리의 삶은 시간 안에서 이루어지기 때문이다. 그 자국이나 자취는 몸체에 남아 있다. 우리는 그것을 인식할 수도 있고, 그렇지 못할 수도 있다. 그의 작품 〈안다〉(glass, slumping 2017)는 신체의 감촉에 의한 인식을 보여준다. 감성적 인식은 이성적 인식에 시간적으로 앞서 행해진다. 인식은 '세상을 아는 일'이요, 칸트I. Kant(1724~1804)의 미적 인식론에서 말하듯 자기인식은 곧 세계인식이다. 또한 〈흔적을 만나다〉(glass, slumping 2017)에서는 시간과의 접촉을 통해 남겨진 흔적을 반추하며 삶을 되돌아보게 한다. '살아가는 것'은 곧 시간의 흔적을 현재화하고 미래화 하는 것이다. 〈일어나다-II〉(glass, slumping 2017)는 삶의 생기生起이다. 이것은 자유의 일어남이요, 의지의 비상이다. 살아있음은 자유를 향한 투쟁의 몸짓에 다름 아니다. 〈기억〉(glass, slumping 2008)과 〈기억의 조각〉(glass, slumping 2019)은 신체의 어떤 부분에 새겨진 조각에 의한 기억을 일깨운다. 삶을 살아온 세월의 흔적이 상처와 아픔으로 각인된다. 외상外傷, trauma에 몸 전체가 반응하고, 상처 하나가 몸 전체에 불안감을 가져오기도 한다. 외상은 상처 자체에 그치지 않고 몸 전체로 분산되어 근본적인 파열을 일으킨다.[12] 시카고 대학의 현대 외상 이론가인 루스 레이스Ruth Leys에 따르면, "트라우마는 피해자가 외상적 장면에 빠져들게 하는 경험으로서, 너무도 깊게 빠져 결국 일어났던 바를 인지하는 데 꼭 필요한 일종의 거리두기가 일어나지 못하도록 한다."[13] 외상을 제대로 인지하는데 객관적 거리두기를 하지 못함으로서 결국엔 상흔의 기억으로 되살아나고 현재진행형이 되어 우리를 끊임없이 괴롭힌다. 이를 승화할 수 있는 힘은 아마도 내재적 정신일 것이다. "예술을 창작하는 근본적인 목적은 대상의 외형을 포착하는 것이 아니라 그 형태에 내재된 정신을 시각적으로 옮기는 것"이라고 칸딘스키Wasily Kandinsky(1866~1944)는 말한다, 작가는 소재에 각인하는 강한 정신력을 자신의 내부에서 느끼고 찾는다.

우리는 기억 가운데서도 어떤 특정 시점의 기억이 다른 시점에 비해서 삶에 미치는 영향이 더욱 클 수 있음을 잘 안다. 모든 과거가 현재로, 나아가 미래로 이어지는 것은 아니기 때문이다. 따라서 과거에서 현재로, 현재에서 미래로 이어지는 영향사적影響史的 측면이 매우 중요하다. 작가는 9살이라는 나이의 특정 시점에 의미를 부여한다. 그의 〈9살에 대하여〉(glass, casting metal 2019)는 이중 저울을 통한 중력重力 체험을 보여 준다. 왜 하필 저울이 등장한가를 생각해본다. 저울은 무게를 헤아리는 도구이며, 중력은 지구 위의 모든 물체가 예외 없이 지구로부터 받는 힘이다. 이를 통해 우리는 구체적 보편성을 읽을 수 있다. 지상 위에 존재하는 구체적인 모든 것은 중력

---

12   Glenn Adamson, *The Invention of Craft*. 글렌 아담슨, 『공예의 발명』, 김정아 외 역, 미진사, 2017, 275쪽.

13   Ruth Leys, *Trauma: A Genealogy*, Chicago: University of Chicago Press, 2000, 9쪽.

과의 관계를 맺으며 그 나름의 보편성을 지니고 존재한다. 또한 〈섬〉(glass, casting 2019)과 〈섬 II〉(glass, casting 2019)은 바다 위에 떠 있는 두 개의 섬을 가리킨다. '섬'이 갖는 공간적 의미와 그 상징성은 매우 다양하다. 지리적 고립이나 외로움, 쓸쓸함을 뜻하기도 하지만, 한편 정서적 안정과 희망, 신비로움과 아름다움을 내포하고 있기도 하다. 고성희가 의도하는 '섬'은 육지라는 현실적 삶과의 거리두기이며, 치유의 공간을 은유한 것으로 보인다.

유리가 빚어낸 자연스런 물성物性은 색이나 결 혹은 무늬에 나타나 외화外化된다. 때로는 드러난 모습이 낯설기도 하고 낯익기도 한다. 거기에 숨겨진 아름다움을 찾아 작업하는 일은 작가의 몫이고, 동시에 미적인 즐거움을 향유하는 일은 평자나 관객의 몫이다. 빛에 반응하는 유리에 실재와 상상력이 잘 어울려 있다. 인간 삶의 행위는 표현이고 몸짓이다. 고성희는 몸짓이나 자태의 어떤 특정 순간을 포착하여 의미를 찾아내어 표현한다. 우리는 거기에서 작가의 실존적 정서를 공유하게 된다. 시간이 남긴 흔적들은 서로 겹치기도 하고 반복하기도 하며 기억의 구조 안에 인식의 통로를 만들어 시각적인 즐거움을 더해 준다. 우리는 보이는 것과 보이지 않는 것 사이의 시지각적 경계에 놓인 삶을 살아간다. 비가시적인 것을 가시적인 영역에 놓아 유리 안에 작은 경관을 만드는 일은 기억의 이미지요, 감정이 투영된 기억이다.

고성희의 시도와 연관하여 미국의 유리조형의 거장인 데일 치홀리Dale Chihuly(1941~)를 떠올려 보자. 그는 유리 작품을 공예에서 순수예술, 곧 파인 아트fine art의 경지로 끌어올린 선구자로 꼽힌다. 그의 손이 닿은 유리의 조각들은 마치 살아 있는 유기체처럼 생기를 띠고 움직인다. 치홀리는 "유리만큼 자유자재로 변형이 가능하고, 투명한 소재는 거의 없다. 빛이 통과할 때의 느낌도 환상적이다." 이어 "내 작품을 감상할 때는 가능한 한 열린 마음으로, 그리고 가벼운 마음으로 보라"고 주문한다. 이러한 입장은 고성희의 작품을 바라볼 때에도 그대로 적용된다. 유리의 특징을 통해 형상화한 조형작품은 빛과 색채의 조합을 통해 투명한 신체표현의 경계에 존재하는 은유의 세계를 표현한다. 유리의 독특한 질감으로 인해 다른 소재와는 특이한 미적 감성을 불러일으킨다.

유리조형 예술가 고성희의 초기 작업은 한국적 정서와 이미지를 모색하며 조각에서 출발하였으나 재료적 한계를 넘어서 조각과 유리를 접목하기에 이른다. 그는 폐유리를 활용하는 새로운 매체 실험을 하며 조형적 표현영역을 넓히고 있다. 그가 빚어낸 유리조형의 예술 세계는 인체에 새겨진 시간의 흔적을 기억하게 하고, '섬'이라는 자연의 이미지를 단순화하고 이를 치유의 공간과 연결짓는다. 앞서 언급했듯, '유리조형'이란 개념이 국내에 알려진 것은 비교적 짧은 세월이지만, 그럼에도 유리의 기능적 공예성을 벗어나 독립된 예술이라는 새로운 장르영역으로 크게 확장되어 가고 있다. 이러한 상황에 비추어 볼 때, 유리조형에 대한 새로운 인식과 그 지평을 넓힌 작가 고성희의 작품은 커다란 의의를 갖는다고 하겠다.

고성희, 〈기억 17〉, 2017, 570×140×510cm, Glass, Wood Slumped

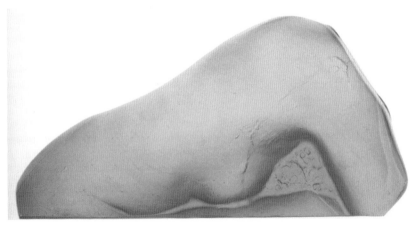

고성희, 〈안다.〉, 2017, 530×90×280cm, Optic Glass Slumped

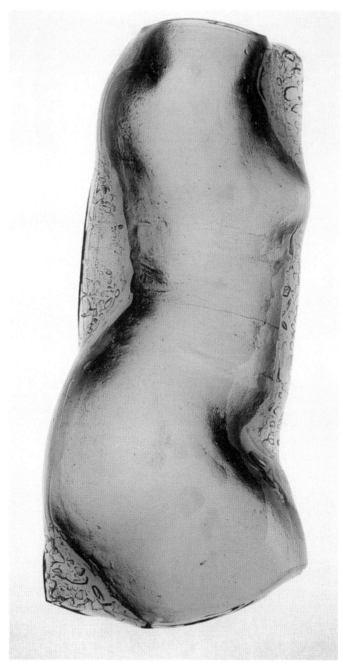

고성희, 〈일어나다 2.〉, 2017, 350×160×770㎝, Glass Slumped

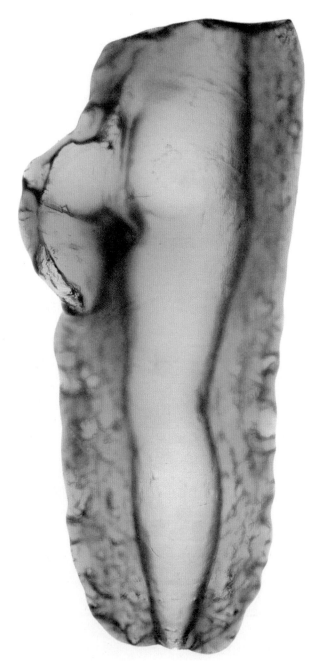

고성희, 〈흔적을 만나다.〉, 2017, 420×170×970㎝, Glass Slumped

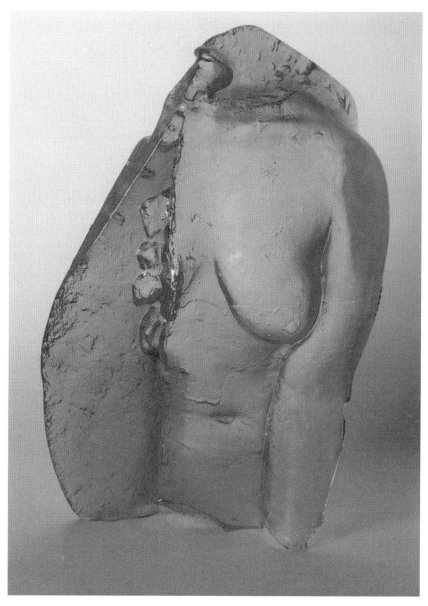

고성희, 〈기억을 보다.〉, 2017, 410×170×560㎝, Optic Glass Slumped

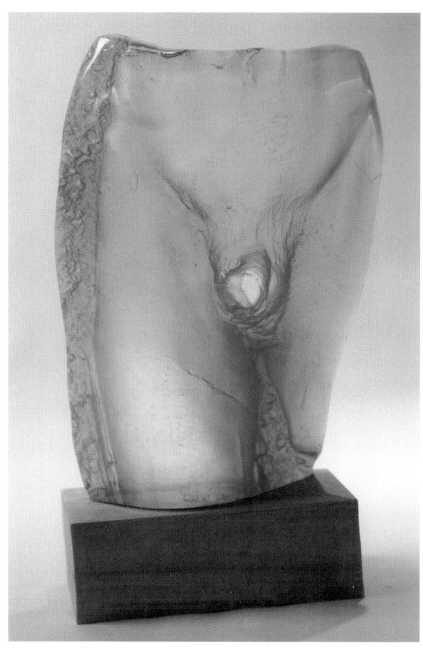

고성희, 〈가다.〉, 2017, 50×40㎝, Glass Slumped

4. 시간의미의 미적 재구성 : 서정희의 〈시간여행자〉 연작

작가 서정희는 15회에 걸친 개인전 및 다수의 단체전과 아트페어에 열정적으로 참여하면서 자신의 독특한 예술세계를 천착해오고 있다. 또한 한국여성미술 공모전, 한국수채화 공모대전, 목우회, 미술세계 대상전 등을 비롯한 유수한 공모전에 출품하여 대상 및 본상을 수상함으로써 작가적 역량과 예술성을 인정받고 있다. 서정희의 화두는 시간으로의 여행이며 작가가 작품 속에 직접 참여하는 시간여행자로서의 위상을 견지하고 있다. 시간으로의 여행을 시도하는 작가 서정희의 작품세계를 들여다보며 우리는 시간의 의미를 되묻게 된다. 시간으로의 여행을 통한 체험은 정신적 깊이를 동반한다. 작가 서정희가 다루는 주제는 무엇이고, 어떤 소재와 방법으로 작업을 하고 있으며 작품이 우리에게 어떠한 미적 의미를 던지고 있는가를 좀더 가까이 들여다보려고 한다. 우리는 '시간 안'에 존재하는 유한자로서 시간에 대해 물음을 던진다. 우리에게 주어진 시간은 우리 삶의 시작이자 끝을 알려주기 때문이다.[14]

시간은 밖에서 주어진 것처럼 보이지만, 실제로는 내적 감각의 형식이다. 과거에 대한 회상과 기억, 현실에 대한 직관, 미래에의 기대와 예상이 한 데 어울러 섞여 있는 가운데 우리는 삶을 살아가고 있다. 시간을 강의 흐름에 비유하자면, 과거에서 현재로, 현재에서 미래로 흘러 들어간다. 흐름이 종언에 이르면, 생명의 순환처럼 처음으로 회귀한다. 현재는 과거의 결

---

14 마르틴 하이데거의 『존재와 시간』(1927)은 '시간이 되어감, 시간이 익어감(시숙, 時熟)'의 의미를 잘 전달해준다. 곡식이 무르익어가듯 시간이 익어감으로 인해 우리는 존재의 근원에 다가가게 된다.

과이고, 미래는 현재의 결과로서 전개된다.[15] 시간이 밀어내는 바는 과거에서 현재를 거쳐 미래로 옮겨가는 것이다. 시간은 우리에게 의미를 던지며, 그것은 '자기에 의한 자기촉발'[16]인 것이다. 우리가 살고 있는 공간이란 시간이 남긴 흔적이며, 시간에 의해 채워진 내용이다. 따라서 시간이란 공간에 앞서 선행하는 것으로서 삶을 살아 움직이게 하는 중심축의 역할을 한다. 작가 서정희의 시간여행을 통해 시간을 추적하는 작업은 작가자신의 삶 뿐 아니라 우리 삶의 축을 돌이켜보는 일이기도 하다. '앞을 미리 내다봄'은 예기된 '돌이켜 봄'이기도 하다. 과거는 미래를 예상하고 있으며, 미래는 과거를 잉태하고 있다. 예상과 잉태라는 맥락에서 서로 연결되어 있거니와, 이때 현재는 양자를 매개하는 과정이다. 장 폴 사르트르Jean-Paul Sartre(1905~1980)와 함께 프랑스 현대 철학의 양대 산맥을 이루는, 지각의 현상학자인 메를로-퐁티Maurice Merleau-Ponty(1908~1961)의 말을 빌리면, 미래를 향한 모든 내다봄은 과거로 역전된 돌이켜 봄이다.[17] 시간여행의 의미를 좀 더 깊이 들어가 보기로 한다.

미래에 대한 예상과 과거에 대한 기억은 모두 현재 안에 포함되어 있다. 시간여행時間旅行은 시간의 경계를 허물고 과거, 현재, 미래를 자유로이 넘나드는 여정이다. 이런 넘나듦을 수행하기 위해 우리는 의도적인 장치에 의존하여 타임머신을 이용하기도 하고, 개인 혹은 집단이 알 수 없는 이유로 시간여행을 하는 초자연적인 현상으로서 타임 슬립Time slip을 떠올리기도 한다. 또한 시간이탈이나 시간탐험을 통해 과거로 이동하거나 미래로

---

15 모리스 메를로-퐁티, 『지각의 현상학』, 유의근 역, 문학과 지성사, 2006, 613쪽.
16 앞의 책, 636쪽.
17 앞의 책, 618쪽.

이동하기도 한다. 흔히 시간여행을 하려면 물리학적으로 빛의 속도에 가까워져야 한다고 말한다. 시간은 상대적이고 중력에 의해서 시간이 달라진다. 미래와 과거를 자유로이 오갈 수 있는 시간여행은 오직 한쪽 방향으로만 흐르는 시간에 얽매여 살아야 하는 현실의 우리에겐 꿈이요, 희망일 뿐이다.[18] 이론적으로는 빛의 속도보다 더 빠르게 움직이는 경우에 시간여행은 가능할 것이다. 하지만 현대 물리학은 빛보다 빠른 물질은 존재할 수 없다는 것을 전제로 한다. 따라서 시간을 거슬러 과거를 바꾸는 일은 사실상 불가능해 보인다. 미래로 가는 시간 여행은 기술적인 측면에서 보면 가능한 일이겠지만, 과거로의 여행은 과학기술적으로 불가능에 더 가깝다. 다만 우리의 미적 상상력에 의존하여 아름답게 재구성되기를 소망한다. 시간여행이 가능하기 위해서는 우리가 일상적으로 이해하는 시간에 대한 다른 접근이 필요하다. 빛은 직진을 하지만 강한 중력에 의해 왜곡된 공간을 따라 빛이 휘어져 흐르기도 하고, 속도도 느려진다. 이러한 강한 중력의 역할을 우리의 미적 상상력이 수행하길 기대하며, 이는 서정희의 예술세계와 맞닿아 있다. 직진이 아니라 곡선으로의 시간탐색은 과거에 대한 서정희의 자유로운 회상이요, 현재화인 것이다.

평론가 정금희(전남대 교수)는 서정희의 〈시간여행자〉 연작을 가리켜 '여행하는 자화상을 담은 그림'이라고 평한다. 어린 시절 정읍 북면 장구산 기

---

18 시간을 통한 여행을 안내한 것으로 웰즈(H. G. Wells)가 1895년에 쓴 과학소설인 『시간기계The Time Machine』가 있다. 이는 우리의 상상력을 자극하며 시대를 앞서 가는 통찰력을 풍부하게 담고 있다. 얼마 전 흥행을 일으킨 〈인터스텔라〉(Interstellar, 2014)나 〈백 투 더 퓨처〉(Back to the Future, 2015 개봉)시리즈와 같은 공상과학영화에는 시간여행이 주제로 등장한다. 또한 캐나다 쇼케이스 채널과 넷플릭스에서 2016년부터 방영중인 〈시간여행자〉(Travelers)도 좋은 예라 하겠다.

슭에서 자연과 함께 한 체험을 시작으로 그 이후의 삶의 과정에 자전적 삶의 내용을 포개어 여러 소재들을 작품에 녹여내고 있다. 작가가 느끼는 정서들을 때로는 외부의 관찰자처럼 예리하게 응시하거나 때로는 직접 개입하며 즐기고 있는 모습을 보여 준다. 이러한 외부적 관찰과 스스로의 즐김을 통하여 소재들끼리 서로 대화를 나누며 스토리텔링을 하게 되고 마음 속 깊이 각인된 정서를 풀어낸다. 그리하여 작가 나름의 치유함과 치유되어감의 과정을 체험하고 있는 듯하다. 이러한 이중의 과정은 우리에게도 그대로 투사된다. 화면의 구성은 사실적인 기교에 바탕을 두고 있으나 초현실주의적인 분위기를 동시에 자아낸다. 이를 테면 그림에 등장하는 무명실이 암시하는 바는 과거와 현재, 현실과 초현실, 시간과 공간의 단절이 아니라, 마치 상호인연을 맺은 듯 연결해준다.

작가는 지나간 세월들 속에 겹겹이 쌓인 흔적들을 시간여행자가 되어 되돌아보며 작품으로 완성한다. 작품 속에 전개된 또 다른 미지의 공간들 틈으로 작가의 상상력은 자유로이 옮겨간다. 마치 파울 클레Paul Klee(1879~1940)의 회화에서 음악적인 이미지가 겹쳐 흐르듯, 서정희는 조용히 들려오는 선율이 바람과 빛과 색감들의 리듬을 타고 흐르고 있음을 느낀다고 고백한다. 깊은 무의식 속에 잠들었던 온갖 사물들이 숨 쉬듯 깨어나 시간여행자인 서정희와 함께 유희한다. 작가는 "긴 그림자들이 비스듬한 오후의 햇빛을 가녀린 호흡으로 토해내고 나면 비로소 또 다른 공간 속에 숨은 시간들도 석양빛을 등지고 하나둘 손을 내밀어 시간여행자와 마주한다. 떠도는 오래된 나의 소중한 잃어버린 시간들, 공간들의 파편들로 모여진 기억들과의 긴 대화가 시작된다. 제일 먼저 잊을 수 없는 어느 해 가을이 단조 음률을 타고 내게 말을 건넨다. 그림 속의 낡은 티 테이블에는 거의 항상 파스텔톤 구름들이 만들어 준 천상의 향기를 품은 찻잔이 따스한 미소를 머금고 손을 내민다. 그들과의 만남은 항상 정겹고 즐겁다. 이곳저곳에서 반짝이는 새싹들도 종알거리며 하루 동안 숲속 얘기를 내게 전한다. 그림 속에서의 모든 만남들이 신비스럽고 아름답다."고 자신의 그림에 펼쳐진 정경을 전해 준다.

물 흐르듯 자연스레 점철된, 가벼운듯 가볍지 않게 펼쳐진 수채화적 묘미는 지나간 시공간들에 얽힌 삶의 파편들을 생생하게 되살려 준다. 작가는 백합이나 수국, 장미 외에 녹색계열의 무채색 프리지아Freesia를 배경삼아 그 꽃향기를 따라 시간여행을 떠나며 행복감에 젖는다고 고백한다. 옅은 흙 내음, 노랑 색조나 분홍 색조, 보라 색조를 띤 구름, 그리고 비, 빗소리, 비가 가져다주는 특유한 내음은 아득한 태초와 원시 시간으로의 여행을 안내한다. 작가는 낮 동안엔 화창한 날보다는 구름이 끼고 비가 내리는 날을, 밤엔 보름달보다는 초승달이 뜬 날을 더 선호한다고 말한다. 자신을 노출시키지 않고 무언가에 의해 은은하게 스스로 감추며 보호를 받는 느낌이라고나 할까. 작가의 그림 속에 등장하는 초승달은 짙은 우수를 자아낸다.[19] 아마도 아직 채워지지 않았기에 더욱 소중함을 일깨워 주는 것으로 보인다. 자연의 범주들을 미적 범주로 변형하여 의미를 부여하고 있다. 또 다른 소재들인 청량한 민트색 통기타의 등장이나 기댈 수 있는 벽, 시원한 나무 그늘은 정지된 공간의 시간을 상징하며, 어린 시절의 추억이 서린 자전거나 자동차를 비롯한 여러 형상들은 시공간의 이동을 암시하며 어딘가를 향해 함께 떠나는 친구들을 회상시켜 준다.

'다중평면회화의 독특한 작품세계'를 펼치는 작가는 구상과 추상을 적절

---

19 초승달이 등장하는 작품으로는 빈센트 반 고흐의 〈사이프러스 나무가 있는 길〉(1890)이나 〈별이 빛나는 밤〉(1889)이 있으며, 상징성이 매우 강하다.

하게 혼합하고 특정한 시간과 공간의 경계를 초월한다. 작가는 평면사이의 공간을 연출하여 평면작품이면서 입체작품인 듯한 이중감각을 갖게 한다. 구상적인 앞부분과 추상적인 뒷부분 사이에 여백을 둔 삼중적 구성, 전후의 평면을 약간 어긋나게 배열하여 평면성으로부터의 탈출을 시도한다. 다층평면으로 구성된 작품의 입체성은 시간차를 두고 행해진 시간여행에 얽혀 있는 다면적인 이야기를 풀어낸다. 그리하여 시간이 중층으로 켜켜이 쌓이게 되어 삶의 깊은 맛을 더해준다. 이러한 구도 속에 작가 자신의 시각으로 그림 전체를 응시하는 모습을 명시적으로나 묵시적으로 제시하여 작가적 개입을 보여준다. 객관적인 대상이나 방관자로만 머무르지 않은 주체적인 개입은 자아의 정체성을 찾기 위한 적극적인 시도로 여겨진다. 서정희의 작품세계는 때로는 슬프거나 무섭고, 우울하기도 했던 지난 추억을 피하지 않고 미적인 거리를 두고서 오히려 관조한다. 작가는 그 안으로 시간여행을 함으로써 잃어버린 소중한 시간을 되살려 재음미하게 한다. 그리하여 우리로 하여금 신비롭고 새로운 상상의 나래를 펼치게 한다. 그것은 마치 플라톤Plato(BC 428/427~348/347)이 언급한 '영원한 현재'처럼 살아있어 우리에게 감동과 즐거움을 준다.

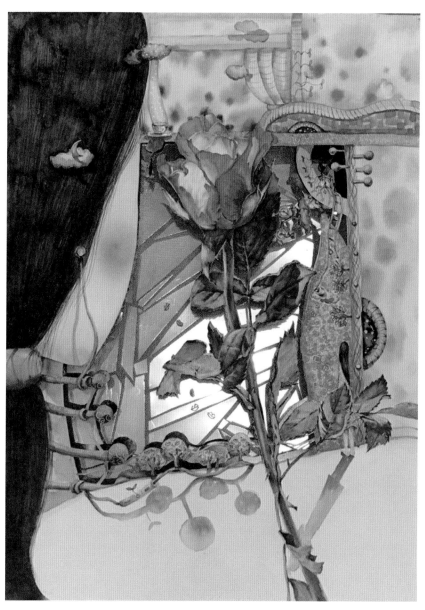

서정희, 〈Time-traveler(시간여행자)〉, 2016, 72.7×60.6㎝, Mixed media

서정희, 〈Time-traveler(시간여행자)〉, 2017, 30×30cm, Mixed media

서정희, 〈Time-traveler(시간여행자)〉, 2017, 53×45.5cm, Mixed media

서정희, 〈Time-traveler(시간여행자)〉, 2017, 72.7×60.6㎝, Mixed media

서정희, 〈Time-traveler(시간여행자)〉, 2017, 90.9×72.7㎝, Mixed media

5. 새로운 것에 대한 갈망과 미래에의 열정 :
황은성의 '뉴 퓨처리즘'

작가 황은성을 만나 보면 예술에 대한 갈망과 열정이 넘쳐 대화를 나누는 중에도 그대로 필자에게 전달되는 듯하다. 아마도 현재의 갈망과 열정이 다가올 미래로 이어지는 것으로 보인다. 작가 황은성은 기존의 어떤 유행이나 유파, 아카데믹한 전통의 유혹에서 벗어나 오로지 미래를 향한 끊임없는 열정으로 이전의 것을 새롭게 모색하고 창조하여 자신만의 독특한 예술세계를 구축한 것으로 보인다. Parsons School of Design과 Paris American Academy에서 수학한 황은성은 1990년대부터 국내에서뿐만 아니라 해외에서의 전시에 적극적으로 참여하여 성과를 거두며 평가를 받고 있다. 이를테면, 파리 국제미술 박람회 〈Grands et jeunes d'aujourd'hui〉(1994-95년), 스트라스부르 현대미술 아트 페어〈St-ART〉(2014년)가 그것이다. 이후 곧 황은성은 평소에 소망했던 바, 위대한 작가요 사상가인 톨스토이Lev Nikolayevitch Tolstoy(1828~1910)와 현대미술의 거장인 칸딘스키Wassily Kandinsky(1866~1944), 말레비치Kazimir Malevich(1878~1935)의 나라에서 그들의 사상과 예술적 창조성에 깊은 영향을 받고 전시계획을 세우게 된다.

그리하여 '새로운 미래주의New Futurism'라는 주제의 회화전이 러시아 모스크바의 국립동양박물관(2019. 1. 29.~2. 19.)에서 성황리에 열림으로써 자신의 예술세계를 좀 더 뚜렷하게 알리는 계기가 되었다. 러시아 연방 문화부가 후원한 이 전시회는 시의 적절하게 '3·1운동 및 임시정부 수립 100주년'과 함께 '1905년 러시아 연해주에서의 대한국민회 발족'을 기념하여 특별히 마련된 것으로 역사적 의의가 있다고 하겠다. 전시 작품들은 작가의 깊은 내면의 지성知性과 영성靈性에서 우러나오는 자유로운 상상력과 미적 감정들을 화폭에 적절하게 담아낸 것이다. 황은성은 전통적인 동양화에서의 수묵화적 표현보다는 작품 표면의 거친 질감을 강조하여 정서적 공감을 유발하면서 마음에 깊은 공감을 자아냈다. 이제 작가가 자신의 예술세계에서 궁극적으로 표현하고자 하는 바는 무엇인지, 그리고 형상에 담긴 작가의 예술의지는 무엇인지, 나아가 어떤 미래지향점을 갖고 있는지를 살펴보려고 한다.

앞서 언급한 대로 작가 황은성이 표방하는 작품주제는 '새로운 미래주의 New Futurism'로서 미래의 향방을 제시한다는 점에서 우리에게 시사하는 바가 크다. 그런데 뉘앙스는 다소간 다르지만, 작가가 제시한 '새로운 미래주의'를 이해하기 위해 먼저 미술사조에 등장했던 기존의 "미래파 혹은 미래주의futurism, Futurismo"를 언급할 필요가 있다. 잘 알다시피, 이는 20세기 초엽에 이탈리아를 중심으로 일어난 전위예술운동으로서 시인 마리네티Filippo Tommaso Marinetti(1876~1944)가 1909년 2월에 프랑스 파리에서 간행하는 영향력 있는 일간지『르 피가로 Le Figaro』에 최초로 '미래파 선언'을 함으로써 미래지향적 생활양식에 따른 예술적 표현을 시도한 것이다. 이전의 세기와는 너무 다르게, 새로운 세기에 접어들어 기계문명의 빠른 속도와 현대인의 도시적 삶이 가져온 역동성을 강하게 표명한 것이다. 그 결과 화폭에 전개된 역동성과 속도감이 새로운 미美의 가치로 자리매김 되었다. 작가 황은성 자신이 사조로서의 '퓨처리즘'을 어떻게 바라보며, 나아가 어떠한 관점에서 '뉴 퓨처리즘'을 전개하고 있는가를 들여다보는 일은 작품의 맥락 이해를 위해 매우 중요하다고 생각된다. 작가는 자신이 제기한 '뉴 퓨처리즘'을 가리켜 내면의 모든 인식과 존재를 좀 더 진중한 형이상학적인 언어로 담아내며 우리의 정신세계를 미래로 이끌어가는 것이라고 말한다. 평자는 작가가 언급하는 바를 상당 부분 긍정하고 동의하는 기반 위에서, 그 이론적 근거가 무엇인가를 살펴봄으로써 현대미술의 향방에 접근해 보려고 한다.

작가 황은성이 작품을 통해 우선적으로 표현하고자 하는 바는 '사랑'이다. 작가는 "사랑이야말로 지구상에 다양한 문화를 지닌 민족이 서로의 차이를 넘어 모두가 하나 될 수 있게 해준다. 작품에서 신적인 속성인 자비와 사랑을 느끼게 하고 싶다."고 말한다. 이런 의미에서 예술이란 작가에게 사랑을 실현하기 위한 과정으로서의 도구요, 수단의 역할을 수행하는 셈이다. 예술은 상상력에 바탕을 둔 가능성의 세계로서 우리로 하여금 창조적인 능력을 최대한 발휘하게 한다. 작가는 미적 상상력을 통해 모두에게 잠재된 능력을 일깨워 주고자 한다. 러시아 유대인계 프랑스의 화가인 마르크 샤갈Marc Chagall(1887~1985)은 일찍이 우리 인생에서 삶과 예술에 진정한 의미를 주는 단하나의 색깔은 바로 사랑의 색이라고 말하며, 삶이 언젠가 끝나는 것이라면, 삶을 사랑과 희망의 색으로 칠해야 한다고 주장했다. 작가에 따라 주제로서의 사랑은 매우 다양하게 표현된다. 샤갈처럼 작가 황은성에게 예술이란 곧 사랑을 표현하는 것이어야 하며, 그렇지 않으면 아무런 의미도 없게 된다. 황은성에게 이러한 사랑은 기독교적 신앙의 바탕 위에서 전개되거니와, 사랑이 결핍된 현실세계에 대한 경종을 울리는 메시지로 들린다. 이렇듯 작가의 새로운 미적 창조의 계기는 사랑으로서 기독교적 신앙의 중심어이자 작품주제가 되어 〈경외〉, 〈자비〉, 〈긍휼〉, 〈감사〉, 〈은총〉, 〈사랑〉으로 펼쳐진다.

필자의 생각엔 작가 황은성에게는 새로운 상상력 및 창조적 모색과 실험을 독특하게 전개하고 이를 미래지향적인 이념인 '사랑'과 결부하여 '새로운 미래주의 정신'으로 선보인 것이라 하겠다. 이는 황은성 작품이 취한 형태와 색상의 표현, 강한 붓 터치와 거친 질감이 생경生硬하고 기이한 이유와도 어느 정도 맞닿아 있다고 하겠다. 물론 화면 가득히 유기체적 생명의 움직임이 역동적으로 다가오고, 형체가 있는 듯, 또는 없는 듯 빚어진 데에서 이를 지각하고 거기에서 새로운 이미지를 찾는 일은 필자를 포함한 관람자의 몫으로 남는다. 일관되게 자리 잡은 작가의 신실한 기독교 신앙은 내면적 정신세계를 이루며 작품을 주도한다. 수묵화적 분위기의 흑백에 기초하여 강한 대비를 자아내는 황은성의 추상적인 유화작품은 바라보는 이를 압도하며 깊은 반향과 아울러 심지어는 전율을 일으키기도 한다. 이는 마치 괴테가 좋은 예술작품에서 항상 전율이 오는듯한 감동을 맛보게 된다고 말한 것과도 같다.[20] 황은성의 작품에서 보이는 여러 형상들이 부호나 기호처럼 선과 면 위에 서로 얽혀 상징성을 드러내고 있다. 작품의 주제로 삼은 기독교적 중심어는 종교적 체험을 고백하는 간증干證처럼, 작가의 체험에 의해 각인되어 있긴 하지만 우리에게도 여전히 아주 강한 메시지를 보편적으로 전달해준다. 미묘하고도 섬세한 내적 열망을 표현한 작품에서의 형상은 때로는 무생물처럼 보이기도 하나, 앞서 언급한 바와 같이 다른 한편 살아 움직이는 유기적 생명체처럼 보이기도 한다. 또한 유화물감으로 겹겹이 칠해진 그림 속에 십자가를 비롯한 환란의 형상들이 복잡하게 얽혀 어렴풋이 드러나 있다. 작가는 자신의 예지적 지성知性과 미적 감성感性에 기독교적 영성靈性을 더하여 캔버스 위에다 고통을 치유하기 위한 소망을 그린다.

앞에 지적한 모스크바의 국립동양박물관 전시에 즈음하여 작가 황은성은 러시아 전역에 방영된 러시아 케이Russia-K 방송에 출연해 "하나님 주신 삶에 어려움이 있을지라도 극복하며 살고자 하는 염원을 작품에 담았다." 고 소회를 밝힌 바 있다. 이어 가진 러시아 KST Culture TV 대담에서 미하일 젤렌스키 앵커는 "황은성의 뉴 퓨처리즘은 아카데믹한 회화나 전통적

---

20   괴테,『잠언과 성찰』, 장영태 역, 유로서적, 2014.

인 동양화와도 달리 유화로 작업하는데 이는 수묵화만이 표현할 수 있는 형태와 물질성이 부족하기 때문"이라고 소개했다. 소재에 대한 접근에서 동서양 회화의 차이와 그 보완관계를 잘 지적한 것이라 여겨진다. 인터뷰에서 황은성은 "대형 캔버스에 차분하게 실제적인 질감을 드러내고 거친 물감을 붓 가는 대로 덧칠하여 내면세계와 주제를 어두운 계통의 색상으로 표현하지만, 주로 검은 색과 흰 색을 사용하여 자신의 작품 세계를 표현하고 있다."고 전했다. 프랑스의 미술사가이며 비평가인 파트릭-질 패르생Patrick-Gilles Persin(1943~2019)이 지적하듯, 검은색, 흰색, 회색이 빚어낸 나긋하고 유연한 선들이 자발적이고 직접적인 흐름을 이루며, 때로는 화폭을 두텁고 무겁게 채운다. 여기에 어떤 상징성이 담겨 있어 보인다. 특히 검은 색이 던진 강한 이미지는 작가가 말하듯, '검은 색만이 지닌 독특한 광채(La Splendeur du Noir, The Splendour of Black)'로서 단순한 색의 대비와 형태의 복잡하고 미묘한 얽힘을 넘어 강렬한 내면세계를 잘 드러내고 있다. 역사적으로 검은 색은 맥락에 따라 긍정적이기도, 부정적이기도 하며, 사회적 · 종교적 의도에 따라 제재나 규제 혹은 절제의 의미를 나타내기도 했다. 검은 색은 어두움과 비참함 뿐 아니라 독특한 세련미와 고상함, 엄격함을 드러내기도 한다. 작가 황은성에서 검은색의 광채는 어두움과 빛의 양면을 지니고 있다. 어두움의 이면에 빛, 즉 질서와 조화를 잉태한 태초의 모습이 '검은 색의 광채'로 드러난 것이다.

작가는 작품이 추구하는 가치와 이념의 방향에서 그리고 작품이 표현한 감정과 감성을 타자他者와 공유하길 원한다. 이는 마치 톨스토이가 자신의 예술론에서 강조하는 바, 보는 이에게 스며 든 예술의 감염성 혹은 전염성의 기능과 역할에 다름 아니다. 톨스토이에서 예술은 단순한 즐거움의 수단이 아니라 인간생활의 조건이다. 예술은 정서전달을 목표로 한다는 점에서 여타의 인간 산물과 구분된다. 인간감정의 전달능력 혹은 감염성은 예술작업의 토대인 것이다. 톨스토이는 셰익스피어의 드라마나 인상주의회화에 대해서는 특히 비판적이었으나 문학이나 시각예술은 아주 높이 평가했다. 그는 예술의 진지한 자기표현을 옹호했으며, 예술에다 적극적이고 긍정적인 사회적 기능을 부여했다.[21] 예술은 자신의 감정을 타인에게 옮기는 기호의 표현인 것이다. 그리고 이러한 전달력 혹은 감염력이야말로 예술의 가치를 재는 유일한 척도이다.[22] 타자와의 공감과 공유를 바탕으로 작가는 끊임없이 미래를 향해 나아가며, 새로운 것을 추구하고자 한다. 그리하여 작가는 자신의 정신세계와 내면적인 자아에 대한 깊은 이해를 토대로 미적인 상상력을 확장해 나간다. 미적 상상력이야말로 작가 황은성 작품의 동인動因이기도 하다. 무엇보다도 우리가 두려워해야 할 것은 상상력의 결핍이다.[23] 상상력의 결핍은 과거로의 퇴행이기 때문이다. 새로운 것이란 단지 사물적인 측면만을 지칭하는 것이 아니라 말하는 사람의 현재요, 그림을 그리는 사람의 현재이며 바라보는 자의 현재이다.[24] 현재는 살아 숨 쉬는 지금, 곧 동시대의 것이다. 지칠 줄 모르는 자기부정과 자기비판을 통해 새

21 Theodore Gracyk, *The Philosophy of Art. An Introduction*, Cambridge, UK: Polity Press, 2012, 25쪽. 특히 셰익스피어의 드라마에 대한 톨스토이의 비평은 블라디미르 그리고예비치 체르트코프 · 이사벨라 메이오가 영역한 *Tolstoy on Shakespeare: A Critical Essay on Shakespeare*, 톨스토이, 『톨스토이가 싫어한 셰익스피어』, 백정국 역, 도서출판 동인, 2013 참고 바람.

22 톨스토이, 『예술론』, 이철 역, 범우사, 2002, 69쪽, 71쪽, 198쪽.

23 레싱은 "우리가 미술품에서 아름답다고 판단하는 것은 우리 눈이 아니라, 우리의 상상력이 눈을 통해 아름답다고 판단한다."고 언급하여 지각하는 눈보다 내면세계의 정신적 상상력을 더 강조한다. 고트홀트 에프라임 레싱, 『라오콘-미술과 문학의 경계에 관하여』, 윤도중 역, 나남, 2008, 76쪽 참고.

24 앙투안 콩파뇽, 『모더니티의 다섯 개 역설』, 이재룡 역, 현대문학, 2008, 21쪽.

로운 지평을 넓혀 나아가야 할 시점이 곧 현재인 까닭이며, 이는 미래로 이어진다. 작가 황은성이 주장하는 '뉴 퓨처리즘'과도 맥락이 닿아 있다고 하겠다.

흑과 백으로 빚어진 유화물감의 중첩 속에 기도의 염원이 지상과 천상으로 나뉜 화폭 위의 점과 선, 면을 서로 이어주는 듯하다. 삶이 척박하고 복잡하며 혼란스런 오늘의 현실에서 천상으로부터 지상으로 내려오는 구원의 연결고리인 것으로 보인다. 작가는 "십자가의 모습이 어찌 단순할 수 있겠는가"라며 "삶의 다양한 굴곡 속에 여러 모습으로 주어진 각자의 십자가를 형상화하고 싶다."고 말한다. 아마도 우리 모두의 삶에 투영된 십자가의 모습일 것이다. 작가는 "내 그림은 붓으로 그린 것이 아니라 가슴에서 토해낸 것"이라며 "아픔을 위로하고 삶의 희망을 찾기 위해 필사적으로 붓질을 한다."고 설명한다. 이는 작가 황은성의 예술의지이자 예술의 존재이유일 것이다. 고난 속에 계시된 십자가 형상은 우리에게 고난을 이겨내고자 하는 의지와 희망을 보여주며, 우리는 이에 깊은 정서적 공감을 하게 된다. 나아가 영적靈的 치유의 추체험追體驗을 하게 된다. 이렇듯 황은성의 예술세계는 미래지향적 가능성을 담고 있으며 삶의 희망을 보여준다. 작가와 더불어 동시대를 살아가는 우리는 다가올 미래를 꿈꾸며 미래지향적 가치와 이념을 새기게 되고 작가의 '뉴 퓨처리즘'에 동참하게 된다.

황은성, 〈b-1-6 경외〉, 2018, 120×120cm, Oil on canvas

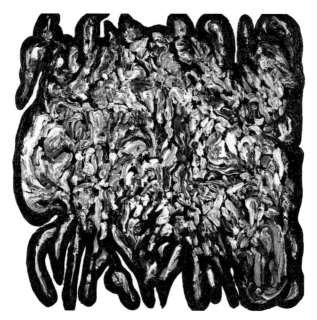

황은성, 〈b-2-1 자비〉, 2018, 120×120cm, Oil on canvas

황은성, 〈b-2-2 긍휼〉, 2018, 120×120cm, Oil on canvas

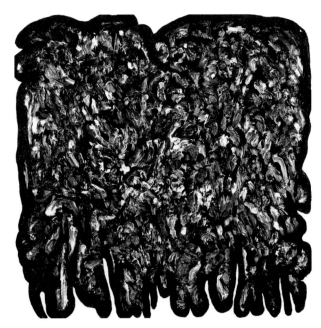

황은성, 〈b-2-4 감사〉, 2018, 120×120cm, Oil on canvas

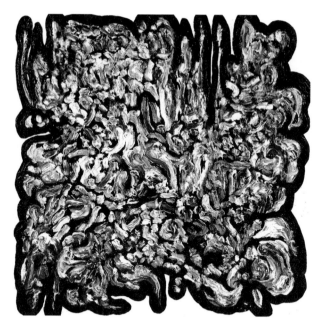

황은성, 〈b-2-5 은총〉, 2018, 120×120cm, Oil on canvas

황은성, 〈b-2-5 은총〉, 2018, 120×120cm, Oil on canvas

황은성, 〈사랑1〉, 2021, 120×120cm, Oil on canvas

황은성, 〈사랑2〉, 2021, 120×120cm, Oil on canvas

9장
시원(始原)과
존재에 대한 물음과 생각

인간은 자신의 의지에 따라 어떤 상황을 만들어가는 자유로운 존재이지만, 일단 만들어진 상황에 영향을 받지 않을 수 없으며 때로는 매이거나 종속되기도 한다.[1] 우리가 처한 실존적 상황에서 존재의 근원을 묻는 물음은 '나는 누구인가'로 수렴된다. 이는 조각가 박찬갑의 작품세계를 들여다보는 화두이다. 기존의 조각 작업에 변화를 주면서 그는 설치조형 작업을 시도한다. 그의 조형작업은 '정지된 시간 위에 흐르는 시간을 접합하고자 하는 시도'이다.[2] 변화와 지속, 정지와 흐름이 하나로 통합된다. 이를 계기로 관객과의 소통을 꾀하며 '하늘에 열린 문'을 통해 분단 한국에서 우리 모두의 염원인 평화통일에의 열망을 표출한다. 그는 설치작업의 유동성과 가변성을 살려 내면의 소리에 귀를 기울이며 동시에 우리가 처한 민족분단의 극복을 위한 예술적 발언을 모색한다. '나는 누구인가'는 '하늘에 열린 문'에서 절정을 이루는 것으로 보인다. 이와는 좀 다른 차원에서 작가 박인관은 존재에 대한 물음을 '시원始原의 이미지'와 연관하여 다룬다. 시원始原은 처음으로 하늘과 땅이 열린 때이며, 세상의 시작을 알린다. 박인관은 여기에 자신의 구원과 자유에의 열망을 담아낸다. 재료나 기법의 면에서 많은 변화를 모색하며, 작가의 진지한 사유와 의식의 근저에 내재한 에너지를 예민하게 포착한다. 이를 토대로 자신의 신앙 모토인 시원과 창조의 이미지를 담아 작품에 투영한다.

---

1 칸트는 인간을 근본적으로 '자유로이 행위하는 존재'(frei handelndes Wesen)로 규정하며 자신의 실천철학을 전개하고, 지식사회학자 만하임(Karl Mannheim, 1893~1947)은 '존재피구속성'(存在被拘束性, Seinsverbundenheit)이라 하여 인간이 사회적 존재로서 제약받고 있음을 강조했다.
2 Ilya Prigogine · Isabel Stangers, *Order Out of Chaos*, 1984. 일리야 프리고진· 이사벨 스텐저스, 『혼돈으로부터의 질서-인간과 자연의 새로운 대화』, 신국조 역, 자유아카데미, 2013(1판2쇄), 61쪽.

1. 실존과 존재의 근원적인 물음 '나는 누구인가'와 '하늘에 열린 문' : 조각가 박찬갑의 설치조형의 예술세계

인간은 물음을 던지며 살아가는 존재이다. 전통적으로 '지혜에 대한 사랑'을 철학으로 규정해왔지만, 필자의 생각엔 보다 본질적으로는 '물음을 던지고, 던진 물음에 대해 사색하는 것'이 철학의 주된 내용이요, 과제이다. 우리는 저마다 문제를 안고 있으며 문제해결을 위한 물음을 던진다. 우리는 어떤 물음을 던지며 살아가는가? 우리가 인간인 한, 생존을 위해서 또는 더 나은 삶을 위해서 끊임없이 문제에 부딪히며 살아갈 수밖에 없는 존재이다. 수많은 문제들 가운데 '나는 누구인가'는 나와 너, 그리고 우리가 던지는 처음이자 마지막 물음일 것이다. 이는 보편적이면서도 구체적인 실존과 존재의 근거이며 바탕이기 때문이다. 이와 더불어 우리는 여러 다양한 삶을 살아가면서 묻게 되는 근본적인 물음이 왜 던져지는 것일까를 다시금 생각하게 된다. 예술은 예술가의 창조적 욕구와 조형충동의 표출이다. 예술이 주는 의미를 어떤 사상이나 개념의 매개 없이 우리에게 직접 다가오게 하는 것은 작가의 미적 지각이요, 감성이다. 문명사적으로 보면, 인류문명은 발전과 진보의 이름아래 무無에서 유有를 부단히 창조해온 과정이다. 그런데 매우 역설적으로 들리지만 조각가 박찬갑은 유有를 버리고 비우며 무無를 지향하는 독특한 작가이다. 버리고 비우면 우리가 미처 상상하지 못했던 새로운 차원과 지평을 보게 된다. 복잡성에서 단순성에로의 회귀인 것이다. 그에게서 돋보이는 것은 미적 범주로서의 단순소박미이며, 한국인이 지닌 미의식의 중심축을 대변하기도 한다.

'나는 누구인가'를 계속 물어 가다보면 태초의 생명으로 환원하게 된다. 조각가 박찬갑의 긴 예술작업의 여정을 살펴보면, 1968년 원주 가톨릭센터

개관기념 초대전 이래 2021년 오늘에 이르기까지 53년이 되도록 〈불꽃〉연작, 〈혼魂의 소리〉연작, 〈아리랑〉 연작, 〈하늘 새〉 연작, 〈하늘을 향한 창窓〉 연작 등을 통해 자신의 예술세계를 더욱 심화하여 자신에 고유한 양식의 작업을 해오고 있다. 불꽃에서 혼魂, 아리랑, 하늘 새, 그리고 하늘을 향한 창窓으로 이어지는 연작의 주제가 추구하는 이념은 다소간의 뉘앙스가 다르긴 하지만, 이 모든 연작에 쏟아 부은 작가 박찬갑의 예술적 열정은 자연스레 '나는 누구인가'의 문제로 수렴된다. 그리하여 우리는 그의 작품에 나타난 원초적인 모습의 외양을 통해 본질적인 내면을 들여다보게 된다. 그의 일생을 관통하는 핵심어가 그대로 작품에 투영되어 나타난 것이 곧 '나는 누구인가'인 까닭이다. 이는 '하늘에 열린 문'으로 이어진다.

무릇 위대한 예술이란 시대정신의 반영이요, 나아가 시대정신을 선도한다. 시대정신이 잉태되어 예술로 표출되고, 앞으로 나아갈 시대정신의 방향을 담는다. 그의 작품은 지금의 우리에게 절실한 시대정신이나 시대의 요구를 함축하고 있다. 복잡성을 털어내고 단순함에 바탕을 둔 치유의 정신이 바로 그것이다. 급격한 산업화와 도시화로 인한 복잡성을 시발점으로 유有를 향한 욕망에 기인한 환경오염과 환경재앙, 급격한 기후변화로 인한 생존의 위기, 생태계파괴 등이 우리의 심신心身에 온갖 질병을 유발해 왔다면, 이제는 절제와 비움의 미덕으로 치유해야 할 시기가 도래한 것이다. 또한 그의 작품에 나타난 여유와 여백은 상상력이 숨 쉬는 공간으로서 작가와 관객이 만나 서로 공감하는 소통의 장場이 된다. 이 또한 치유에 이르는 길이다.

조각가 박찬갑은 스스로에게 '나는 누구인가'를 물으며 안과 밖의 두 측면에서 문제를 던진다. 먼저 내가 지닌 심성을 되돌아보게 된다. 안으로 나는 지금까지 어떤 마음을 지니고 살아 왔으며 또한 앞으로 어떤 마음가짐으로 살아갈 것인가. 그 다음 밖으로 나의 주변을 둘러보게 된다. 그는 안으로는 '비움'을 강조하고, 밖으로는 '사랑과 배려'를 강조한다. 하늘과 땅, 즉 천지사방을 둘러본다. 나를 중심으로 안으로는 마음을, 밖으로는 세상을 성찰해보는 것으로 '나는 누구인가'를 물으며 자신의 작품에 반영한다. 궁극적으로 작품이 지향하는 바는 채움의 욕망을 비워가는 무념무상, 무욕의 경지에 이르는 것이다. 특히 그의 작품에 나타난 무심無心의 경지는 독일의 미학자 칸트I. Kant(1724~1804)가 제기한 무관심성의 만족과 목적없는 목적성, 즉 합목적성을 떠올리게 한다. 논의의 근거는 다르지만 사적인 관심이나 목적을 버리면 궁극에는 동서가 서로 만날 수 있는 지점을 보여 주는 좋은 예이다.[3]

그가 빚어낸 조각 군상에서 우리는 입을 벌리고 하늘을 쳐다보고 있는 모습을 본다. 이는 아마도 문명 이전의 시원始原의 이미지로 태초의 인간이 지구상에 처음 나타난 모습일 것이다. 생존을 위해 입을 벌리며 실존의 의미를 묻는다. 그는 평생 화두인 '나는 누구인가'를 내걸고 끊임없이 이 물음에 대한 답을 모색하고 있다. 대체로 강가나 길가에서 누구나 만나고 볼 수 있는 흔한 소재로 최소한의 터치를 가해 빚어낸 그의 인물상들은 하나같이 입을 벙긋 벌리고 멀리 하늘을 올려다보고 있다. 입을 벌리고 있음은 사람이 태어날 때의 원초적 모습 그대로이다. 어찌 보면 조형의지 마저도 최소화하여 소재 안에 깊이 감춰진 가장 본질적인 부분만을 드러낸 것이다. 이는 일

---

3 철학자 칸트는 일생동안 네 가지 물음을 던지는 바, 나는 무엇을 알 수 있는가, 나는 무엇을 행해야만 하는가, 나는 무엇을 희망해야 하는가, 그리고 인간이란 무엇인가이다. 첫 세 물음들이 마지막 물음으로 귀결된다. 이런 맥락에서 칸트의 철학은 방법론상으로는 이성의 가능성과 한계를 묻는 '비판철학'이지만, 내용은 '인간학'에 다름 아니다.

찍이 한국 근대조각의 선구자인 김종영(1915~1982)이 재료 본연의 특성을 살리되, 최소한의 손질만 가하는 이른바 '불각不刻의 미美'를 추구하면서 인위적인 조화나 균형 보다는 자연스레 빚어진 비대칭이나 불균형을 높이 평가했던 점과도 맥이 닿는다. 실로 무기교의 기교요, 무계획의 계획이며, 불각不刻의 각刻이다. 아주 오래전에 작가 박찬갑이 청소년회관에서 자원봉사를 할 때 뇌성마비 아이들을 돌보면서 인간 실존의 참 모습을 접하고 일생동안 자신의 작품이 지향해야 할 단순성의 근본향방을 정한 것이라 하겠다.[4]

　자연에서의 선線은 직선이 아니라 곡선이다. 인위적이 아니라 저절로 형성된 선이다. 그의 조각에 새겨진 형태의 미美는 부드러운 곡선이 대부분이다. 특히 그가 빚어낸 인체상은 세월의 짐으로 인해 허리가 약간 구부정한, 우리의 어머니나 할머니에게서 너무나 낯익은 곡선의 모습이다. 이는 자연의 순리에 거슬리지 않는 작가의 순박한 자연주의의 발로이기도 하다. 이러한 작가정신은 앞서 언급했듯이, 자연적으로 이루어진 것에 최소한의 손길을 가하여 조형화하는 데서 두드러진다. 예전에는 소재로서 대리석이나 거대한 원석을 이용하기도 했으나 요즈음 거의 대부분 어디서나 쉽게 구하거나 만날 수 있는 자연석이나 나무를 택하여 우리로 하여금 누구나 정서적으로 스스럼없이 가까이 다가서게 한다. 그가 택한 소박한 재료와 단순한 새김은 유有에서 무無를 찾아가는 깨달음을 전해 준다. 이는 곧 원래의 자연으로 돌아가 자연의 일부가 되는 우리 삶의 순환과정이다. 우리는 무無에서 태어나 유有의 과정을 거쳐 살면서 마침내 무無라는 원래모습으로 다시 되

4　작가가 1976-1990년까지 15여년에 걸쳐 정신지체장애우를 위한 '예쁜직업훈련원'을 개설하여 미술치유를 통해 생명사상을 일깨우고 삶의 근본을 찾기 위한 작업과 연결된다.

돌아간다.

　조각가 박찬갑의 작품을 접하면서 우리는 다시금 어디서 와서 어디로 가고 있는가 그리고 인간이란 무엇인가의 정체성을 묻게 된다.[5] 정체성正體性, identity은 존재의 본질을 규명하는 성질로서 우리가 살아가는 동안 '자기 자신이 누구인가'를 알린다. 이러한 성질은 일관되게 유지되고 지속된다. 인간은 살아가면서 자신의 존재에 대해 자각을 하게 되고, 정체감의 형성 과정에서 '나는 누구인가'를 되풀이하여 묻는다. 자신의 존재를 규명하는 일은 누구에게나 중요하다. 인간이 종교를 갖는 것도 정체성의 형성문제와 연관이 있을 것이며, 조각하는 작업도 작가에겐 자신의 정체성을 묻는 일이다. 절대자, 초월자, 세계 및 자연과의 관계 설정을 통해 자신이 서 있는 현재의 위치를 묻고, 이를 통해 존재의 의미를 찾으며 삶의 진정성을 깨닫게 된다. 무엇보다도 이는 '자기다움'의 격조를 찾으며 정체성을 묻는 일이다.

　조각가 박찬갑은 작품 활동을 하는 중에 평범하고 소소한 일상의 것에 대한 관심을 토대로 '나는 누구인가'에 대해 스스로의 정체성을 물으며, 나아가 인간 일반의 정체성을 묻고 있다. 지금까지 발전과 진보, 성장이라는 이름으로 전개된 인류문명사는 양적으로 작은 것보다는 큰 것에, 적은 것 보다는 많은 것에, 질적으로 비움보다는 양적인 채움에 무게중심을 두어 왔거니와 끊임없이 '없음'에서 '있음'을 추구해온 과정이라 하겠다. 그 결과 자원은 고갈되고 욕망을 추구하는 인심은 각박해지며 인간과 자연의 친화관계가 무너지고 인간소외와 정체성의 상실로 이어졌다. 이런 상황에 직면하여

5　이런 문제의식은 고갱(Paul Gauguin, 1848~1903)의 〈우리는 어디서 왔고, 우리는 무엇이며, 우리는 어디로 가는가〉(1897)나 수화 김환기(1913~1974)의 〈어디서 무엇이 되어 다시 만나랴〉(1970), 나아가 김보현(Po Kim, 1917~2014)의 〈우리는, We are〉(1992-1994)를 떠올리게 한다.

조각가 박찬갑은 발상의 획기적 전환을 꾀하여 유有에서 무無로 옮겨갈 것을 역설한다. 그것은 인간과 자연의 원초적 교감을 꾀하기 위한 것이요, 근원적 생명을 회복하는 길이다. 나아가 진정한 나를 찾는 진아眞我의 모습에 다름 아니라고 하겠다.

조각가 박찬갑은 "나의 작업은 자연의 섭리를 바탕으로 삼는다. 그것은 곧 인간에게 무한한 욕망과 욕구를 절제하는 일이다. 그것이 곧 자유이며 인간 생존의 길이다. 오늘날의 작가는 무無에서 유有를 창조하는 것이 아니라 유有에서 무無를 찾아가는 작업이 필요하다. 인간으로 태어났다는 사실 그 자체가 위대한 창조"라고 말하며, 자신의 고유한 조형언어로 삼는다. 그는 줄곧 있음과 채움에서 없음과 비움으로의 전환을 모색한다. 한편 그의 예술이 지향하고 있는 궁극의 아름다움은 민족애와 더불어 남과 북의 평화통일을 염원하는 서울 예술의전당 DMZ전, 일본日本 오사카Osaka전, 덴마크 코펜하겐Copenhagen전 등에서의 이벤트나 퍼포먼스, 설치작업으로 이어진다. 이런 시도는 일과성이나 일회성에 그치지 않고 이를 통해 우리에게 작가의 끊임없는 열정과 창조적 도전정신을 엿볼 수 있게 하며 현재진행중이다. 그의 작업에서 우리는 작위作爲를 떨치고 무작위無作爲를 드러내며, 무의미의 의미를 찾는 작가의 예술의지를 살필 수 있다.

좋은 예술작업이란 간결하면서도 군더더기가 없으며 절제된 조형세계를 보여 주는 것이다. 이는 인간욕망의 절제, 인간구원의 본질과도 맞닿아 있기 때문이다. 조각가 박찬갑이 빚어 놓은 작품들에서 우리는 우리가 처한 실존적 상황을 읽는다. 다양한 표정이 압축된 단순함에 담긴 상징성은 삶의 본질을 이해하고 가장 큰 행복을 표현하는 순결한 표정이요, 원초적인 메시지이다. 강원도 영월군 영월읍 삼옥리의 동강주변에 자리한 그의 작업현장을 둘러보면 주변의 자연환경을 자신의 예술세계에 잘 어울리게 담아내는 걸출한 역량을 지닌 작가임을 우리는 알 수 있다. 그리하여 자신의 지론인 생명 회복을 강조하는 작품과 작업의 현장은 보는 이로 하여금 깊이 교감하게 한다.

우리는 누구나 우리의 출생과 죽음의 순간을 체험할 수 없거니와 시간적으로 우리의 삶은 출생과 죽음 사이에 놓여 있다. 아무도 생명이 태어난 순간을 체험할 수 없거니와 죽음 또한 체험할 수 없기 때문이다. 우리의 삶과 죽음은 자연적이고 필연적인 과정이다. 우리는 조각가 박찬갑의 역동적인 작업현장에서 예술의 경계를 뛰어넘은 삶과의 밀접한 연관성을 찾게 되고, 시대가 지향해야 할 정신, 곧 시대정신을 읽게 된다. 예술이 곧 삶인 까닭이다. 최고의 예술은 삶에 새로운 가능성을 열어 놓는다. 그가 자신의 예술적 정체성의 뿌리를 두고 있는 우리 한국인의 삶에 담긴 깊은 정서를 다시금 떠올려본다.

다음으로 조각가 박찬갑의 평화에의 열망을 표현한 '하늘에 열린 문' 작업을 설치조형의 관점에서 살펴보기로 한다. 일반적으로 말해 작품에서의 주제란 작품 전체를 관통하는 중심문제로서 작가가 작품을 통해 추구하고 지향하는 예술적 의지와 가치가 담겨 있다. 어떤 작가는 처음부터 무제無題로 설정하여 매우 포괄적이고 열린 자세를 견지하기도 하지만, 필자의 생각엔 의도적인 무제無題를 포함하여, 작품의 전체 내용과 나아갈 방향을 제시하는 구심점으로서 주제의 설정이 매우 중요하다고 본다. 조각가 박찬갑이 설치조형 작업을 하며 다루는 주제는 '하늘에 열린 문'이다. 그것은 문자 그대로 하늘을 향해 열려있는 문을 뜻한다. 왜 하늘을 향한 문일까. 예로부터 지상에서의 인간은 하늘을 향해 자신의 소망을 기원해왔다. 하늘의 뜻을 신의 메시지로 보기도 하고, '인명人命은 재천在天'이라 하여 '사람의 목숨은 하늘에 달려 있어 인력으로는 어찌할 수 없다'는 것이다. 땅에서의 경계는 매우 인위적인 것으로 하늘에선 별 의미가 없거니와 하늘은 모든 곳을 향해 열려 있다. 신화나 전설에 등장한 하늘은 우리가 쉽게 근접할 수 없는 초월자나 절대자의 상징적인 모습이다. 원시 종합 예술의 기원은 하늘에 제사 지내는 의식으로부터 비롯되었다. 이는 특히 제천사상祭天思想이나 숭천사상崇天思想을 근간으로 삼는 우리 민족의 생활전통에서 전형적인 모습으로 나타난다. 하늘은 만물을 번성하게 하고 생육을 관장하며 생멸케 하는 근원적 존재이다. 조각가 박찬갑의 작품은 이렇듯 경계 없는 하늘을 향한 열린 문을 형상화하여 새김으로써 인위적으로 갈라져 반목과 갈등을 겪은 한반도에 평화를 가져오는 길목을 상징적으로 표현하고 있는 것으로 보인다. 일제의 압박으로부터 광복된 이후, 극심한 좌우의 이념대립을 거쳐 민족상잔의 비극 까지 겪으면서 남과 북 사이에 가로 놓인 적대적 갈등과 분단 상황을 청산하고, 다시 하나 되는 평화통일을 염원하는 것은 우리민족의 오랜 소망이자 동시에 작가의 소망이기도 하다. 평화에의 소망을 담은 작가의 예술의지는 앞서 언급한 바와 같이, 역사적인 의미가 있는 여러 장소에서 펼친 이벤트나 퍼포먼스, 설치작업으로까지 거슬러 올라간다.[6] 그간의 시도는 현장성을 강조하면서도 한 번으로 스쳐 지나가는데 그치지 않고 작가의 끊임없는 열정과 창조적 도전정신을 엿볼 수 있게 하며 오늘에 이르고 있다. 조각가 박찬갑의 설치작업은 독립된 장르라기보다는 자신의 메시지를 전달하기 위해 택한 하나의 예술적 접근방법으로 보인다. 따라서 기존의 작업방식과 전적으로 다른 것이 아니라 현장성을 강조하기 위한 다양한

---

6 2018년 5월 4일-5일에 세계평화를 사랑하고 통일을 염원하는 VISTA Reunion 회원 30여명이 조각가 박찬갑이 제작한 평화의 조약돌 performance를 진행하였으며, 한반도 평화를 위해 남북정상회담이 열린 도보다리 옆 DMZ 평화통일 기념비 뚝바위 주위에 '평화의 조약돌' 작품을 설치하였다.

연출로서 의미의 연장이요, 확장인 셈이다. 설치미술에 대한 부정적이거나 소극적인 입장을 취하는 논의가 있어 왔지만,[7] 설치작업은 작가의 의도에 따라 시공간을 재구성하여 삶의 현장에까지 확대될 수 있으며, 예술의 새로운 미학적 가능성을 열어주기에 부족함이 없다. 여기에선 그의 설치조형 작업이 갖는 미학적 의의를 중심으로 좀 더 살펴보려고 한다.

작가의 조형의지는 신체의 전체형상을 극도로 단순화하여 표현하되 오로지 '입' 모양만을 강조하여 군집으로 메시지를 전달하는 것이다. 군집으로 표현한 것은 아마도 우리정서에 일반적인, 더불어 상생하는 공동체의식이나 두레의식의 발로라고 생각된다. 사람이 태어날 때부터 '입'은 호흡하기 위함은 물론이거니와 심신의 생존을 위해 외부세계와의 소통을 위한 창구 역할을 수행하며 자신의 존재와 실존을 압축하여 드러낸 문門이요, 통로이다. 조형작업을 통해 그가 제기한 '나는 누구인가' 라는 주제에 관한 질문은 삶의 길을 끊임없이 선택하고 스스로를 구성하는 삶의 주체에 관한 문제이며, 자기인식과 자기이해에 대한 질문이다.[8] 자신의 존재를 규명하는 것은 누구에게나 중요한 일이며, 궁극적으로 유한자인 인간이 영원한 종교적 이상을 추구하는 것과도 연관이 있을 것이다. 박찬갑에게 조각하는 작업은 본래적이지 않은 자기로부터 벗어나 본래적인 자기 모습을 찾는 삶의 필연적인 과정이다. 이 과정 또한 '나에 고유한, 나다운 삶'에게 주어진 과제인

7 '설치미술'이 예술계에 등장하여 비평 용어로 자리 잡은 것은 1980년대 초반이다. 포스트모더니즘 비평에서 매체의 다양성을 인정함에도 현대미술비평가인 로잘린드 크라우스(Rosalind Krauss)와 같은 이는 '설치'를 '키치'와 같은 맥락에서 보며 매우 부정적으로 논의한다. 물론 부정적 · 긍정적, 소극적 · 적극적 양면이 있겠으나 새로운 시대의 열린 예술세계를 지향한다는 측면에서 긍정적이고 적극적으로 보아야 할 것이다.
8 빌헬름 슈미트, 『철학은 어떻게 삶이 되는가-아름다운 삶을 위한 철학기술』, 책세상, 장영태 역, 2017, 47쪽.

것이다. 앞서 군집으로 표상한 것과 같은 맥락에서 이는 누군가와 아무런 관계없이 살아가는 고립된 존재로서의 개인적인 위상이 아니라, 이것을 넘어 관계적 존재로서 우리가 함께 공감하며 공유할 수 있는 공동체적 이념과 가치를 지향하는 일이다.[9] 이러한 문제의식을 통해 그의 작품이 던진 물음인 존재의 의미와 삶의 진정성은 동전의 양면과도 같이 하나 되어 우리에게 다가온다.

'하늘에 열린 문'이 평화를 향한 마중물이 되기 위해서는 남과 북이 서로 공감하고 소통할 수 있는 공유의 장場이 필요하다. 이질화되고 고착된 남북 분단의 상황에서 '아리랑'은 남과 북 사이에 단절된 오랜 세월 중에도 우리의 마음과 정서를 하나로 연결하며 공유할 수 있는 정서의 끈일 것이다. 우리 민족사에서 아리랑에 깃든 한恨은 좌절과 파국을 겪으면서 마음에 남겨진 흔적이요, 응어리이며, 가장 한국적인 슬픔의 자화상이기도 하다.[10] 그러나 '아리랑'은 우리 마음에 부정적으로 각인된 한恨을 그저 쌓아두는 것이 아니라 한恨으로 굳어진 아픔을 풀어내고 달래서 치유하고 승화한다. 작가는 남과 북의 공동정서인 '아리랑'을 함께 부르며 평화를 이루기를 기원하고 소망한다. 이러한 소망은 '나는 누구인가'를 묻는 물음의 연장선 위에 있다. 작가와 더불어 관객도 참여하는 설치작업은 공간을 시간화하고 시간을 공간화하여 이야기를 꾸려간다. 시공간이 하나로 만나는 현장인 것이다. 이

---

9   Jean Robertson · Craig McDaniel, *Themes of Contemporary Art: Visual Art after 1980*, Oxford Univerisity Press, 2010. 진 로버트슨 · 크레이그 맥다니엘,『테마 현대미술노트』, 문혜진 역, 두성북스, 2013, 70~72쪽 참고.
10   이에 반해 중국과 일본에는 한(恨)은 없고 원(怨, 冤)만 있다고 한다. 또한 영어의 'regret(유감)'와 'resentment(원망)'나 'rancour(敵意)'라는 단어는 의미상으로 원(怨, 冤)이나 한(恨)과는 거리가 멀어 보인다.

이야기 속에 유구한 역사가 함축되어 있다. 기본적으로 "설치미술은 시간적 예술을 승화하려는 공간적 예술이다."[11] 그리하여 물리적 시공간은 미적 시공간으로 거듭나게 된다. 설치작업을 통해 작가가 원래 의도하지 않았던 우연적인 부분과 일시적인 것 혹은 즉흥적인 것은 무엇보다도 설치의 시공간과 함께하는 관람객과의 관계에서 역동적으로 나온 산물이다. 설치에서 빚어진 우연적인 현상은 필연적인 과정에 흡수되어 하나의 온전한 예술상을 연출하는 것이다.

작가는 예술작품을 통해 이전에 없던 세계를 새롭게 정립한다. 작품 가까이에서 우리는 일상의 삶을 넘어 새로운 세계를 체험하는 까닭이다. 일상의 삶을 통해 일상의 삶을 넘어서는 것이다. 그리하여 작가가 소재로 택한 일상의 질료로부터 질료 나름의 본질을 깨닫고 의미를 물으며 우리 삶과 맺고 있는 특유한 연관관계를 묻게 된다. 이는 우리가 그의 예술에서 찾고 추구하는 바람직한 가능성의 세계이기도 하다. 열린 세계로서의 예술작품은 우리에게 소중한 것들을 체험하게 하고 기억하게 한다. 그리하여 우리는 삶을 되돌아보게 되고 삶에 어떤 폭과 깊이를 더하게 된다. 예술에 대한 안목은 삶의 주변을 바라보는 안목과 불가분의 관계에 놓인다. 달리 말하면, 예술을 통해 삶을 보는 것이다. 우리가 우리 주변을 바라보는 "시각의 넓이와 높이를 석절히 조절하면 아름다움은 어디에나 있다."[12] 어떤 의미에선 아름다움을 창조한다고 말하기 보다는 발견한다고 해야 옳을 것이다. 따라서 아름다움을 찾는 우리의 시지각과 더불어 미적 안목이 중요하다. 칸딘스키W. Kandinsky(1866~1944)가 지적하듯, 예술가의 임무는 형식에

11   김우창, 『사물의 상상력과 미술』, 김우창 전집 9, 민음사, 2016, 15쪽.
12   김우창, 앞의 책, 202쪽.

지배되기 보다는 "내용에 적합한 형식"[13]을 만드는 데 있다. 본질적으로 주어진 내용에 적절한 형식을 덧입혀 예술을 창작하는 근본적인 목적은 대상의 외형을 포착하는 것이 아니고 그 형태에 내재된 정신을 시각적으로 옮기는 것이다. 말하자면 내재된 정신을 옮기는 과정이요, 발견하는 과정인 것이다. 하나의 의미있는 세계를 구성하는 데 있어 '나는 누구인가'에 대한 물음은 해체와 혼합을 거듭하고 있는 현대예술의 상황을 들여다보면, 점차 잊혀져가고 있는 실정이다. 하지만 의미와 무의미가 혼재된 애매한 상황에서도 우리는 끊임없이 '나는 누구인가'를 물으며 이에 대해 예술이 어떤 의미를 던지는가를 물을 수밖에 없다. 인간은 의미를 묻는 상징존재이기 때문이다.[14]

조각가 박찬갑은 작업의 바탕을 자연의 섭리에 두고 있으며, 무한한 욕망과 욕구를 절제하고 단순화하는 데에서 찾는다. 그것이 곧 참다운 자유이며 바람직한 인간 생존의 길이라고 말한다. 자연친화적이요 생태학적 예술가라면 무無로부터(ex nihilo)에서 유有를 창조하는 것이 아니라 유有를 벗어나 무無를 찾아가는 작업이 필요하다. 무無는 단지 없음이나 부정적인 것이 아니라 "존재의 진리 속에서 인간이 고유해지는 존재자체"[15]이다. 우리가 인간으로 태어났다는 사실 그 자체가 위대한 창조의 출발이요, 충만함인 것이다. 무릇 모든 생명으로부터 창조는 시작된다. 신의 형상이 가장 장엄하게 드러나는 곳은 바로 인간이다. 작가의 고유한 조형언어는 우리에게 보편적인 공감을 자아낸다. 조각가 박찬갑은 줄곧 욕망에서 비롯된 채움(有,

---

13　칸딘스키, 『예술에서의 정신적인 것에 대하여』, 권영필 역, 열화당, 2019, 130쪽.
14　카시러(Ernst Cassirer, 1874~1945)는 인간 문화를 상징의 차원으로 이해하고, 인간이 '이성적 동물'이 아니라 '상징적 동물'이라고 강조한다.
15　마르틴 하이데거, 『숲길』, 신상희 역, 나남, 2020, 164쪽.

實, 色)에서 무욕의 비움(無, 虛, 空)으로의 전환을 모색한다. 그의 작업에서 우리는 작위作爲를 떨치고 무작위無作爲를 드러내며, '무의미의 의미'를 찾는 작가의 속마음을 살필 수 있다. 이는 특히 우리나라 최초의 미학자이자 미술사학자인 우현 고유섭(1905~1944)이 주장한 우리의 고유한 미의식인 '무기교의 기교', '무계획의 계획'과도 맥락이 맞닿아 있다고 하겠다. 그의 작품은 마치 조각가 김종영의 '불각不刻의 각刻'처럼 각刻의 극한이 불각不刻으로 이어지고, 계획의 극한이 무계획과 닿아 있으며, 기교의 극한이 무기교와 닿아 있는 현장을 보여준다. 그가 시도한 설치조형작업은 그의 작품세계의 미학을 견지하는 가운데, 우연을 확장하고 즉흥적 요소를 더하여 우리의 삶을 보다 융통성 있고 풍요롭게 하여 새로운 미적 즐거움을 안겨 준다.

박찬갑, 〈나는 누구인가?〉, 1998, 500×500×800㎝, 대리석

박찬갑, 〈天.地.人〉, 1999, 6000×6000×3000㎝, 자연석, 청동

박찬갑, 〈天.地.人〉, 2000, 300×100×50㎝, 화강석

박찬갑, 〈꿈이 자라는 나무〉, 2011, 1500×1500×600㎝, 화강석, 철

박찬갑, 〈나는 누구인가?〉, 2018, 30×30×50㎝, 자연석

2. '구원과 자유'에의 열망으로서 '시원始原 이미지' : 박인관의 작품세계

작가 박인관은 1980년대 초부터 자신의 예술세계가 나아갈 방향을 정하고 한동안 극사실적인 '상황 시리즈'에 매진하다가 자유로운 내적 표현의 한계가 있음을 깨닫고 변화를 시도하게 된다. 1989년 이래 국내외에서 15차례의 개인전과 24회의 개인초대전을 가진 바 있다. 박인관은 1998년 버몬트 스튜디오 펠로우십에 초대돼 작업하는 중에 미국 미니애폴리스와 캐나다 토론토에서 초대전을 갖는 등 활발한 해외활동을 통해 해외서도 작품성을 인정받아 왔다. 작품내용을 보면, 1989년의 첫 개인전은 원과 직선으로 이루어진 추상성을 지닌 작품이었으나, 그 후 자유로운 곡선과 내적 에너지의 분출로 인해 추상성이 점차 감소하게 된다. 그 후 40여년에 걸친 작가 박인관의 작업진행과정을 크게 보면, 기하학적인 구성의 선과 면에 관심을 보이다가, 차츰 기하학적 구성이 옅어지면서 표현적 특성이 드러나는 가운데 자신의 중심된 주제가 자리를 잡은 것으로 보인다. 작가의 삶과 작품은 매우 밀접한 연관 속에 있으며, 주제는 작품과 작가의 삶을 이끌어가는 중요한 가치와 방향을 나타낸다. 붓질한 화면을 긋거나 그 위에 물감을 뿌리고, 다시 지우거나 덧칠하며 사용하는 재료와 기법이 '이미지'라는 주제로 집중하게 된다. 그리고 이미지의 중심에 모든 것의 근원을 묻는 시원始原이 자리한다.

작가 박인관은 초기에 구상적 접근을 통해 부조리한 사회 현상을 은유적으로 표현하는 작업을 하기도 했으나 이후 창작에 대한 욕구를 충족하기 위해 비구상으로 전환한 것으로 보인다. 그리하여 그는 기하학적인 추상성이 가질 수밖에 없는 건조함을 극복하고자 좀 더 자유로운 추상으로 변화를 시도했고, 지나치지도 모자라지도 않는 중용의 조화를 꾀하게 되었다. 작가는 새로운 신앙생활을 통한 정서적 안정을 얻으면서 무한한 창조의 상상을 불러일으키게 되었고, '시원'이라는 주제를 통해 이미지를 드러냈다. 기하학적이면서 정제된 구성과 표현주의적이면서 자유분방한 경향이 혼재하고 있으며, 밝은 색과 어두운 색, 기하학적인 원과 삼각형 및 사각형이 적절한 대비를 이루고 있다. 그러는 중에 평론가 김복영이 언급하듯, "기억의 이미지들은 무의식의 저변에서 지각으로 건져 올리는 방식에 의해 크게 부각되거나 잠복된다. 작가는 이미지즘을 전적으로 두드러지게 함으로써 표면과 심층이라는 대립의 세계를 극복하고자 한다."[16] 여러 기법이 혼용되면서 안과 밖의 대립이 완화되고 그 경계가 통합되는 분위기가 연출되며 주제가 더욱 심화되기에 이른다.

1990년대 이후부터 현재에 이르기까지 작가 박인관의 작업은 〈이미지-유년시절〉에서 '내면에 잠재한 무의식의 발로로서 동심적인 자아'를 추구하고, 이어서 의식의 현실세상에서 관계를 맺고 있는 여러 인간 모습을 찾아 〈이미지-기억여행〉에 나선다. 내면에 잠재해 있던 순수한 동심속의 자아를 추구하던 박인관은 새로운 기법과 표현 방법을 모색한 끝에, 알루미늄판 위에 스크래치를 한 후에, 오일 칼라로 페인팅을 해서 알루미늄 그림이 출현하기에 이른다. 이후 불확실한 미래의 시공간을 미리 경험하듯이 이미지를 단순화하여 그만의 작품세계를 완성했다. 현대적인 감각은 있어 보이나 차가운 느낌이 강해 이를 누그러뜨리기 위해 장지 판넬에 유채, 캔버스에 혼합재료 등을 사용하고 화면을 양분하여 인물과 기억이 어우러지는 이미지를 표현하게 된다. 작가의 이러한 예술의지와 시도는 '유년시절' 작업을 거

---

16   2002년 인사갤러리 초대전 서문, 미술평론가 김복영.

치는 동안 차츰 '기억여행' 작업으로, 그리고 '시공유영時空遊泳' 및 '시원始原 이미지' 연작으로 이어진다. 이러한 일련의 연작은 작가의 작업을 지탱해주는 주제가 된다. 의식을 반영하면서, 동시에 작업의 이면에 자리 잡은 미적 사유의 배경을 드러내고 있다. 근작에서는 〈이미지-시원〉 연작과 〈이미지-새 하늘 새 땅〉 연작으로 집중된다. 아마도 〈이미지-새 하늘 새 땅〉은 선행하는 〈이미지-시원〉을 변주하여 전개시킨 경우로 볼 수 있으나 그 연장선 위에 포괄된다고 하겠다. 시원始原은 처음으로 하늘과 땅이 열린 때이며, 세상의 시작을 알린다. 모든 사물은 생성과 소멸의 과정을 거쳐 다시 시원으로 회귀하여 순환하는 것이다.

작가의 작업은 어느 한 편에 치우치기 보다는 중간지대 혹은 중립적인 곳에 자리 잡고 있으며, 재현적인 것과 추상적인 것, 예술적인 것과 종교적인 것, 평면적인 것과 입체적인 것, 고정적인 것과 유동적인 것 등의 대립을 완화하고 융합하며 중재한다. 때로는 우리의 생활 정서에 익숙한 민화적 요소를 더해 이와 비슷한 구상으로 보이기도하나, 대체로 추상과 표현의 접점에서 자유로운 회화양식을 취한 것이다. 특히 그는 자유로움과 포용성, 유연함과 개방성을 바람직한 것으로 받아들인다. 무엇보다도 작가는 기독교적 신앙을 암시하는 상징성을 자신의 그림에 투영해나간다.

일반적으로 우리가 지닌 종교에 대한 전체적 관심의 저변에는 우주를 받아들이려는 우리의 태도가 깔려 있다. 예술과 종교 모두 인간생활의 가장 원초적인 표현으로서 종교와 예술 사이에는 밀접한 친화성이 있다. 심미적·종교적 경험이 갖는 상상적 특질은 인간 영혼의 깊은 무의식의 심연 속에 공통의 근원이 있음을 가르쳐준다.[17] 작가 박인관의 〈시원〉 연작은 기독

---

17   멜빈 레이더·버트럼 제섭, 『예술과 인간가치』, 김광명 역, 까치, 2004(2판 2쇄), 265-

교 세계관과 맞닿아 있다. 생에 대한 실존적 고뇌의 길에서 택한 이러한 상징성이 예술의 본질적이고 고유한 가치와 어떻게 양립할 수 있는가는 작가 스스로에게 던져진 물음이다. 화면에서 '빛'을 강조하며 기독교적 상징을 나타낸 기호적 도상들이 창조에 대한 진지한 작가의 고백을 보여준다. 이는 작가 자신의 종교적 체험을 예술적으로 승화하는 것으로 보인다.[18] 화면에서 전경과 후경, 대상과 배경이 유기적으로 연결되어 조화를 추구하는 모습이다.

이미지로 귀결되는 주제는 작가의 그림에서 중심축의 역할을 한다. 이미지는 영원한 빛의 광채이고 절대자의 활동을 비추는 거울이며 최고선最高善, Summum bonum의 모상模像이다. 이미지 속엔 현재의 부재를 통해 바람직한 존재를 드러내는 소망과 기원의 의미가 담겨 있다. 종교적 승화는 인간의 구원이나 구제요, 예술적 승화는 자유를 향한 인간해방이다. 종교적 가치로서의 성스러움은 아름다움과의 조화를 이루어 표현될 때 그 완전성을 얻게 된다. 미적·종교적 충동의 공통된 뿌리는 진정한 자유에의 충동이다. 창조주의 형상Imago Dei을 그대로 빚어 태어난 인간은 애초부터 창조성을 발휘할 소명을 안고 있다.[19] 예술은 미적 상상력을 통해 불가능을 가능의 영역으로, 비가시적인 것을 가시적인 것으로 옮겨 놓는 탁월한 기술이다. 박인관의 작품에서 천지창조의 순간은 하늘과 땅이 혼돈 속에 자욱한 안개

266쪽.

18 작가는 예술 활동을 통해 기독교적 신앙을 고백하며 핵심교리인 믿음·소망·사랑을 나누고 전하는 미술모임인 '부산기독미술협회'를 결성하여 2000년 11월 창립전을 열고 회장의 직책을 맡아 활동을 한 바 있다.

19 김광명,『인간에 대한 이해, 예술에 대한 이해』, 학연문화사, 2008. 특히 제5장 예술과 종교-기독교적 관점에서, 117-146쪽을 참고하기 바람.

에 가려져 있으며, 비현실적인 몽환의 분위기를 자아낸다. 작가 자신이 생각하는 시원, 곧 세상이 열리는 극적 순간을 작가는 새 하늘과 새 땅으로 그렸다. 카오스에서 코스모스로, 혼돈에서 질서로, 어둠에서 밝음으로 바뀌는 그 순간을 여는 계기에 빛이 개입한다. 신이 가장 먼저 창조한 것이 빛인만큼, 빛은 진리이며, 신 자신이다. 평론가 이재언은 박인관의 작품을 평하며, '창조주와 피조물 간의 근원적 화해와 교감'이라는 문제의식을 갖고서 접근한다. 어떻게 화해하고 교감하는가에 대한 작가의 표현에 대한 좀 더 구체적인 언급이 필요하다고 생각된다. 재료나 기법에서 많은 변화를 거쳐 작가 특유의 진지한 사유와 의식의 근저에 내재한 에너지를 예민하게 포착해 자신의 신앙심을 그림에 투영시키고 있다.

2006년에 캐나다 토론토의 Cedar Ridge Studio Gallery에서 가진 초대전에서 Joy Hughes 관장은 박인관의 작품에 대해 "과거와 현재 그리고 미래에 대한 기억의 잔상들을 일기를 쓰듯이 이미지화하고 있으며, 때로는 생략하고 구체화 시키거나 과감하게 화면을 분할하고 상이한 재료와 다양한 기법들을 이용하는 등 서로 대립적인 요소들을 작가 특유의 서정성을 통해 질서 있게 조화시키고 있다. 그의 작품에는 환상이나 기억에 의한 상상의 이미지가 병치되고 무의식의 세계가 중첩되고 충돌하는 매력이 있다."고 평한다. 박인관이 차용한 이미지에 대한 적절한 해석이라고 생각된다.

작품을 들여다보면, 대개는 그림 위쪽에 산세山勢의 형상이 그려져 있고, 화면 아래쪽에 양식화된 나무가 그려져 있어서 작품의 일부를 이룬다. 그림 아래쪽에 길게 그려진 것은 마치 섬처럼 보인다. 생명이 태동하는 물질 속에는 삼각형과 사각형의 여러 색상으로 된 띠 모양이 그려져 있다. 기독교 도상학에서 삼각형은 삼위일체를, 사각형은 여기에 인간이 더해져 완전형을 뜻한다. 이 가운데 우리는 이상적인 인긴의 원형을 볼 수 있다. 〈이미지-시원〉(2012)과 〈이미지-시원 2013〉(2013)엔 처음을 알리는 생명의 분출과 역동적 기운이 강하게 느껴진다. 〈이미지-새 하늘 새 땅〉(2018)은 태초의 모습, 원시의 모습을 잘 드러내고 있으며 시간 이전의 형상이다. 태초의 것에 시간이 개입되고 빛이 비추이며 마침내 생명이 등장하게 된다. 〈이미지-새 하늘 새 땅 018-잃어버린 양을 찾아서〉(2018)는 특히 기독교적 상징성을 담고 있다. 화면의 맨 위에는 분홍빛의 환상세계가 무지개처럼 펼쳐지고, 일곱 마리 양의 형상이 저마다 한 마리씩 조그마한 원 안에 적당한 거리를 두고 산상山上 위에 배치되어 있다. 기독교문화에서 양羊은 선량한 사람이나 성직자를 상징하거니와, 높은 경지의 도덕성과 진실성을 담보한다. 〈이미지-시원 2011-시작과 끝〉(2011)에서 작가는 마치 우주의 중심인 듯, 짙푸른 하늘을 가운데 두고 위와 아래, 좌우에 형상을 그려 넣어 생명의 시작과 더불어 역사가 진행됨을 알려 준다. 기독교에서의 신성神性을 상징하는 알파와 오메가의 글자모습이 맨 아래쪽에 그려져 있어 시종始終을 관장한다.

이처럼 지속된 변화의 단초를 우리는 2008년 부산의 '김재선 갤러리' 초대전 이후의 작품에서 찾아볼 수 있다. 작가의 새로운 신앙생활에 의한 정서적 안정에 따라 작품은 밝은 화면의 구성으로, 그리고 색채에 뚜렷한 변화를 가져온다. 빛에 의한 내적 희열이 표출되고 영적 구원의 열망이 자연스럽게 그림으로 투영되었다고 작가는 말한다. 내면에 머물던 빛의 감성이 무한한 공간으로 확산되고 조형적인 표현의 방법과 의지가 근본적으로 다시 정립되기에 이른다. 그리하여 창세기의 말씀이 무한한 창조의 상상을 불러일으키고, 말씀은 시원始原이라는 주제를 통해 이미지로 변화된다.

작가는 "그림은 삶의 중심이자 가장 확실한 실존의 과정"이라고 말한다. 작가에게 작품 활동은 삶의 중심이며 가장 확실한 실존을 드러내는 과정이다. 그의 작품이 지향하는 바는 비움과 선한 세상, 창세기의 무한한 창조의 시공, 궁극적으로 완성된 피안의 세계이다. 이는 아마도 이 시대를 사는 우리 모두가 별 이의없이 꿈꾸며 동경하는 세계일 것이다.

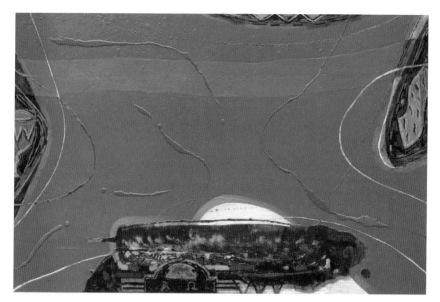

박인관, 〈시원011-시작과 끝〉, 2011, 185×122㎝, 장지판넬에 오일과 혼합재료

박인관, 〈시원012-셋째날23〉, 2012, 72.7×53㎝, 캔버스 위에 oil과 혼합재료

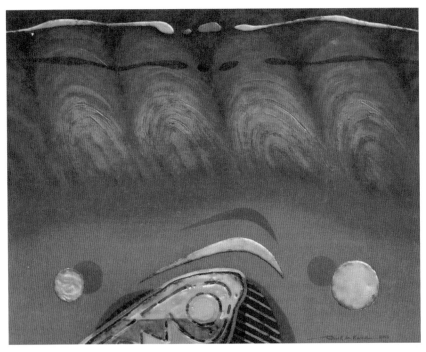

박인관, 〈시원013-셋째날5〉, 2013, 98×77.3㎝, 캔버스 위에 oil과 혼합재료

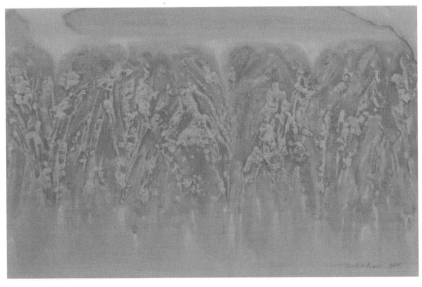

박인관, 〈시원017-셋째날1〉, 2017, 80.3×65.2㎝, 캔버스 위에 oil과 혼합재료

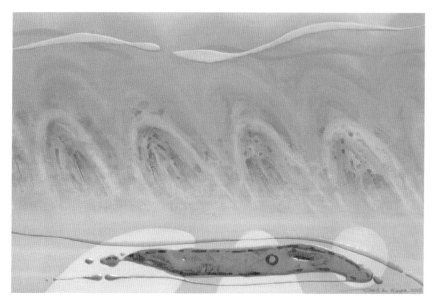

박인관, 〈시원2012-셋째날〉, 2018, 72.7×50cm, 캔버스 위에 oil과 혼합재료

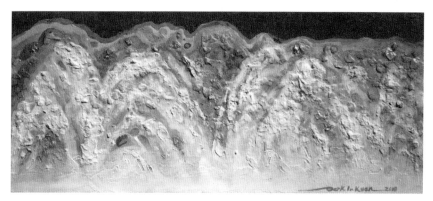

박인관, 〈새하늘과 새땅 018-2〉, 2018, 64×28.2cm, 캔버스 위에 oil과 혼합재료

박인관, 〈새하늘과 새땅 018-7〉, 2018, 100×72.5cm, 캔버스 위에 oil과 혼합재료

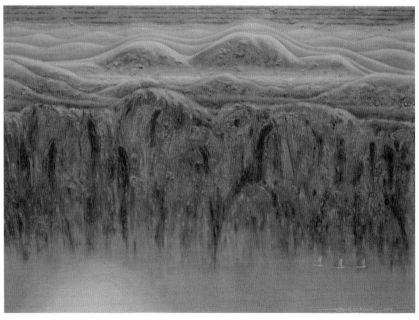

박인관, 〈새하늘과 새땅 018-8〉, 2018, 100×72.5cm, 캔버스 위에 oil과 혼합재료

10장
상황의 구성과 해체

평면 속에서 공간을 읽는, '평면적 공간회화'의 작가 이봉열의 작품에서 우리는 상황의 구성과 해체의 진면목을 볼 수 있다. 전통문양을 기하학적으로 재구성하고 평면임에도 깊이를 더하여 절제된 미의식을 잘 표현하고 있다. 또한 신기옥의 〈상황〉 연작은 선과 색이 어떻게 어울려 독특한 미적 의미를 담아내는가를 보여준다. 그의 작업에서 건축과 회화의 특성이 조화를 이루되, 추상회화의 본질을 추구하면서 화면에서의 왼편이나 위쪽 혹은 아래쪽에 적절한 여백을 설정하고 한국적 미감을 표현하여 잔잔한 변화를 시도한다.

일본의 원로작가 시라오 유지白尾 勇次는 '상황'이 갖는 조형성을 현대적 감각으로 접근한다. 특히 상황의 이중적 의미를 적절한 색의 대비 및 구도의 대비를 통해 표현하고 있거니와 조형적 시공간의 전개과정을 살필 수 있다. 작가 정택성은 공간의 해체와 재구성을 위한 시도를 자신의 작품세계에 담는다. 정택성은 도시의 건물과 도로가 기하학적 구도로 펼쳐진 화면 위에 물감을 떨어뜨려 마치 그 자국들이 폭발을 일으키는 듯한 시각적 인상에 깊이 매료된 체험을 시도한다. 이를 토대로 기하학적으로 정형화된 공간이 분할되어 균형을 깨뜨리며 다양하게 흘러내리는 형상을 빚어낸다.

이와는 달리 서양화가 김종영은 자신에 독특한 색과 선, 면의 조합에 수수께끼같은 기호와 부호의 이미지를 더하여 형상화한다. 우리는 서양화가 김종영에게서 색과 선, 면이 빚어낸 서정적 추상을 향유할 수 있다.

1. 구성과 해체의 평면적 공간회화 : 이봉열의 작품세계

작가 이봉열은 학부 재학 중인 1961년 국전(대한민국 미술전람회) 문교부장 관상을 수상하였고 1968년에 첫 개인전을 열었으며, 1972년 국전 추천작가 상을 받음으로써 비교적 젊은 나이에 작품성을 인정받았다. 그 후 1973년 프랑스에 유학하여 2년 반 정도 머무르며 서구현대미술의 현장을 체험하고 전환점을 맞게 되었다. 이를 토대로 앞으로 나아가야 할 방향을 설정하고 자신의 독특한 예술세계를 구축하기에 이르렀다. 1975년 파리에서의 개인전(La Cour d'ingres 화랑)을 시작으로 카뉴Cagnes 국제 회화제, 파리 살롱 드 메Salon de Mai, 인도 트리엔날레(뉴델리), 일본 삿포로 트리엔날레 등 다수의 국제전에 출품한 바 있다. 그가 평면적 공간회화에서 어떻게 구성과 해체의 의미와 맥락을 풀어놓는지를 살펴보도록 하겠다.

작가 이봉열의 작품경향을 전체적으로 일별할 수 있는 자리인, 그의 팔순기념전 "공간여정空間旅程"(2017. 10. 25. ~11. 26, 서울 삼청동 입구 현대화랑)은 1968년의 첫 개인전 이후 49여 년 에 걸쳐 일곱 번째로 열린 전시이다. 충분한 숙성을 거쳐 내놓은 공들인 성과물이라 하겠다. 여기서 작품의 궤적을 살필 수 있는 1970년대의 격자구조를 중심으로 구성적 추상 작품들, 1980년대의 서정적 기하추상 작품들, 흔적을 지워내는 1990년대 작품들, 그리고 이런 흐름들이 한 데 어울린 근작들을 포괄하고 있다. 특히 "공간여정空間旅程"이라는 전시 제목처럼, 40여 년간 평면에서의 공간에 대한 탐구로 점철된 일련의 작업과정을 통해 평면에서 어떻게 공간성의 깊이를 지닌 회화를 표현해왔는가를 알 수 있다. 흔히 시간의 흐름에 따른 시간여행이나 역사적 반영을 주로 다루는 작가들이 있음에 반해, 공간성의 이모저모를 다루는 작가 이봉열의 공간으로의 여정은 매우 이례적인 관심의 표현이다.

그는 자신의 작업에 대해 "말하기 어려운 공간이 던져주는 이야기들이 있으며, 드로잉 하듯 손가는 대로 마음에 들 때까지 표면을 다듬는다."고 설명한다. 초기 작품의 기저를 이룬 구성적인 틀이 후기로 갈수록 자유로워지는 분위기를 연출한다. 이번 글에서 소개할 작품의 경우도 시간적으로 보면, 1975년부터 2017년에 걸쳐 있으며 평면에서의 공간성 추구를 구성과 해체의 측면에서 들여다 볼 수 있다.

〈공간 7508〉(1975)은 옅은 황토색 격자무늬 창살이 엇갈리게 그려져 입체적 분위기를 살리고 있으며, 〈공간8118〉(1981)은 빗살무늬의 검정색 여덟 면과 옅은 황색의 여덟 면이 분절되어 있다. 〈공간 8520〉(1985)은 창살을 덮고 있는 닥지에 옅은 회색이 입혀진 무수히 많은 평면이 분절되어 드러나 있다. 〈공간-8617〉(1986)은 상하로 나뉜 캔버스의 윗부분은 열여섯으로 분절된 검은 색 평면, 아랫부분은 열여섯으로 분절된 옅은 황색의 평면이 대비와 조화를 이루고 있다. 〈무제 공간 8806〉(1988)은 저수지나 연못의 수면에 살아있는 생물체들이 엉겨있는 모습처럼 평면 위에 동적인 입체감을 보여준다. 〈무제-9003〉(1990)은 비균질화된 검정색 화면이 서른 두 개로 나뉘어 공간적 깊이를 자아낸다. 〈무제〉(1995)는 약간의 해체된 격자성 구조의 분위기를 띠고 있다. 〈무제-0908〉(2009)은 캔버스에 혼합재료로 마치 사막의 모래벌판 위에 여러 모습의 생명현상들이 그려져 있는 것으로 보이며, 〈무제 공간 174〉(2017)는 행간에 약간의 여백을 두고 연필로 세밀하게 사선을 그어 평면을 가득 채우고 있다. 전체적으로 격자의 구성과 해체, 정적인 평면성과 동적인 공간감이 서로 교차하며 적절한 대비를 이루고 있다.

그는 작품을 바라보는 이들에게 마음에 와 닿는 대로 자유롭게 작품을 음미하도록 권유하며, 특히 자신의 단색화면, 즉 모노크롬 회화를 마치 사막을 본다거나 모래사장을 보는 것처럼 상상하라고 말한다. 작가 스스로도 작품제작을 함에 있어 어떤 틀에 얽매임이 없이 역시 자유롭고 자연스런 자세로 임한다. 화면의 평면적 특성이 강하게 두드러진 모노크롬 회화, 이른바 단색화는 1970년대의 주된 특성 가운데 하나이다.[1] 화면에 단일한 색조를 유지하면서 명도와 채도에 약간의 변화를 가하되, 형상이나 이미지는 화면에서 부차적이거나 아예 사라지게 된다. 여기서 평론가 오광수는 구조로서의 평면과 정서로서의 단색을, 그리고 평론가 이일은 서구의 모노크롬에서는 물질화된 공간을, 한국의 모노크롬에서는 정신적 공간을 읽는다. 물질을 넘어 정신을 드러내는, 이러한 맥락은 자연과의 합일이나 자연에 순응하는 우리의 미의식에서 찾아진다. 따라서 작가의 의도나 행위의 흔적이 가능한 한 드러나지 않는다. 인위적인 제작 흔적을 가능한 한 배제하고 반복적인 행위를 통해 자연스럽게 무위의 경지로 나아가는 것이다. 무념무상의 반복행위나 물질의 비물질화는 물성의 자연적 결정체로서 한국의 모노크롬 회화[2]가 추구하는 바이기도 하다.

작가 이봉열은 가까운 일상에서, 그리고 매일 접하는 자연현상에서 형태를 찾고 이를 압축하여 자기 것으로 소화하여 표현한 것으로 보인다. 앞서 지적한 것처럼, 특히 그는 우리의 전통적인 창호문양에서 착상을 얻어 기하학적 구성을 기반으로 하는 격자구조에 관심을 갖고 구성적 추상 작업을 시작했다. 전통창호는 개폐방식에 따라서, 살대의 짜임과 모양 및 재료에 따라서 격자살, 빗살, 만자살, 꽃살 등 다양하다. 채광이나 환기 등 창호의 쓰임에 따라서도 매우 다양하다. 안과 밖을 이어주는 창호는 어두운 실내에

---

1   모노크롬의 기원은 20세기 초 러시아의 구성주의나 절대주의로 소급되는 바, 그 후 1960년대에 들어 서구에선 추상회화의 중심된 양식으로 자리 잡게 된다.
2   김복영, 「한국의 단색평면회화-70년대 단색평면회화의 기원. 그 일원적 표면양식의 해석」, 『월간미술』, 1996. 3. 60쪽.

빛의 투과를 적절히 조절하여 은근히 전해주는 역할을 한다. 작가는 격자의 구조적 특성을 살려 표현하다가, 1980년대부터 점차 격자구조에서 벗어나 격자를 해체하는 형태를 시도하였다. 이후 1990년대부터 2000년대 그리고 오늘에 이르기까지 격자를 벗어나 화면과 작가를 일체화하는 작업을 시도하고 있다. 점차로 틀을 해체하고 마음 가는 대로 붓을 사용하면서 작품은 오히려 좀 더 자유로운 상상의 공간이 가능하게 되었다. 작가가 원하는 바는 "회화질서를 전체로 평면을 유지하는 일이지 완전한 평면성은 아니다"라고 말한다. 그의 의도는 회화의 원칙인 평면성의 구현을 좀 더 유연하게 해석하는 일이다. 따라서 기본적으로 평면을 유지하면서도 평면 속에서 공간의 의미를 읽는 것이다. 그는 자신의 변모과정이 구조적이되 회화성을 최소한으로 잃지 않는 한에서의 평면을 지향하는 작업이라고 강조한다.

작가 스스로 밝히듯, 작가에게 "색과 선은 내면적 갈등의 결과물인 동시에 분출물"이며 "정신적 긴장이 극에 달한 상태에서 첨예한 순간들을 잡아내기 때문에 지성의 사색이 아니라 내면에 지닌 몸짓"이다. 그는 선과 면의 회화성을 추구하되 평면에서의 공간성을 모색한다. 최근 작품에서의 선은 공간에 스며들어 있어 흔적으로 남아 있는 듯하다. 평론가 김복영은 이봉열 회화의 중심축을 공간해석에 두고 있으며, 70년대에는 격자구조를 중심으로 평면의 단위 공간에 대한 분절을, 80년대에는 격자구조에서 어느 정도 벗어나기를 시도했으며, 90년대에는 화면과 작가 자신을 하나 되게 하는 데 관심을 쏟은 것으로 이해한다. 이는 시대의 흐름에 따른 작가의 작품경향을 잘 지적한 것으로 보인다.

주지하는 바와 같이, 회화의 기본 요소를 형태적인 면에서 분석해보면, 점과 선, 그리고 면이다. 기하학적인 선은 눈에 보이지 않는 미세한 본질을 이루고 있으며, 움직이는 점들의 흔적을 남기고 있다. 선은 점의 집합으로,

면은 선의 집합으로 성립된다. 칸딘스키Wassily Kandinsky(1866~1944)에 의하면, 점은 시간이 정지되어 있는 상태로서 그 나름의 공간과 무게를 갖는다. 일본 모노파物派 예술운동의 창시자이며 미니멀리즘의 한계를 넘어섰다고 평가받는 이우환이 지적하듯, 모든 회화는 점으로부터 펼쳐진다. 점의 운동에너지가 어떤 방향으로 나아가 선을 이룬다. 선은 시간과 공간, 무게를 지닌다. 시간과 공간, 무게가 뭉쳐서 이룬 집합체가 면으로 확산된다. 점과 선, 면은 상호 긴장관계를 유지하며 어떤 형태를 이룬다.[3] 작가 이봉열은 자신의 미학 세계를 평면상에서 점과 선, 면이 복합적으로 어우러진 공간의 문제에 설정했다. 그 스스로 "작업실에 고독하게 파묻혀 우리의 일상을 감싸고 있는 공간을 해석하는 데 반세기를 보냈다"고 술회한다. 그는 초기엔 검정과 회색, 흰색의 마스킹 테이프를 떼었다 붙이는 기법으로 격자무늬를 만들고, 황색 계열의 물감을 입혀 화면을 제작했다. 절제된 색채와 대비되는 필선에서 우리는 평면적 깊이와 정적靜的인 동세動勢를 느낄 수 있다. 회색과 옅은 황색 톤의 평면들 위로 연필과 색연필로 터치한 세밀한 필선에서 보인 작가의 절제와 압축된 미의식이 잘 드러나 있다.

이봉열은 아무 것도 없는 벽면에서 무언가가 우리 몸에 와 닿는 느낌이 있음을 체험했다고 전해준다. 필자의 생각엔 아마도 그것은 삶이 외부 대상과 접촉하여 관계를 맺으면서 얻게 되는 영향이 지속적으로 미치는 환상적인 느낌일 것이다. 작가에 의하면, 그것은 직접적인 것이라기보다는 절제된 무엇이며, 없는 것 안에서 발견하게 되는 있음이다. 즉, 없음과 있

---

3   바실리 칸딘스키,『점 · 선 · 면-회화적인 요소의 분석을 위하여』(원전: *Punkt und Linie zu Fläche, Beitrag zur Analyse der malerischen Elemente*, München: Albert Langen, 1926), 차봉희 역, 열화당, 2000.

음의 공존의 경지이다. 일찍이 미술평론가이자 서양미술사가인 정병관 (1927~2017)은 작가 이봉열의 그림에 대해, "색채가 없는 것 같으나 색이 있고, 형태가 없는 것 같으나 형태가 있다"고 평한 바 있으니, 이는 이봉열의 작품의 특성을 아주 명쾌하고 적절하게 잘 지적한 언급이라 하겠다. 우리는 그의 〈공간〉 연작에서 무의미하고 건조한 공백이 아니라 감정이 여과된 화면만이 갖는 형태와 색채의 절제미를 엿볼 수 있다. 이 절제미는 경계와 경계 없음의 여백을 자유롭게 유희하게 한다.

이봉열, 〈공간 7508〉, 1975, 145×145㎝, Mixed media on canvas

이봉열, 〈공간 8118〉, 1981, 130×130㎝, Mixed media on canvas

이봉열, 〈공간 8520〉, 1985, 100×200㎝, Mixed media on canvas

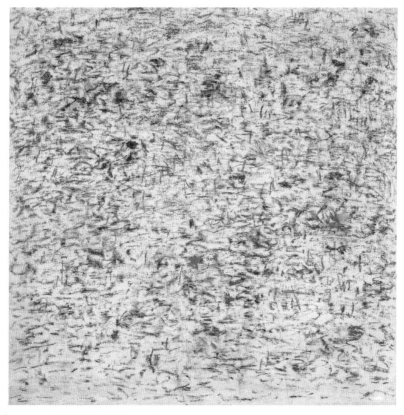

이봉열, 〈무제공간 8806〉, 1988, 150×150㎝, Mixed media on canvas

이봉열, 〈Untitled-9003〉, 1990, 37×27㎝, mixed media on canvas

이봉열, 〈Untitled-0908〉, 2009, 160×80cm, Mixed media on canvas

이봉열, 〈무제공간 174〉, 2017, 130×194㎝, Mixed media on canvas

2. 선과 색의 미적 의미 : 신기옥의 〈상황〉 연작

신기옥의 작품을 통해 단색조의 바탕과 자유로운 색의 대비가 빚어낸 형상에서 우리는 미적 상황을 읽는다. 예술은 예술가의 삶과 불가분의 관계에 놓이며, 거기에 예술가의 역량과 깊은 사색이 더해져 의미있는 작품으로 형상화된다. 이제 그의 삶과 예술가적 역량 및 사색의 과정을 살펴보기로 하자. 작가로서의 신기옥은 60년대 초중반의 학부시절부터 졸업 후 60년대 후반까지 '오리진'[4] 그룹 창립멤버로서의 활동을 통해 나이프 터치기법을 바탕으로 추상적 조형성에 관심을 기울이며 작업에 몰입했다. 그 이후 40여년이라는 짧지 않은 긴 기간 동안 예술활동과는 일정한 거리를 두고 삶의 현장에서 건축업에 종사하였다. 이 분야에서 뜻한 바의 성과를 거두고 원래 마음에 품었던 출발선 상으로 회귀한 것이다. 그는 건축에 종사하는 중에도 끊임없이 회화와의 접목을 시도하면서 회화적 모색을 내면화한 것으로 보인다. 따라서 40여년은 그냥 무료한 공백이 아니라 나름대로 회화적 건축 혹은 건축적 회화를 현장에서 탐색한 시간인 것이다. 그리하여 건축을 수단으로 하되, 회화를 목적으로 삼아 마음에 새기면서 60대 후반의 나이에 접어든 2007년에야 비로소 인사아트센터에서의 첫 개인전을 갖게 되었다. 이를 계기로 본격적인 작업에 나서고 있는 것이다. 그 후 오늘에 이르기까지 유수한 국내외의 아트페어와 아트 엑스포의 참여를 비롯하여 각종 초대전 그리고 수회에 걸친 개인전에서 자신만의 고유한 회화세계를 구축

---

4   국립현대미술관 편저, 『한국현대미술의 시원』, 삶과 꿈, 2000, 291-294쪽 연표 참조.
    60년대 초반부터 청년작가들은 새로운 조형의식에 바탕을 두고 다양한 조형실험을
    하였으며, 1963년에 창립된 '오리진' 그룹도 그 가운데 하나이다.

하고 있다.

신기옥은 "소재와 기법의 다양성을 추구하고, 구상과 추상적 표현의 공존과 조화를 모색한다. 불필요한 컬러를 덜어내고, 담백하면서도 순수하며 정제된 이미지를 추구하되, 그 안에 한국적인 정서를 담아내고자 한다."고 자신의 작업을 소개한다. 그는 형이상학적 이념과 가치를 추구하며 그림이 시사하는 바를 화폭에 담아 추상의 격조를 한결 높이고자 한다. 나이프로 마티에르를 긁어내어 균질화된 선과 면의 구조를 만들어내는 바탕작업에 나비와 꽃, 나무, 연잎의 형상을 그려 넣어 적절한 변주의 맛을 꾀한다. 일정부분 반복되는 패턴에 새로운 변화의 역동감을 담아낸다. 여기에서 우리는 실생활에서 터득한 작가의 건축적 정확성과 단순성이 회화적으로 형상화됨을 본다. 게다가 작업실의 주변 환경은 그로 하여금 자연경관에 눈을 뜨게 한 것으로 보인다. 주변이 고요한 새벽녘에 온갖 생명을 깨우는 풀벌레 소리와 골짜기의 물소리에 귀 기울이며 자신을 성찰하고 작업에 임한 것이다. 자연을 바라보는 작가의 마음은 손을 빌려 화면에 옮겨진다. 마음과 손이 자연스레 하나 되는 경지에 이른 것이다. 아마도 자연과의 물아일체物我一體를 이루어 무심無心의 상태에서 대상의 본질을 얻는 체험인 것으로 보인다.

그의 주된 작업인 〈상황〉 연작(각각 1245, 1332, 1345, 1372, 1375로 번호가 매겨져 있음)에 자신의 예술의지가 함축되어 나타나 있다. 그는 자신의 작품을 관통하는 중심된 조형언어를 '상황'으로 본다. 그렇다면, 왜 '상황'인가. '상황狀況'이란 사전적으로 보면, '일이 되어 가는 과정이나 형편'을 뜻하기도 하거니와, '소설·연극·영화에서 극적劇的인 장면'을 가리키기도 한다. 고대의 수많은 사상가들은 상황과는 무관하게 존재 일반을 탐구해왔으나, 상황을 떠난 인간존재란 무의미하다고 현대의 사상가들은 밝히고 있다.[5] 인간은 어떤 특정 상황 안에 놓인 존재일 수밖에 없기 때문이다. 달리 말하면, 실존적 존재인 것이다. 우리는 누구도 거부할 수 없는 상황적 실존에 갇혀 지낸다. 일상을 살아가는 우리에게 어떤 일이 중요하며, 어떠한 과정이나 형편이 우리 앞에 놓여 있는가를 깊이 생각하게 된다. 이 때 우리의 삶에 참된 의미를 부여할 수 있는 하나의 가능성이 바로 예술이다.[6] 신기옥의 예술은 자신이 처한 실존적 상황을 말해준다. 신기옥은 상황에 적극적으로 개입하고, 상황을 예술의지의 대상으로 삼아 형상화한다. 모든 이의 삶은 개별적이고 특정한 상황에 놓여 있으나, 여기서 작가는 긴 호흡으로 생성과 소멸 그리고 순환의 보편적 과정을 읽으며, 이를 회화적 담론으로 풀어내고자 한다. 필자가 보기엔, 작가에게 있어 삶의 외적 틀인 건축은 내적 예술의지의 외화外化에 다름 아니다. 일반적으로 건축과 회화는 특히 구도나 구성, 색깔의 측면에서 비슷한 요소가 많아 보인다.[7] 또한 장식적 요소나 공간적 요소 등 건축의 영향이 신기옥의 회화에 반영되어 있다고 하겠다. 특별히 신기옥은 현대건축 미학에서 수직과 수평, 즉 '선'이 골격임을 인지하고, 단순한 선의 무한 반복이 현대건축의 특징에 잘 나타나 있다고 말한다.

신기옥은 복잡한 현대사회의 바람직한 향방을 단순함에서 찾고 있으며,

---

5   고대 그리스 학자들은 상황을 배제하고 존재일반을 탐구했으나, 하이데거는 『존재와 시간 Sein und Zeit』(1927)을, 사르트르는 『존재와 무 L'Être et le néant』(1943)를 탐색하여 인간존재와 연관된 상황을 잘 드러내고 있다.

6   여기서 예술이라는 말이 뜻하는 바를 다시 떠올릴 필요가 있다. 라틴어의 아르스(ars)나 그리스어의 테크네(techne)는 기술 혹은 앎을 의미하지만 특히 독일어의 'Kunst'는 '할 수 있다'는 'können'에 그 어원을 두고 있는 바, 바로 '가능성'을 뜻한다.

7   발터 그로피우스(Walter Gropius, 1883~1969)가 1919년 바이마르에 설립한 종합예술학교인 바우하우스는 미래건축을 위해 건축, 조각, 회화가 하나로 통합되는 새로운 예술을 추구한 바 있으니, 이는 신기옥에게도 낯설지 않은 시도이다.

이를 자신의 회화에서 구현하고자 한다. 평론가 서성록이 신기옥의 작품세계를 가리켜, '단순과 간결의 조형'이라고 하는 말은 적절한 지적이다. 우리는 이리저리 얽힌 복합적인 연관 관계의 삶 속에서 살고 있지만 단순함을 지향한다. 단순함의 원형은 자연 안에 있다. 회화에 있어서 '단순하다'라는 말은 원시미술에서 보듯, 생명유지에 불필요한 것들은 제거하고 가장 필요한 요소들만을 유기적으로 결합하여 생동감을 보여 준다. 논리나 개념이전에, 나아가 의식이나 반성이전에 우리의 근원적 시각과 순진무구한 눈의 즐거움이 놓여 있다. 무엇보다도 순수성은 대상의 단순화에서 비롯된다. 주지하듯이, 선 구성의 단순성이 오늘날의 추상화에 포함되어 있다. 어떤 작가는 불분명한 선들을 사용하기도 하고, 원래 계획했던 바와는 달리, 우연히 얻어진 효과를 대비시키기도 하지만, 신기옥의 경우엔 매우 주도면밀한 구도와 섬세한 표현이 돋보인다.

회화에서의 단순화는 작가의 의도에 따라 불필요하고 무의미한 부분을 과감하게 생략하거나 단순한 형태로 명확하게 표현할 때 나타난다. 단순화된 형태는 세심한 관찰과 기록에 의한 사실주의적 형태에 비해 간결하고 본질적이며 순수하다는 특징을 지닌다. 따라서 간결성은 형태변형에 따른 단순화과정의 산물이라고 말할 수 있다. 더욱이 단순성은 우리의 정신을 소박하고 온전하게 한다. 단순성에로의 회귀는 복잡성의 미로를 벗어나 원래 있었던 근원적인 삶에로 회복하는 길이다. 조형적인 단순성을 모색하는 중에 자신만의 고유한 양식을 형성해가고 있는 신기옥은 자연과 대면하고 교감을 꾀한다. 그의 작업에서 건축과 회화의 특성이 조화를 이루되, 가능한 한 정제되고 단순화된 조형세계가 드러난다. 그는 추상회화의 본질을 추구하면서도, 화면에서의 왼편이나 위쪽 혹은 아래쪽에 적절한 여백을 설정하고 한국적 미감을 표현하여 잔잔한 변화를 시도한다. 또한 빨강과 군청색을 주조로 하여 음양의 대비와 상생을 꾀한다. 생성과 소멸, 순환 그리고 현재라는 시간지평을 '상황'이라는 담론에 담아낸다. 나이프로 일일이 작업한 직선의 마티에르는 다년간의 건축적 체험과 어울려 화면 위에 자리하고 있다. 그림의 바탕 배경에 나타난, 수직으로 겹겹이 포개진 직선들은 무한히 반복되는 디지털 코드와 도시적 공간을 가득 메운 건물을 은유하거나 때로는 상징한다. 그러는 가운데 "나는 어떤 연관 가운데 살고 있는가?"[8]라는 물음을 우리에게 던진다. 이는 물화物化된 도시적 시공간 속에서 우리의 실존적 상황에 대한 회화적 접근으로 안내한다. 이는 우리가 그의 작품에 크게 공감하는 이유이며, 여기에 미적 의미가 여실히 드러난다고 하겠다. 이러한 미적 의미가 그의 작품에 더욱 심화되길 기대한다.

---

8 빌헬름 슈미트, 『철학은 어떻게 삶이 되는가-아름다운 삶을 위한 철학기술』, 책세상, 장영태 역, 2017, 45쪽.

신기옥, 〈13-11 상황〉, 2013, 130×130㎝

신기옥, 〈상황 1245〉, 2013, 140×140㎝

신기옥, 〈상황 1345〉, 2013, 140×140cm

신기옥, 〈상황 1375〉, 2013, 150×80㎝

신기옥, 〈15-1 상황〉, 2015, 130×130㎝

신기옥, 〈15-5 상황〉, 2015, 70×90㎝

3. '상황'으로서의 조형적 시공간 :
시라오 유지白尾 勇次의 작품세계

작가는 시대에 대한 자신의 미적 인식을 작품에 담아 표현하기 마련이다. 일본의 살롱 드 블랑 미술협회 회장이며 원로작가인 시라오 유지白尾 勇次(1927~)에 있어 미적 인식의 근원은 '상황'이다. 그런데 작가는 이 '상황'에 대한 자신의 미적 지각을 아울러 담고 있다. '상황'에 대한 작가 특유의 시지각적 인식인 셈이다. 이러한 미적 인식이 작품을 이루는 주된 근간이라면, 이를 형상화하고자 다루는 소재와 끌어들이는 기법은 작가의 부차적인 방법론이다. 그의 〈상황〉 연작이 이루어진 배경은 무엇일까를 곰곰이 생각해 본다. 우리는 누구나 어떤 상황 안에 존재하며 살아간다. 인간은 근본적으로 상황적 존재homo situationis이기 때문이다. 인간은 상황에 대해 이중적이다. 우리 의지와는 무관하게 어떤 상황에 던져진 존재이며, 동시에 상황을 적극적으로 만들어가는 존재이기도 하다. 상황은 평면적이기도 하고 입체적이기도 하며 그 위에 시간과 공간이 씨실과 날실이 되어 서로 교차한다. 상황은 삶의 사유공간이다. 시라오 유지가 자신의 작품에서 조형적 시공간의 상황을 어떻게 인간적 삶의 상황으로 빚어내어 우리에게 어떤 의미를 던지고 있는가를 살펴보려 한다.

필자가 미학적 관심을 갖고서 일본작가를 다룬 것은 앞서 논의한 후지시로 세이지 그리고 이사무 노구치野口 勇(1904~1988)에 이어 세 번째이다. 후지시로 세이지는 본서 6장 1에서 다룬 바와 같으며, 이사무 노구치는 전통적인 소재 대신에 물, 빛, 소리와 같은 자연현상의 소재를 활용하여 자신의 고유한 조형세계를 구축하고 현대인의 도시적 삶의 환경을 생태학적으로 새롭게 해석한 작가이다.[9] 시라오 유지는 일본 현대미술을 대표하는 원로작가로서 우리나라의 씨올회와 ICA전(국제현대미술 조명전)을 통해 일본작가들과의 한국교류전을 꾸준히 이끌어 오고 있으나 그의 작품세계가 우리나라에 체계적으로 논의된 적은 없어 보인다. 그는 1997년에 살롱 드 블랑 salon de blanc 미술협회를 결성하여 회장을 맡고서 일본과 프랑스의 교류전을 현재까지 주도하고 있거니와, 그 외에도 미국, 독일, 오스트레일리아, 벨기에, 중국, 멕시코, 스페인, 캐나다, 오스트리아 등 여러 나라와의 교류를 통해 일본미술의 현대적 위상을 끌어올린 작가로 알려져 있다.

시라오 유지는 현대산업사회의 변화가 가져온 복잡한 삶의 공간을 '상황'에 대입하여 표출하고 있다. 금속소재, 아크릴 콜라주, 실크스크린 기법 등을 활용하여 기하학적 공간 속에 담아서 역동적이면서도 절제된 추상 작품을 제작하고 있다. 국제적으로 활발한 활동과 교류가 있었으나 앞서 언급한 바와 같이 한국과는 별다른 인연을 맺지 못하는 중에 일본 동경의 긴자 갤러리에서 열린 '보리와 생명'의 작가 박영대의 개인전을 관람한 후 깊은 인상을 받고서, 그가 매년 동경에서 주관하는 '살롱 드 블랑' 전시에 작가 박영대를 초대한 것이 계기가 되었다. 이어 동경도립미술관 '포토빌아트리움'의 전시회에 한국의 몇몇 작가들을 초대하기 시작했고 한국과 일본작가들과의 교류전을 꾸준히 이끌어 오고 있다. 이러한 교류에 즈음하여 그의 작품세계에 대한 체계적 접근이 필요한 시점이 아닌가 생각된다.

시라오 유지의 작품세계를 통시적으로 고찰할 자료가 턱없이 부족한 아

---

9 Kwang-Myung Kim, "Problems and Prospects of Geoaesthetics", *Open Journal of Philosophy*, Vol. 5 No 1, 2015, 1-14쪽. 어떤 면에서 이사무 노구치는 일본작가리기 보다는 일본계 미국작가라 해야 할 것이다.

쉬움이 있으나, 그의 주된 작품에 드러난 현대미술의 다양성과 실험성을 중심으로 그의 작품세계를 들여다보고자 한다. 작가가 작품의 주제를 정확하게 제시하고 있지 않아 화폭에 나타난 문자나 기호, 숫자를 '상황'에 맞게 필자 나름대로 기입하여 작품의 제목으로 삼고자 한다. 아래에서 살펴 볼 아홉 점의 작품 외에 먼저 필자에게 인상적인 작품인 〈상황3-11〉(2012)은 어두운 색면이 가로로 일대이(1:2) 비율의 둘로 분할된 화폭으로 되어 있다. 오른쪽 가운데에 조그맣게 뚫어진 곳의 한 부분에 그려진 바다는 현실에서 벗어나 먼 곳을 동경하는 우리의 시각을 암시한다. 이곳과 저곳, 현실과 이상이라는 상황의 이중성을 읽을 수 있는 대목이다.

〈상황10-E〉, 〈상황 09-B〉에서 우리는 색과 면, 공간의 상호 절제된 조합이 만들어낸 상황을 엿볼 수 있다. 이어서 〈상황-013-E〉는 선과 면을 분할하여 빚어낸 도시 한복판에 횡단보도 교차선이 있는 바, 요즈음 대도시의 어느 곳에서나 흔히 볼 수 있는 상황이다. 이 교차선의 좌우에 도시적 삶을 압축하는 고층건물이 즐비하고 그들의 창문에 반사된 형형색색의 빛이 편린으로 드러나 있다. 이는 인간이 도시공간을 이끌어가는 것이 아니라 물화된 기계적 삶의 도시공간에 우리가 이끌려가는 피동적 상황을 아주 잘 보여주는 현장이기도 하다. 〈상황-Salon du Blanc 21〉은 어두운 화면에 도시 빌딩의 창문에 반사된 불빛을 점점으로 켜켜이 쌓아 화면 전체를 덮고 있다. 중앙에 입방체의 콘크리트 기둥모양의 단면이 가리워져 있고 그 위에 다면체의 구球가 떠있는 형상이다. 전혀 어울리지 않아 보이는 이러한 배치에서 우리는 부조화의 상황을 떠올릴 수 있다. 〈상황-JAPAN 74〉에서 검은 바탕 화면을 십자가 모습으로 나누는 콜라주는 이 시대의 인간이 지향해야 할 기독의 의미와 가치를 가리키고 있는 것으로 보인다.

〈상황-SDB NJ〉는 평면에 입체적 조형이 기하학적으로 잘 구성되어 있음을 보여주며 중앙에 검은 바탕에 흰 종이가 일곱 가닥으로 갈라져 지그재그로 배열되어 있다. 그 이면의 중앙에 진실의 광채처럼 푸른빛이 감도는 선이 세로로 그어져 갈라진 종이가닥 사이로 보이면서 대비를 이룬다. 〈상황 SDB-21 New York〉에서는 시멘트 블록의 질감 위에 콜라주된 뉴욕 맨해튼의 고층건물의 단면이 수평으로 표현되어 있다. 밤하늘에 입체의 구(球) 단면이 흰색과 회색으로 적절한 대비를 이루며 떠있는 형국이다. 우리에게 도래한 어떤 절박한 상황적 위기를 암시하는 듯하다. 그럼에도 우리는 대비를 이루는 부조화와 조화의 상황에서 가느다란 희망의 빛줄기를 확인할 수 있다.

〈상황 BS-3, WO-X, EU-PKO, ODA〉에는 특수한 상황을 암시하는 듯한 문자와 숫자가 부호처럼 쓰여 있다. 세로로 길게 드리운 고층건물의 창문에 비친 밤의 전경, 왼편에 비친 야경의 조합들이 두 곳을 잇는 다리 형상으로 아슬아슬하게 병치되어 걸쳐 있다. 이 다리 아래 멀리 보이는 왼편의 하단에는 고층건물의 야경이 또 다른 공간을 차지하며 놓여 있어 강한 대비를 이룬다. 〈상황 E-2, SE-833, SDB〉에서 기하학적 구성과 콜라주 및 거친 드로잉 흔적이 결합되어 면을 분할하고 있다. 이에 곁들여 여백의 미를 짜임새 있게 보여 준다. 〈상황 ER-HG, U, JR-4〉는 중앙에 팔면체의 각 부분이 따로 연결되어 음영을 잘 드러내고 있으며, 세 개의 직육면체가 연결된 띠를 향하고 동(動)과 정(靜)이 적절히 균형을 이루는 상황을 연출한다.

시라오 유지의 작품에서 상황들은 매우 유동적이다. 우리가 처한 상황은 우리를 변하게 하고, 또한 우리는 그 안에서 변하며 삶을 모색한다.[10] 상황

---

10   이와 비슷하게 제임스 조이스는 "세월은 우리를 변하게 하고 우리는 세월 속에서 변한다."고 말한 적이 있다. 세월이 곧 상황을 변주한 셈이다. James Joyce, *A Portrait*

은 우리의 삶의 모습이 투영된 것이다. 어쩌면 인간은 상황과 상황간의 '사이에 낀 존재'일는지도 모른다. 시라오 유지의 작품에서 상황은 있는 그대로가 아니라 작가의 자유로운 미적 상상력에 바탕을 두고 변형되어 우리의 시지각 영역을 확장해준다. 그리하여 처음엔 낯설었던 상황이 낯익게 되고 전혀 다른, 또 하나의 새로운 상황을 창조해낸다. 그가 창조해낸 상황은 세상에 대한 인식의 폭과 연결된다. 이는 곧 상황에 대한 우리의 자아인식이요, 세계인식인 것이다.

---

of a Artist as a Youngman, 1916(『젊은 예술가의 초상』, 이상옥 역, 민음사, 2001, 146쪽).

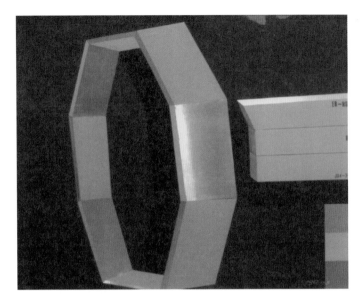

시라오 유지, 〈상황 ER-HG, U, JR-4〉, 2012

시라오 유지, 〈상황 SDB - 21 New York〉, 2016

시라오 유지, 〈상황 - Salon du Blanc 21〉, 2017

시라오 유지, 〈상황 SDB - NJ〉, 2018

시라오 유지, 〈상황 - JAPAN 74〉

시라오 유지, 〈상황 E-2, SE-833, SDB〉, 2018

4. 공간의 해체와 재구성을 위한 시도 : 정택성의 작품세계

　작가 정택성은 프랑스 파리8대학 및 동대학원 조형예술학과를 졸업하고 귀국하여, 경상남도 미술대전에서 대상을 수상하고 여러 회의 개인전을 비롯한 많은 그룹전(국제조각전, 현대조각전, 건축문화제, 환경미술제, 청년작가전 등)에 참여하면서 그 작품성을 인정받고 있다. 그는 현대 산업사회의 도시환경이 빚은 공간에 대한 세심한 관찰을 토대로 자신의 작업을 출발하고 있다. 도시화는 인구의 도시 집중과 더불어 주택, 교통의 문제나 환경오염 등을 포함하여 이에 따른 지역적, 사회적 양상의 많은 변화를 가져왔다. 그는 블랙홀처럼 자본을 비롯한 모든 것을 빨아들이며 동시에 끊임없이 확장을 거듭하며 몸집을 부풀리는 이와 같은 도시화 현상을 보며 이를 '거대한 기하학적인 콘크리트 덩어리'로 진단하고 있다. 작가의 말대로 이 '거대한 기하학적인 콘크리트 덩어리'를 어떻게 자신의 작품세계에서 표현하고 해석하고 있는가를 살피는 일이 이 글의 핵심이다.

　작가가 바라보는 도시환경의 공간에서 "하늘은 날카롭게 재단되어 있으며 나무와 꽃은 생명력 없이 줄 세워져 있고 바닥을 힘겹게 뚫고 피어난 풀은 깨끗하게 잘려져 있다."고 말한다. 오늘날 우리가 살고 있는 도시적 삶이란 거의 모든 것이 물화物化되고 욕망의 도구와 수단이 되고 있다. 그야말로 삶의 여유와 여백을 상실하고 생태적 조화와 균형이 파괴된 황폐한 모습 그대로이다. 그럼에도 작가 정택성은 무너져가는 현장에서 역설적으로 그것들의 아름답고 자연스러움의 흔적들을 찾아 이를 자신의 작품에 반영하고자 한다. 특히 형형색색의 다채로운 형상을 빚어내는 불꽃놀이를 작품화하여 주제를 붙인 〈colorful bomb〉(2017, 철, 우레탄 도장, 220×510×600㎝), 〈colorful bomb〉(wood, acrylic color, 190×170×200㎝), 〈colorful bomb〉 (aluminium, urethane, color, 930×930㎝), 〈colorful bomb〉(steel, urethane, color, 510×220×600㎝) 시리즈는 이를 잘 드러내고 있다. 물론 특정한 날을 기념하거나 경축하기 위해 밤하늘을 화려하게 수놓는 불꽃놀이는 강렬한 폭죽이 터짐으로써 모든 것이 불살라지고 짙은 어둠 속으로 사라진 뒤에는 빛과 어둠이라는 짙은 잔영만을 남긴다. 정택성은 이처럼 현대 도시 문명의 이중적 성격을 '형형색색의 다채로운 폭탄'이나 '화려한 불꽃놀이'와 그 이면의 잔영에 비유하여 표현한다. 아스팔트 도로 위에 콘크리트, 철근이나 다른 첨단 소재로 이루어진 도시 구조물의 건조함과 삭막함은 인간관계의 단절을 가져 오며 우리의 숨을 막히게 하고 있다. 도시가 우리를 위해 존재하는 것이 아니라 우리가 도시를 위해 존재하는 본말의 전도현상이다. 정택성은 여기에 숨통을 트이고 유기적 형태의 이미지를 작품에 새기고 있다. 폭죽이나 불꽃놀이의 형태를 빌어 그는 현상의 양면성을 자신의 예술로 형상화한다. 시공간의 시각적 이미지를 색채와 형태에 입혀 매우 강렬하게 전달한다.

그의 작품 〈Booby traps〉(wood, acrylic color, 110×15×106㎝)에서 부비 트랩은 건드리면 터지는 위장 폭탄이나 혹은 장난삼아 놓은 덫으로서 문 위나 벽, 선반에 뭔가를 얹어 놓았다가 잘못 건드리는 사람에게 떨어지게 하는 올가미를 가리킨다. 그런데 작가는 이를 단지 위장이나 장난에서가 아니라 실제로 도시공간의 인간 삶이 마치 도미노 현상과 같은 이런 모습의 기계적 장치로 진행되고 있음을 표현하고 있다. 부비트랩의 장치는 적절한 굵기와 길이로 형형색색 늘어뜨린 물감과 그 물감이 늘어뜨린 모습의 대비와 조화가 '무의도의 의도'처럼 의도하지 않은 가운데 의도한 것으로, 자연스럽게 형상화되어 작가의 예술의지와 예술성이 돋보인다. 이는 무기교와 기교, 무의도와 의도, 무질서의 질서가 화폭에 어떻게 적절하게 어울려 탁월한 작품으로 형상화되는지를 보여주는 좋은 예라 하겠다. 아마도 이와 같은 시도는 작가의 오래 축적된 예술적 역량이 있기에 가능한 일이라 여겨진다.

비슷한 시리즈의 세 작품 〈도형 그리고 기하학적 구성 따위들에 대한 관념〉(145×95㎝), 〈기하학적 구성 따위들에 대한 관념〉(wood, acrylic color, 60×74×163㎝), 〈기하학적 구성 따위들에 대한 관념〉(wood, acrylic color, 54×18×152㎝)에서 작가는 사각큐브 위에 쏟아 부은 페인트가 자연스럽게 흘러내리게 하여 자국을 만들고, 그 자국들의 일부는 도형들의 그림자를 형성하여 형태와 색의 조화를 절묘하게 잘 꾀하고 있다. 원래의 도형들이 미적으로 변형되어 더 많은 의미를 함축한 모습으로 등장한다. 정택성 작가는 "흘러내림은 예측 불가능한 인간의 감정을 닮았으며, 그 형상은 계산에 의한 규칙이나 패턴이 없기 때문에 자연스럽다."고 말한다. 우리의 감정은 변하기 쉽고 또한 그 변화는 예측하기 어려우나, 감정의 근저에는 우리가 소통하며 전달할 수 있는 공감의 영역이 있으며, 정택성은 이를 잘 표현하고 있다. 흘러내린 흔적이 마치 의도한 것처럼 색채의 향연을 펼치고 있다. 우리에게 비교적 자연스런 감정으로 다가온다.

정택성은 도시의 건물과 도로가 기하학적 구도로 펼쳐진 화면 위에 물감을 떨어뜨려 마치 그 자국들이 폭발을 일으키는 듯한 시각적 인상에 깊이 매료되었던 적이 있었다고 한다. 작가의 이러한 개인적 경험이 바탕이 되어, 기하학적으로 정형화된 공간이 분할되어 균형을 깨뜨리며 다양하게 흘러내리는 형상을 빚어낸 것이라고 하겠다. 인위적 공간에 자연스러움이 더해져 재구성된 모습이다. 작가 정택성의 예술의지와 관련하여 필자는 몬드리안과 훈데르트 바서에 주목하여 살펴보고자 한다. 네덜란드 구성주의 회화의 거장인 몬드리안Piet Mondrian(1872~1944)은 뉴욕 맨해튼의 도시 분위기를 가로와 세로의 검은 선의 격자grid와 삼원색을 사용하여 〈브로드웨이 부기우기Broadway Boogie-Woogie〉(1942~1943, 뉴욕 근대미술관 소장)로 표현했다. 몬드리안은 도시적 삶을 블루스에서 파생된 재즈 음악의 한 형식에 담아 끊임없는 저음의 리듬을 변주하고 맨해튼에 사는 사람들의 소리, 자동차소리 등 온갖 소음을 결합하여 대체로 남북방향으로 뻗은 애비뉴와 동서방향으로 뻗은 스트리트로 대변되는 도로망위에 기하학적으로 표현하고 있다. 또한 평생 자연을 동경하며 자연주의자로 살았던 오스트리아의 건축가이며 화가인 훈데르트바서Hundertwasser(1928~2000)는 색채와 형태에 대한 남다른 감각을 지니고 자연의 법칙과 조화를 이루는 삶을 살았다. 그는 급격한 산업화에 의해 파괴되는 자연을 보며 자연과 조화를 도모하고 기계적인 직선을 배제하고 유연한 생명의 곡선을 옹호하며 신체, 생물, 물질의 유기적 순환을 강조하였다. 메마르고 숨막히는 도시환경을 바라보면서 기하학적 구도에 음악적 리듬을 더하는 몬드리안의 시도나 생태학적 전환점을 마련하려는 훈데르트 바서의 시도를 보면서 작가 정택성에게서도 그러한 예술적 모색을 읽을 수 있음을 알게 된다.

현대도시는 외부의 충격으로 인해 붕괴되는 이른바 외적 폭발外破, explosion이 아니라 내부의 무모한 확장이나 팽창으로 인해 스스로 무너지는 내적 폭발, 즉 내파內破, implosion의 형국에 처해 있다. 정택성의 작품에서 보여주는 인위적인 불꽃놀이나 흘러내리는 불꽃의 흔적들은 작가의 말을 빌리면, "불편한 파괴가 아니라 유쾌한 파괴"인 것이다. 이는 우리로 하여금 극한에 대한 인식을 새롭게 하고 적극적인 예술작업의 개입을 통한 유기체적 복원을 꾀하기 위한 경각심을 불러일으키는 작업과정이다. 말하자면 피동적인 겪음undergoing이 아니라 적극적인 행함doing으로서의 해체를 통한 새로운 모색이요, 재구성을 위한 시도라 할 것이다.

정택성, 〈기하학적구성 따위들에 대한 관념〉, 2013, 60×74×163㎝, Wood, Acrylic

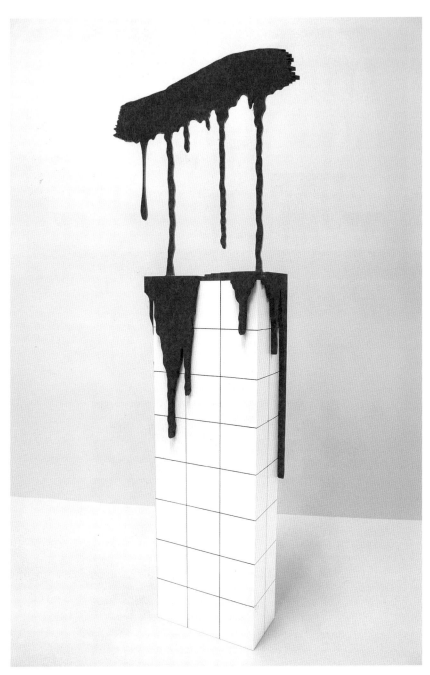

정택성, 〈기하학적구성 따위들에 대한 관념〉, 2013, 54×18×152㎝, Wood, Acrylic

정택성, 〈도형 그리고 기하학적 구성 따위들에 대한 관념〉, 2013,
145×95㎝, Wood, Acrylic

정택성, 〈colorful bomb〉, 2017, 930×930㎝, Aluminium, urethane color

정택성, 〈colorful bomb〉, 2017, 190×170×200cm, Wood, Acrylic color

정택성, 〈colorful bomb〉, 2018, 510×220×600cm, steel, urethane color

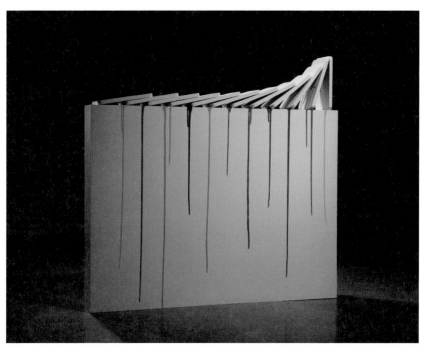

정택성, 〈Booby traps〉, 2018, 110×15×106cm, Wood, Acrylic

5. 색과 선, 면이 빚어낸 서정적 추상 :
서양화가 김종영의 작품세계

여기서 다루는 서양화가 김종영은 우리가 잘 아는, 한국 추상조각의 선구자인 김종영(1915~1982)과는 다른 동명이인이다. 서양화가 김종영의 작품을 찬찬히 뜯어보며 글 작업에 나선다. 전체적으로 작가 김종영의 작품에서 우리가 읽을 수 있는 분위기는 강렬한 붓터치로 원색의 적절한 대비를 이루며, 이와 더불어 색면의 분할이 어우러져 생동감을 자아내고 있다. 여기에 더하여 추상화된 부호나 기호, 숫자 혹은 글자의 이미지들이 약간의 여백과 함께 펼쳐져 있다는 점이다. 서양화가 김종영은 사실과 구상의 엄격한 수련과정을 거쳐 사물의 구체적 개념이나 구상적 내용에서 벗어나 압축된 의미를 담은 서정추상의 경지에 이른 것으로 보인다. 그는 여든을 훌쩍 넘은 나이임에도 불구하고 여전히 내일을 향해 화려한 꿈을 꾸며 작품의 주제가 가리키는 바와 같이 즐거움과 기쁨으로 충만한 삶을 살고 있다. 열정으로 시작한 매일의 일과는 그대로 그의 작업에 이어지고 있다. 이제 그의 최근 작품을 중심으로 거기에 담긴 의미를 살펴보고자 한다.

그는 최근의 모든 작품을 '폴로 시리즈'로 제작하고 있는 바, 노작가에게 왜 폴로인가를 곰곰이 생각해본다. 무엇보다도 폴로의 격한 이미지가 작가의 예술적 에너지에 중첩되어 잘 나타나 있는 것으로 보인다. 여기서 잠시 폴로Polo란 어떤 놀이인가를 보자. 폴로에 대한 이해는 그의 작품이해에 직간접으로 연결되기 때문이다. 폴로는 승마와 하키를 합쳐놓은 것으로 4인 1조가 되어 말을 탄 채로 힘있고 속도감있게 스틱으로 공을 몰고 가서 골문에 넣는 구기놀이이다. 이와 비슷한 놀이로 우리나라에는 일명 격구擊毬로도 알려져 있는데, 말 위에서 긴 채를 이용해 공을 쳐서 상대의 골문에 넣어 승부를 겨룬다.[11] 그러나 의류를 비롯한 다양한 생활용품에 스며든, 왼편 가슴에 스틱을 들고 말을 탄 모습의 로고인 '폴로'의 브랜드 컨셉이 영국의 정통성과 보편적이고 대중적인 미국적 감성과 결합하여 이른바 '폴로문화'를 형성하고 있다. 오늘날엔 젊음의 열정과 품격을 은유적으로 대변하는 이미지로 여겨지며 아마도 이러한 이미지가 작품에 반영된 것으로 보인다.

작가의 몇몇 작품을 들여다보면, 먼저 〈3·1절 기억하자〉(2018)는 초록, 파랑, 빨강의 원색이 각기 개별 화면을 차지하되 부분적으로 겹쳐 있으며 독립만세운동을 암시하는, 휘날리는 태극기의 음양과 주역에서의 괘卦와 효爻[12]의 문양이 마치 기호나 부호처럼 상징화되어 있다. 3·1절을 바라보는 작가의 역사의식이 담겨 있다. 〈나비와 함께〉(2017)는 작품의 주제가 말하듯, 작가의 감정이 나비에 이입되어 서정적인 정서가 묻어난다. 날개를 퍼덕이는 나비 형상을 그려 넣어 사물성을 아주 간략하게 특징화하고 있다. 이는 아마도 도가사상가인 장자莊子의 〈호접몽〉(나비의 꿈)에서 사물과 자아와의 구별을 잊은 물아일체物我一體의 심경을 말하려는 시도인 것으로 보인다. 다음으로 〈어느 즐거운 날의 축배〉(2017)에서 작가는 축배를 위한 술잔의 윤곽만을 화면의 맨 위에 간략하게 그 특징만을 간추려 묘사하고, 화면의 아랫부분에는 회색의 차분하고 가라앉은 분위기를 그려 넣어 대조

---

11 소규모의 전투나 다름없는 격렬한 폴로 경기는 처음엔 고대 페르시아의 국기(國技)로서 귀족들 사이에 널리 행해졌다. 아라비아·티베트·중국(당·송대)·일본까지 전파되었다. 폴로라는 영어식 이름은 발티어로 '공'이라는 뜻이다. 13세기에는 이슬람 교도들이 인도를 정복하면서 인도에 전파하였고, 최초로 폴로 경기를 한 유럽인들은 인도의 아삼 주에 있던 영국인 차(茶) 농장주들이었다. 19세기 후반 영국 전역에 빠르게 보급되었고, 그 후에 미국에도 소개되었다.

12 주역에서 괘(卦)는 끊어짐 없는 양(陽)과 중간에 끊어지게 만들어진 음(陰)으로 만들어진 그림이다. 효(爻)는 팔괘를 구성하는 음양을 나타내는 부호로서 양효(陽爻, —)와 음효(陰爻, --)가 있다.

를 이룬다. 화면의 중간부분 이후부터는 축배로 인한 들뜬 분위기를 보는 이들로 하여금 공감할 수 있도록 가벼운 터치로 흥겹게 표현하고 있다. 축배가 주는 정서를 추상적 색과 면의 이미지로 표현하여 어떤 전형典型을 보여주려는 작가의 의도이다.

〈즐거운 날〉은 작가가 체험한 즐거운 날의 이미지를 짙은 회색바탕에 노랑, 파랑, 검정, 주황을 사용하여 글자 비슷한 형상을 빚어낸 그림이다. 즐거운 날에 대한 작가의 회상이 묻어 나 있다. 〈즐거운 탄생〉은 추측컨대 작가자신의 탄생을 알리는 숫자가 암호처럼 암시되어 있으며 탄생 이후의 삶의 여정이 작가만이 인식할 수 있는 여러 기호로 표시되어 있다. 그 기호에 얽힌 의미있는 사연을 들여다보는 일은 우리의 상상력이 감당할 몫이다. 왼편에서 아래 부분에 걸쳐 남긴 여백의 미가 즐거운 날과 즐거운 탄생에서의 마음의 여유를 그리고 있다. 매우 긍정적이고 적극적인 삶의 태도를 이 주제에 담고 있어 보인다. 이어서 〈오후 한때〉(2017)에서 작가는 '오후 한때'라는 시간 축을 중심에 넣고 좌우에 아마도 오전과 저녁의 부분을 여백으로 남겨 과거, 현재, 미래라는 시간의 연속적인 흐름을 나타내고 있는 것으로 보인다. 그러나 중심축은 지금 당면하고 있는 현재 이 순간인 '오후 한때'에 충실하라는 카르페 디엠carpe diem이다. 이처럼 작가가 표현하고자 하는 시간의 의미를 보는 이도 공감할 수 있도록 분명하게 알리고 있다. 화면의 여기저기에 암호처럼 표시된 숫자나 부호, 기호가 초현실주의에서의 자동기술법automatisme과 같이 이성적 의식에 기대지 않고 의식 이면의 무의식에 의해 선이나 형태에 담아 자연스레 투영되어 있다.

〈즐거운 한 때〉(2018)에서 옅은 회색과 짙은 회색이 어우러진 바탕에 여러 색으로 그려진 표시는 우리에게 미국의 추상주의 화가인 사이 톰블리Cy Twombly(1928~2011)를 떠올리게 한다. 사이 톰블리는 추상표현주의, 팝아트와 미니멀리즘을 포함하여 그림과 조각에 대한 독특한 접근으로 자신에 고유한 양식과 기법을 선보인 작가이다. 그는 고대의 신화와 서사에서 영감을 받아 신비스럽고 불가사의한 세계를 작품에 은유적으로 표현하였다. 그는 그림과 낙서 드로잉, 캘리그라피를 자신의 다양한 감성과 결합하여 독창적인 작품을 제작한 것으로 잘 알려져 있다.[13] 사이 톰블리는 언어적 소통을 위해 여러 부호와 기호 등을 이용한 표시를 회화처럼 그려낸 원시미술에 관심을 갖고서 원시 동굴의 벽화나 암각화에서나 볼 수 있는 바와 같이, 표면을 긁어서 형상을 만들어 냈다. 이런 기법의 일부와 분위기는 서양화가 김종영의 작품에도 나타나 있으며 회화성은 오히려 더욱 두드러진다고 하겠다.

〈화분이 있는 풍경〉(2017)에서는 화분의 형상이 어렴풋하게 아래 화폭에 그려져 있고 녹색으로 압축된 줄기나 잎, 그리고 붉은 색으로 점을 찍은 듯이 여기저기 흩어져 있는 모양의 꽃무늬로 추상화되어 등장한다. 일반적으로 꽃을 심어 가꾸는 그릇에는 꽃을 심어 가꾸는 이의 심성이 그대로 담겨 있는 법이다. 화분을 바라보는 작가의 은근하며 여유로운 심성을 엿볼 수 있는 작품이다. 캔버스에서 녹색의 줄기나 잎이 많은 부분을 차지하는 것은 꽃을 피우기 위한 준비과정으로서 봄과 희망, 젊음을 상징한다고 보여진다. '표현, 색, 추상'으로 대표되는 작가 이두식(1947~2013)의 〈잔칫날〉연작이나 〈축제시리즈〉와도 어느 정도 닮아 있으나 작가 고유의 언어로 즐거움을 표현하려는 의지가 돋보인다. 자신에 독특한 색과 선, 면의 조합이 때로는 수수께끼처럼 식별하기 힘든 기호와 부호의 조합으로 형상화된 감성표

---

13 사이 톰블리의 이러한 화풍은 미 육군에서 암호 관련 업무를 맡은 데서 영향을 받았다고 한다.

현이 서양화가 김종영에게서 두드러진다고 하겠다. 이는 자신의 서정적인 추상을 자신의 언어로 추구하며 노익장老益壯의 열정을 담은 삶을 잘 표현하고자 하는 작가만의 예술의지인 것으로 보인다.

김종영, 〈폴로2 - 나비와 함께〉, 2017, 141×111㎝, Acrylic

김종영, 〈폴로2 - 어느 즐거운 날의 축배〉, 2017, 141×111㎝, Acrylic

김종영, 〈폴로2 - 3.1절 기억하자〉, 2018, 141×111cm, Acrylic

김종영, 〈폴로2 - 즐거운 탄생〉, 2018, 141×111cm, Acrylic

김종영, 〈폴로2 - 즐거운 한때〉, 2018, 141×111㎝, Acrylic

김종영, 〈폴로2 - 화분이 있는 풍경〉, 2017, 141×111㎝, Acrylic

11장
자연에 내재된 의미와 놀이

인간은 자연에서 태어나 자연으로 다시 돌아가는 존재이다. 자연은 생명의 시작이며 끝을 알리는 장소이자 모든 예술적 영감의 원천이기도 하다. 그런 까닭에 자연에 내재된 미적 의미를 묻고 그것을 끌어내려는 예술가의 의지와 시도는 매우 중요하다. 자연을 분석하고 설명하는 일은 과학이 미치는 영역 안에 있지만 그것을 이해하는 일은 과학의 영역 밖에 놓이게 된다. 자연 과학 분야에 심취하여 광산 학교에서 공부를 시작했던, 독일초기 낭만주의 대표시인인 노발리스Novalis(1772~1801)는 자연에 내재된 음악성을 숭배하면서도, 노래에 숨어 있는 자연의 힘이 끊임없이 모습을 바꾸며 지상의 우리에게 말을 걸어온다고 읊었다.[1]

'스스로 그러한' 자연의 원래 모습은 인공을 가하지 않은 무위의 원초성을 그대로 간직하고 있다. 우현牛玄 송영방의 작품세계에서 우리는 자연에 내재된 무위無爲와 유희遊戱가 절묘하게 어우러진 경지를 엿볼 수 있다. 그는 독자적인 문인화의 정신세계를 드러내면서 한국화의 새로운 가능성을 모색한다. 그는 시대적 변화를 새롭게 해석하되 우리의 예스러움을 잃지 않고 있다. 작가 최장칠은 자신의 미적 대상을 자연에서 찾으며, 자연과의 관계 속에서 공간감을 표현하고 숭고함의 감정을 느낀다고 말한다. 숭고함은 자연의 위대함에 보내는 우리의 미적 의지의 발로이다. 그는 미적 감성을 통해 자연에로의 회귀를 꾀한다. 자연에 내재된 숨은 질서와 조화에 담긴 아름다움을 그의 작품세계에서 느낄 수 있다. 자연의 숨은 질서와 자연에 내재된 초월자의 흔적에 대한 찬미인 것이다.

그리고 박상천은 종이를 접어 만든 딱지놀이와 딱지의 조형성과 닮아 있는 조각보에서 우리의 소박한 멋과 미적 감성을 찾아 표현한다. 놀이 자체

---

1 Hermann Hesse, *Das Glasperlenspielen.*『유리알 유희』, 이영임 역, 민음사, 2011, 22쪽.

는 이미 지나가버린 어린 시절의 것일 수도 있지만 그것을 지탱해주는 놀이정신은 지금도 현재진행형이며 앞으로도 지속될 것이다. 우리는 그의 작품세계에서 놀이본능이 조형충동에 잘 어울린 충만함의 경지를 보며, 미적 즐거움을 함께 할 수 있다.

1. 무위無爲와 유희遊戲가 어우러진 경지 : 우현牛玄 송영방의 예술세계

　자연의 무위와 놀이는 어떻게 어울리는가. 자연현상의 다양한 변화에서 우리는 끊임없는 에너지의 이동을 본다. 에너지의 이동에서 기운생동의 생동감이 작품에 자연스레 표출된다. 자연의 순리는 저절로 움직이고 변화한다는 것이다. 우현牛玄 송영방宋榮邦(1936~)을 가리켜, '독자적인 문인화의 정신세계를 드러낸 작가', '전통산수를 현대적으로 계승한 작가', '수묵추상화의 참맛을 일깨운 작가', '자연주의적인 한국의 미감을 표현한 작가', '한국화의 새로운 가능성을 모색한 작가' 등으로 부르는 바, 이러한 여러 수사적 표현은 그가 차지하고 있는 작가적 위상과 예술세계를 적절하게 아주 잘 나타낸 것으로 보인다. 그는 산수화를 비롯하여 인물, 화조, 동물, 사군자, 불화 등을 소박하고 고요하면서도 산뜻하게 표현하여 한국화의 품위와 격을 한층 높인 작가로 알려져 있다. 무엇보다도 대상에 대한 예리한 관찰을 토대로 대상의 본질을 탐구하여 이를 조형화했거니와 여기에 문인화의 정신세계를 더하여 잘 펼치고 있다. 동서양을 막론하고 여러 장르와 기법이 어지럽게 공존하는 오늘날의 예술계에서 한국인의 고유한 미감과 미의식을 자신의 독자적인 작품세계에 담아 구축하고 있는 점은 높이 평가할만하다.

　작가 송영방은 1960년대 이후 오늘에 이르기까지 실경實景에 반추상적인 실험을 하되 문인화적 정취와 정신성을 가미하여 자신만의 독특한 양식을 내세운 것으로 보인다. 한지에 수묵의 필선으로만 이뤄진 돌 그림인 〈운근雲根〉(1969)에서 그는 "괴석을 보면 산수의 경치가 아니라 추상적인 생각이 더 많이 떠오른다."고 하여 자연스럽게 구상적 추상에 접근한 것으로 보인다. 다양한 주제와 소재, 특히 생활주변의 소소한 것을 포함하여 이를 수묵의 무욕·무심한 세계로 안내하면서도 상징적 표현을 담아 그 의미를 함축하고 있다. 그는 작품들에서 두껍고 질기며 질이 좋은 장지壯紙의 특성, 부드럽게 번져 퍼지는 발묵의 효과와 농담, 엷은 채색이 어울려 수묵의 독특한 분위기를 잘 살려내고 있다. 이를테면, 〈사람들(군상)〉(1978, 1980)에서 우리는 사람들 사이에서의 관계나 우리가 서 있는 삶의 모습을 천착할 수 있다. 축 늘어진 두 그루의 버드나무가 나란히 서 있고 그 정상에 수탉이 마주 보며 정오의 시간을 알리듯 힘껏 울고 있는 그림인 〈정오正午〉(1980)는 정적함 가운데 역동성이 느껴지며, 이 둘이 조화롭게 어울리는 모습을 연출한다. 적절한 시공간의 특성을 극명하게 드러낸 것으로, 이는 우리로 하여금 삶의 시공간 안에서 한낮 혹은 대낮이라는 순간의 의미를 포착하게 한다.

송영방은 민화에서 한국인에 특유한 무기교의 기교의 멋을 찾아내 표현한다. 민화는 민중의 생활감정을 토대로 그들의 신앙과 소원을 담고 있으며, 특히 우리 전통 민화 중에 가장 많이 그려지고 누구나 갖고 싶어 한 호랑이 그림은 사악한 기운을 물리치는 벽사辟邪의 기능을 하는 것으로 알려져 있다. 작가의 〈호랑이〉(1995)도 이러한 의미를 담고 있으며, 여기에 보이는 민화적 요소에 남화가 지닌 시적인 분위기와 한국적 미의식이 함께 녹아 있다. 그는 작업함에 있어 '옛것을 익히고 그것을 미루어서 새 것을 알아가는 온고시신溫故知新'의 정신과 나아가 '옛것을 본받아 새로운 것을 창조하는 법고창신法古創新'을 강조한다. 옛것에 토대를 두되 거기에 머무르지 않고 그것을 변화시키고 새로운 것을 창조해가는 것이야말로 아주 바람직한 작품방향의 설정이다. 우리는 변하는 것과 변하지 않는 것 사이의 이중성 속에 살고 있다. 변하는 중에도 변하지 않는 정체성을 찾으며, 또한 변하지 않음 속에서도 변하는 융통성과 유연성 및 시대성을 동시에 모색하는 일이 한국화의 과제이기도 하다. 이는 우리가 지닌 고유한 미의식을 새로운 차원에서 잇고 변모시키는 일이며, 새로움 안에 예스러움을 간직하는 것이다.

작가의 말대로, '형태를 구하되 형태를 구하지 않는' 동양화 정신에 이미 추상성이 어느 정도 담겨 있다. 앞서 작품 〈운근雲根〉에서 보았듯이 추상성의 근거를 자연에서 찾고 있음은 특기할만하다. 단지 사물의 외형만을 묘사하는 것이 아니라 나아가 여기에 작가의 의지와 정신세계가 담겨 있기 때문이다. 실경과 진경의 구분이나 구상과 추상의 경계가 자연스레 허물어져 서로 넘나들게 된다. 송영방의 작품에서는 진경보다는 실경에, 그리고 구상보다는 추상에 방점이 찍혀 있기는 하나, 그가 한편에 치우침을 지양하고 추구하는 바는 진경적 실경idealistic real scape이요, 구상적 추상concrete abstractness이다. 우리가 흔히 말하는 동양화에서의 사의寫意란 외형보다는 내재적인 정신이나 의지 혹은 취향을 뜻하며, 사실寫實을 의미하는 '형사形似'와는 대조된다.[2] 사물의 이치와 섭리를 터득한 뒤의 경지를 사의에 담아 표출해내는 것이다. 송영방은 자신이 체험한 풍경이나 대상을 바로 화선지에 그대로 옮기기보다는 마음에 담아 두고 묻어 두었다가 온전한 상象을 마련한 후에야 끌어내 그림을 그린다. 이는 언덕과 골짜기 그림에 앞서 마음속에 언덕과 골짜기의 심상을 담고 있는 '흉중구학胸中丘壑'이며, 대나무 그림을 그리려고 붓을 들기 전에 마음속에 온전한 대나무가 먼저 이루어져야 한다는 '흉중성죽胸中成竹'이다. '흉중구학'이나 '흉중성죽'의 상태에 온전히 들기 위해서는 반드시 오랫동안의 관찰과 수많은 사생이 선행되어야 하며, 그 안에 생생한 기운과 미묘한 정취의 미세한 변화까지도 담아내야 한다.

---

2 '사(寫)'는 대상의 형체를 표출하는 것이고, '의(意)'는 객관적인 대상의 정신과 본질을 담아내는 것이다. '사의(寫意)'를 빌어 작가는 자신의 문화적 소양과 정신적인 가치나 기질을 나타낸다.

송영방의 예술세계를 이끌어가는 주된 사상이란 무엇인가를 생각해본다. 그것은 1961년 묵림회墨林會의 창립에 참여한 이래로 끊임없이 이어지는 그의 소박하고 자연주의적인 화풍에 잘 드러나 있다. 거기엔 자연에 따라 행하고 인위를 가하지 않는 무위자연無爲自然의 사상과 막힘없이 자유롭고 즐겁게 노니는 경지인 유희遊戲의 사상이 배어 있다. 무위는 우리예술에 스며들어 있는 범자연주의적 태도와도 맞닿아 있으며, 유희는 흥과 신바람의 원천이다. 〈구름에 덮인 산과 물〉(1984), 〈구름이 머문 곳, 사슴이 뛰노네〉(2004)에서 우리는 무위와 유희의 경지가 녹아 있는 것을 볼 수 있다. 필자의 생각엔 이 두 사상이 작가의 '우현牛玄'이라는 아호雅號에도 압축되어 나타나 있는 것으로 보인다. 작가가 밝히고 있듯, '우牛'는 심우도尋牛圖에서의 '우牛'를 시사한다. 심우도는 도교에서 유래한 것으로 선禪수행의 과정을 설명한 것이다. 마음의 본성을 찾아 수행하는 단계를 어린 동자가 소를 찾아 나서는 일에 비유하여 '참된 지혜'와 '본래의 나'로 돌아옴을 말한다. 또한 '현玄'은 현문玄門에서 가리키듯, 불교와 도교의 교리는 깊고 묘하다는 의미를 담고 있다. 따라서 '우현'은 진리에 이르는 길이 아득하고 깊으며 묘하다는 현묘玄妙함의 뜻을 함축한다. 이는 무위와 유희의 경지를 함께 아우르고 있는 것이며 작가의 작품에 그대로 내포된 의미이기도 하다. 이처럼 자신의 아호에 압축하여 자신이 나아가야 할 예술의 향방을 담아내는 일이 매우 자연스럽고 인상적으로 보인다. 무릇 모든 이름은 그 이름의 운명을 지니고 있거니와 작가 송영방에겐 이름을 대신하는 아호 역시 운명을 지닌 것으로 보인다.

송영방은 전통 문인화가 본디부터 지니고 있는 그대로의 모습을 드러내고, 이와 더불어 꾸밈없이 순박한 수묵의 멋과 맛을 통해 한국적인 아름다움을 보여준다. 이와 연관하여 우리는 "오채묵향五彩墨香 송영방 전"을 주목할 필요가 있다. 이 주제는 한국현대미술사 연구의 토대를 마련하고자 국립현대미술관에서 기획한 전시(2015. 3. 31~6. 28)로, 동양회화에서 다섯 가지 먹빛[3]의 풍부한 변화를 여러 주제와 소재에 담아 그의 특유한 작품세계를 보여준다. 그에게서 그리고자 하는 소재를 진정으로 자기화하는 과정으로 바위나 매화를 예로 들어볼 수 있다. 〈뇌락磊落〉(1965, 2015)은 바위가 떨어지는 순간의 모습을 포착한 그림으로 농묵과 속도감이 돋보인다. 바위라는 대상에 대한 오랜 탐색의 여정을 엿볼 수 있다. 송영방은 "한국화를 그리는 화가라면 사군자를 섭렵해 보고 거기서 자기만의 새로움을 찾으려고 노력해야 한다."고 힘주어 말한다. 아울러 그 자신이 사군자 가운데서도 매화에 푹 빠진 체험을 들려준다. 매화의 조형적 특징을 강인함과 유연함에서 찾고, 이 양자가 어우러진 가운데 매화의 향이 배어난다는 것이다. 이렇듯 대상을 철저히 관찰한 후에 그 정수精髓를 자신의 사의에 담아 표현하는 것이다. 작품의 근저에 전통을 지니면서도 시대적 변화를 새롭게 해석하여 예스러움을 잃지 않고 오히려 잘 보여주는 것이 송영방의 예술세계이다. 이는 또한 세계와의 문화예술 교류가 빈번한 개방 시대에 한국화가 나아가야할 바람직한 방향이요, 모색이라고 생각된다.

---

3 다섯 가지 먹빛과 먹의 향을 뜻하는 것으로 농담(濃淡)과 건습(乾濕), 초(焦) 또는 흑(黑)을 가리킨다.

송영방, 〈정오正午〉, 1980, 45.5×53cm, 장지에 수묵담채

송영방, 〈구름에 덮인 산과 물〉, 1984, 97×85㎝, 장지에 수묵담채

송영방, 〈사람들〉, 1978, 44.5×69.5㎝, 장지에 수묵담채

송영방, 〈호랑이〉, 1995, 42×57㎝, 장지에 수묵담채

송영방, 〈구름이 머문 곳, 사슴이 뛰노네〉, 2004, 42×73㎝, 장지에 수묵담채

2. 미적 감성을 통한 자연에로의 회귀 : 최장칠의 작품세계

작가 최장칠은 상해국제아트 페스티벌, 한-두바이 한국현대미술전 등 다수의 초대전과 그룹전에 출품하여 왔으며, 10여회에 걸친 개인전을 통해 자신의 독특한 예술세계를 펼치고 있는 작가이다. 오늘날 우리는 근대화 이후 합리적 이성이 지나치게 도구적 이성으로 바뀌어 도구화되고, 고도의 산업사회의 결과로 인한 인간소외와 물화현상을 겪고 있다. 지구온난화로 인한 급격한 기후변화라거나 생태계의 위기 속에 자연과 인간의 관계가 심하게 유리되어 자연친화적인 삶이 파괴된 '위험 사회'[4]에 직면하여 있다. 이러한 위험사회의 극복을 작가는 예술적 감성에서 찾는다. 무릇 작가의 예술적 감성이란 그가 살고 있는 시대 및 삶의 환경과 뗄 수 없는 관계에 놓여 있다. 이런 맥락에서 작가 최장칠은 어떠한 예술적 감성과 의지를 지니고 있으며, 그가 추구하는 예술세계는 무엇이고, 또한 이를 어떻게 표현하고 있는지를 살펴보고자 한다.

먼저 작가의 이야기를 들어보자. 그는 "감성적 인식의 완성이라는 미학적 개념에 접근하여 자연의 틀에서 세상을 바라보게 되었다. 감성이 결여된 이성은 결코 행복하지 않다. 그래서 스스로 고민하고, 체험한 결과 자연이 배제된 삶을 상징할 수 없다는 사실을 느끼게 되었다."라고 말한다. 주지하는 바와 같이, 예술에서의 미의 이념과 가치를 탐구하는 '미학'은 '감성

---

4   이 말은 독일의 사회학자인 울리히 벡(Ulrich Beck, 1944~2015)이 18세기 서구산업혁명 이후 근대화 과정을 거치면서 대두된 환경오염, 생태계파괴, 인간호르몬 체계의 변동 등 현대사회의 어두운 면을 가리키는 것으로, 자신의 서서인 『위험사회 *Risikogesellshaft, Auf dem Weg in eine andere Moderene*』(Frankfurt a. M. : Suhrkamp, 1986)에서 잘 밝히고 있다.

적 인식의 학'이다. '미학'은 감성을 이성의 유비類比로서 끌어 들이고 이성
적 인식을 보완하고 완성하는 기제로 삼는다. 그런 의미에서 '미학'은 감성
과 이성이 조화롭게 만나는 장소이며, 그리하여 온전한 인식을 가능하게 한
다. 최장칠은 자연에서 작업의 모티브를 찾되, 그것의 단순한 시각적인 느
낌이 아닌, 자연의 진정한 내면을 표현하고자 한다. 네덜란드 구성주의회
화의 거장인 몬드리안Piet Mondrian(1872~1944)은 자신의 작품에 대해 "자연
은 완벽하다. 그러나 인간은 예술로 그 완벽한 자연을 재현해야 할 필요는
없다. …자연은 그 자체로 이미 완벽하기 때문이다. 인간이 정말로 재현해
야 할 필요가 있는 것은 '내부'의 것이다. 우리가 해야 하는 것은 자연을 더
욱 완벽하게 보기 위해서 자연의 겉모습을 변형시키는 것이다."[5]라고 말한
다. 자연의 외양을 변형시켜 내부의 재현에 주목한 몬드리안의 시도는 진
정한 자연의 내부를 표현하고자 한 최장칠의 작업의도와 닮아 있다. 자연
은 눈에 보이는 현상이기도 하지만, 내면의 본성이 또한 자연이기도 하다.

  최장칠은 스크래치 기법을 활용하면서 부터 자연의 따뜻함을 한층 더 고
조시키게 되었다고 말한다. 스크래치 기법은 덧칠한 색에 따라, 그리고 긁
어내는 도구에 따라 자유롭고 생동감 있는 다양한 표현을 가능하게 하며,
감추어져 있던 내면의 색감이 밖으로 표출되며 신기함을 자아낸다. 그는
캔버스에 두텁게 색을 여러 번 입히고 물감이 마르는 동안에 깊이 사색하며
벗기고 긁어내는 작업을 반복하여 수행한다. 무의식중에 몰입하여 오랫동
안 작업하는 과정은 고통을 감내하는 참선수행과도 같아 보인다. 동적動的

---

5   Piet Mondrian, *Natural Reality and Abstract Reality*, trans. Martin James(New
    York: George Braziller, 1955[1919]), 39쪽. 데이비드 로텐버그, 『자연의 예술가들』,
    정해원·이혜원 역, 궁리, 2015, 190쪽에서 인용.

이며 동시에 정적靜的인 자연은 작가의 내면세계와 맞닿아 있다. 작가의 말대로, 처음엔 어느 정도 예상하며 드러날 색을 감지하지만 우연히도 예기치 않은 색감이 생성되어 신비스런 느낌을 자아내는 희열을 맛보기도 한다. 무엇보다도 예술적 기질은 즐겁고자 하는 열망에서 비롯된다. 시간의 변화에 따른 색채의 변화는 인상주의적 화풍을 선보이기도 하나 긁어내는 기법을 통해 우연히 얻은 결과물에 팝아트적인 요소가 흔적으로 남아 있다. 변화를 꾀하는 작가 나름의 적절한 기법으로 보인다.

작가는 자신의 미적 대상을 자연에서 찾으며, 자연과의 관계 속에서 공간감을 표현하고 숭고함을 느낀다고 말한다. 자연이란 인간에게 무엇이며, 또한 자연이 어떤 목적을 지니고 있고 그 가능성[6]은 무엇인가를 생각해 본다. 이러한 가능성은 예술에서 극대화된다. 예술은 세계를 새롭게 볼수 있는 가능성을 언제나 열어주는 까닭이다.[7] 과학의 입장에서 보면, 자연현상은 인과론적이고, 기계론적이다. 하지만 인과론적이고 기계론적으로 온전히 해명이 되지 않은 부분이 자연에 남아 있다. 칸트I. Kant(1724~1804)는 자연에 대해 목적론적으로 접근하고 이를 그의 미학이론에 원용한 바 있다. 자연의 영역이 객관적이고 실질적인 합목적성이라면, 아름다움의 영역은 주관적이고 형식적인 합목적성이라 하겠다. 자연현상의 압도적인 위력은 인간인식의 영역 밖에 놓이나 우리는 안전한 거리에서 이를 관조하며 숭고라는 정신의 고양된 힘을 느낀다. 즉, 숭고함은 자연의 위력이 아니라 우리

---

6 가능성과 연관하여 예술을 뜻하는 독일어 Kunst는 원래 '할 수 있다'(können)에서 나온 것이어서 아주 시사하는 바가 크다. 예술은 곧 가능성이기 때문이다. 따라서 예술의 기능은 불가능하게 보이는 것을 가능성의 세계로 옮겨와 표현하는 데 있다.
7 박이문,『예술과 생태』, 미다스북스, 2010, 66쪽.

의 심성능력과 예술적 관조에서 나타나는 정서이다.[8]

최장칠은 자연에서 영감을 찾고 여기에 자신의 감성을 보태어 작업한다. 산업화된 도시적 삶에서 오는 온갖 욕망을 절제하고 어린 시절의 추억과 향수를 찾아 자연 그대로에 가까운 삶의 터전을 접하고자 한다. 흔히 자연 촌락은 신이 만들었으며 도시는 인간이 만들었다고 말한다. 물론 자연촌락이나 도시도 신과 인간이 함께 만든 산물이지만,[9] 어느 한 쪽에 치우치지 않은 균형과 조화가 필요하다. 그 중심에 자연을 바라보는 태도가 놓여 있다. 여기에 작가가 재해석하고 있는 독특한 자신만의 자연관이 드러난다. 그에게 자연의 모습이란 새, 산, 나무, 물, 들판 등으로 나타난다. 때로는 호숫가에 드리워진 나무와 헤엄치는 물새, 떼 지어 질서정연하게 하늘을 나는 철새가 새로운 산수화의 풍미를 돋보이게 한다. 또한 울창한 숲 속의 나무들이나 독특한 분위기와 파도치는 바닷가의 정경은 낭만주의 시대의 자연풍광으로 보이기도 하지만, 무엇보다도 자연은 작가에 있어 스스로를 되돌아보는 거처로서의 의미를 지닌다. 이러한 의미의 발견과 재구성은 그의 〈Randomicity〉 연작으로 드러난다. 'Randomicity'의 사전적 의미는 '성질이나 모양이 한결같지 않거나 고르지 못함, 또는 불균일성'을 가리킨다. 이는 얼핏 보아 자연의 변화무쌍하고 다양한 모습으로서 혼란이나 무질서로도 읽힌다. 작가 최장칠은 자연의 깊은 내면을 어떤 질서와 조화, 균일의 차원에서 접근하도록 우리를 안내한다.

영국의 저명한 사회비평가이자 예술비평가인 존 러스킨John Ruskin(1819~1900)은 특히 꽃에 대해 세심한 관찰과 애착을 보이면서, 자연이 우리의 평

---

8   김광명, 『자연, 삶, 그리고 아름다움』, 북코리아, 2016, 31쪽.
9   이어령·정형모, 『지의 최전선』, arte, 2016, 45쪽.

가를 받을만한 것이 되기 위해서는 가장 훌륭한 인간의 예술작품 만큼 아름다워야 한다고 생각했다.[10] 이 말은 칸트가 그의 『판단력 비판』에서 강조한 바 있는, 자연은 예술처럼 보일 때 아름답고, 예술은 자연처럼 보일 때 아름답다는 점을 상기시켜 준다.[11] 자연이나 예술의 형식에서 우리의 관심을 끄는 것은 대부분 그 아름다움에 대한 것이다. 아름다움을 바라보면서 우리가 얻는 즐거움이라는 느낌은 상호 주관적이며 반성적이다. 창조적 욕구의 분출로서 예술은 자연의 규칙과 힘들을 시지각을 통해 형상화해낸다. 예술은 우리에게 영향을 미치며, 바로 그 영향력을 통해서 작동한다. 자연계 안의 생명체는 생명의 지속을 가능하게 해주는 규칙들을 담고 있다. 그리고 그 규칙 속에 생명체 특유의 창조성과 아름다움, 그리고 경이로움이 존재한다. 아름다움의 향수를 위해 자연의 합목적성이 접목된다. 이렇듯 자연의 합목적성이 미적美的 합목적성이 된다. 이는 칸트미학의 독특한 특성이기도 하다.

우리를 지금과 같은 인간으로 존재할 수 있게끔 만들어 준 것은 자연의 힘이며, 나아가 우리가 어떻게 자연과 연결되어 있는지 더 깊이 이해할수록 우리는 자연과 인간의 조화로운 공존에 더욱 더 관심을 갖게 된다. 자연계의 질서와 조화를 모색하는 생태학은 그 어떤 독립체도 그것을 유지하는 거미줄 같은 연결망 없이는 존재할 수 없음을 보여주는 자연에 대한 접근법이다. "우리가 사물을 보는 방식은 우리가 알고 있는 것 또는 우리가 믿고 있는 것에 영향을 받는다."[12] 작가 자신의 내부에 있는 자연을 향한 진리와 아

---

10 데이비드 로텐버그, 『자연의 예술가들』, 정해원·이혜원 역, 궁리, 2015, 70쪽.
11 김광명, 앞의 책, 55쪽.
12 John Berger, *Ways of Seeing*, 1972. 『다른 방식으로 보기』, 최민 역, 열화당, 2016(17쇄), 10쪽.

름다움을 발견하고 이를 명확한 형태로 표현하는 것이다. 우리는 자연의 모든 존재가 다양하면서도 스스로 충만하며 연속성을 지니고 사슬처럼 연결되어 있음을 안다.[13] 따라서 자연계 안의 생태학의 미적 특질은 매우 관계적이다.[14] 최장칠은 자연을 생명의 근원으로 본다. 그의 예술적 감성은 원래의 자연의 질서에 순응하는 생태계의 접근을 위한 안내이기도 하다. 그의 작업은 자연을 미적으로 승화하는 과정이요 모색이며, 일련의 작품은 그 결과물이라 하겠다.

---

13 Arthur O. Lovejoy, *The Great Chain of Being: A Study of the History of an Idea*, 1936. 아서 O. 러브조이, 『존재의 대연쇄』, 차하순 역, 탐구당, 1984.

14 데이비드 로텐버그, 앞의 책, 355쪽.

최장칠, 〈Randomicity 06〉, 2016, 122×61㎝, Oil on canvas

최장칠, 〈Randomicity 07〉, 2016, 122×61㎝, Oil on canvas

최장칠, 〈Randomicity 29〉, 2016, 88×61㎝, Oil on canvas

최장칠, 〈Randomicity 30〉, 2016, 33×66.5cm, Oil on canvas

최장칠, 〈Randomicity 175〉, 2017, 80×117㎝, Oil on canvas

3. 놀이본능과 조형충동으로서의 '생명의 시간' : 박상천의 작품세계

작가 박상천은 그동안 21회의 개인전과 26회의 아트페어 부스전 및 390여회에 이르는 국내외 단체전에 참여하고 여러 대학에서 강의하면서 자신의 독특한 예술세계와 미의식을 모색해왔다. 그에게 '아름다운 순간Lovely Moment'은 아름다움을 느끼게 하는 결정적인 원인이며 기회로서 그것은 생명이 탄생하는 순간이요, 생명이 지속되는 시간이다. 그런데 이 생명의 시간은 놀이와 더불어 시작되며 놀이와 함께 형상화된다. 놀이와 시간 그리고 생명은 박상천의 작품 세계를 지탱해주는 세 가지 중심축軸이다. 일반적으로 시간은 크로노스Chronos와 카이로스Cairos로 나눠 볼 수 있다. 크로노스는 객관적·현상적·계기적繼起的 시간이며, 카이로스는 주관적·정신적·인격적 시간이다. 시간이란 과거로부터 현재를 거쳐 미래로 향해 흘러가는 끝없는 흐름으로서 운동과 관련되는 바, 운동은 현상계에 존재하는 모든 것의 생성과 성장, 소멸의 과정에 어김없이 등장한다.[15] 크로노스나 카이로스와는 달리 무릇 생명이 탄생한 시간은 모든 생맹체에게 독특하고 고유한 의미를 지니는 영겁永劫과 영원永遠의 시간으로서 니체Friedrich Wilhelm Nietzsche(1844~1900)가 언급한 '아이온Aion'이다. 이는 삶이 유희하는 시간이며, 예술창조의 공간으로서 놀이하는 시간이며 자기긍정과 자기생산의 시간인 것이다.

작가 박상천이 주목하고 있는 놀이의 두 가지 전형은 종이를 접어 만든

---

15   김광명, 『삶의 해석과 미학』, 문화사랑, 1996, 225-226쪽.

딱지놀이나 딱지치기 혹은 딱지치기놀이[16]와 딱지의 조형성과 닮아 있는 조각보로 압축된다. 특히 필자도 어린 시절 다양한 종이로 딱지를 만들어 시간가는 줄 모르고 정신없이 놀이에 빠져 놀았던 추억이 아직도 생생하다. 딱지를 연상케 하는 조각보는 여러 조각의 자투리 천을 모아 만든 보자기로서 물건을 싸거나 덮어씌우기 위해 만든 것이지만, 단지 이러한 용도와 의미를 넘어 우리의 독창적이고 고유한 생활정서가 깃든 민속 생활의 한 부분을 차지하는 문화용품이다. 조각보의 색상과 이어진 면의 구성에서 우리의 소박한 멋과 미적 감성을 엿볼 수 있는 까닭이다. 또한 전통놀이로서의 딱지치기는 어린이들의 놀이충동이나 놀이본능을 잘 드러내고 있다. 작가는 전통적인 닥종이로 만든 딱지놀이에서 어린이들의 일상적인 삶의 모습이나 활동을 보며 이를 자신의 작품세계에 펼치며 생명체의 에너지와 연관 짓는다.

한지로 만든 딱지놀이에 착안하여 여기에 다양한 생명체의 역동적인 현상과 연관 지어 표현한 작가 박상천의 조형미에 대한 해석능력은 우리문화의 정체성과도 맥이 닿은 것으로 매우 탁월해 보인다. 적절한 문화변용의 과정을 거쳐 우리의 전통놀이문화로 자리 잡은 것에 대한 표현성의 발견이기 때문이다. 색과 면의 조합을 다양하게 구성하고, 좌우와 상하의 대비, 알맞은 두께와 넓이를 지닌 질감과 양감을 작품에 반영하여 크고 작은 원형 안에 배치하고 있다. 작은 두 개의 원이 나란히 병치되어 있거나 혹은 작은

---

16 그 전통과 유래는 분명치 않으나 아마도 1800년대 일본에서 진흙을 빚어 만든 데에서 비롯된 것으로 딱지놀이는 일제 강점기에 우리나라로 건너와 부분적으로 문화변용의 과정을 거쳐 세시풍속의 일종으로 현지화한 것이라는 설도 있다. 우리나라 전통놀이에 대한 문헌으로 허순봉, 『우리의 세시풍속과 전통놀이 백과사전』, 가람문학사, 2006 및 이종명, 『우리나라 전통놀이』, 배영사, 2011 참고.

두 개의 원이 하나의 큰 원 안에 포섭되어 마치 지구가 태양계 안에서, 그리고 소우주가 대우주 안에서 순환하며 자연계의 질서를 위해 자신의 역할과 기능을 수행하고 있는 듯하다.

박상천은 '딱지놀이Korean Papers Playgame'와 조각보의 짜임새에서 각각 푸른 생명체, 열정, 사랑, 시간적 현재를 읽는다. 현재는 지나간 과거를 회상하고 기억하는 동시에 아직 다가오지 않은 미래를 예상하고 기대하는 지점이다. 딱지놀이는 우리의 이미 지나가버린 어린 시절의 것이요, 과거의 것이지만 그것을 지탱해주는 놀이정신은 지금도 현재진행형이며 앞으로도 지속될 것이다. 딱지의 형상이 그대로 조각보에 투영되어 조각난 자투리 천이 서로 만나 하나의 형상으로 빚어져 서로 다른 것들을 감싸 안으며 포용하고 있다. 그러할 때 잠잠한 듯 평온한 듯 보이면서도 그 내면에는 태풍의 눈처럼 열정의 에너지를 품고 있으며, 이것이 생명의 탄생 순간에는 소용돌이치듯 솟구친다.

놀이의 미학적 의미에 대한 고찰은 아래에 언급할 두 학자의 견해가 널리 알려져 있다. 독일의 극작가이며 시인이자 미학자인 쉴러Friedrich Schiller(1759~1805)는 『인간의 미적 교육에 관한 서한』(1795)에서 서한체를 빌려 자신의 예술철학을 고백하듯 피력하고 있다. 그는 인간의 두 본성이 감성과 이성에 근거한 것으로 보면서, 서로 대립하는 욕구를 감성에 충실한 소재충동과 이성에 바탕을 둔 형식충동이라고 명명했다. 소재충동은 끊임없이 변화하는 물질의 생성상태이며, 형식충동은 통일적이고 불변적인 인격을 추구한다. 서로 대립하며 갈등을 보이는 이 두 충동이 지양止揚되고 이상적인 조화를 이루며 상호작용을 하게 한 원동력이 반드시 필요한 바. 이것이 곧 놀이충동이다. 놀이충동은 살아 있는 형태를 그 대상으로 하며, 소재와 형식, 우연과 필연, 능동과 피동, 수용성과 자발성이 서로 융화된다.

그에 의하면 미와 함께하는 놀이를 통해서만 사람은 진정으로 완전한 인간으로 도야된다.[17] 놀이충동은 미적·예술적 활동의 토대를 이룬다.

인간의 본질을 '놀이'에 두는 인간관으로서의 호모 루덴스Homo Ludens는 '놀이하는 인간'을 지칭한다. 네덜란드의 역사가이자 철학자인 요한 호이징가Johan Huizinga(1872~1945)는 놀이를 삶의 독특하고도 의미 있는 형식으로 본다. 그에 따르면 인간 사회를 추동하는, 중요한 원형적原形的 행위에는 처음부터 놀이욕구가 스며들어 있다. 놀이는 문화의 동인動因으로서 우리는 놀이할 때 비로소 창조적이고 생산적이 된다. 그는 언어나 신화를 예로 들어 언어의 갖가지 비유나 신화의 상상력, 나아가 여러 가지 제의祭儀와 의례들은 모두 다 놀이의 양식인 것으로 이해한다. 그리고 이 의식儀式 안에 공동체가 추구하는 가치와 규범, 그리고 의식意識이 담겨 있다.

박상천의 작품에서 호박색amber red, 적갈색bunt sienna, 초록색, 흰색이 서로 적절한 대비와 조화를 이루며 긴장과 이완의 양면관계를 풀어간다. 작가는 온화하며 환상적인 색채의 조화를 통해 생명의 근원에 대한 메시지를 화폭에 담으려 한다. 또한 점, 선, 면의 조형적 구성이 매우 리드미컬하며 역동적이다. 이는 음악을 가까이하며 생활한 가족 구성원들의 분위기에서 비롯된 것으로 작가의 타고난 음악적 감수성이 남다르게 드러나 있다고 하겠다. 생명에 대한 기호적 특성들은 환상적이며 은은한 이야기들을 내포하고 있다. 과학적으로 보면 생명현상은 세포내의 다수의 분자가 복잡한 상호작용을 거쳐 만들어내는 분자망의 정교하고 역동적인 움직임에 의해 결정된다. 이러한 생명현상의 원리가 박상천의 작품에서 딱지와 조각보의 교

---

17   쉴러에 있어 유희충동과 미족 인간학에 대한 자세한 논의는 김광명,『삶의 해석과 미학』, 문화사랑, 1996, 36~51쪽 참고.

집합으로 미묘하고도 유연한 분위기로 감지되고 있다.

　작가 박상천은 '생명'을 중심 화두로 다양한 매체를 이용하여 표현적 실험을 해왔다. 작가의 말을 빌리면, 그에게 '아름다운 시간Lovely Moment'이란 "자연 속 생명의 근원이 생성되고 소멸되는 과정의 시간이기도 하지만, 생명이 탄생하는 순간 자체를 뜻하는 모멘트로서 이는 순간과 순간이 이어지는 과정의 만남이기도 하다. 크고 작은 세계가 혼합되어 미적인 표현을 일궈낸다. 삶의 시간적 일상인 과거, 현재, 미래의 실타래를 엮어 내며 하나의 카테고리로 지속되는 시간이다. 이는 곧 삶의 근원인 내면의 우주이다." 작가는 우주만물의 생명근원을 태양, 달, 별, 지구와 같은 원형圓形으로 본다. 원형은 처음과 끝이 구분되지 않고 하나로 연결되어 시간적으로 무한히 순환한다. 마치 영겁회귀와도 같아 보인다.

　평론가 김종근은 박상천의 작업에서 "그린다는 의미의 깊은 근원까지 파고들어 회화의 본질을 파악하려는 작가적 태도"를 읽는다. 작가는 "우리가 존재하는 시간을 아름다운 생명으로 구체화하여 인간의 무의식 및 자아의식의 시각적 체험과 연결 짓고자 시도한다." 그리고 이어서 이를 "추상적이고 관념적 기호들의 변용된 이미지로 표현하고자 한다."고 말한다. 중심작업인 〈아름다운 시간Lovely moment〉 연작은 꽃, 나무, 새, 동물과 같은 자연 대상들을 모티브로 하여 생명의 탄생순간을 조형적인 점과 선, 면들의 추상적인 이미지와 형상으로 변주하여 나타낸 것이다. 평론가 김복영이 지적하듯, 특히 새는 하늘을 향한 비상을 뜻하며 미지의 세계로 나아가고자 하는 가능성을 담고 있는 자신의 실존모습의 상징이라 하겠다. 이러한 실존적 상징은 존재의 근원문제에로 다가간다.

　작가는 자연과 교감을 나누되, 놀이본능에 기초한 자유로운 형상화를 시도하고 그에 따른 조형충동이 생명이 태동하는 순간에서 절정을 이룬다.

특히 〈Korean Papers Game-Love〉는 놀이와 사랑이 맞닿아 매개되어 창조와 새로운 생명의 탄생으로 이어지는 절묘한 순간을 보여준다. 박상천의 작품세계는 시공간에 대한 태도의 이중성을 드러낸다. 인간은 시공간 안에 내재하며 동시에 시공간을 넘어서려고 시도하기 때문이다. 그리하여 작가의 시도는 시공간을 초월하여 우리의 자유로운 창조적 감성을 일깨워 주고, 또한 여기 그리고 지금, 이곳의 우리에게 삶의 역동적 의미와 미의식을 되돌아보게 하는 계기가 될 것으로 보인다.

박상천, 〈Korean papers game-생명체〉, 2016, 91×91㎝, Mixed media

박상천, 〈Lovely Moment-Korean papers game-생명체3〉, 2016, 130×130cm, Mixed media

박상천, 〈Lovely Moment-Korean papers game-생명체2〉, 2017, 130×130㎝, Mixed media

박상천, 〈Korean papers game-Moon City〉, 2017, 140×90㎝, Mixed media

박상천, 〈Lovely Moment-Korean papers game-2circle〉, 2017, 130×130㎝, Mixed media

12장
아름다움의 변용과 재구성

아름다움은 오랫동안 인류가 추구하고 향수해온 지고의 가치이다. 아름다움의 이념은 인류사의 거의 모든 시대와 문화에서 찾아볼 수 있다.[1] 다음에 다룰 네 작가에게서 아름다움이 어떻게 변용되고 재구성되는가를 살펴보려고 한다. 작가 이광수의 '시뮬라크르'는 우리에게 현실과 가상의 혼성에 대해 깊이 성찰하게 한다. 그가 시도하는 시뮬라크르는 단순한 모사나 가상에 그치지 않고 새로운 시공간의 차원에서 회화작품을 만들어가는 역동성과 자기동일성을 찾는 작업이다. 작가 하영식은 기하학적 추상의 변용을 통해 일상생활 가까이에 볼 수 있는 중요한 부분인 〈꽃담〉과 〈장석〉에서 독특한 조형미를 발견한다. 그의 시선을 끈 꽃담 혹은 담장은 우리가 생활하는 주거지나 거처의 주변에 자연스럽게 등장하는 미적 정서의 대상이다. 특히 생활용품에 장착된 장석의 기하학적 형상은 단순한 유용성이나 쓸모를 넘어서 아름다움의 세계를 지향한다. 조각가 이상헌은 '세월의 흐름'에 담긴 '아름다운 꿈'과 '희망'을 표현한다. 예술에 대한 작가 이상헌의 독자적인 접근과 언어를 통해 그의 예술적 상상력과 조형성을 엿볼 수 있다. 조형예술가 한도룡의 디자인적 착상과 사유는 다수가 원하는 미적 취향과 삶의 양식을 정확하게 꿰뚫어 보며, 시각적인 자극을 넘어 보다 더 나은 삶의 인식에로 우리를 이끌어 준다.

---

1   김광명, 『예술에 대한 사색』, 학연문화사, 2006, 21쪽.

1. 현실과 가상의 혼성에 대한 성찰 : 이광수의 '시뮬라크르'

우리가 살고 있는 현실은 실제상황으로 주어진 '리얼리티'이다. 그런데 다른 한편 '리얼리티'가 뜻하는 바는 있어야 할 곳에 반드시 있는 것으로서의 '실재實在'이기도 하다. 사상사적으로 보면, 본질적이고 궁극적인 실재란 플라톤Plato(BC 428~348)의 이데아ἰδέα나 아리스토텔레스Aristotle(BC 384~322)의 형상形相, εἶδος이다. 또한 신플라톤주의자인 플로티노스Plotinos(204 · 5~270)의 일자一者, the One, 즉 절대선絶對善이기도 하다. 플로티노스에 따르면, 세상 만물은 스스로 차고 넘치는 일자一者의 유출에 의해 만들어진다. 우리는 현실로서의 리얼리티가 궁극적인 실재와 닮아있길 소망한다. 그것이 이상적이기 때문이다. 하지만 오늘날 모든 실재가 인위적인 대체물인 기호나 이미지로 바뀌어 있다. 이렇게 바뀐 것은 존재하지 않지만 존재하는 것으로 대체되는, 때로는 존재하는 것보다 더 생생하게 인식되는 것으로서의 시뮬라크르simulacre이다. 이에 대한 의미를 작가 이광수의 작품세계를 통해 살펴보기로 한다.

작가 이광수가 시도하는 시뮬라크르는 단순한 모사나 거짓 혹은 가상에 그치지 않고 새로운 시공간으로서의 회화작품을 만들어가는 역동성과 자기동일성을 찾아가는 작업이다. 이광수는 예술이란 감성의 질학이라 전제하며, 리얼리티의 진정한 의미를 추구한다. 감성적 인식이 갖는 한계로 인해 현실에 대한 보편적인 이성의 접근이 가능한가는 문제로 등장한다. 이러할 때 문제는 두 가지로 집약된다. 하나는 작가가 지닌 예민하고 섬세한 감성이 어떻게 작품에 투영되어 현실을 제대로 드러내는가이다. 그리고 다른 하나는 그림에도 그것이 우리에게 전달되어 어떠한 이상적 공감을 자아내는가이다. 현실과 가상 사이에 놓인 틈이 어떻게 연결되고 소통되는가의 문제이다. 따라서 그의 작품에 투영된 이중의 감성, 즉 원본에 바탕을 둔 이상적인 모사의 의미를 찾는 일이 이 글의 목적이다.

'감성적 인식의 학'으로서 학명이 주어진 미학은 근대에 들어 성립한 이래로 감성은 '이성의 유추類推'로서 자아와 세계 인식을 위해 이성이 행하는 기능과 역할에 참여하게 된다. 그렇게 함으로써 이성이 지닌 한계를 극복하고 보완해 왔다. 눈에 보이는 현실 너머에 있는 다른 가상의 세계를 상정하여 우리의 현실에 대한 인식의 지평을 넓히는 일은 미적 감성이 수행해야 할 과제이다. 이때 예술작품은 작가의 미적 감성을 우리에게 연결해주는 고리 역할을 한다. 예술에 대한 평가나 감상에 참여하는 일은 미적 상상력을 이용하여 다양한 미적 가치의 근원들을 탐색하고 작품이 우리에게 걸어오는 대화에 적극적으로 귀 기울이는 것이다.[2] 무릇 거의 모든 사상은 시대가 낳은 산물이며, 마찬가지로 예술 또한 시대의 산물이라 하겠다.

예술은 단지 시대상황을 반영하는 데 그치지 않고 그 근간인 시대정신을 압축하여 보여준다. 때로는 시대정신을 앞서 이끌기도 한다. 평자들에 따라 이 시대를 주도하는 이념을 모던이냐, 포스트모던이냐 아니면 네오포스트모던이냐 등 여러 가지로 규정할 수 있겠지만, 필자가 보기엔 모던적 포스트모던 상황이 아직도 지속되고 있다고 하겠다. 왜냐하면 그 안에 담긴 모더니티 정신이 아직도 여전히 유효하기 때문이다. 물론 그 이후를 가늠하는 여러 시도들이 가능하긴 하다. 이광수는 다루는 소재나 표현 양식 혹은 기법 등에서 비교적 자유롭게 접근하는 작가이다. 그리하여 다소간 해체적인 작업에 몰두했던 1990년대 후반 이후에는 표현주의적인 추상이나

---

2   Matthew Kieran, *Revealing Art: Why Art Matters.*『예술과 그 가치』, 이해완 역, 북코리아, 2011, 8쪽.

재현적인 오브제를 활용하기도 하고, 서정적 리얼리즘의 흐름을 근간으로 포토 리얼리즘에 가까운 방식을 자유롭게 표현하여 자신의 고유한 작품세계를 선보여 왔다. 포스트모던 이후를 가늠하며 작업을 해 온 이광수의 경향에서 우리는 일정 부분 네오포스트모던 경향을 읽을 수도 있다. 이러한 가능성을 자세히 들여다보기로 하자.

장르의 혼합이나 혼성이 대세가 되고 있는 포스트모던의 예술문화상황에서 이광수는 시뮬라크르의 의미를 천착하여 좀 더 새로운 경향을 보이고자 한다. 아마도 그의 작품세계의 이런 경향을 가리켜, 평론가 김동성은 '자기성찰을 통한 현실의 재현'[3]이라고 본다. 또한 사이미술연구소장인 이승훈은 '현전과 부재 그리고 하이브리디제이션'[4]으로 파악한다. 이들의 지적은 새겨볼만한 대목이다. 이광수의 작품에서 보이는 이중화면 구조의 다층적인 양상은 여러 매체나 장르를 혼용하고 혼성하여 독창적인 새로움을 창조해낸 백남준(1932~2006)의 시도와도 연결되는 부분이다. 또한 사진에 바탕을 둔 회화제작을 통해 회화라는 매체를 새롭게 재해석하고 확장하여 회화의 실재세계를 드러낸, 전후 독일을 대표하는 작가인 게르하르트 리히터 Gerhard Richter(1932~)의 모색이 그대로 이광수에게로 이어지는 듯하다. 이는 사실적 재현의 문제를 넘어 존재와 부재, 현실과 가상의 관계에 대한 시지각적 인식을 상기시키 준다. 이른바 게슈탈트 심리학에서 보인 배경과 상像의 효과ground-figure effect는 이광수의 캔버스에서 배면과 전면의 대상물의 대비로 나타난다. 대비된 공간은 분리되고 단절된 듯 보이지만, 전경前景

---

3 김동성, 「자기성찰을 통한 현실의 재현」, 『미술세계』, 2001년10월호, 통권 203호, 82~85쪽.
4 이승훈, 「현전과 부재 그리고 하이브리디제이션」, 『문예바다』, 2016, 여름호, 300~315쪽.

과 후경後景은 단절이 아니라 자아와 타자간의 소통이며, 새로운 시각적 패러다임을 보여준다.

작가 이광수에게서 보인 새로운 시공간적 접근은 합성이나 역설, 변형을 활용한 데페이즈망depaysement의 기법과도 어느 정도 닮아 있다. 데페이즈망이란 일종의 전위법으로서 익숙한 지금, 이곳이라는 현실의 사물들을 낯선, 다른 시공간에 놓음으로써 현실을 넘어선 초현실적인 환상을 자아내는 기법이다. 이러한 데페이즈망 기법은 초현실주의를 주도한 막스 에른스트 Max Ernst(1891~1976)나 살바도르 달리Salvador Dali(1904~1989), 르네 마그리트 René Magritte(1898~1967) 등에 의해 널리 표현된 바 있다. 극사실적 묘사에 의해 이광수가 만들어낸 가상적 실재는 가상의 시공간구조이다. 전면의 대상들을 배면과는 다른 시점과 다른 공간에 등장시킴으로써 재현의 문제를 들춰내고 다시 허무는 작업을 시도한다. 그가 만들어낸 가상적 극사실은 우리로 하여금 시간적인 흐름과 장소의 이동을 인식하게 하여 미적 상상력을 자극한다. 이와 연관하여 여기에서는 최근에 집중적으로 작업한 결과물인 그의 〈시뮬라크르〉 연작을 보면서 이야기를 풀어 가기로 한다.

시뮬라크르는 원본에 대한 모사나 모조로서 가상현실virtual reality과도 유사하며, 이는 사이버 공간에서 체험되는 또 다른 현실이다. 시뮬라크르는 실제로는 존재하지 않는 대상을 존재하는 것처럼 만들어놓은 인공물이다. 실제로는 존재하지 않지만 존재하는 것처럼, 때로는 존재하는 것보다 더한 리얼리티로 인식되는 대체물인 것이다. 이광수의 시뮬라크르에는 자연물로서 달, 눈이나 얼음이 덮인 거대한 산, 나무가 등장한다. 그리고 그 대척점에 어떤 문화적 맥락을 암시하는 그림의 아래쪽에 의식儀式에 참여하는 사람들의 행차行次 모습이 등장한다. 그리하여 서로 다른 시공간이 마치 동일한 시공간이 되어 함께 벌어진다. 〈시뮬라크르, 돌 16-1〉(2016), 〈시뮬라크르, 돌, 16-2〉(2016), 〈시뮬라크르, 15-10〉(2015), 〈시뮬라크르, 16-5〉(2016)
에서 검푸른 하늘을 배경으로 떠있는 둥근 달은 설산이나 음영이 뚜렷한 빙
하의 암벽 정상에 걸려 있으며 산 아래에 듬성듬성 나무가 자리하고 있다.
이는 우리로 하여금 지금, 이곳의 현실이 아닌, 전혀 다른 시공간을 체험하
도록 상상력을 자극한다. 예를 들면, 〈시뮬라크르, 아테네 15-12〉(2015)에
선 아테네 도시를 둘러싼 인근의 산이 중심에 자리하고 산의 정상에 달이
비스듬히 걸려 있으며 맨 아래엔 많은 수의 깃발을 든 군사들, 칼을 든 군사
들이 수레에 탄 인물을 호위하며 행군하고 있다. [5] 〈시뮬라크르, 16-6〉(2016)
는 횃불을 든 사람의 궐기하는 모습이 마치 빙벽의 정상에 자리하듯이 있
고, 그 아래엔 이를 떠받드는 민중이 노를 저으며 한 데 어우러지고 있다.
또한 〈시뮬라크르, 터키 15-14〉(2015)는 터키 괴레메 지역에 산재하는, 회색
빛 거대한 원추형 모양의 바위에 남아있는 동굴주거지의 모습이 극사실적
으로 조선시대의 왕의 행차도와 대비되고 있다. 이는 서로 다른 시공간의
전위를 이용해서 우리의식을 병치하려는 작가의 시도로 보인다. 다차원의,
다시점의 시공간을 통해 이곳과 저곳과, 현재와 과거를 잇도록 우리의 미적
상상력이 극대화된다.

대중문화 미디어 이론가인 장 보드리야르Jean Baudrillard(1929~2007)는 시
뮬라크르가 작용하는 시뮬라시옹을 포스트모던 사회문화이론의 축으로 정
초한다. [6] 모사된 이미지로서 시뮬라크르가 현실을 대체하게 되고, 가상현
실에서는 더 이상 모사할 실재, 즉 원본이 없어지게 된다. 나아가 모사된 이

---

5 작가는 고대그리스 문명의 중심지인 아테네를 상징적으로 제시하여 많은 의미를 함축
하고 있다. 오늘날의 민주주의 및 시민의식과 연관된 많은 전쟁을 떠올리게 한다. 기
원전 사오백년간 지속된 페르시아, 펠레폰네소스, 알렉산드로스 전쟁 등.
6 장 보드리야르,『시뮬라시옹 : 포스트모던 사회문화론』, 하태환 역, 민음사, 1992.

미지가 더 실재와 같아 보이는 극사실(하이퍼리얼리티)을 생산하게 된다. 그리하여 현실과 모사 사이의 경계가 흐려지거나 아예 사라지게 된다. 허구나 가장으로서의 모사가 아니라 바람직한 현실로서의 이상적인 모사가 추구될 때, 현실과 이상, 원본과 모사의 틈은 메워지고 조화를 이루게 되어 한쪽의 한계에 머무른 인간 삶을 더욱 확장하고 풍요롭게 할 것이다. 우리는 이러한 시도를 이광수의 시뮬라크르 작업에서 확인해 볼 수 있다.

이광수, 〈시뮬라크르, 아테네15-12〉, 2015, 193.9×259cm, acrylic on canvas

이광수, 〈시뮬라크르15-10〉, 2015, 197×333cm, acrylic on canvas

이광수, 〈시뮬라크르, 터키15-14〉, 2015, 181.8×227.3cm, acrylic on canvas

이광수, 〈시뮬라크르16-6〉, 2016, 162×130.3cm, acrylic on canvas

이광수, 〈시뮬라크르, 돌16-1〉, 2016, 260×194㎝, acrylic on canvas

이광수, 〈시뮬라크르16-3〉, 2016, 227.3×181.8㎝, acrylic on canvas

이광수, 〈시뮬라크르16-5〉, 2016, 227.3×181.8cm, acrylic on canvas

2. 〈꽃담〉과 〈장석〉의 조형미 :
하영식의 '기하학적 추상의 변용'

국전 추천작가, 대한민국 미술대전 심사위원, 창작미술협회 회장 및 경기대 미술학부 교수를 역임한 작가 하영식(1936~)은 1958년 이후 지금에 이르기까지 무수히 많은 개인전과 그룹전에 참여해오면서 전통을 새롭게 해석하며 자신의 회화적 정체성을 탐구해오고 있다. 그는 자신의 작품을 가리켜 "엄격한 기하학적 화면구성에도 불구하고 장식적인 모티브를 적절히 구사하여 서정적인 정감이 느껴지는 독특한 분위기"를 자아내고 있으며, "문양화된 기하학적 패턴의 규칙적인 반복과 그 변주가 화면구성의 핵심을 이루고 있다"고 말한다. 자신의 작품세계에 대한 절제된 개념과 용어를 빌려 어떤 평자보다도 핵심을 잘 표현하고 있는 것으로 보인다. 작가 스스로 언급한 이러한 기조 위에서 여기에 소개한 〈작품 81-3〉(1981), 〈작품 93-C〉(1993), 〈장석을 위한 컴퍼지션〉(1994), 〈꽃담〉(1995)에 담긴 의미를 살펴보려고 한다.

작가 하영식은 〈꽃담〉과 〈장석〉의 다양한 형태와 문양에서 우리의 전통적인 조형의지와 미의식을 읽으며 이를 현대적 감각의 기하학적 추상으로 변용해내고자 한다. 그리고 기하학적 추상의 개념설정에 앞서 여러 색을 덧칠하고 난 뒤, 그 위를 단색화면으로 덮고 부분적으로 긁어내어 나타난 문양을 통해 우리의 감성적 다양성을 보여주고자 한다. 이러한 추상작업은 어떤 실재로부터도 벗어난 자유와 해방을 뜻한다. 이는 오히려 자연에 거슬리기 보다는 자연을 새롭게 바라볼 수 있는 가능성을 알려 준다. 근본적으로 "예술에 나타난 추상화경향이 우리로 하여금 자연에 더 많은 아름다움이 가능함을 발견할 수 있게끔 해주었다."[7]는 점을 새겨볼만하다. 작가 하영식의 시선을 이끈 꽃담 혹은 담장은 우리가 생활하는 주거지나 거처의 주변에 자연스러운 미적 정서를 표출한 것이다. 여러 가지 생활용품에 장착된 장석의 기하학적 형상은 단순한 유용성이나 쓸모를 넘어서 아름다움의 세계를 지향한다. 이런 맥락에서 꽃담과 장석에 차용된 추상예술의 이미지를 지닌 추상성은 "예술의 진실성과 필수성으로부터 엇나간 것이 아니라, 추상예술이 실제로 이 세상을 훨씬 더 아름다운 곳으로 볼 수 있게끔 도와준다."[8]고 할 것이다. 말하자면 생활주변에서 찾아볼 수 있는 여러 소품들에까지 생활 감정의 여백과 여유를 넓힘으로써 아름다움의 지평을 열어준다고 하겠다.

우리 선조들은 꽃담에 길상吉祥적인 의미를 담은 글자나 꽃, 동물 등의 여러 무늬를 새기곤 했다. 길상吉祥이란 '아름답고 착한 징조로서 좋은 일이 있을 조짐'을 나타내는 말이다. 예로부터 동물이나 식물, 해와 달, 별 등의 형상에 상서로운 조짐의 의미를 부여해왔다. 이를 의복이나 장신구, 생활용품에 이르기까지 그림으로 도안화하여 상징적인 의미로 즐겨 사용하였다. 우리 선조들은 집의 벽체와 담장에 여러 가지 무늬를 넣어 독특한 치레나 꾸밈을 하였다. 하지만 이는 결코 요란스럽거나 화려하지 않거니와 멋스럽지만 소박하게 꾸미고 특유한 미석 성감이 묻어나게 한다.[9] 여기에 우리의 고유한 미의식인 '비운 듯이 채운 듯한'기교나 '담백하고 소박한 멋'이

---

7 데이비드 로벤버그,『자연의 예술가들』, 정해원·이혜원 역, 궁리, 2015, 97쪽.

8 앞의 책, 173쪽.

9 임실군 삼계면 녹천새 꽃담은 '용(龍)'자, '청(靑)'자, '아(亞)'자 4개, 태극 문양, '부(富)'자, 또 다른 태극 문양, 그리고 다시 '아(亞)'자 4개가 리듬감 있게 자리하고 있으면서 널찍한 문사도와 상상도, 그리고 희망도를 잔뜩 그려 놓은 한국의 대표 꽃담으로 보인다.

496 다시 생각해보는 예술

드러난다. 한국미의 특색은 일본예술에서 흔히 보이는 화려하게 꾸미는 장식성이라든가 중국예술에서 보이는 거대한 규모의 완벽성을 추구하기보다는, 투박한 막사발이나 달항아리 처럼 자연스럽고, 꾸미지 않은 듯 꾸민 듯한 소박함 그 자체이다.[10] 꽃담과 장석의 형태에 드러난 조형미는 이처럼 한국미의 근원과도 맞닿아 있다.

한국미에서 드러난 자연스러움이나 순진무구함, 온유함, 모자란듯하면서도 결코 모자라지 않은 넉넉함은 무관심적인 관심의 경지를 보여준다. 한국미의 특징을 우리가 멋 또는 무기교의 기교, 나아가 소박미라고 할 때, 그것은 인위적인 꾸밈이 없는 자연과의 순응과 합일을 말하며, 이는 우리 민족 고유 신앙에 원류를 두고 있는 도가道家적인 풍류와도 어느 정도 일치한다.[11] 이를테면 만물이 주어진 천성에 따라 조화를 이루는 것, 즉 자연의 순리에 따라 조화를 이루어 가는 것이 한국인의 심성이 지향하는 이상이며, 미의식인 것이다. 그리하여 자연에 순응하며 무심한 신뢰를 보내는 한국미의 특색이 된다. 일제강점기의 미술사학자인 고유섭(1905~1944)이 정리한 한국미의 특색이 구수한 큰 맛, 질박함, 무기교의 기교, 무작위의 작위, 무계획의 계획인 바,[12] 이는 너무 천연스러워 꾸민 데가 없이 수수하며, 자연에 동화하고 순응하는 심리를 잘 지적한 것이라 하겠으며, 하영석이 추구하는 작품의 지향성에도 알 듯 모를 듯 은근하게 배어 있음을 확인할 수 있다.

집안 살림에 쓰는 가구의 장석에도 길상吉祥의 상징적 의미가 담겨 있는

---

10   물론 소박한 면만 있는 것이 아니라 석굴암이나 고려청자와 같이 섬세하고 격조 높은 감성도 함께 공유하고 있다. 균제와 비균제의 적절한 조화 또한 우리 미의식의 특성이다.

11   조요한, 『한국미의 조명』, 열화당, 1999, 198-199쪽.

12   고유섭, 『韓國美術史及美學論考』 통문관 1963, 3~13쪽.

바, 경첩이나 들쇠, 고리, 자물쇠를 비롯하여 안방 가구와 장석, 사랑방 가구와 장석, 부엌 가구와 장석에도 한결같이 나타나 있다. 장석의 형태를 보면, 기하학적인 형태나 자연물의 형태를 띤 것도 있으며, 장藏, 농籠, 빗접, 좌경座鏡, 함函, 문갑, 사방탁자, 서류함書類函, 서안書案, 연상硯床, 책장冊欌에 따라 그 문양이 다양한 모습으로 등장한다. 작가 하영식이 바라 본 꽃담과 장석은 구체적인 생활 속의 체험물이다. 단지 생명이 없는 장식문양으로 그냥 보아 넘겨서는 안 된다. 때로는 우리가 이해할 수 없거나 비논리적인 혼돈으로 모호하게 되었더라도 '자기 고유의 내적 생명'[13]을 지니고 있음을 알아야 한다는 말이다. 작가가 취한 추상적인 형태라 하더라도 그 형식은 실재에 근거한 구체적인 것의 변용으로서 생활하는 중에 나름의 생명을 얻어 생활인과 함께하는 것이다. 이러한 변용을 통해 그는 또 다른 가능성의 세계를 상상하게 한다.

〈작품 81-3〉(1981)과 〈작품 93-C〉(1993)는 장석의 구성과 꽃담의 구도를 함께 아우르는 화면인 것으로 보인다. 〈작품 81-3〉은 옅은 회갈색 톤이 화면전체를 지배하고 있으나, 나누어진 몇몇 부분이 자연스레 덧대어지고 삼각형, 사각형, 원형의 형상이 적절한 곳에 배치된 정중동靜中動의 모습이며 약간의 여백을 두고 있다. 특히 여백은 절제된 표현의 조형적 효과를 나타내고 있다. 〈작품 93-C〉는 여러 가지 기하학적 형상이 은은한 색조를 띠며 어울리고 있는데, 이는 생활 속의 어떤 정서가 갖가지 모습을 나타내는 기호인 것으로 보인다. 기호를 구성하는 두 가지 요소인 기표記標, signifiant와 기의記意, signifié를 보면, 기표는 기호가 나타나는 물질적 형태이며 표시된 단어나 대상이다. 기의는 기호가 지시하는 의미내용이다. 감각으로 지각되

---

13   마실리 칸딘스키, 『예술에서의 정신적인 것에 대하여』, 권영필 역, 열화당, 2018, 111쪽.

는 기하학적 형상으로서의 기표와 감각으로 지각할 수 없는 정서인 기의로 이루어진 기호의 양면성을 봐야 한다. 무엇보다도 우리는 기표 너머에 기의가 가리키는 상징성을 읽어야 할 것이다.

전통에 대해 새로운 의미를 부여하고 이에 대해 재해석을 시도하는 일은 정체성을 찾는 과제와 더불어 오늘날 의식있는 많은 작가들의 중심된 화두이기도 하다. 최근에 고해상도의 사진이나 컴퓨터 그래픽을 이용한 재현도 있거니와 또한 전통문양에서 뿌리를 찾아 한국미를 새롭게 변용하기도 한다. 과거의 것이 현재에 미치는 영향사影響史의 측면에서 재해석이 유의미할 것이다. 영향사란 과거로부터 이어져 오되, 현재 삶의 질 향상에 긍정적이고 생산적이며 적극적인 영향을 미치는 것이다. 말하자면, 과거에 갇혀 단절된 유물이 아니라 현재에도 영향을 미치며 살아있는 생물인 것이다. 그것은 상상적 사유의 폭을 넓고 깊게 해주어 현재와 미래의 삶을 위한 창조적 에너지를 발산케 하는 일이다. 작가 하영식의 '꽃담'과 '장석'의 조형적 이미지에 대한 기하학적 추상으로의 변용이라는 재해석 작업은 미학적 성찰과 미술사적 맥락에서 그 의의가 크다고 하겠다.

하영식, 〈作品 81-3〉, 1981, 130×89cm

하영식, 〈作品 93-C〉, 1993, 162.2×130.3cm

하영식, 〈장석을 위한 컴퍼지션〉, 1994, 90.9×72.7cm

하영식, 〈꽃담〉, 1995, 130.3×97cm

3. '세월의 흐름'에 담긴 '아름다운 꿈'과 '희망' : 조각가 이상헌의 작품세계

　조각가 이상헌은 여러 사정으로 인해 개인전을 자주 열지는 못하였으나 화랑미술제를 비롯한 여러 곳에서의 전시, 국내외 아트페어, 단체전에 300여 회 참가함으로써 자신의 작품세계를 구축하기 위한 노력을 꾸준히 해왔다. 또한 이러한 노력의 결실로 경상남도미술대전 대상을 수상한 바 있으며, 경남미술대전 초대작가로서 작품 활동을 활발하게 하고 있다. 그와 동시에 대한민국미술대전의 조각분과 심사위원장, 마산 미술협회장, 문신미술상 및 3.15 미술대전 운영위원장, 한국미술협회 이사의 직책을 맡아 미술계의 현장에 폭넓게 관여하고 있거니와, 경남대학교에 출강하여 후진교육에도 힘쓰고 있다. 대내외 활동을 활발하게 하는 중에도 작품에의 열정을 쏟은 그의 작품 세계 속에 담긴 미적 의미가 어떻게 구현되고 있는가를 살펴보려고 한다.

　작가에 따르면, 작업의 초기에는 작품 재료로 나무나 자연석, 쇠를 이용하여 '세월의 흐름'을 주제로 삼아 표현하였으며, 시간이 흘러가는 양상을 세월의 변화 속에 각인하고자 했다고 말한다. 그 후 그는 차츰 자연현상에서 가장 가까이 접하는 태양과 달을 바라보며 세월의 흐름과 무상無常함, 특히 아침에 떠오르는 태양을 작품의 모티브로 구상하였다. 태양이 사라진 뒤에 저녁이면 초승달이 보름달이 되기까지의 변화하는 과정을 살피고 이를 작품에 투영하여 희망과 염원을 담기에 이른다. 최근의 작품 세계를 보면 그는 삶을 살아가는 과정의 초입에 등장하는 새로운 생명력에 주의를 기울인다. 거기에서 의미를 찾고 '아름다운 꿈'을 꾸며 미래를 계획한다. 어떤 작품에선 보석과 같은 구슬을 매체로 삼아 작품을 기하학적 공간에 형상화한다. 이런 과정을 보면 대상에 대한 매우 단순하고 소박한 접근이 눈에 띤다.

그의 작품에서 중요한 화두인 세월歲月이란 '흘러가는 시간'이요, '나이 듦'이다. 그 속에서 더불어 우리는 살아간다. 어떤 형편이나 사정이 자연스레 곧 살아가는 세상을 만들기 마련이다. 특히 눈여겨 볼 점은 세월의 흐름에 따른 자연현상의 미묘한 변화를 형상화한다는 것이다. 모나지 않고 부드러우며 원만한 작가의 품성이 그대로 작품의 조형성에도 나타나 있다. 각박한 현실에 안주하기 보다는 희망을 꿈에 담아 아름다움으로 옮겨 보려는 시도에서 잘 드러난다. 이를테면, 일상에서 볼 수 있는 아름다운 보석과 떠오르는 태양과 자연을 연결 지어 매우 긍정적인 삶의 태도를 조각에 반영하는 것이다. 그의 작품과 더불어 누구나 아름다운 희망을 지니며 미래의 꿈을 실현시켜 보려고 할 것이다.

작가는 인간정서의 다양한 변화를 시간의 흐름에 빗대어 자신의 조각세계에 담으려고 한다. 우리는 공간적으로 하늘과 땅 사이에 있으며 시간 안에 존재한다. 공간은 시간이 펼친 내용이다. 〈세월의 흐름〉(브론즈)의 구조를 보면, 무엇을 떠받치거나 올려놓기 위한 받침으로서 대臺의 양 쪽 끝에 공간을 가로지르는, 반달처럼 굽은 모양의 형상이 놓이고 정육면체, 말하자면 인생이라 지칭할 수 있는 것이 맨 위의 중심에 자리하고 있다. 대臺모양의 형상은 시간과 공간을 달리하여 이중의 역할을 하는 것으로 보인다. 시간적으로 과거의 한 지점을 출발하여 현재를 거쳐 미래의 어떤 곳으로 향한다. 공간적으로는 시간이 만들어 놓은 다른 내용의 공간을 서로 연결해주는 것이다. 대臺의 아래에 크기를 달리하는 네 개의 정육면체, 곧 아름다운 꿈, 근원으로 돌아가려는 회귀, 그리고 희망이 저울추의 고리처럼 서로 이어져 중력重力에 의해 지면을 향해 있다. 그리하여 세월의 양극단의 중심을 잡아 흐트러짐 없이 전체적으로 힘의 균형을 이루고 있다. 아마도 이러한 균형은 흔들림 없이 마음의 중심을 잡아주는 것으로 보인다.

〈아름다운 꿈〉은 소재에 따라 네 작품의 연작으로 전개된다. 먼저 〈아름다운 꿈〉(스테인레스 스틸, 금도금)은 원반형의 좌대 위에 둥근 원의 고리가 얹혀 있다. 바로 그 고리 위에 약간 비스듬하게, 작은 원반이 걸쳐 있고 거기에 다시 조그맣게 금도금된 접시모양의 장식이 달려 있어 거울처럼 주변을 반영하고 있다. 〈아름다운 꿈〉(스테인레스 스틸, 화강석, 오석)은 화강석에 오석의 반점을 곁들여 사다리꼴 모양의 반원기둥이 밑바탕으로 세워지고 그 위에 붉은 색, 은색, 푸른 색, 그리고 다시 은색 구슬이 차례로 보석의 띠처럼 부채 살 모양의 원형으로 둘러쳐져 마치 소우주 같아 보인다. 〈아름다운 꿈〉(스테인리스 스틸)에서는 좌대이면서 동시에 작품의 일부로서의 역할을 잘 어울리게 수행하는 원반이 지면에 자리 잡고 있고 그 위에 둥근 고리 모양의 링이 설치되어 있다. 그리고 그 링 위에 약간 비스듬히 기울어진 원반이 놓여 있고 그 위에 기울어진 정도가 좀 더 심한 공이 놓여 있다. 비스듬한 정도가 엇비슷하게 다름에도 전체적으로 균형이 잘 잡혀 있으면서도 역동성이 느껴진다. 〈아름다운 꿈〉(스테인리스 스틸)은 좌대 위에 반원으로 된 띠가 구름다리처럼 걸쳐 있다. 그 위에 마치 원자와 분자와 같은 구슬모양이 점, 선, 면으로 연결된 다면체의 기하학적 공간에 잘 배치되어 있어 마치 지상과 천상을 연결해주는 것처럼 보인다.

〈회귀〉라는 작품은 화강암의 일종으로 운모가 주를 이루는 암흑색의 마천석으로 다듬어진 호박琥珀이다. 조직이 치밀하게 구성된 호박의 꼭지 부근에 수정같이 투명한 오브제가 얹어 있다. 지질시대에 나무의 진 따위가 땅 속에 묻혀 탄화되어 형성된 호박을 통해 자연으로의 회귀를 알리며 동시에 투명한 오브제를 통해 호박의 내부를 들여다보는 것이다. 작가는 '회귀'를 통해 안과 밖을 연결하여 원래의 제자리로 돌아오려고 시도한다. 〈회망〉(브론즈)은 사분의 일 쯤 가려진 태양의 형상으로 다섯 가닥의 빛을 비추는 모양이기도 하고, 또는 보름달을 향해가는 상현반달의 모습이기도 하다. 다른 한 편 비상하는 새의 형상을 추상화한 것으로 보이기도 한다. 이렇듯 태양의 빛, 달의 형상 혹은 새의 비상이 압축된 표현이라는 중의적重義的 의미를 담고 있는 것으로 보인다. 〈희망〉(스테인리스 스틸)은 반구(半球) 위에 일곱 개의 고리가 수직과 수평으로 교차하여 마치 기둥처럼 세워져 하늘을 향하고 있는 모습이다. 전체적으로 수평과 수직이 교대로 이어져 있으며, 맨 꼭대기엔 수직으로 하늘을 향하고 있다. 앞서 언급한 비교적 작은 규모의 다른 작품들과는 달리 이 작품은 40×40×210㎝의 크기로서 이 글에서 소개하려는 작가의 작품들 가운데 가장 큰 것으로 마치 토템기둥과 같아 보인다. 옛 마을 어귀에 세워진 전통적 토템기둥이 그러하듯 이는 신성한 의미를 지닌 상징적 존재로서 안녕을 빌며 희망을 알리는 장치를 의도한다. 작가는 그러한 의도를 우리에게 전달하려는 것으로 보인다.

그의 작품이 보여주듯, 작가 이상헌은 근본적으로 삶의 시작과 끝을 잇는 일상의 띠를 세월의 흐름으로 본다. 이는 아주 자연스런 표현과 접근으로 보인다. 흐름의 매순간은 마치 별개의 입자처럼 끊어져 있는듯하지만, 작가는 이를 아름다운 꿈과 회귀, 그리고 희망으로 채워진 긴 호흡과 내용으로 형상화한다. 인생이라는 세월의 흐름 속에 어떤 시인이 읊듯이, 그것은 외로움, 아픔, 기다림, 그리고 그리움이 끊어질 듯 이어지는 연속일 수도 있을 것이다. 우리는 시간의 처음과 끝, 옛 것과 새 것 사이에 있으며, 변하는 것과 변하지 않는 것, 이미 지나가 버린 것과 아직 오지 않은 것 사이에 아쉬움과 희망을 갖고서 살고 있다. 대립된 듯 보이는 이 양자는 서로 배제하기도 하지만 때로는 서로를 중첩하여 내포하기도 한다. 시간의 흐름이란 물리적으로는 균일하지만 우리가 이것을 세월로 받아들일 때 매우 주관적이고 체험적이게 된다. 매 순간의 의미가 다르듯, 그것은 느릴 수도 빠를 수도 있고 다양한 굴곡의 순간을 지나 무한히 흐른다. 예술에 대한 작가 이상헌의 독자적인 접근과 언어를 통해 자신의 고유한 세월이 흐를 것이며, 그러할 때 그의 예술적 상상력과 조형성이 매순간 우리에게 통시적通時的이고 공시적共時的인 공감으로 다가 올 것이라 생각한다.

이상헌, 〈아름다운꿈〉, 2017, 27×24×47㎝, Stainless steel

이상헌, 〈아름다운꿈〉, 2017, 37×37×58㎝, Stainless steel, 화강석, 오석

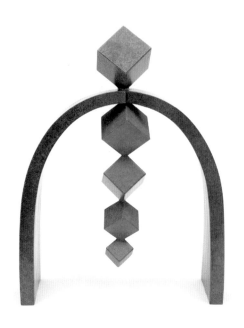

이상헌, 〈세월의 흐름〉, 2018, 28×10×36㎝, Bronze

이상헌, 〈회귀〉, 2019, 24×24×18㎝, 마천석, 오브제

이상헌, 〈희망〉, 2019, 30×11×41cm, Bronze

이상헌, 〈희망〉, 2019, 40×40×210cm, Stainless steel

4. 조형예술가 한도룡의 디자인적 착상과 사유

　미술이론가이자 평론가인 이경성(1919~2009)이 적절하게 지적한 바와 같이, 한도룡의 작품세계를 살펴보면, 그가 "궁극적으로 지향하는 것은 모든 조형예술의 종합과 조화를 목적으로 하는 조형예술가"[14]임을 알 수 있다. 그를 가리켜 공예가, 공업디자이너, 디스플레이 디자이너, 환경디자이너, 조형작가 등으로 여러 타이틀로 부르지만 조형예술가라 함이 포괄적인 뜻을 함축하고 있는 것으로 보인다. 필자의 생각엔 그는 디자인적 착상과 사유를 바탕으로 조형예술의 세계를 다양하고 독창적인 자신의 언어로 펼친 것으로 보인다. 디자인은 아름다움과 더불어 기능성과 경제성을 아울러 갖춰야 한다. 그에 따르면, 좋은 디자인이란 편안하고 갖기 쉬우며 마음에 만족을 주는 것이라야 한다. 또한 건강한 삶을 바탕으로 하되 미래지향적인 가치와 이념을 담아야 한다. 그리하여 누구나 즐겁고 행복하며 건강한 삶을 추구하게 된다.

　그는 예술의 바탕이 되는 인간의 심성과 욕망을 두루 살피며 특히 인간이 생활환경 및 자연환경과 맺고 있는 관계에 주목한다. 여기엔 자연친화적인 우리의 고유한 미의식이 함께 녹아들어 있다. 한도룡은 한국의 현대 공예 및 디자인계를 개척하고 선도해 온 인물이다. 1960년대 초기부터 현재에 이르기까지 디자인 교육 및 행정을 비롯하여 실무 분야에서의 디자인 활동을 통해 한국 디자인 교육을 활성화하고 체계화하여 디자인산업의 진흥과 발전에도 지대한 공헌을 한 것으로 평가받고 있다. 그는 한국 디자인 역사에서 이론과 실천 양면에서 디자인 분야를 개척하였고 특히 생소했던 디스

14　이경성, 「한도룡의 작품세계」, 『월간디자인』, 1978, 9월호, 11쪽.

플레이 디자인을 보편화하는데도 힘썼으며, 이를 통해 한국 전시 디자인 영역을 새로이 구축하고 확립하는 데 기여하였다. 이러한 여러 활동과 업적은 그의 작품세계에도 잘 드러나 있다.

한도룡이 지금까지 수행한 많은 프로젝트들은 환경 디자인, 제품 디자인, 시각 디자인 등 주요 디자인 영역 전반에 걸쳐 있다. 환경 디자인 작업은 도시 환경 디자인의 범주에 속하는 각종 공간계획과 시설물의 디자인 개발이 주를 이룬다. 공원, 경기장, 도시문화 경관 등 여러 작업이 이에 해당한다. 여기에 공공 및 상업 공간, 주거 공간의 실내 디자인 작업을 포함하여, 가구에서 가전제품을 아우르는 제품 디자인, 그리고 시각 디자인 작업까지, 한도룡은 폭넓은 디자인 작업을 진행해왔다. 그는 디자인을 통해 예술의 가능성을 실생활에 쓸모있는 가능성으로 확장했다. 주지하듯, 예술은 기술을 뜻하는 라틴어 아르스ars에서 유래하며, 이는 또한 그리스어 테크네techne에서 온 것이다. 예술이 원래 뜻하는 바는 가능성의 세계를 펼치는 것이다. 기술이나 기법, 기교를 뜻하는 테크닉technique의 기원은 테크네이다. 그런데 테크네는 일반적인 규칙에 따른 지식을 전제로 한다. 지식은 규칙이나 개념, 합리적인 특성을 지닌다. 지식은 어떤 대상에 대한 명확한 인식이나 이해이다. 우리에게 필요한 지식 가운데 으뜸은 아마도 즐겁고 행복하며 건강한 삶에 대한 지식일 것이다. 이런 어원이 지닌 원래의 뜻에 충실하게 작품에 반영하고 있는 한도룡의 디자인적 지식과 사유는 삶에 대한 인식의 지평을 넓혀준다.

디자인은 산업사회 및 후기산업사회의 여러 정보를 시각적으로 해석하여 우리에게 전달한다. 순수미술의 미적 성취와는 다른 차원에서 메시지를 전달하는 수단인 것이다. 목적을 이루기 위한 수단으로 미술사조의 여러 기법을 활용히기도 한다. 사람의 삶과 유리된 디자인은 무의미히다. 넓게 보면 우리 삶의 모든 것은 디자인의 연장선 위에 있다고 할 수 있다. 이는 디자인의 영역을 널리 확장하는 것이다.[15] 미적 가치는 디자인의 기능에 내재하며 미적 효율성을 높여준다. 디자인은 인간 삶의 환경과 도구를 변형시키고, 나아가 인간 삶을 변형시킨다. 사회적, 생태적 의미의 제품과 더불어 디자인의 도구성을 강력하게 주장한 디자이너이자 교육자인 빅터 파파넥Victor Papanek(1923~1998)은 특히 물질주의가 팽배한 시대에 생태적 균형과 정신적 가치를 강조했다.[16] 이는 디자인의 본질과 나아가야 할 방향을 잘 지적한 것이라 하겠다.

디자인에 있어 실용주의적 접근은 목적에의 적합성과 관련된다. 이는 미적 합목적성과도 일치한다. 작가의 〈나선형 선반〉(90×90×35cm, 나무에 칠, 2017)에서 보듯, 이는 일상과 예술의 깊은 연관성을 보여준다. 일상 속의 탁월한 기교와 접근이 예술이 되며, 예술이 일상에 깊숙이 스며들게 된다. 또한 제작된 작품의 단순화는 삶의 단순화에 다름 아니다. 한국인의 미적 감성 혹은 정서에 녹아 있는 단순성에 대한 미적인 성찰을 여기에서 엿볼 수 있으며, 이는 소박함, 조졸함, 절제와 여유로 나타난다. 단순성에로의 회귀

15　제4회 광주 디자인 비엔날레(공동 총감독: 승효상과 아이 웨이 웨이, 2011.09.02.~ 10.23)의 주제인 '도기도 비상도(圖可圖 非常圖)'는 '디자인이 디자인이면 디자인이 아니다'라는 뜻을 담고 있다. 이는 노자의 『도덕경』 제1장의 '道可道 非常道'에서 '道'를 '圖'로 바꾸어 표현한 것이다. 이 기간 중에 필자도 (재) 광주 비엔날레의 재단이사로 참여하여 진행과정의 협의와 논의에 참여한 바 있거니와 그 의미를 좀 더 천착할 수 있었다.

16　이런 관점과 연관한 Victor Papanek의 세 저술은 매우 주목할 만하다. *Design for the Real World: Human Ecology and Social Change*, New York, Pantheon Books, 1971. *Design for Human Scale*, New York, Van Nostrand Reinhold, 1983. *The Green Imperative: Natural Design for the Real World*, New York, Thames and Hudson, 1995.

는 복잡성의 미로를 벗어나 원래의 시원적인 삶에로 되돌아가는 것이다. 본질과 근원에 대해 성찰하다 보면 단순성과 만나게 된다. 이 단순성은 자연에 내재된 어떤 원리이기 때문이다.[17] 자연의 순리에 따라 자연과의 조화를 이루며 단순소박하며 간결한 삶은 우리 한국인의 생활정서와 연관되며, 한국적인 미감, 즉 한국인의 미적 정서와 감성이 오랫동안 지향해 온 이상이기도 하다.

한도룡이 추구하는 디자인의 이념과 감각이 잘 반영된 것은 천안 독립기념관 상징탑인 〈겨레의 탑〉(화강석, 높이 51.3m, 가로 세로 각 24m, 1984)과 스페인 세비야의 〈엑스포 92 한국관〉(1992), 대전엑스포 상징탑인 〈한빛탑〉(높이 93m, 1992) 이다. 〈겨레의 탑〉에서 그는 우리의 전통적인 문화 감성과 현대 디자인 정신이 서로 좌우대칭을 이루는 가운데 조화를 꾀하며, 민족의 곧은 기상, 자주와 독립, 통일과 번영을 역동적으로 표현하였다. 〈세비야 엑스포 한국관〉에서는 우리의 고유한 미적 이미지와 정체성을 현대적인 감각으로 표현하였다. 630평 규모의 이층 구조물은 전체지붕을 천막으로 덮고 건물 양식은 잔칫집 분위기를 살린 것이다. 이런 잔칫집 분위기의 연출은 매우 독특한 미의식의 반영이다. 또한 대전엑스포의 〈한빛탑〉은 우리의 진취적 창조정신과 첨단 과학기술의 이미지를 융합시켜 엑스포의 주제인 '새로운 도약의 길'을 형상화한 것이다. 빛과 과학, 우주를 모티브로 하여 과거, 현재, 미래를 세 단의 시간대로 쌓았다. 작가가 밝히고 있듯이, 과거를 표현하는 하단부는 첨성대의 모습을, 중앙에 자리한 현재는 우주정거장 형태의 원

---

17 사계절의 순환이나 주기적인 지각의 변동 등은 좋은 예이다. 자연을 알기 위해 자연과학에 대한 전문적인 식견을 갖추면 더할 나위 없이 바람직할 것이나, 우리가 일상생활을 함에 있어 자연의 순리를 생각하는 것만으로도 단순성을 이해하고 받아들이는 데 부족함이 없다.

환형 전망대로 중심부의 눈은 살아 숨쉬는 한국인의 예지를 상징한다. 미래를 상징하는 상단부에는 금속 원뿔이 자리하여 미래를 향한 빛을 형상화한 것이다. 여기에 한도룡은 '지혜로운 과거를 바탕으로 현재와 미래를 잇는 한줄기 빛'이라는 의미를 디자인에 함축해 담았다.[18]

그는 프로젝트 수행에 있어 특히 컨셉을 강조한다. 컨셉Concept은 '개념이나 의도, 방향성'을 뜻한다.[19] 그것은 여러 가지를 하나의 핵심으로 엮어서 꿴 것이다. 이는 자연스레 무엇을 디자인하며 왜 디자인 하는가의 문제로 이어진다. 디자인의 본질과 근거를 밝히는 디자인적 사유는 사람과 세상을 위한 지속 가능한 디자인으로서 사람들이 의식하지 못하는 잠재적 욕구를 밝혀낸다. 인간이 추구하는 가치중심적인 디자인은 감정과 직관, 영감을 통합하여 이를 합리적이고 분석적으로 접근한다. 한도룡의 디자인 사유에서 주목할 점은 지역적인 소재와 정서를 담아낸다는 것이다. 이는 지역적 특성 혹은 장소특수성을 배려하여 그 고유성을 살리는 일이다. 예술에 고유한 특성으로서의 고유성과 모든 것에 두루 미쳐 통하게 하는 보편성의 문제는 지역성과 세계성의 문제와도 맞물려 있다. 예술의 고유성은 개별자로서의 예술작품이 갖는 정체성이다. 개별적인 것이 유형화되고 일반화된다면 널리 공감을 얻게 된다. 그것은 어떤 보편성을 지니는 존재가 되고 바람직한 성질로서의 '보편적 고유성'을 담보하게 될 것이다.[20] 보편적 고유성과

---

18   본문에서 다룬 작품 외에 〈현대시멘트사옥 예술장식조형〉(1990)이 있다. 2018년 7월에 현대시멘트(주)가 한일현대시멘트(주)로 바뀌었다. 뫼비우스 띠처럼 원환의 안과 밖이 하나 되어 역동성을 분출하며 돌고 있는 형상으로, 마치 경제발전의 초석인 시멘트를 끝없이 생산해내는 모습을 잘 보여준다.

19   라틴어 '콘셉투스(conceptus)'는 '여럿을 함께(con) 잡거나 취하는(cept) 것'이다.

20   김광명, 『예술에 대한 사색』, 학연문화사, 2006, 80쪽.

고유한 보편성은 그 강조하는 바에 따라 뉘앙스가 좀 다르다. 만약 보편성과 고유성이 별개의 것으로 존재한다면 실제의 삶에서 서로 공감하거나 소통하지 못할 것이다. 따라서 양 측면은 반드시 만나야 의미를 얻는다. 다만 고유성이 조금이라도 강할 때엔 보편적 고유성으로, 마찬가지로 보편성이 조금이라도 강할 때엔 고유한 보편성이 될 것이다.

한도룡의 디자인적 착상과 사유는 우리의 미적 인식을 새로운 차원으로 접근하게 한다. 그리하여 우리로 하여금 일상의 삶과 얽힌 미적 적합성 및 적절성이 무엇인가를 묻게 한다. 그의 작품세계는 다수가 원하는 미적 취향과 삶의 양식을 정확하게 꿰뚫어 보되, 시각적인 자극을 넘어 시지각적 사유를 통해 보다 더 나은 삶의 인식에로 우리를 이끌어 준다.

한도룡, 〈겨레의 탑〉, 1984, 독립기념관 상징탑, 높이 51.3m 폭 17.6m 너비 9.6m, 바닥면적 576㎡, 전방 100m, 화강석

한도룡, 〈현대시멘트 사옥 예술장식조형〉, 1990

한도룡, 〈세비야 한국관 - EXPO 92'〉, 1992

한도룡, 〈한빛탑〉, 1993, 대전엑스포 상징탑

한도롱, 〈나선형 선반〉, 2017, 90×90×35㎝, 나무에 질

13장
삶의 자취를 바라보는 눈과 생각

인문주의 목판화가인 김억의 예술세계는 삶의 '터'에 새겨진 미적 서사敍事이다. 우리는 그것을 들여다보며 미적 관조의 경지에 이를 수 있다. 그의 작품에서 칼끝의 흔적은 사라지고 칼끝이 붓과 하나 되어 운필의 묘한 경지로 우리를 이끈다. 목판에 정성스레 새긴 삶의 터는 자연의 일부가 되어 자연의 풍광이 된다.

이매리의 예술세계는 한마디로 '삶의 지층에 쌓인 역사'에 대한 해석이다. 지층을 뚫고 나와 지상의 예술작품으로 어떻게 형상화되는지를 우리는 음미해 볼 수 있다. 이매리의 작품세계를 통해 우리는 삶과 역사의 지층에 감춰진 깊은 내면을 들여다보며 예술이 다다를 수 있는 미적 경지를 체험하고 공감하게 된다.

작가 우형순은 울주군 반구대 암각화의 동물형상을 특유의 미적 감각으로 작품에 담아낸 것으로 평가 받고 있다. 선사시대 유적지의 흔적을 오늘의 삶에 비추어 해석하고 인간과 자연의 조화를 꾀하고 있는 것이다. 그의 작품에서 우리는 삶과 역사가 어울러 빚어낸 풍경을 바라보는 미적 즐거움에 젖게 된다.

1. 삶의 '터'에 대한 서사敍事와 미적 관조
: 김억의 목판예술세계

작가 김억(본명 김종억)은 홍익대학교 미술대학 및 동대학원에서 동양화를 전공한 후 30여 년이 넘도록 판화작업에 몰입해 오면서 자신의 고유한 판화 예술세계를 확고하게 구축하고 있다. 그간 21여회의 개인전을 가진 바 있으며, 7회에 걸쳐 미학적·미술사적 의미가 담긴 굵직한 공공미술 프로젝트 및 설치작업에 참여하였다. 작가의 작품 경향과 흐름을 가늠할 수 있는, 주목할 만한 주요 국제전과 기획전을 보면, '프라하 국제판화 트리엔날레'(1998, 올드 시티 홀, 프라하, 체코), '한국 현대판화 스페인 순회전'(1999, 스페인 국립판화미술관, 마드리드), '진경-그 새로운 제안'(2003, 국립현대미술관, 과천), 'KOREAN WOODCUTS-Prints by Contemporary Korean Artists Working in Traditional Methods'(2004, 뉴욕주립대학교·버팔로, Anderson Gallery), 'New wind over the wood plate from the far east'(2005, 한국문화원·뉴욕, 워싱턴 DC), '가고픈 경기 비경전'(2005, 경기도립박물관, 수원·제비울미술관, 과천), '근대에 현대의 시간대기-오래된 밭에 새물을 대다'(2006, 부산시립미술관), '천년의 황금도시 경주'(2006, 경주국립박물관), '오늘로 걸어 나온 겸재전'(2008, 고양문화재단, 아람미술관), '다시 찾은 진경'(2008, 주 유엔 대한민국 대표부 갤러리, 뉴욕), '한·중 판화교류전'(2008, 당고박물관, 천진, 중국) 등 다수에 이른다. 작품성을 높이 인정받아 소장된 곳은 국립현대미술관, 미술은행, 부산시립미술관, 경기도립미술관, 수원시립미술관, 오산시립미술관, 안성시립도서관, 제주현대미술관, 포스코 미술관, 신영증권 등이다. 작품의 예술성 및 미적 가치와 기법에 대한 높은 평가를 인정받아 최근에 광주시립미술관의 초대전(2020.8.27.-10.11)으로 이어진 전시는 꽤 의의있는 일이라 하겠다. 필자는 자가가 펼친 목판예술세계를 삶의 '터'에 대한 서사敍事로 보고, 거기에 담긴 미적 관조의 의미를 읽어보려고 한다. 여기서 우리는 왜 삶의 '터'인가를 묻게 된다. 삶의 '터'는 온갖 생물 및 무생물과 더불어 우리가 함께 살아가는 자연환경이요, 문화 환경이다.[1] 특히 이번 초대전을 계기로 우리 삶의 '터'에 담긴 작가의 고유한 예술세계가 세계적 보편 정서로 나아가 모두가 공감하고 소통할 수 있길 기대한다. 그리하여 '삶의 터'를 매개로 하여 자연과 인간이 맺고 있는 관계에 대한 새로운 차원의 미적 관조와 즐거움을 더해 줄 것으로 필자는 생각하며, 그의 작품세계를 추적해 보기로 한다.

작가 김억은 서울에서부터 수원, 안동, 해남, 제주 그리고 옛 고구려 터인 요동지역에 이르기까지 역사의 숨결이 깃든 곳곳을 누비며, 땅의 형세를 살피고 삶의 자취를 살펴보기 위해 걷고 또 걸음으로써 작업의 실마리를 찾았다. 걷는 일을 통해 가장 보편적인 행위의 사색적이고 창조적이며 예술적인 가능성을 탐색해나간 것으로 보인다. 흔히 순례길이나 둘레길, 올레길이 그러하듯, 자신의 마음을 가장 잘 돌아보는 일은 길 위를 걷는 일일 것이다. 걸으면서 스스로 자신을 성찰해 볼 수 있기 때문이다. 영국의 낭만주의 시인이며 계관시인인 워즈워스William Wordsworth(1770~1850)는 자연의 오묘한 아름다움을 마음의 위안으로 삼고 여행을 통해 많이 걸으며 시를 썼다. 말하자면 '길 위를 걷는 시인'인 셈이다. 최근에 미국의 저술가이자 비평가인 리베카 솔닛Rebecca Solnit(1961~)은 '걷기의 인문학'에 관심을 기울이며, "한 장소를 파악한다는 것은 그 장소에 기억과 연상이라는 보이지 않는 씨

---

1   생태학을 뜻하는 영어의 ecology는 그리스어 oikos(삶의 '터'로서 집, 거처 혹은 가정을 뜻함)에서 유래하며, '삶의 터와 장소에 관한 학문'이다. 삶의 터와 장소에 대한 미적 접근의 해석은 학적 접근과는 다른 차원에서 감동을 준다. 여기에 생태중심적 관점을 내포하고 있다고 하겠다. 박이문,『예술과 생태』, 미다스북스, 2010, 198쪽 참고.

앗을 심는 것이나 마찬가지다. 그 장소로 돌아가면 그 씨앗의 열매가 기다리고 있다. 새로운 장소는 새로운 생각, 새로운 가능성이다. 세상을 두루 살피는 일은 마음을 두루 살피는 가장 좋은 방법이다. 세상을 두루 살피려면 걸어 다녀야 하듯, 마음을 두루 살피려면 걸어 다녀야 한다.”[2]라고 강조한다. 이는 김억의 국토순례 작업의 의의를 한 마디로 잘 함축하고 있는 말이라 하겠다.

작가 김억은 동일한 공간을 걸으며 체험한다 하더라도 지형地形과 지세地勢가 주는 인상은 미묘하게 조금씩 달라질 수 있음을 깨닫는다. 그리고 땅은 시간의 흐름을 따라 쇠퇴하기도 하고, 시대의 형편에 따라 묻히기도 한다는 사실을 발견하며 그때그때 땅의 속살과 민낯을 담아내려고 한다. 그는 앞서 언급한 몇몇 지역을 포함하여 전국 방방곡곡을 다니며 의미 있는 경관을 취하여 모으고 그와 연관된 삶의 자취와 생생한 모습을 관찰한다. 동양화의 전통을 살리는 가운데 지리의 역사적·인문학적 배경에 대해서도 열정적으로 탐구하며 이를 판화작업에 끌어들여 자신의 예술세계를 창조한다. 지리를 담는 판화작업을 위해 작가에게 필요했던 건 성실한 발걸음과 그 발걸음을 헛되이 보내지 않으려는 각고刻苦의 땀과 작가의 예술의지인 것으로 보인다. 작가 김억은 동양화에 대한 깊은 이해, 즉 여러 기법이나 사의寫意의 근본을 토대로, 그리고 1980년대 목판 모임인 '나무'를 통해 판화작업에 본격적으로 정진하게 되었다. 그리하여 그는 우리국토를 발로 내딛으며 마음에 담아온 풍경을 나무판에 촘촘히 깎아 새기며 목판화작업을 하

---

2   Rebecca Solnit, *Wanderlust: A History of Walking*, London: Penguin Books, 2001.
      리베카 솔닛, 『걷기의 인문학-가장 철학적이고 예술적이고 혁명적인 인간의 행위에
      대하여』, 김정아 옮김, 반비, 2017. 32쪽.

게 된다.[3] 그 가운데 2010년 '김억의 국토'(포스코 갤러리), '풍경을 만지다-김억의 재구성된 풍경'(경북 영천의 시안 미술관), 2011년 목판화가의 인문주의 '김억의 국토'(한길아트), 2012년 '김억의 국토-한강'(나무 갤러리), 2015년 풍류남도 아트 프로젝트, '풍류남도 만화방창風流南道 萬畵芳暢'(행촌미술관, 해남), 2016년 풍류남도 아트 프로젝트, '예술이 꽃피는 해안선'(행촌미술관, 해남), 2020년 '김억의 국토서사'(진천군립 생거판화미술관)에서 작가의 독특한 목판화의 예술세계를 형성하기에 이른다. 그의 작업을 보면 칼끝으로 세밀하게 새겨진 산수화에는 작가가 직접 누빈 우리국토의 아름다운 풍광이 오롯이 새겨져 있다. 우리 산천을 직접 돌아다니고 철저히 조사하고 스케치한 뒤에, 섬세하고 날카로운 칼끝으로 나무에 하나하나 새긴 작가의 자취를 엿볼 수 있다.[4] 민중미술을 대표하는 작가 중에 오윤(1946~1986)의 목판화는 의도적으로 칼 맛을 생생하게 느끼도록 선을 질박하고 굵게 표현하기도 하나, 김억의 경우엔 칼끝의 흔적은 사라지고 칼끝이 붓이 되어 운필의 묘에 배어 있다.

김억은 산과 들, 강과 바다 등을 순례하듯 누비며 팔도강산을 목판에 담아내는 '인문주의적 국토순례 목판화가'이다. 김억은 우리 삶의 원형과 사

---

3 대표적으로 2010년 '김억의 국토'(포스코 미술관, 서울), '풍경을 만지다-김억의 재구성된 풍경'(시안미술관, 영천), 2011년 목판화가의 인문주의 '김억의 국토'(한길아트), 2012년 '김억의 국토-한강'(나무 갤러리, 서울), 2015년 풍류남도 아트 프로젝트, '풍류남도 만화방창(風流南道 萬畵芳暢)'(행촌미술관, 해남), 2016년 풍류남도 아트 프로젝트, '예술이 꽃피는 해안선'(행촌미술관, 해남), 2020년 '김억의 국토서사'(진천군립 생거판화미술관, 진천) 등이 있다.

4 이러한 자취의 뿌리를 우리는 기원전 4세기의 〈잔줄무늬 청동거울(다뉴세문경, 多紐細文鏡)〉(국보 제141호, 숭실대기독교박물관 소장)에서 찾아볼 수 있다. 지름 21.2㎝의 청동거울 뒷면에 높이 0.7㎜, 폭 0.22㎜로 1만3천3백 개의 세밀한 직선과 동심원이 그려져 있음을 볼 때, 이를 제작한 장인의 노고에 숙연한 마음이 든다.

상의 고향을 찾는 작업을 하며 국토답사에 관심을 기울인 소설가 박태순 (1942~2019)과의 만남을 인연으로 그와 함께 국토순례를 하며 우리 역사와 그에 얽힌 이야기, 사람들의 삶과 시대의 풍경을 작품에 담게 되었다고 고백한다. 하늘에서 내려다보는 듯한 부감俯瞰 시점과 주요 장소와 위치를 세세히 그린 결과, 때로는 '그림지도'를 연상시키는 독특한 화풍으로 인해 그는 '이 시대의 김정호'라 불리기도 한다. 주지하듯, 1861년에 대동여지도를 제작한 고산자古山子 김정호金正浩(1804~1864)는 조선 후기 대표적 지리학자이며 지도 제작자이다. 김정호는 조선의 지리를 연구하고 지도를 제작하기 위해 직접 조선 팔도 전역을 답사하였다고 알려져 있다. 지도地圖란 지표면의 상태를 일정한 비율로 줄이고, 이를 여러 기호와 표시로 평면에 나타낸 그림이다. 지도地圖로써 우리는 천하의 형세를 살필 수 있다. 여기서 한 걸음 더 나아가 지역의 자연 및 인문 현상을 종합적으로 구명하고 기술한 것이 지지地誌이다. 지도와 지지는 불가분의 관계로 나라를 다스리는 근본 틀로 여겨진다. 이 원형을 김정호에게서 찾아볼 수 있거니와 우리는 김억의 국토순례 작품에서 이러한 지도와 지지의 모습을 함께 살필 수 있다.

부감시법과 연관하여 작가에게 영향을 끼친 안견의 〈몽유도원도〉(1447, 한국의 중요문화재 제1152호, 일본 덴리天理 대학 중앙도서관 소장)는 꿈속에서 복숭아꽃이 활짝 핀 낙원을 거니는 모습을 마치 생시처럼 기억해내어 부감법으로 그린 그림이다. 기암절벽 위에 복사꽃이 만발하고, 띠풀로 엮은 초막과 폭포수 아래 빈 배가 떠있는 꿈속의 낙원인 것이다. 김억은 "작품에 어떤 장소나 풍경을 사실적으로 담아내기보다는 그 장소가 갖는 상징성이나 이야기를 강조해서 담아내고자 한다."고 말한다. 그의 발길이 닿는 곳마다 중요한 의미를 찾아 직접 스케치를 해두고 작업실에서 미적 상상력을 더하여 자신의 예술세계로 종합하여 형성화한다. 그는 몇몇 작품에 채색을 하기도 하지만, 기본적으로 흑백이 주는 단출함과 강렬한 대비에 매료되어 계속해서 흑백 목판을 주로 고집하고 있다. 작품은 멀리서 한 눈에 보는 것보다는 가까이서 여유롭게, 위와 아래로 혹은 왼쪽과 오른쪽으로 느긋하게 훑어보면서 볼 때에 작품의 진면목이 드러난다. 우리는 그의 생생한 경험을 따라 작품을 바라보며 굽이굽이 흘러가는 강물, 산길과 들판, 언덕과 산천을 누비게 된다. 이런 가운데 무엇보다도 작가에게서 한국인의 미의식, 미적 정서와 생활정서 및 자연을 대하는 태도를 엿볼 수 있다. 이 점은 뒤에 더 상론하기로 한다.

안견의 작품에 이어 주목할 점은 김억의 작품에서 겸재 정선(1676~1759)의 진경산수정신에 맥이 닿아 있는 생태목판화의 경지를 느낄 수 있다는 사실이다. 자연과 인간이 더불어 공존하고 상생하는 생태적 관점은 다시점multiview으로 모아져서 전경적 사생全景的 寫生을 이룬다. 〈금강전도〉(1734, 국보 제217호, 삼성미술관 리움 소장)는 겸재 정선이 금강의 겨울 만폭동萬瀑洞을 중심으로 산 내부의 전체 경관을 그린 작품으로 원형 구도의 윗부분에 비로봉毗盧峰이 우뚝 솟아 있다. 실경의 단순한 재현이 아니라 다시점과 부감법을 토대로 경관에서 받은 감흥과 정취를 회화적으로 재구성한 진경산수화라 하겠다. 정선은 스스로 국내 명승지를 찾아다니며 일일이 사생함으로써 비로소 중국화의 영향을 떨쳐내고 우리 산천에 고유하고 적합한 진경산수화의 기원을 세운 선구자이다. 정선의 시도와 맥락을 이어받은 작가 김억은 멀리 있는 것도 바로 앞에서 보는 것처럼 가깝게 그리고자, 서구적인 원근법이 아니라 다시점으로 세상을 바라본다. 김억의 작품에는 투시화법의 소실점vanishing point으로 멀리 사라지는 아득한 길이 아니라, 멀리 떨어져 있어도 그리 멀지 않게 뚜렷이 보이는, 살아 움직이는 생동적인 길이 있다. 저 멀리 들길이나 산길을 거니는 사람들, 들녘에서 일하는 사람들까지 가까이 우리 시야에 들어오고, 그 주변 경관까지 그림 안에 품을 수 있으며 생활의 자태와 어우러진 삶의 숨소리를 들을 수 있다.

궁극적으로 작가의 예술세계에서 느낄 수 있는 미적 정서와 자연을 대하는 태도는 무엇으로부터 연원하는가를 묻지 않을 수 없다. 우리에게 특유한 문화유전자로서 우리는 자연스러움, 역동성, 흥과 신명, 끈기 등을 대표적으로 들 수 있다. 자연에 기대어 더불어 사는 지혜와 정신인 천인합일天人合—의 이념은 자연을 있는 그대로 살리는 문화적 안목에 스며들어 있다. 한국인들의 생태학적 지혜는 우리의 의식주에 깊이 반영된 자연스러움과 곰삭음이다. 곽곽하고 고단한 삶을 비관하기보다는 여유를 갖고 살짝 비틀기도 하고 거리를 두며 풍자하는 지혜가 '삶의 터' 곳곳에 드러나 있다. 산이나 강가, 들판에서 쉽게 구할 수 있는 울퉁불퉁한 자연석의 형태를 가공하지 않고 그대로 주춧돌로 사용하는 경우를 종종 볼 수 있다. 이처럼 목조 기둥의 바닥을 돌의 표면에 맞게 불규칙한 모양으로 다듬어 자연석 위에 올리는 그랭이질은 아주 좋은 예일 것이다. 작품 가운데 〈청송 주왕산〉(1998)은 은행나무 단면을 잘라내 길쭉하고 구불구불한 테두리가 그대로 드러나 운치가 있어 보이고, 오히려 테두리를 다듬어 네모반듯한 것보다 자연스럽게 느껴진다. 의식적인 인위를 자연 속에 녹여내는 무의식적 정향은 사람의 손이 간 듯, 아니 간 듯하다. 예부터 자연을 품은 지혜로운 '삶의 터'를 존중하고, 땅과 삶의 유전자를 담아내며, 무엇이든 자연 속에서, 자연의 방법대로, 자연의 재료로 빚어내고자 한다. 이는 의식 이전에 이미 삶 속에서 미분화된 하나의 상태로 이루어진 것이다. 이런 관점은 전통 풍수에서 더 나아가 도시풍수로도 명맥이 이어지고 있다.

맹자孟子는 "천시불여지리天時不如地利 지리불여인화地利不如人和, 즉 하늘이 주는 때는 지리지인 이로움만 못하고, 지리적인 이로움노 사람의 화합만 못하다"[5]고 말한다. 천시天時란 시일時日의 지간支干이요, 지리地利는 지형의 험험함과 성지城池의 견고함이다. 인화人和는 인심人心의 화和함이다. 사람의 마음은 천지간에 형성되니, 자연과 더불어, 자연 속에서 이루어진다는 말이다. 이는 서양에서도 유사하다. 르네상스의 대표적 화가이며, 특히 목판화, 동판화 영역에서 독창적 재질을 보인 독일의 알브레히트 뒤러Albrecht Dürer(1471~1528)는 "참으로 예술은 자연 안에 감춰져 있기 때문에, 거기로부터 예술을 이끌어낼 수 있는 자만이 예술을 소유한다."[6]고 말한다. 예술의 뿌리가 자연에 있음을 잘 지적한 말이다. 자연이 사람의 성격을 형성시키고 사람을 만든다. 자연과의 진솔한 대면이야말로 예술작업의 근간이요, 출발인 것이다. 김억에게서 '삶의 터'와 더불어 형성된 서사敍事는 그대로 삶의 이야기요, 역사가 된다. "역사란 한 민족에게 공동적으로 부여된 사명 속으로 그 민족을 밀어 넣는 것인 동시에 그 민족이 떠맡아야 할 과제 속으로 그 민족을 몰입하게 하는 것이다."[7] 그 안에서의 생성과 소멸은 자신들이 유래하여 왔던 원래의 곳으로 다시 되돌아가는 것이며, 이것이 자연의 이치요, 순리이다. 우리의 자연은 우리 '삶의 터'이자, 우리가 다시 돌아갈 곳이다. 이러한 일련의 과정이 우리의 생활사요, 삶의 역사이다.

김억의 작품에서 보인 우리의 아름다움은 특히 상상력과 구성력의 풍부함이 그 특색이다. 우리나라 최초의 미학자이자 미술사학자인 고유섭 (1905~1944)이 지적하듯, 그 연원을 보면 '구수한 큰 맛'은 신라미술에서, 그리고 '고수한 작은 맛'은 조선백자의 색택色澤에서 살펴볼 수 있다. '구수한

---

5   『맹자』의 「공손추(公孫丑)」 하편 제1장.
6   마르틴 하이데거, 『숲길』, 신상희 역, 나남, 2020, 90쪽.
7   마르틴 하이데거, 앞의 책, 101쪽.

큰 맛'은 생활태도에서 온 것이며, '고수한 작은 맛'은 자연, 지리 같은 생활환경의 산물이라고 하겠다.[8] 주목할 점은 생활태도와 자연환경을 연관하여 살핀 것이 탁월하다. 그리고 고유섭은 자연에 순응하는 심리를 무관심성에서 찾았다.[9] 이러한 무관심성은 불교적 무심의 태도나 무욕의 경지와도 같다. 한편으로 우리는 김억이 목판화에 기울인 공예적 장인정신을 살펴볼 수 있다. 우리 문화의 창조성을 공예에서도 볼 수 있는 바, 창조란 모방, 응용, 전용, 변용을 통해서 가능하다. 이를 위해 상상력의 풍부함은 창조의 제일 조건이다. 생활태도 및 생활환경과 자연환경이 창조와 변용의 과정을 통해 하나의 경지로 혼합되어 인문적 풍경을 이룬다.

우리의 산하에서 느끼는 아름다움은 안온한 즐거움, 담담한 즐거움, 겸허와 실질, 소박함, 높은 안목과 미덕, 의젓하고 넉넉하며 너그러운 심성, 그리고 그윽하게 빛나며 자연과 이루는 조화의 정신이다.[10] 우리의 아름다움은 담담하며, 욕심이 없다. 솜씨가 꾸밈없이 드러나 있으며, 다채롭지도 않거니와 수다스럽지도 않다. 그저 싱거운 듯 무표정하고 예사로운 매무새가 우리의 마음씨요, 예술의 자태이다. 우리가 기대어 사는 삶의 터전은 "사면의 자연풍광 속에 조화시켜 그대로 편안한, 자연의 한 끝이 집 뜰일 수도 있고 이 집 뜰이 담을 넘고 들을 건너서 사위의 자연 속으로 번져 나간다."[11] 이러한 멋과 맛은 김억의 예술세계에서도 잘 드러나고 있다. 그가 그리고 있는 경관은 어느 곳이든 낯설지 않으며 한없이 낯익고 친근하다.

그의 목판 작업에 변용된 동양화 기법은 다양하다. 이를테면, 동양화에

---

8   고유섭, 『조선미술사 상-총론편』, 우현 고유섭 전집 1, 열화당, 2007, 17-18쪽.

9   고유섭, 앞의 책, 89쪽.

10   최순우, 『무량수전 배흘림기둥에 기대서서』, 학고재, 2017(개정판15쇄), 8쪽.

11   최순우, 앞의 책, 21쪽.

서 바위나 절벽의 쪼갠 듯 험준한 모양을 붓을 삐쳐 그려 표현하는 대부벽
준大斧劈皴이라든가, 마치 삼을 흩어서 늘어놓은 것처럼 부드러운 선들로 돌
과 바위를 표현하는 피마준披麻皴이 그것이다. 추사 김정희 글씨의 태세에
서 보듯, 흐름의 지속이나 강약은 섬세하면서도 역동적이며 입체적인 효과
를 나타낸다.[12] 때로는 붓을 적시는 듯, 때로는 붓에 먹물을 많이 묻히지 아
니한 듯 윤갈潤渴의 적절한 운용은 작가 김억의 독특한 회화적 판화기법에
도 응용되어 변화를 준다. 윤곽선으로 적절하게 형태를 그리거나 맛이 엷
거나 물결이 잔잔하고 물색이 옅은 농담濃淡을 잘 빚어낸 기법이 탁월하다.
그가 펼쳐놓은 전체모습을 보아도 미비하거나 허전한 데가 없고 어느 부분
만 떼어놓고 보아도 나름대로의 완전한 구도를 이루며 완성의 아름다움을
더한다. 필자가 평소에 강조한 바 있듯이, 걸작의 제일 조건을 갖추고 있다.
이는 길게 펼쳐 놓은 〈남도풍색南道風色〉의 세세한 부분이 전체구도와 아주
잘 어울려 일품逸品을 빚어낸 것과도 유사하다. 숙련이 덜 된 기교는 인간과
자연 사이, 또한 신과 인간 사이를 멀어지게 할 수도 있지만 탁월한 기교는
기교를 부리지 않은 듯, 되도록 자연의 모습을 그대로 살린다. 나아가 우리
민족이 지닌 자연스러움의 소박함과 무욕의 예술의지는 우리 예술의 역사
를 꿰뚫는 무한성과 해학으로 이어진다.[13]

무릇 작품에는 작가의 심성이 담겨있기 마련이다. 그리고 그 심성은 삶
의 시공간과 맞닿으며 형성된다. "본다는 것이 시각만의 사건이 아니라 잠
재적으로 다른 감각들도 동원되는 공감각적 현상"[14]이기 때문이다. 우리는

---

12 강우방, 『미의 순례-체험의 미술사』, 예경, 1993, 206쪽.
13 강우방, 앞의 책, 23쪽.
14 김우창, 『사물의 상상력과 미술』, 김우창 전집 9, 민음사, 2016, 251쪽.

지각을 통해 세계와 만난다. 공간은 사물과 사람 사이에 생겨나는 관계의 장소인데, 그것은 개개의 사물과 사물, 사물과 장소의 상호작용에 의해 열리는 조응적인 공간으로서의 '장소'를 지칭한다.[15] 보고, 듣고, 느끼는 모든 일에는 미적 안목이 필요하다. 중국 명나라 때의 문인이며 화가요, 서예가인 동기창董其昌(1555~1636)은 "만권의 책을 읽고 만리를 여행한다면 산수의 정신을 얻을 수 있게 될 것(讀書萬卷, 行萬里路, 皆爲 山水專神)"[16]이라고 말한다. 많은 독서를 통한 미적 사색과 더불어 많은 곳을 '몸소 걷는다'는 체험의 중요성을 강조한 대목이다. 더불어 자연의 본질을 깨닫게 해준다. 물론 깊은 사색과 성찰이 필요하되, "다리품을 팔아 본래의 환경에 가서 직접 봐야 현장감 넘치는 모험도 하고 생생한 주변경관도 오롯이 느낄 수 있다."[17]는 말이다. 게으른 발을 지닌 이는 예리한 눈을 얻을 수도 없거니와, 깊이 감춰진 보물을 찾아낼 수도 없다. 예술에 대한 안목은 곧, 삶의 안목이다. 예술과 삶의 깊은 연관이 드러난다. 안목은 예리한 직감, 끝없는 호기심, 부단한 지적 탐구가 절묘하게 어울린 융합이다. 면면히 이어지며 펼쳐지는 김억의 유장悠長한 작품에서 우리는 예술적 안목, 삶의 안목, 역사적 안목이 한 데 어우러져 있음을 본다.

이 글의 도입부에 언급한, 광주 시립미술관에서의 전시(중진작가 초대전: 한국화가 김천일 · 판화가 김억의 '남도견문록', 2020.08.27.~10.11)는 작가가 그동안 작업해왔던 남도의 풍경들과 삶의 모습이 그 중심이 된다. 그가 발품을 팔아 우리나라의 정원과 원림문화의 원형을 살필 수 있는 소쇄원을 비롯

---

15 김우창, 앞의 책, 295쪽.

16 동기창, 『동기창의 화론』, 변영섭 · 안영길 · 박은화 · 조송식 역, 시공사, 2003, 11쪽.

17 Philippe Costamagna, *Histoires d'oeils*, 필리프 코스타마냐, 『가치를 알아보는 눈, 안목에 대하여』, 김세은 역, 글담출판사, 2017, 42쪽.

한 원림의 장소들과 화순, 강진, 해남, 진도 등 남도의 여러 역사적 장소들을 찾아 작업한 내용들이다. 특히 〈남도 10경〉을 이룬 경관들은 그 중심으로서 〈장성 백암산 백양사〉(2017), 〈담양 면앙정〉(2017), 〈화순 적벽〉(2017), 〈화순 운주사〉(2017), 〈영산강〉(2017), 〈목포 유달산〉(2017), 〈강진 백운동별서〉(2017), 〈해남 달마산 미황사〉(2017), 〈진도 운림산방〉(2017), 〈진도 바닷길〉(2017)이다. 작품들은 단지 경관의 외적 묘사에 그치지 않고 삶의 정서와 역사가 고스란히 배어있어 살아 숨 쉬는 듯하다. 그 가운데 고산 윤선도의 발자취를 따라 생전에 그의 거처였던 해남의 녹우당으로부터 보길도에까지 이어지는 가로 길이 10m에 이르는 대작 〈남도풍색〉은 압권이라 하겠다. 〈남도풍색〉은 열두 장면의 부분들이 모여 하나의 전경으로 구성된 것으로, 서로 다른 듯한 개별 풍광들이 연결되어 화폭의 전면에 거대한 서사로 펼쳐진다. 열두 장면은 월출산 백운동별서, 만덕산 다산초당, 만덕산 백련사, 강진 석문동, 도암마을 소석문, 덕룡산 용혈암, 덕룡산 농산별업, 주작산 사초리 마을, 투구봉과 토도마을, 이진나루 마을, 해남 땅끝 마을, 보길도 부용이다.

〈남도풍색〉이 지닌 의미를 좀 더 살펴보기로 한다. 먼저 '남도'란 단지 전통적인 지리적 공간만을 뜻하는 것이 아니다. 물론 어떤 지역이나 지방의 특유한 자연환경에 따른 풍속의 정취나 특색이 있기 마련이지만 '남도'란 이 모든 것을 넘어 매우 독특한 정서를 함축하고 있다. 그리고 이것은 사회구조나 사용맥락에 따라 다양한 의미변이를 보이기도 한다. 요즈음은 '광주·전남'이라는 제한된 지리적 의미를 지니기도 한다. 우리가 흔히 남도인, 남도 땅, 남도음식, 남도문학, 남도화단이라 칭할 때 각별히 그러하다. 이를테면 전통수묵화와 남종화는 남도인에 특유한 삶의 정서를 배경으로 성장

김억, 〈남도풍색〉, 2016, 60×959㎝, 한지에 목판화

해왔다고 하겠으며,[18] 그 가운데 남도소리[19]는 한恨의 가락이요, 한풀이 가락으로 알려져 있다. 특별히 남도소리는 우리 마음속에 한恨을 쌓아두는 것이 아니라, 한恨으로 굳어진 아픈 매듭을 오히려 소리로 달래고 풀어내는 것이다.[20] 남도의 미학에서 남도란 정서적 감흥을 주는 말로서 깊은 정한(情恨)을 내포한다. 이에 덧붙여 풍색風色은 '산이나 들, 강, 바다 따위의 자연이나 지역의 모습'이다. 좀 더 들여다보면, '풍風'은 풍광이요, 자연경관이다. '색色'은 자연경관의 다양한 변화를 가리키기도 하지만, 자연과 더불어 사는 인간 삶의 모습을 담은 빛깔이다. 따라서 풍색은 산과 들, 계곡, 강이나 바다와 함께 어울려 살아가는 삶의 서사요, 이야기이다. 자연과 얽힌 사람들의 이야기인 것이다.

김억의 작품을 보면 우리 자연만이 지닌 독특한 미의 세계가 잘 드러나 있다. 미술사학자인 최순우(1916~1984)는 한·중·일 세 나라 미술의 차이점을 일찍이 "중국은 거만하고 크고 우람하고 과장하여 권위적이고, 일본은 날씬하고 수다스럽다. 그러나 한국은 순리를 거스르지 않고 익살과 해학이

---

18 강희숙, 「남도(南道)'의 의미변이 및 변화양상 고찰-〈네이버〉, 뉴스 텍스트를 중심으로-」, 『영남학』, 제70호(2019), 299~324쪽.

19 남도소리나 남도민요의 '남도'는 지역적으로 전라도, 충청도 일부, 경상남도의 서남부지방을 가리키나, 흔히 전라도 지방을 일컫는다.

20 이청준, 『잃어버린 시간을 찾아서-언어사회학 서설』, 문학과 지성사, 1983(3쇄) 가운데 「다시 대이나는 말-언어사회학 서설⑤」, 244~282쪽.

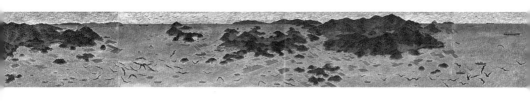

있고 자연스러운 아름다움이 가장 돋보이지 않는가."[21]라고 지적했다. 우리는 이를 어떤 우열의 관점이 아니라 차이와 다름의 관점에서 바라보며 우리 고유의 아름다움을 향유해야 할 것이다. 특히 우리에겐 바라보는 즐거움, 조금 뒤로 물러나 관조하는 아름다움이 각별하다. 단지 보는 것에 머무르지 않고 느끼며 체화體化하는 것이다. 그것은 우리의 성정性情과 생활양식에서 우러난 무리하지 않은 맵시이며, 자연스럽고 소박한 호젓함이고, 그리움이 깃든 아름다움이다.

작가 김억이 목판에 정성스레 새긴 삶의 터는 자연의 일부가 되어 자연의 풍광을 돕는다. 깎고 새기는 수공의 즐거움은 목판의 재질감에서 오는 풍부한 자연성과 만난다. 대상의 세밀한 부분까지 포착해내는 특유의 필치와 선묘에서 조각과 인쇄, 회화 등 다양한 부분을 융합하여 판화의 표현가능성을 더욱 확장하고 있는 것이다. 자연의 변화에 따라 시대의 모습도 달라지는 만큼, 앞으로 사람의 생각과 삶이 다르게 전개될 것이다. 다가올 시대에 달라질 풍경을 바라보는 우리의 눈과 생각에 따라 작가의 작업이 더욱 새롭게 펼쳐질 것으로 기대한다. 다른 한편, 미래는 오는 게 아니라 우리가 만들어 가는 것이라고 한다면, 새로운 시대 상황에 수동적으로 대처하기 보다는 능동적으로 맞이하며 창조하는 작가의 적극적인 예술의지와 표현 또한 기대된다.

---

21   최순우, 『나는 내것이 아름답다-최순우 한국미 사랑』, 학고재, 2016(개정판 1쇄), 12쪽.

김억, 〈청송 주왕산〉, 1998, 61×37㎝, 목판화

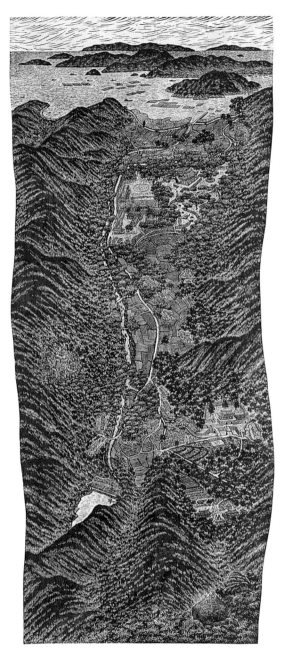

김억, 〈보길도 부용〉, 2016, 136.5×59.6㎝, 한지에 목판 릴리프

김억, 〈월출산 백운동별서〉, 2017, 136.5×57㎝, 한지에 목판 릴리프

김억, 〈진도 바닷길〉, 2017, 61×37cm, 한지에 목판화

2. '시 배달Poetry Delivery'에 담긴 '삶과 역사의 지층'에서 본 이매리의 예술세계

　작가 이매리는 미국(뉴욕), 그리스(크레타 소재 국립현대미술관, 아테네 시립갤러리), 이탈리아(시에나), 중국(충칭, 광저우, 시안, 상하이, 베이징) 및 국내에서 35회에 걸친 개인전, 그리고 500여회의 국내외(프랑스·중국·일본·독일·불가리아) 단체전 및 초대전을 갖는 동안 회화, 입체, 설치, 조각, 미디어아트(LED), 사진 등의 다양한 장르를 활용하여 자신의 독창적인 예술세계를 구축한, 이 시대에 주목할 만한 예술가라 여겨진다. 그의 작품세계를 들여다보면, 우리는 자연과 인간, 개인과 사회가 역사와 삶속에서 서로 어떻게 얽혀 있는가를 알 수 있거니와 특히 예술은 시대를 비추는 거울이요, 삶의 반영임을 더욱 깨닫게 된다. 작가 자신의 구체적인 삶을 통해 체험한 내용은 역사 및 사회와 깊은 연관을 맺고 있으며, 예술은 그 산물이요, 결정이다. 삶의 역사가 오랜 세월 동안 은폐와 망각 속에 남겨져 켜켜이 지층地層으로 쌓여 있을 때 이를 지상으로 건져 올리며 탐색하는 작업이야말로 작가 이매리가 시도한 일차적인 과제라 할 것이다. 이 때 지층이란 서로 다른 삶의 크기와 내용, 색깔, 그리고 나름대로의 특성을 머금고 역사의 흐름과 더불어 덧쌓여 퇴적된 결과물이다. 이러한 맥락에서 '삶과 역사의 지층'이 이매리의 작품 속에서 어떤 의미를 지니고 있으며 지층을 뚫고 나와 지상의 예술작품으로 어떻게 형상화되는지를 자세히 음미해 보고자 한다.

　2020년 5월, 광주 민주화운동 40주년을 맞아 무안군립 오승우미술관에서의 기념 초대전(2020. 3. 26.~6. 30), 그리고 이어서 광주 신세계갤러리의 초대전(2020. 09. 17.~10. 06)인 '이매리-시 배달Poetry Delivery 2020'은 암울한 시대에 강요된 침묵과 왜곡된 망각 속에서 사라진 시간과 공간의 지층을 우리로 하여금 새롭게 인식하게 한다. 고대로부터 예술가는 여러 예술적 상징 매체를 통해 무한자와 유한자, 곧 절대세계와 인간세계를 이어주는 메신저 역할을 해왔다. 작가는 월남사[22]의 절터에 묻힌 지층에서 천 년의 시간을 거슬러 올라가 존재의 근원적인 시공간을 탐구한다. 작가는 월남사지 발굴로 천 년 전의 유물과 마주하면서 고고학적 유물들의 시간을 현재의 층위로 건져내고 지층 아래 갇힌 이야기들과 소통을 시도한다. 보편적 소통과 전달을 위해 세계의 다른 공간을 영상으로 연결하여 하나로 잇고, 흙으로 된 지층, 금분으로 기록한 거대한 경전, 즉 창세기나 금강경을 시각화한다. 기독교의 창세기나 불교의 금강경을 시각화함으로써 작가는 특정 종교를 넘어 우리에게 보편적 정서인 종교성을 표현한 것으로 보인다. 그리고 예술가의 상상력을 통해 인류의 보편적 가치와 이념에 대한 기억을 되살리고자 작가는 2015년부터 지금에 이르기까지 '시 배달작업'을 시도한다. 이러한 시도를 한 이유는 무엇이며, 여기에 담긴 의미는 무엇일까.

이와 연관하여 2015년 베니스 비엔날레 특별전(중국 상하이 히말라야 뮤지엄 파빌리온)의 참가작인 〈시 배달Poetry Delivery〉에서 우리는 왜 시이며, 시의 배달인가를 묻게 된다. 이러한 물음은 현재진행형으로서 지속적으로 이 매리의 작품 속에 살아 숨 쉰다. 이 땅의 모든 지층에는 삶과 역사의 기억이 고스란히 담겨 있다. 그리고 삶과 역사를 공유할 수 있는 압축된 상징물이 곧 '시'이다. 작가는 삶의 문화와 전통이 다른 여러 나라의 사람들로 하여금 그 나라의 언어로 시 낭송을 하게 함으로써 그들 삶의 역사를 고스란히 재

---

22   월남사(月南寺)는 『동국여지승람』에 의하면, 고려시대 진각국사 혜심(慧諶, 1178~1234)이 월출산 남쪽 자락에 창건했다고 전해지는 절로서 임진왜란과 정유재란의 참화에 소실되었다.

현하고 공감하며 소통할 수 있는 계기를 마련하고자 한다. 시에 담긴 내용, 시가 던지는 메시지를 보면 역사적으로 시는 모든 앎의 원천이며 인류의 계몽을 위한 존재로서 모든 학문의 기원임에 부족함이 없음을 알 수 있다. 영국의 낭만주의 시인들에게 창조적 상상력의 원형을 일깨워준 독창적인 이론가인 필립 시드니Philip Sidney(1554~1586)는 자신이 겪고 있는 정체성의 문제를 모색하는 데에 심미적 대안을 제시한 인물이다. 그는 고전시대에 제시된 시의 가치와 이상을 르네상스의 시대이념으로 재해석했다.[23] 필립 시드니는 시에서 전달되는 가르침과 즐거움을 강조하며, "시인은 길을 보여줄 뿐 아니라 아름다운 전망을 그 길속에 부여한다.⋯시인은 매우 매혹적인 음악적 기술을 동반하거나 아니면 그에 대비된 유쾌한 균형 속에 짜인 언어들을 가지고 그대들에게 나타난다."[24]고 말한다. 아마도 이러한 맥락에서 16세기라는 시간 간격을 뛰어넘어 21세기의 작가 이매리의 〈시 배달〉이 던지는 메시지의 진정한 의도와 만나게 된 것이라 생각된다.

필자가 보기엔 〈지층의 시간Time of Earth's Strata 2020〉(2014~2020) 연작에서 작가가 공들여 쓴 글씨의 적절한 구도와 배치만으로도 작품성이 매우 돋보인다. 단색화의 단순성에 시간성과 공간성의 변화를 동시에 부여한 것이다. 작품 속에 보이는 호흡을 짧게 한 '그리고' 또는 호흡을 길게 한 '그·리·고'라는 작가의 강조는 삶의 단절이 아니라 끊임없이 이어지는 시간의 지속이며, 이는 역사적 삶의 지층에 쌓여져 우리에게 삶의 의미와 내용으로 전달된다. 나아가 〈시 배달Poetry Delivery 2020〉(2020)은 인간 삶의 생성과 소멸

---

23 구본철, 「시드니의 『시를 위한 변론』: 플라톤과 아리스토텔레스의 통합적 비전」, 『신영어영문학』, 57집(2014, 2), 신영어영문학회, 23~41쪽.

24 Philip Sidney, *An Apology for Poetry*(1595), 필립 시드니, 『시를 위한 변론』, 전홍실 역, 한신문화사, 1990, 58쪽.

의 흔적에 대한 기록이다. 〈시를 배달하는 자A Deliveryman of Poetry 2020〉에 보인 두개골 혹은 해골은 삶의 흔적이 압축된 모습으로 사유思惟의 정수精 髓임을 알려준다. 해골의 하단에 금분으로 쓰어진, 영국의 화가이며 시인인 윌리엄 블레이크William Blake(1757~1827) 시의 일부인 "And did those feet in ancient time"은 긴 역사 속에 삶의 발자국이 압축된 상징성을 보여준다. 작가 이매리는 "현재라는 시간 안에 발을 담고 있는 모든 인간은 과거로부터 현재를 살고 있으며, 미래에도 존재할 것이다. … 지금 현재 이 자리에 두 발을 딛고 서 있는 우리가 지나온 과거는 우주의 생성시점부터 시작되었을 것이다. 그리고 우리는 먼 미래에도 다른 누군가의 모습으로 다시 태어나지 않을까? 미래에 있게 될 그들에게 나는 과거와 지금의 시詩들을 배달하고자 한다."고 자신의 예술의지를 밝힌다. 고대 그리스를 동경하여 낭만적·종교적인 이상주의를 노래한 프리드리히 횔덜린Friedrich Hölderlin(1770~1843) 은 '궁핍한 시대에 무엇을 위한 시인'인가를 묻는다. 궁핍하고 곤궁한 시대란 어둠과 좌절의 시대이다. 횔덜린은 시인 친구인 빌헬름 하인제Wilhelm Heinse(1746~1803)의 입을 빌어 다음과 같이 말한다. "시인들은 성스러운 밤에 나라에서 나라로 여행하는 주신酒神의 성스러운 사제司祭들과 같다."[25] 고. 시인은 성스러운 사제로서, 궁핍한 시대에 사라져버린 신들의 흔적을 찾아 노래하며 이에 주목한다. 시간의 연속성 위에서 작가 이매리는 과거로부터 현재를 거쳐 미래로 이어지는 시공간의 상황을 전달해줄 매체로서 시를 택한다. 여기서 시는 좁은 의미에서 문학 장르의 하나로서의 '시Poesie' 가 아니라 이 보다는 훨씬 심오한 뜻을 담고 있으니, 즉 존재의 장소를 밝히

25 　마르틴 하이데거, 『숲길』, 신상희 역, 나남, 2020, 367쪽.

고 사물을 사물로서 근거 짓는 것으로서의 '시Dichtung'인 것이다.[26] 시를 읊고 노래한다는 것은 현존한다는 것이며 살아있음이요, 영원한 숨결의 전달이요, 전승이며 새로운 세계를 짓는 것이다.

작가는 2018년 〈광주 비엔날레 파빌리온 프로젝트〉에서 유해 발굴 현장에서 채취한 흙이 담긴 유리 상자를 전시하여 역사의 생생한 현장을 보여준 바 있다. 설치영상에 비친 유리 상자 안에 담겨진, 발굴 터에서의 흙은 지층의 시간이요 삶의 공간을 잘 보여준다. 월남사 터 발굴현장과 오월 유해의 발굴현장은 서로 다른 시공간에서 펼쳐진 것임에도 불구하고 삶과 역사의 정확한 중첩인 것이다. 전 국립광주박물관장인 고고학자 조현종은 이매리의 작품세계에서 '사실과 상징, 절대공간의 지향'을 읽는다.[27] 어떤 의미에서 공간 제로의 지평을 읽는 순간이다. 이는 작가의 깊은 내면을 잘 짚어낸 언급으로 보인다. 전라남도 강진군 성전면 월남리 931번지는 월남사 옛터에 자리한 마을로서 작가 고향의 지번地番이기도 하다. 2011년부터 진행된 월남사 터에 대한 발굴조사로 인해 생활터전을 옮기지 않을 수 없는, 고향을 상실하게 된 작가이지만 발굴현장에서 새로이 발굴된 기와, 와당, 비색청자 등의 흔적을 접하고 단절된 과거와 살아있는 현재 사이에 놓인 시간 간격을 뚫고 대화를 모색한다.[28] 작가는 "내 발밑의 땅은 천 년 전에 이미 존

---

26 마르틴 하이데거, 앞의 책, 369쪽.

27 이와 연관하여 미셸 푸코(Michel Foucault, 1926~1984)가 '지식의 고고학'에서 주장한 내용을 참고하여 검토할만하다. 마치 고고학에서의 유물출토처럼 지적 토대로서 역사 속에 묻혀 있는 언표나 담론, 역사적 아프리오리, 문서 혹은 기록보관소(archiv)를 캐낼 필요가 있음은 작가 이매리의 작업에 유추해볼만하다. Michel Foucault, L'archeologie du savoir, 1969. 미셸 푸코, 『지식의 고고학』, 이정우 역, 민음사, 2000.

28 월남사 절터는 전라남도 기념물 제125호로 지정되었으며, 절터에는 보물 제298호로 지정된 월남사지 삼층석탑(月南寺址 三層石塔)과 보물 제313호로 지정된 월남사지 진각국사비(月南寺址 眞覺國師碑)가 있다.

재했던 삶의 모습과 사람들의 흔적을 기억하고 있었고, 한 겹 한 겹 과거의 흔적을 드러내고 있었다."고 말하며, 발굴현장의 전역에서 행해진 작가의 퍼포먼스와 사진작업은 과거를 현재화하는 숭고한 제례의식으로 펼쳐졌다. 말하자면 의식을 베푸는 과정에 삶과 역사의식이 담겨있는 것이다. 의식儀式, ceremony은 의식意識, consciousness인 것이다. "의식이란 자기 자신에게 도달하기 위하여 반성적으로 자신의 현존을 자각하는 가운데 자기 자신을 파악해나가는 활동"[29]인 것이다.

작가 이매리는 기억의 지층으로 내려가 땅을 파는 발굴의 기록을 작품 속에 상징적으로 담아낸다. 문화평론가 이택광은 이매리의 작품에서 '기억의 제례와 시의 윤리'를 읽어낸다. 고향에 대한 기억의 중심에 놓인 월남사 절터에 앉아 발굴현장을 응시하며 홀로 앉아있는 작가의 실루엣은 작품의 중심된 일부를 이룬다. 나아가 작가의 뒷모습은 기억을 발굴하는 작업자의 뒷모습이며, 이를 바라보며 삶과 역사를 반추하는 우리 자신의 뒷모습이기도 하다. 유물에 대한 기억을 재구성하는 '장소가 지닌 특성site specific'은 우리의 삶이 처한 역사의 현장이다. 마치 시가 세계를 건설하여 정립하듯, 작가는 작품을 통해 세계를 세운다. "세계는 스스로 여는 것으로서 어떠한 폐쇄도 용납하지 않는다. 그러나 대지大地는 감싸주는 것으로서 그때그때 세계를 자기에게 끌어들여 자기 속에 간직해두려는 경향이 있다."[30] 지층의 대지는 세계를 간직하고 포용한다. 시 배달과 전달은 이곳에서 저 곳으로의 장소 이동이며 내용의 구체성은 아울러 보편성을 띠게 된다. 절터에 모여 작업에 임한 여러 나라의 노동자들은 그들의 모국어로 시를 읊어 나름대

---

29 마르틴 하이데거, 앞의 책, 175쪽.
30 마르틴 하이데거, 앞의 책, 58쪽.

로의 고유한 제례의식을 갖춘다. 이는 매우 독특한 작가의 예술적 발상이요, 조형의지로 보인다. 노동은 원래 무엇인가를 만들고 생산하며 제작하는 시작詩作, poiesis을 의미한다. 시를 짓는 일, 곧 시작詩作, Dichtung을 함으로써 예술은 작품 속에 진리를 세운다.[31] 시를 짓는 일은 진리를 정립하는 일이다. 진리란 자유의 생기生起이며, 있어야 할 곳에 반드시 있는, '존재의 이치'인 것이다. 사유는 존재의 수수께끼를 풀기 위해 시詩를 지어야 한다. 그것은 일찍이 사유된 것을, 또한 사유해야 할 것의 가까이에 다가가는 일이기도 하다. 그리하여 우리를 존재의 깊은 내면으로 인도한다.[32] 시는 사유와 존재를 매개하는 역할을 수행한다. 기억의 지층을 파고 내려가는 작업이 노동이요, 시 짓는 일이기 때문이다. 동시에 그것은 과거를 현재에 되살리는 작업이며, 미래의 도래를 알리는 것이다.

작가 이매리의 작품여정에서 땅은 원초적 창조와 생명의 터전이다. 땅을 내딛고 서있는 도구로서의 구두는 작가의 자아를 상징하는 하이힐로서 여성성을 대변한다. 이탈리아의 시에나 아트 인스티튜트Siena Art Institute의 레지던시 프로그램에 참여했던 작가는 '길 위의 기획 혹은 계획'을 꾀한 바 있다. 이른바 '로드 프로젝트road project'의 일환으로 종이로 일련의 흰색 하이힐을 제작하여 시에나 시내 곳곳에 선보였다. 시에나에서의 짧은 일정을 뒤로 하고 한국에 돌아와 작가의 하이힐의 여정은 월남사지, 다산초당, 월봉서원 등 고향 강진의 유서 깊은 곳을 들러서 서울에까지 이어진다. 빨간 하이힐이 작가의 자아정체성을 대변한다면, 흰색 하이힐 집단은 확장된 타자他者이되, 이는 다른 모습의 자아를 표현한 것이라 하겠다. 스테인리스 스

---

31   마르틴 하이데거, 앞의 책, 97쪽.
32   마르틴 하이데거, 앞의 책, 503쪽.

틸, 아크릴판 등 소재를 달리하여 제작한 〈공간-제로〉(2011), 〈Portraits of Shoe-She is not a being, but does exist〉(2011, 광주시립미술관 소장), 〈절대공간〉(2012), 〈On the Road to Wisdom〉(2014)은 땅의 역사를 은유하며 기하학적 공간의 환원주의를 드러낸다. 〈절대적 공간Absolute Space〉(2018) 연작은 블랙으로 여러 번 덧칠하고 콜라주한 캔버스 위에 흑연을 덮고 다시 선으로 혹은 점으로 드로잉한 작품이다.

작가 이매리가 표방한 절대공간은 무사유無思惟의 공간이요, 공空의 공간이다. 무사유는 사유 없음이 아니라 사유가 고도로 집중된 경지이며, 공空은 채워진 비움이다. 막힘이 없으며, 사물과 마음의 모든 이치를 받아들이는 공간이다. 불교적으로 말하면, 아무 모양이나 색이 없는 '무사량無思量, 무위無爲, 무루無漏의 공간'이다. 작가 이매리는 이러한 예술의지를 바탕으로 회화에서 다양한 매체로 옮겨가며, 물감을 칠하고, 뿌리며, 긁고, 모노크롬 추상과 액션페인팅요소를 합해놓은 듯하면서도 명상적인 느낌을 자아낸다. 이러한 느낌의 출발은 여러 해전 작가의 박사학위 논문작업의 결실인 〈Space Zero〉(스테인리스 스틸 위에 에나멜 페인트, 2007), 〈비어 있음〉(2007) 연작으로 소급된다. 이미지가 투사된, 시간화된 공간 속에서 우리는 무사유의 공간을 체험하게 된다.[33] 거듭 말하거니와 무사유는 사유없음이 아니라 관조와 집중의 순간이다. 이매리의 작품세계를 통해 우리는 삶과 역사의 지층에 감춰진 내면을 들여다보며 예술이 다다를 수 있는 미적 경지를 체험하고 공감하게 된다. 이는 과거의 암울한 역사의 지층을 걷어내고 밝은 미래의 향방을 찾기 위한 미적 전망인 것이다.

---

33   김광명, 「비어있음: 공간에 대한 무사유(無思惟)-이매리의 작품세계」, 『인간에 대한 이해, 예술에 대한 이해』, 학연문화사, 2008, 260쪽.

이매리, ⟨Space Zero⟩, 2007, 480×200㎝, 스테인리스 스틸에 에나멜 페인트

이매리, (왼쪽부터)⟨커다란 침묵속으로 0219⟩, ⟨재탄생 012-03⟩,
⟨커다란 침묵속으로 012-20⟩, 2012, 480×360㎝, 캔버스에 오일

발굴현장을 바라보는 작가의 실루엣
이매리, 〈Poetry Delivery 2017〉, 2017, 스틸 컷.

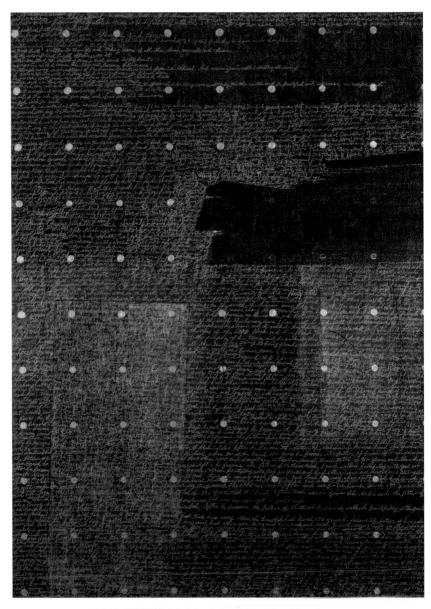

이매리, 〈절대적 공간 02〉, 2018, 72.7×53cm, Mixed media

이매리, 〈지층의 시간 2020〉, 2020, 가변크기, Mixed media

이매리, 〈시를 배달하는자〉, 2020, 70×52cm, 디지털 프린트 위에 금분과 금박

3. 삶과 역사가 빚어낸 풍경 : 우형순의 작품세계

한 작가의 작품은 작가가 처한 지역적 환경과 체험 및 시대상황에서 기본적으로 형성된다고 하겠다. 나아가 여기에 작가의 남다른 미적 감성과 상상력, 그리고 표현역량이 더해져 하나의 완결된 작품으로 결실을 맺게 된다. 최근에 울산지역에 거주하거나 연고를 둔 작가를 대상으로 울산 울주 문화예술회관은 '2019 울주 아트 지역작가 초대전 공모'를 진행한 바 있다. 그 결과 다섯 작가를 선정한 가운데 뽑힌 작가 우형순은 오랫동안 울주군 반구대 암각화의 동물형상을 특유의 미적 감각으로 자신의 "Life and History- 풍경 혹은 시간의 나무"에 담아낸 것으로 평가 받고 있다. 선사시대 유적지의 흔적을 오늘의 삶에 비추어 인간과 자연의 조화를 꾀하고 있는 것이다. 자신의 예술적 삶의 근거를 선사시대의 유적과 연결지어 오늘의 미의식과 미적 감각으로 새로운 관점에서 다시 표현한 것이다.

그간 소재와 표현에 약간의 변주는 있었으나 우형순의 주제는 2008년 이후 거의 한결같이 암각화에 담겨진 시공간적 인류문화의 유산을 현대적으로 재해석하여 예술적 의미를 찾고 있다. 필자는 대상의 대상성, 사물의 사물성을 천착하는 일이야말로 예술의 예술성으로 이어지는 초석이 된다고 생각해왔다. 이런 맥락에서 작가 우형순의 암각화에 대한 꾸준한 모색은 매우 바람직한 예술의지라 여겨진다. 특히 울산 지역은 국보, 보물, 사적, 천연기념물 등이 풍부한 곳이어서 작품의 성격과 방향에 적잖은 영향을 미친 것이 사실이다. 지역성은 지역적 문제나 상황을 기반으로 이루어진 지역적 특수성이며, 시대성은 당대의 삶을 공유하는 보편적 문제가 지배한다. 지역성과 시대성이라는 양자를 작가적 특성, 즉 개성이 관통하여 하나의 작품으로 꿰어낸다. 보편적 문제와 작가의 고유성이 만나 보편적인 고유성 혹은 고유한 보편성peculiar universality이 되며 여기서 우리는 공감과 소통을 널리 나누게 된다.

우형순에 있어 작업 활동은 현실의 삶을 살아가는 숨쉬기와도 같은 일이라 여겨진다. 그의 그림에 등장하는 반구대 암각화의 동물형상은 선사시대의 상징이자, 원초적 자연으로 회귀하고자 하는 우리들의 염원을 아울러 담고 있는 것으로 보인다. 이를테면 원시적 현대성이 묻어난다는 말이다. 원시와 현대라는 아주 이질적인 시간의 결합인 것이다. 작가의 색의 사용을 보면, 예전에 비해 노란색과 붉은색을 많이 사용하여 좀 더 밝고 환해진 느낌을 준다. 작가는 전체적으로 명도와 채도를 높였다고 덧붙인다. 부드러우면서도 거친 듯한 캔버스 표면은 백토와 종이죽을 적절히 혼합하여 그것의 숙성 정도에 따라 색상과 질감이 미묘한 차이를 보여준다. 신문지를 콜라주하기도 하고, 필요한 곳에 약간의 금가루나 진주가루 등의 재료를 입혀 그림의 질감을 독특하게 연출하고 이는 보는 이에게 다양한 즐거움을 더해준다.

작가 우형순은 대상을 고유의 시선으로 바라보며 자연이 걸어오는 말에 귀를 기울인다. 칸딘스키(1866~1944)는 "예술을 창작하는 근본적인 목적은 대상의 외형을 포착하는 것이 아니라 그 형태에 내재된 정신을 시각적으로 옮기는 것"이라고 말한다. 우형순의 내면 정신은 곧 작품의 주제이며 문제의식으로서 작품에 외화外化되어 나타난다. 내면 정신이란 '겉'에 나타난 것을 통해 '안'을 들여다보는 것인데, 그 '안'이란 원시성에 대한 깊은 의식이요, 근원을 찾는 의식이다. 작업하는 일은 자신의 의식의 끈을 붙들고 내면 세계와 끊임없이 접촉하는 일이다. 우형순의 작품을 통해 선사시대라는 과거와 연결된 우리자신을 목도하게 된다. 우형순에게서 작품의 근원은 원시의 형상을 현대의 삶에 담아내어 상상력과 가능성의 폭을 넓히는 일이요,

그리하여 우리의 삶을 풍요롭게 하는 것이다. 원래 예술을 뜻하는 여러 나라 말 가운데 특히 독일어의 '쿤스트Kunst'는 '할 수 있다können'는 가능성에서 유래한다. 그리고 '힘power'은 '할 수 있다'는 뜻을 가진 라틴어 'posse'에서 나왔다. 따라서 힘은 가능성이다. 또한 힘은 일을 완수하는 능력이기도 하다. 따라서 예술이라는 말은 이미 가능성과 힘을 동시에 함의하고 있다. 또한 예술과 힘은 가능성을 공동으로 담지하고 있다는 말이다. 그렇다면 우리에게 어떠한 가능성과 힘이 필요한가. 우리는 가능성의 세계를 그리는 예술을 통해 삶을 확장하려는 에너지를 얻게 된다. 그것은 삶의 에너지로 수렴된다.

우형순이 그리는 수평과 수직구도의 적절한 대비와 조화 속에서 평온함을 느끼고 휴식을 취할 수 있다. 지평선을 가득 채운 누런 들판, 푸른 초원, 석양에 물든 들녘은 대지로부터 하늘을 향해 뻗어 있는 나무와 서로 교차한다. 태고의 시간이 멈춰져 있는 정적靜寂 가운데서도 미묘한 대비를 이루며 역동적인 움직임을 드러내고 있다. 거기서 우리는 긴장의 이완과 여유로움을 느낄 수 있다. 우리는 대지 위에서 현재의 시간을 초월하여 과거의 차원과 접속한다. 시간을 넘어선 영역에서 우리는 세상을 더 예리하게 느끼고, 먼 과거의 세계를 다시 체험하는듯하다. 작가는 살아가는 동안 겪게 되는 삶의 고뇌에서 작품에 몰입함으로써 견뎌내고 살아남는 법을 익힌 것으로 보인다. 우리가 숨 쉬고 있는 대지 위의 대기는 "은근한 기쁨과 감동으로, 영혼과 설레는 기대로, 그리움과 온전한 만족감으로 충만해 있다."[34]

선사시대의 사람들이 일상의 삶과 연관해서 일어난 여러 일들을 바위에 새겨 그린 암각화를 보면, 주로 커다란 바위 등 집단의 성스러운 장소에 모

---

34   로베르트 발저,『세상의 끝』, 임홍배 역, 문학판, 2017, 27쪽.

여서 각종 의례를 행하였음을 알 수 있다. 암각화는 표현 대상의 내부를 모두 쪼아낸 면각面刻이나 윤곽만을 쪼아낸 선각線刻이 혼재한다. 새겨진 물상은 바다동물과 육지동물, 사람, 도구 등이다. 바다동물로는 고래, 물개, 거북 등이고, 육지동물로는 사슴, 호랑이, 멧돼지, 개 등이 많이 보인다. 사람은 얼굴만 그려진 경우와 정면이나 옆면 혹은 배에 탄 모습 등을 볼 수 있다. 도구로는 배, 울타리, 그물, 작살, 노弩와 비슷한 물건을 볼 수 있다. 이러한 모습은 선사시대 사람들의 수렵 활동이 원활하게 이루어지길 바라는 마음을 담아 바위에 새긴 것이다. 동물과 사냥 장면을 생동감 있게 표현하고 사물의 특징을 실감나게 묘사한, 선사시대 사람들의 생활상을 살필 수 있다.

작가는 "현대를 살아가는 우리들도, 반구대 암각화가 그려질 당시[35] 살았던 선사시대 사람들도 방법은 다르지만 삶의 방식 자체는 크게 다르지 않다고 생각한다. 삶의 완전함, 지속성, 안정감은 어느 시대든 추구하는 가치일 것"이라고 말한다. 우형순이 그리는 선사시대 사람들의 삶을 들여다보면 인간의 안녕을 기원하며 공동체의 가치를 추구하고, 삶의 안전을 위한 염원을 엿볼 수 있다. 가장 원초적인 삶의 충동은 곧 예술충동과 하나이다. 우리가 흔히 원시예술이라고 말할 때의 '원시적, 원초적primitive'은 '기본적인, 근본적인fundamental'이라는 뜻에 다름 아니다. 줄여 말하면, '원시'는 '근원'인 것이다. 무엇을 위한 근원인가. 그것은 삶을 위한, 생명유지를 위한 토대인 것이다. 작가를 잘 아는 서양화가 최석운은 우형순의 작품을 가리켜 "나와 동시대인 우리들 이야기를 표현하여 울산지역의 정서와 부합되는 주제구

---

[35] 반구대암각화 제작연대는 대체로 신석기시대에서 청동기시대 초기까지에 걸쳐 있다. 그 중심연대는 지금으로부터 약 7,000년~3,500년 전 신석기시대에 해당한다.

성으로 화면의 짜임새와 회화력이 뛰어나다."고 말한 적이 있으며, 또한 서양화가 임영재는 "우형순의 작품에서 암각화를 모티브로 하는 울산출신 화가들의 소재설정에서 오는 매너리즘을 벗어나 반구대의 재해석이 독창적이고 그것을 표현하는 재료선택이 선사미술의 신화적 분위기를 잘 드러내고 있다."고 말한다. 작가의 작품을 잘 아는 동료화가들로서 비교적 적절하게 핵심을 지적한 언급이라 생각된다.

우형순의 작품에 드러난 단순성, 상징성, 상상력은 세상에 대한 인식의 폭과 연결된다. 작품을 통해 우리 자신을 알게 되고 작품을 둘러 싼 세계를 알게 된다는 말이다. 작품을 통한 자아인식은 곧 세계에 대한 인식이기 때문이다. 인류역사는 지적 탐구의 역사이며 예술을 통한 인식영역의 확장인 것이다. 그리고 "예술작품의 가치는 예술가가 소재를 어떻게 해석하고 그것을 자기 나름의 방식으로 표현하느냐에 달린 것이다."[36] 우리 모두는 시간이 펼쳐진 공간 안에 있다. 작가는 오랜 시간 속에 잊혀진 과거를 일깨워, '여기, 지금'의 우리에게 생생하게 다가오도록 한다. 전개된 들판 위에는 과거에 대한 회상과 현재에 대한 우리의 직관과 열망이 섞여 있다. "예술가의 목표는 아름다운 것을 창조하는 일이며, 무엇이 아름다우냐 하는 것은 별개의 문제"[37] 라고도 한다. 탁월한 작품이란 기존의 무엇에 근거하는 것이 아니라 새롭게 창조된 아름다움의 표현인 것이다.

순수한 자연의 힘이 스며들어 있는 화폭의 구도에서 우리는 자연이 베푸는 평정심과 항상심恒常心을 유지하게 된다. 열정적인 꽃의 화사한 색깔, 빛의 조명과 반사가 한 데 어울려 수평을 가로지르는 푸른 초원, 수직으로 곧

---

36 존 버거, 『다른 방식으로 보기』, 최민 역, 열화당, 2016(7쇄), 252쪽.
37 제임스 조이스, 『젊은 예술가의 초상』, 이상옥 역, 민음사, 2001, 286쪽.

게 뻗은 나무와 널찍한 잎사귀가 교차하여 변화를 준다. 빛에 반응하는 꽃과 나무는 생명이 살아 숨 쉬는 공간이다. 선각線刻된 소나 말의 형상과 지금 이 순간에 살아 움직이며 풀을 뜯는 동물형상이 중첩되어 과거의 현재화가 진행되고 있다. 과거와 현재 사이에 놓인 긴 시간의 틈을 우리의 상상력이 다리가 되어 연결해준다. 이는 과거와 현재의 병행이며 공존이다. 인간은 과거와 현재가 교차하는 시간 안의 존재이며, 동시에 미래를 지향하며 살아가는 존재이다. 과거는 이미 현재와 미래를 잉태하는 '오래된 현재요, 미래'이다. 작가는 현재 우리 삶의 모습을 들여다보며 자연과 더불어 산 선사시대 사람들의 삶을 돌이켜 본다. 삶의 지속이 역사를 이룬다. 수령이 그다지 길지 않은 나무도 있지만 수령이 수천 년이 되는 나무를 보면 시간의 긴 과정을 지켜본 산 증인임에 틀림없다. 작가는 삶이 완전하고 안전하게 지속되기를 원하며, 생명에 대한 소중함과 행복한 일상을 추구하기 위한 삶의 의미를 되새겨 본다. 우리의 삶을 지켜봐 온 대지, 햇살, 나무, 동물의 형상이 우리를 치유와 위안으로 안내한다. 작가의 작업은 삶과의 연관성을 선사시대의 암각화에서 찾아 이를 현대의 삶에 비추어 재해석하고 모색하는 일이다.

예술을 가능하게 하는 미적 충동은 "인류가 존재하게 된 태고부터의 잠재적 작인作因으로서, 당연히 인간정신에서 떼어놓을 수 없는 구성요소들 가운데 하나이다."[38] 작가 우형순의 작업 의도는 역사적 기원을 현재의 맥락에 맞춰 해석하여 의미를 찾는 일이다. 오늘의 시각으로 흔히들 구석기 시대의 수렵꾼들이 원시적 야만인이라고 평가한다. 하지만 그들은 삶에의

---

38   Robert H. Lowie, *Primitive Religion*, New York: Boni and Liveright, 1924. 260쪽. 멜빈 레이더 · 버트럼 제십, 『예술과 인간가지』, 김광명 역, 까치, 2004, 153쪽에서 인용.

충동과 의지가 매우 강했을 뿐 아니라 오히려 여러 측면에서 생각이 깊은 사람들이었으며 독특한 지적 능력을 지녔다고 종족학자들은 밝힌다.[39] 예술의 출발은 감성적 작업이지만, 단지 감성적 접근에 머무르지 않고 선사시대 사람들의 사려 깊은 지적 역량을 오늘의 우리에게 시사하고 있음을 우형순의 작품은 잘 보여주고 있다고 하겠다. 이는 지역성을 넘어선 보편적 공감과 소통의 근거를 마련해주는 계기가 된다.

---

39 멜빈 레이더 · 버트람 제섭, 앞의 책, 151쪽.

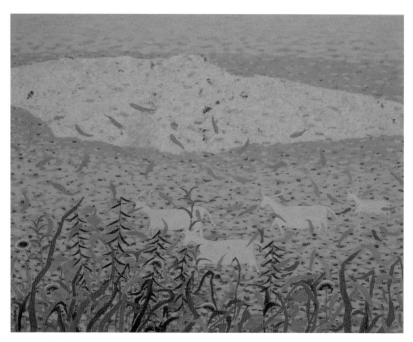

우형순, 〈life and history_위안〉, 2011, 162.0×130.3cm, Mixed media

우형순, 〈life and history_대지의 시간〉, 2015, 116.8×80.3cm, Mixed media

우형순, 〈life and history_삶은 지속된다〉, 2015, 45.5×37.9cm, Mixed media

우형순, 〈life and history_오래된 기쁨〉, 2019, 350.0×91.0cm, Mixed media

우형순, 〈life and history_석양을 넘어〉, 2019, 145.0×91.0cm, Mixed media

우형순, 〈life and history_흐르는 평온〉, 2019, 80.3×116.8cm, Mixed media

글의 출처

글의 출처는 아래에서 밝힌 곳과 같다. 대체로 그 내용을 그대로 따르고 있으나 표현을 달리하여 수정한 부분이나 맥락을 보완한 부분이 있다.

2장 | 작품의 의미와 해석 - 『미술과 비평』, Vol. 66, 2020 ②, 72-85.

3장 | 일상의 삶과 일상미학 - 『미술과 비평』, Vol. 65, 2020 ①, 58-69.

4장 | '단순성'의 미학과 한국인의 미적 정서 - 『미술과 비평』, Vol. 64, 2019, 74-88.

5장 | 예술과 과학의 상호연관성에 대한 성찰 - 『미술과 비평』, Vol. 68, 2020 ④ 74-88.

6장 | 미적 소통을 위한 생각
1. '빛과 그림자'의 대비와 조화를 통한 소통 : 작가 후지시로 세이지藤城清治의 '카게에影絵'(그림자 그림) 예술세계 - 『미술과 비평』, Vol. 65, 2020 ①, 10-15.
2. 생태적 소통으로서의 '회화적 몸' : 이건용의 작품세계 - 『미술과 비평』, Vol. 54, 2017 ①, 22-27.
3. 생성공간의 확장과 반영으로서의 '거울' : 이열의 〈거울형 회화〉 - 『미술과 비평』, Vol. 62, 2019 ②, 26-31.
4. 시공간의 동양적 조형화를 통한 정체성 모색 : 이종목의 작품세계 -

참고문헌

강우방, 『미의 순례-체험의 미술사』, 예경, 1993.

강희숙, 「남도(南道)'의 의미변이 및 변화양상 고찰-〈네이버〉 뉴스 텍스트를 중심으로-」, 『영남학』, 제70호(2019), 299-324쪽.

고유섭, 『韓國美術史及美學論考』, 통문관 1963.

고유섭, 『조선미술사 상-총론편』, 고유섭 전집 제1권, 열화당, 2007.

구본철, 「시드니의 『시를 위한 변론』: 플라톤과 아리스토텔레스의 통합적 비전」, 『신영어영문학』, 57집(2014, 2), 신영어영문학회, 23~41쪽.

국립현대미술관 편저, 『한국현대미술의 시원』, 삶과 꿈, 2000.

기정희, 「고귀한 단순과 고요한 위대」, 『지중해 지역연구』, 제5권 제1호 2003, 43~66쪽.

김광명, 『삶의 해석과 미학』, 문화사랑, 1996.

_____, 『칸트 판단력비판 연구』, 이론과 실천, 1992, 재출간은 철학과 현실, 2006.

_____, 『예술에 대한 사색』, 학연문화사, 2006.

_____, 『인간에 대한 이해, 예술에 대한 이해』, 학연문화사, 2008.

_____, 『칸트 판단력비판 읽기』, 세창미디어, 2012.

_____, 『자연, 삶, 그리고 아름다움』, 북코리아, 2016.

_____, 『칸트의 삶과 그의 미학』, 학연문화사, 2018.

김동성, 「자기성찰을 통한 현실의 재현」, 『미술세계』, 2001년10월호, 통권 203호, 82-85 쪽.

김복영, 「한국의 단색평면회화-70년대 단색평면회화의 기원. 그 일원적 표면양식의 해석」, 『월간미술』, 1996. 3.

김상욱, 『떨림과 울림』, 동아시아, 2018.

김수용, 『아름다움과 인간의 조건-칸트미학에 대한 하나의 해석』, 한국문화사, 2016.

김우창, 『사물의 상상력과 미술』, 김우창 전집 9, 민음사, 2016.

김형국,『장욱진-모더니스트 민화장(民畵匠)』, 열화당, 2004.

덱스, 피에르,『창조자 피카소』, 김남주 역, 한길아트, 2005.

동기창,『동기창의 화론』, 변영섭·안영길·박은화·조송식 역, 시공사, 2003.

레싱, 고트홀트 에프라임,『라오콘-미술과 문학의 경계에 관하여』, 윤도중 역, 나남, 2008.

릴케, 라이너 마리아,『릴케의 로댕』, 안상원 역, 미술문화, 1998.

마르쿠제, 헤르베르트,『일차원적 인간- 선진산업사회의 이데올로기 연구』, 박병진 역, 한마음
　　　사, 2009.

마에다, 존,『단순함의 법칙』, 윤송이 역, 럭스미디어, 2007.

맹자,『맹자』의 「공손추(公孫丑)」하편.

모라나, 시릴·에릭 우댕,『예술철학-플라톤에서 들뢰즈까지』, 한의정 역, 미술문화, 2013.

미르조에프, 니콜라스,『바디스케이프: 미술, 모더니티, 그리고 이상적인 인물상』, 이윤희·이
　　　필 역, 시각과 언어, 1999.

밀러, 아서 I.,『천재성의 비밀-과학과 예술에서의 이미지와 천재성』, 김희봉 역, 사이언스 북
　　　스, 2001.

박연실, 「20세기 서구미술에서 ‘원시성’의 문제」,『미학·예술학 연구』13, 2001,
　　　243-272쪽.

박이문,『예술과 생태』, 미다스북스, 2010.

＿＿＿,『생태학적 세계관과 문명의 미래-과학기술문명에 대한 대안적 통찰』, 미다스북스,
　　　2017.

발저, 로베르트,『세상의 끝』, 임홍배 역, 문학판, 2017.

버거, 존,『다른 방식으로 보기』, 최민 역, 열화당, 2016(7쇄).

베이트슨, 그레고리,『마음의 생태학』, 박대식 역, 책세상, 2006.

보드리야르, 장,『시뮬라시옹 : 포스트모던 사회문화론』, 하태환 역, 민음사, 1992.

손택, 수전,『해석에 반대한다』, 이민아 역, 도서출판 이후, 2003.

슈미트, 빌헬름, 『철학은 어떻게 삶이 되는가-아름다운 삶을 위한 철학기술』, 책세상, 장영태 역, 2017.

슈스터만, 리처드, 『프라그마티즘 미학-살아있는 아름다움, 다시 생각해보는 예술』, 김광명·김진엽 역, 북코리아, 2009.

_____, 『몸의 미학』, 이혜진 역, 북코리아, 2013(재판 1쇄).

심슨, 재커리, 『예술로서의 삶-니체에서 푸코까지』, 김동규·윤동민 역, 갈무리, 2016.

아른하임, 루돌프, 『예술심리학』, 김재은 역, 이화여자대학교 출판부, 1989.

_____, 루돌프, 『시각적 사고』, 김정오 역, 이화여자대학교 출판부, 2004.

안휘준·이광표, 『한국미술의 美』, 효형출판, 2008.

에카르트, 안드레, *Geschichte der koreanischen Kunst*, 『조선미술사』, 권영필 역, 열화당, 2003.

오비디우스, 『변신*Metamorphoses*』, 이종인 역, 열린책들, 2018.

오주석, 『한국의 美』, 솔, 2003(1쇄)/ 2016(51쇄).

오춘란, 「명품의 조형성 연구」, 『철학논총』, 새한철학회, 17/18집, 1999, 6, 1-23쪽.

이경성, 「한도룡의 작품세계」, 『월간디자인』, 1978, 9월호.

이승훈, 「현전과 부재 그리고 하이브리디제이션」, 『문예바다』, 2016, 여름호, 300-315쪽.

이어령·정형모, 『지(知)의 최전선』, arte, 2016.

이주영, 『한국 근현대미술의 미의식에 대하여』, 미술문화, 2020.

이주형, 『간다라 미술』, 사계절, 2015(2판).

이청준, 『잃어버린 시간을 찾아서-언어사회학 서설』, 문학과 지성사, 1983(3쇄).

정관모, 『기념비적인 윤목』, 대원출판사, 1980.

_____, 『정주목의 모뉴멘탈리티』, 미진사, 1988.

_____, 『표상의식의 현현』, 미술문화, 1994.

조요한, 『한국미의 조명』, 열화당, 1999.

최순우, 『무량수전 배흘림기둥에 기대서서』, 학고재, 2002, 2017(개정판15쇄).

최순우, 『나는 내 것이 아름답다-최순우의 한국미사랑』, 학고재, 2016(개정판 1쇄)

최준식, 『한국미, 그 자유분방함의 미학』, 효형출판, 2005.

칸딘스키, 바실리, 『예술에서의 정신적인 것에 대하여』, 권영필 역, 열화당, 2018

_____, 『점·선·면-회화적인 요소의 분석을 위하여』(원전: *Punkt und Linie zu
Fläche. Beitrag zur Analyse der malerischen Elemente.* München: Albert Langen,
1926), 차봉희 역, 열화당, 2000.

커니, R., 『현대유럽철학의 흐름』, 임헌규 역, 한울, 1992.

켐프, 마틴, *Seen / Unseen: Art, Science & Intuition from Leonardo to the Hubble Telescope,* 『보
는 것과 보이지 않는 것』, 오숙은 역, 을유문화사, 2010.

코니코바, 마리아, 『생각의 재구성』, 박인균 역, 청림출판, 2013.

콩파뇽, 앙투안, 『모더니티의 다섯 개 역설』, 이재룡 역, 현대문학, 2008.

테일러, 폴 W., 『자연에 대한존중-생명중심주의 환경윤리론』, 김영 역, 리수, 2020.

퍼거슨, 유진 S., 『인간을 생각하는 엔지니어링』, 박광덕 역, 한울, 1998.

하이데거, 마르틴, 『숲길』, 신상희 역, 나남, 2020.

홍성욱, 「이성과 상상력」, 과학기술과 예술, 과학-문화예술 소통워크숍, 2014. 5. 15.

Adamson, Glenn, *The Invention of Craft,* 글렌 아담슨, 『공예의 발명』, 김정아 외 역, 미진사,
2017.

Adorno, T. W., *Aesthetic Theory,* London: Rouledge & Kegan Paul, 1984.

_____, *Negative Dialektik,* Frankfurt a. M. : Suhrkamp, 1966, 『부정의 변증법』, 홍승용
역, 한길사, 1999.

Arendt, Hannah, *The Life of the Mind,* New York: A Harvest Book, 1978.

_____, *Lectures on Kant's Political Philosophy,* ed. and with an Interpretive Essay by
Ronald Beiner, The University of Chicago Press, 1982.

Aristotle, *Poetics*, trans. S. H. Butcher, London: Macmillan & Company, 1911.

Beck, Ulrich, *Risikogesellshaft. Auf dem Weg in eine andere Moderene*, Frankfurt a.M.: Suhrkamp,1986.

Berger, John, *Ways of Seeing*, 1972. 『다른 방식으로 보기』, 최민 역, 열화당, 2016(17쇄).

Berzbach, Frank, *Die Kunst, ein kreatives Leben zu führen-Anregung zu Achtsamkeit*, 『무엇이 삶을 예술로 만드는가-일상을 창조적 순간들로 경험하는 기술』, 정지인 역, 불광출판사, 2016.

Bloom, Allan, *The Closing of the American Mind*, New York: Simon and Shuster, 1987.

Carroll, Noël, *On Criticism*, Taylor & francis(2009), 『비평철학』, 이해완 역, 북코리아, 2015.

Chytry, J., *The Aesthetic State: A Quest in Modern German Thought*, California: Univ. of California Press, 1989.

Coreth, E., *Hermeneutik*, 『해석학』, 신귀현 역, 종로서적, 1986.

Costamagna, Philippe, *Histoires d'oeils*, 필리프 코스타마냐, 『가치를 알아보는 눈, 안목에 대하여』, 김세은 역, 글담출판사, 2017.

Day-Lewis, Cecil, *Way to Knowledge*, Cambridge at the University Press, 1957.

Dewey, John, *Art as Experience*, New York: G. P. Putnam's Sons, 1934.

Diemer, A., *Elementarkurs Philosophie Hermeneutik*, Düsseldorf/Wien: Econ, 1976. 알빈 디머, 『철학적 해석학』, 백승균 역, 경문사, 1985.

Dobe, Jennifer Kirchmeyer, "Kant's Common Sense and the Strategy for a Deduction", *The Journal of Aesthetics and Art Criticism*, 68:1 Winter 2010, 47-60.

Dowling, Christopher, "The Aesthetics of Daily Life", *British Journal of Aesthetics*, Vol.50, No.3 2010. 225-242.

Diemer, A., *Elementarkurs Philosophie Hermeneutik*, 『철학적 해석학』, 백승균 역, 경문사, 1985.

Eco, Umberto, *Storia Della Bellezza*, 2004.

Eisler, Rudolf, *Kant Lexikon*, Hildesheim · Zürich · New York: Georg Olms Verlag, 1984.

Ellul, Jacques, *The Technological Society*, New York: Alfred A. Knopf, inc., 1964.

Erdmann, Benno (Hrsg.), *Reflexionen Kants zur Kritischen Philosophie*, Leipzig: Fues's Verlag, 1882.

Ferry, Luc, *Homo Aestheticus*, Grasset & Fasquelle, 1990. 뤽 페리, 『미학적 인간』, 방미경 역, 고려원, 1994.

Foucault, Michel, *L'archeologie du savoir*, 1969. 미셸 푸코, 『지식의 고고학』, 이정우 역, 민음사, 2000.

Fry, Roger, *Vision and Design*, New York: Brentano's, 1924.

Gadamer, H.-G., *Wahrheit und Methode*, Tübingen: J.C.B.Mohr, 1975.

Goethe, J. W. v., *Maximen und Reflexionen*, 1809. 괴테, 『잠언과 성찰』, 장영태 역, 유로서적, 2014.

Goodman, Nelson, *Languages of Art: An Approach to a Theory of Symbols*, Indianapolis and New York: Bobbs-Merrill Company, 1968.

Goodrich, Lloyd, "Thomas Eakins Today", *Magazine of Art*, 37(1944년 5월).

Gracyk, Theodore, *The Philosophy of Art. An Introduction*, Cambridge, UK: Polity Press, 2012.

Groos, Karl, *The Play of Animals*, New York: Appleton-Century, 1898 및 *The Play of Man*, New York: Appleton-Century, 1901.

Gutting, Gary, *What Philosophy Can Do*, New York/London: W.W.Norton & Company, 2015.

Guyer, Paul, *Kant and the Claims of Taste*, Harvard University Press, 1979.

Heidegger, M., *Sein und Zeit*, Thübingen: Max Niemeyer, 15Aufl. 1987.

Henckmann, Wolfahrt, "Gefühl", Artikel, *Handbuch philosophischer Grundbegriff*, Hg. v. H.

Krings, München : Kösel 1973.

Hesse, Hermann, *Das Glasperlenspielen*, 헤세, 『유리알 유희』, 이영임 역, 민음사, 2011.

Hesse, Mary, "Simplicity", in: Paul Edwards(ed.), *The Encyclopedia of Philosophy*, Vol. Seven, New York: The MaCmillan Company & The Free Press, 1978, pp. 445-448.

Huxley, Julian, "Ritual in Human Societies", ed. Donald R. Cutler, *The Religious Situation*, Boston: Beacon Press, 1968.

Irvin, Sherri, "The Pervasiveness of the Aesthetic in Ordinary Experience", *British Journal of Aesthetics*, Vol. 48, No. 1. 2008. 29-44.

Joyce, James, *A Portrait of a Artist as a Youngman*, 1916. 『젊은 예술가의 초상』, 이상옥 역, 민음사, 2001.

James, William, *Pragmatism and Other Essays*, New York: Simon and Shuster, 1963.

José Ortega y Gasset, *The Dehumanization of Art*. 『예술의 비인간화』, 박상규 역, 미진사, 1988.

Kahneman, Daniel, *Thinking, Fast and Slow*, Farrar, Straus and Giroux, 2011. 대니얼 카너먼, 『생각에 관한 생각』, 이진원 역, 김영사, 2012.

Kant, I., *Prolegomena*, Akademie Ausgabe, IV, De Gruyter, 1968.

_____, *Kritik der Urteilskraft*, Hamburg Felix Meiner, 1974.

_____, *Anthropologie in pragmatischer Hinsicht*, herausgegeben von Reinhard Brandt, Hamburg: Felix Meiner, PhB 490, 2000.

Kieran, Matthew, *Revealing Art: Why Art Matters*. 『예술과 그 가치』, 이해완 역, 북코리아, 2011.

Kim, Kwang Myung, "The Aesthetic Turn in Everyday Life in Korea", *Open Journal of Philosophy*, 2013, Vo. 3, No. 2, pp. 359-365.

_____, "Problems and Prospects of Geoaesthetics", *Open Journal of Philosophy*,

Vol. 5 No. 1, 2015, pp. 1-14.

Konnikova, Maria, *Mastermind: How to Think Like Sherlock Holmes*, Viking Press(2013).

Landgrebe, Ludwig, "Prinzip der Lehre vom Empfinden", *Zeitschrift für Philosophische Forschung*, 8/1984.

Langer, Susanne, *Mind: An Essay on Human Feeling*, 3 vols., Baltimore: The Johns Hopkins Press, 1967, 1972, 1982.

Law-Whyte, Lancelot (ed.), *Aspects of Form: A Symposium on Form in Nature and Art*, Bloomington: Indiana University Press, 1966.

Leddy, Thomas, *The Extraordinary in the Ordinary: The Aesthetics of Everyday Life*, Broadview Press, 2012.

Lefebvre, Henri / Christine Levich, "The Everyday and Everydayness", *Yale French Studies*, No. 73, 1987, pp. 7-11.

Leys, Ruth, Trauma: A Genealogy, Chicago: University of Chicago Press, 2000.

Lovejoy, Arthur O., *The Great Chain of Being: A Study of the History of an Idea*, Cambridge Mass.: Harvard University Press, 1936. 아서 O. 러브조이, 『존재의 대연쇄』, 차하순 역, 탐구당, 1984.

Lowie, Robert H., *Primitive Religion*, New York: Boni and Liveright, 1924.

McCormick, Peter J., *Modernity: Aesthetics and the Bounds of Art*, Cornell Univ. Press, 1990.

Mondrian, Piet, *Natural Reality and Abstract Reality*, trans. Martin James(New York: George Braziller, 1955(1919).

Mono, Jacques, *Le hasard et la nécessité*, 1970. 자크 모노, 『우연과 필연』, 조현수 역, 궁리, 2010.

Moore, Henry, "On Sculpture and Primitive Art", ed. Herbert Read, *Unit One*, London: Cassell and Company, 1934.

Munro, Thomas, *Evolution in the Arts and Other Theories of Cultural History*, Cleveland: The Cleveland Museum of Art, 1963.

Nietzsche, F., *Jenseits von Gut und Böse*, Werke Musarion Bd. 15, München 1925.

Nisbett, Richard E., *The Geography of Thought: How Asians and Westerners Think Differently…and Why*, 2004. 리처드 니스벳, 『생각의 지도- 동양과 서양, 세상을 바라보는 서로 다른 시선』, 최인철 역, 김영사, 2004.

Ogburn, William Fielding, *Social Change*, New York: The Viking Press, Inc., 1937.

Palmer, Richard E., *Hermeneutics*, Northwestern Univ. Press, 1969.

Papanek, Victor, *Design for the Real World: Human Ecology and Social Change*, New York, Pantheon Books, 1971.

_____, *Design for Human Scale*, New York, Van Nostrand Reinhold, 1983.

_____, *The Green Imperative: Natural Design for the Real World*, New York, Thames and Hudson, 1995.

Peat, F. David, *From Certainty to Uncertainty-The Story of Science and Ideas in the Twentieth Century*, Washington, D.C.: Joseph Henry Press, 2002.

Pepper, Stephen C., *Concept and Quality*, La Salle, Ill.,: Open Court Publishing Company, 1967.

Price, Lucien, *Dialogues of Alfred North Whitehead*, Boston: Little, Brown and Company, 1954.

Prigogine Ilya · Isabel Stangers, *Order Out of Chaos*, 1984. 일리야 프리고진 · 이사벨 스텐저스, 『혼돈으로부터의 질서-인간과 자연의 새로운 대화』, 신국조 역, 자유아카데미, 2013(1판 2쇄).

Rader, Melvin/Bertram Jessup, *Art and Human Values*, New Jersey: Prentice-Hall, Inc., 1976.

멜빈 레이더/버트럼 제섭, 『예술과 인간가치』, 김광명 역, 이론과 실천, 1987(초판 1 쇄), 까치, 2001(2판 1쇄), 2004(2판 2쇄).

Read, Herbert, *Education through Art*, New York: Pantheon Books, Inc., 1943.

Rees, Martin, *On the Future: Prospects for Humanity*, Princeton University Press, 2018. 마틴 리스, 『온 더 퓨처-기후변화, 생명공학, 인공지능, 우주연구는 인류미래를 어떻게 바꾸는가』, 이한음 역, 길벗, 2019.

Robertson, Jean/Craig McDaniel, *Themes of Contemporary Art: Visual Art after 1980*, Oxford Univerisity Press, 2010. 진 로버트슨/크레이그 맥다니엘, 『테마 현대 미술노트』, 문혜진 역, 두성북스, 2013.

Ross, Stephen D., *Literature and Philosophy; an Analysis of the Philosophical Novel*, New York: Appleton-Century-Crofts, 1969.

Root-Bernstein, Robert/Michele M. Root-Bernstein, *Sparks of Genius : The Thirteen Thinking Tools of the World's Most Creative People*, 2001. 로버트 루트-번스타인/미셸 루트-번스타인, 『생각의 탄생-다빈치에서 파인먼까지 창조성을 빛낸 사람들의 13가지 생각도구』, 박종성 역, 에코의 서재, 2007.

Rorty, Richard, *Contingency, Irony, and Solidarity*, Cambridge: Cambridge University Press, 1989.

Rosenkranz, Karl, *Ästhetik das Häßlichen*, 1853. 칼 로젠크란츠, 『추의 미학』, 조경식 역, 나남출판, 2008.

Rothenberg, David, *Survival of the Beautiful*, 2011, 데이비드 로텐버그, 『자연의 예술가들』, 정해원·이혜원 역, 궁리, 2015.

Schulz, Walter, "Anmerkungen zur Hermeneutik Gadamers", in: *Hermeneutik und Dialektik*, R. Bubner·K.Cramer·R. Wiehl (hrsg), Thübingen: J. C. B. Mohr, 1970.

Saito, Yuriko, *Everyday Aesthetics*, Oxford University Press, 2007.

Saito, Yuriko, *Aesthetics of the Familiar: Everyday Life and World-Making*, Oxford University Press, 2017.

Schöpf, Alfred, "Erfahrung", Artikel. *Handbuch philosophischer Grundbegriffe*, Bd. 2, München : Kösel 1973.

Scruton, Roger, "In Search of the Aesthetic", *British Journal of Aesthetics*, Vol. 47, No 3, 2007, 232-250.

Sedlmayr, Hans, *Kunst und Wahrheit*, Hamburg: Rowohlt, 1958.

Sidney, Philip, *An Apology for Poetry*, 1595. 필립 시드니, 『시를 위한 변론』, 전홍실 역, 한신문화사, 1990,

Solnit, Rebecca, *Wanderlust: A History of Walking*, London: Penguin Books, 2001. 리베카 솔닛, 『걷기의 인문학-가장 철학적이고 예술적이고 혁명적인 인간의 행위에 대하여』, 김정아 옮김, 반비, 2017.

Stent, Gunther S., "Prematurity and Uniqueness in Scientific Discovery", *Scientifc American*, 227(1972년 12월).

Stewart, Ian, *In Pursuit of the Unknown-17 Equations That Changed the World*, New York: Basic Books, 2012.

Stolnitz, Jerome, *Aesthetics and Philosophy of Art Criticism*. 『미학과 미술비평』, 오병남 역, 이론과 실천, 1991.

Thomson, Arthur, *Introduction to Science*, New York: Henry Holt and Company, 1912.

Thomson, W., *On Growth and Form*, J. T. Bonner ed. Cambridge: Cambridge University Press, 1961 reprinted 1992.

Wagner, David, *Leben*, 다비트 바그너, 『삶』, 박규호 역, 민음사, 2015.

Walsh, Dorothy, *Literature and Knowledge*, Middletown, Conn. : Wesleyan University Press, 1969.

Wanninger, Thomas, "Bildung und Gemeinsinn- Ein Beitrag zur Pädagogik der Urtreilskraft aus der Philosophie des sensus communis," Diss. Universität Bayreuth, 1998.

Weitz, Morris, "The Role of Theory in Aesthetics," *Journal of Aesthetics and Art Criticism* 16/1955.

Wingert, Paul S., *Primitive Art: Its Traditions and Styles*, Cleveland and New York: Meridian Books, 1969(Second Printing).

Zammito, John H., *The Genesis of Kant's Critique of Judgment*, The University of Chicago Press, 1992.

Zimmermann, R., *Geschichte der Ästhetik als Philosophische Wissenschaft*, Braumüller, 1858.

Zink, Sidney, "Poetic Truth", *The Philosophical Review*, 54, 1945.

찾아보기

ㅈ

ㅊ

ㅋ